冒険小説論

北上次郎

スティーヴンスン『宝島』から始まり『水滸伝』を経由して滝沢馬琴『南総里見八犬伝』、そして戦後——英雄なき時代の先に繚乱する冒険小説のオデッセイアへ。洋の東西さえ越えて、著者は膨大な小説と文献を文字通り縦横無尽に渉猟する。ただ一心に、面白い小説を追い求めて。百年の文学史のなかで切り開かれた豊饒なる小説世界、その山嶺を闊達な筆致で踏破する一大評論。大衆文学研究に里程標を刻み、第四十七回日本推理作家協会賞を受賞した名著。この一冊をして、文学史に「冒険小説」は永遠に刻まれる。

冒険小説論

近代ヒーロー像一〇〇年の変遷

北上次郎

創元推理文庫

ESSAYS ON ADVENTURE FICTION:
100 YEARS OF EVOLVING HERO IMAGES

by

Jiro Kitagami

1993

目次

I

謙二に——

冒険小説論

近代ヒーロー像一〇〇年の変遷

I

近代ヒーローの誕生

1

冒険小説はイギリスが本場である、とよく言われる。だがアメリカに、フェニモア・クーパー、マーク・トウェイン、フランスにもアレクサンドル・デュマ、ジュール・ヴェルヌ、という冒険譚を書いた作家たちがいる。イギリス作家だけが冒険物語を書いていたわけではない。なぜ、イギリスなのか。

書物をひもとくと、どうやら、歴史、地理的な外因と、気質的な内因が絡み合っているようだ。まず、海に囲まれた島国であり、中世末期までは辺境国だったイギリスも、十六世紀以降ドレークやクックなどの船乗りたちによる海の戦闘と、地理的空白地への探検がひんぱんに行なわれたこと。それは海賊的な強奪の歴史ではあるけれど、強大なカトリック帝国スペインからイギリスを守る行為であったことも否定できない。そういう海の冒険者が、ドレークのみならず、イギリスにはたくさんいた。いわば、海外への冒険探検の歴史を色濃く持つことがひとつ。同じ島国である日本に冒険物語が育たなかったのは、そうした歴史の違いに因るようだ。

では、気質的な内因とは何か。英国人ピーター・ミルワードは『イギリス人と日本人』（講談社）の中で次のように書いている。

「大英帝国の拡大を可能にしたものには、冒険探検好きという性格もあって、これはイギリス人の心に深くしみこんでいる。さらにそれと結びつくのが海洋好き航海好きで、これは島国の国民としてあたりまえのことだろう」（別宮貞徳訳）

日本人の気質を一言で言いあらわすのが困難であるように、イギリス人の気質を簡潔に表現するのもまたむずかしい。J・B・プリーストリー『英国人気質』、W・J・リーダー『英国生活物語』、黒岩徹『豊かなイギリス人』、高橋哲雄『二つの大聖堂のある町』など、手もとにある本を開くと、さまざまな英国人の貌があらわれる。当然ながら、けっして均一ではない。

そういう中で田中西二郎が書いている「〝不愉快〟の文学」という文章は大変興味深い。イギリス人は〝愉しからざること〟を内に耐える国民であり、ジェントルマンシップもそこに根ざしているというのである。耐えるからこそ〝愉しからざること〟は精神の内部で化膿し、腐爛する。その社会的なあらわれが犯罪であり、スキャンダルであり、自殺であり、そこに人間のまぬがれえぬ〝愉しからざる〟もろもろの深淵がある。それをのぞきこむことは怖ろしいが、同時にそれは内心の膿を切開する快感でもあり、「心理学上でいうカタルシスの作用がここに起り、一般に〝愉しからざることを愉しむ〟嗜好という逆説的な現象として、何故に特にイギリス人が探偵小説、怪奇譚、悪黨譚、冒険譚、スリラー、スパイ物語等を愛好し、またイギリスの作家がこれらの文学の名手であるかの謎が解ける」（河出書房「世界文学全集〔第二期〕10」解説）というのだ。

そういうイギリスの冒険譚の歴史は、中世騎士物語まで遡（さかのぼ）ることが出来るが、ここでは十九世紀末から始めてみたい。イギリス冒険小説の祖とされるデフォー『ロビンソン漂流記』（一七一九年）まで省略してしまうのは、通俗小説におけるヒーロー像の変遷を追ってみたいと思っているからだ。

『ロビンソン漂流記』がすぐれたサバイバル小説であることを否定はしない。だが冒険譚としては寓意が強すぎるのではないか、と最近思い始めている。たしかに近代冒険小説の原型であるかもしれないが、ヒーロー小説として読んだ場合、力点がズレていることは否めない。冒険より、教訓のほうに。

イギリス十九世紀末を最初にとりあげるのは、「一八八〇年頃になると、もっと幅が広いが、教養の少ない新しい大衆層が、別の読み物を求め始めていた。このためにジャーナリズムと大衆的出版物が急速に増えはじめた」（アンドレ・J・ブールド『英国史』高山一彦（たかやまかずひこ）・別枝達夫（べつしたつお）訳、白水社）時期だからである。新しい大衆層とは、産業革命を背景に擡頭してきた中産階級である。情報とセンセーショナルなもの、そして魅力ある異国情緒をそのような「工場や事務所や帳場に釘付けにされた人々」が求め始めた時期だったのだ。

ノーマン&ジーン・マッケンジー『時の旅人』によると、「十九世紀のその二十年ほどの間に、あたらしい読書階級がつくられ、彼らの要求にこたえるため雨後の筍（たけのこ）のようにつぎつぎに刊行されるようになった」（村松仙太郎訳、早川書房）新聞は、一九〇一年のロンドンで朝刊十九紙、夕刊十紙、週刊誌・月刊誌は数百種に及んだという。ライダー・ハガード、コナン・ドイル、アンソニー・ホープ、G・K・チェスタトンなどの作家は、そのような背景のもとに生れてきた。

それは、ポール・ツヴァイクが『冒険の文学』で書いているように、「文盲率の低下によって次第に多くの人たちが潜在読者となるにつれ、この新しい読者層の想像力に小説よりも現実主義的に訴える力をもつ文学の必要が生じた」（中村保男訳、文化放送）のかもしれないし、「通俗読者の想像力が求めていたものは、ゴシック的な恐怖であり、異国情緒たっぷりの闘争か戦闘の話であり、犯罪と暗黒社会の物語」であり、結局は「逃避文学」であったのかもしれないが、まさにそのような小説の中にこそ、ヒーローはどういう貌を見せていたのか、まず最初に確認しておきたいと思うのである。

この時代のトップバッターは、ロバート・ルイス・スティーヴンソンだろう。『宝島』（一八八三年）は、第十六章から第十八章にかけて視点を変えている瑕はあるものの、百年前に書かれた作品とは思えないほど躍動感に満ちた冒険小説である。特筆すべきは、片脚の海賊ジョン・シルバーの造型が際立っていることだ。この悪党は饒舌であり、狡猾であり、快活である。さらに残忍であり、悪がしこい男であるが、少年ジムですら「それでも、彼をとり巻いている暗澹とした危険や、彼を待っている恥さらしの絞首台のことを考えると、彼が悪人ではあっても、わたしの胸は彼のために痛むのだった」（佐々木直次郎・稲沢秀夫訳）と思ってしまうほど憎めない男なのだ。

海と船、島と宝、そして海賊という道具立て。さらには少年ジム・ホーキンズの冒険が色彩感豊かに描かれていることも見逃がせないが、ヒーローの仇役がこのように描写されていることに、まず留意したい。『宝島』の小説としての成功は、このジョン・シルバーのキャラクター造型にあるが、ヒーローの側から見れば、この時代のヒーローが仇役をこのような眼で見ていたことに注目しなければならない。

それは『虜囚の恋』(一八九四年)になればもっと明確になる。この作品は英国に捕虜となったフランス人貴族セント・アイヴスの冒険行を描いた長篇小説である。サモア島時代のスティーヴンソンをモデルにした中島敦(なかじまあつし)『光と風と夢』の中に、この小説を「安っぽい小説だ」とスティーヴンソン自身が語る件(くだ)りが出てくるが、これはスティーヴンソンの言葉を借りた中島敦の苦渋に満ちた自嘲であって、『虜囚の恋』そのものとは関係がない。この時代のヒーローがどういう存在であったかを考える上では示唆に富んだ小説である。

エジンバラ城からの脱走、荒野の横断、決闘、というストーリー上でのいくつかの山はあるが、筋立てを分解してみると、この小説がただ一つのことを語っていることに気が付く。男の名誉について、だ。たとえば冒頭近くに、囚人仲間の嫌われ者ゴゲラが死に際しても約束を守り抜くシーンがある。ここで、どんな極悪非道の男でも高貴な精神をひめているのだと作者は語りかける。この〝善意の眼〟がひとつ。次に、以前力を貸してくれた男を救出しに行く場面ではこのように述懐する。「まさしくわたしには使命があったのだ。一個人として自分はフランス人でもなければイギリス人でもない。それよりも先に別のあるもの、信義にあつい紳士であり、誠実な人間なのだ」（工藤昭雄・小沼孝志訳）

相手がどういう人間であるかは問題ではない。自分がどのような人間であるかが大切なのだ。悪徳商人フェンや恋仇シェヴィニックス少佐の描写はこの文脈で理解される。たとえ好きになれない相手であっても、彼の中に認めることが出来る何かがあるなら敬意を表すのが真の男である、というように。くどいようだが、相手の善悪ではなく、そういうふうに考える自分のほうがこの時代のポイントである。

スティーヴンソンと同時代の作家コナン・ドイルに『勇将ジェラールの回想』（一八九六年）、『勇将ジェラールの冒険』（一九〇三年）という作品があるが、ジェラールにもセント・アイヴスと同じ傾向が見られる。ジェラールが行動の前に必ず「これでまた名声が得られる」と思うのは、己れが勇敢で名誉ある男でありたいというこの時代のヒーローを、いささか戯画化してはいるものの、よく象徴しているように思える。ジェラールの大言壮語癖が現代の読者には鼻につくかもしれないが、スティーヴンソンは「イギリスの提督」というエッセイの中で「英雄たるものは、あくまで堂々たる態度を取らなくてはなりません。人生という舞台の何たるかを知り、自分の意図するところをはっきりとさせ、英雄的な行動をとる時は今なのだということを、人々によくわからせなければならないのです。そんなわけですから、私たちは、わがイギリスの提督たちがただ勇敢であっただけでなく、大言壮語することを好んでいたのを、喜ばないわけにはいかないのです」（『若い人々のために』守屋陽一訳、旺文社）と書いているのである。

2

スティーヴンソンが語っているのは「男の名誉」についてだ、とはいっても、主人公が最初から最後まで名誉ある行動をとるわけではない。

たとえば十五世紀のイギリスを舞台に、ランカスター王家とヨーク王家の争いを背景にした時代小説『二つの薔薇』（一八八八年）の主人公、十八歳の少年リチャード・シェルドンは殺す必要のない局面で相手の心臓を刺してしまい、男装の少女ジョアナ・セドレーから「卑怯な殺し方です。ディック、貴君は無作法で弱い者いじめです。自分の力を濫用するだけです。若し貴君より強い者が来れば、その前に跪いて御世辞を使うんでしょう」（中村徳三郎（なかむらとくさぶろう）訳）と言われたりする。

名誉革命によってフランスに追われたスチュアート家のチャールズとイギリス国王ジョージ二世の確執を背景にした冒険小説『誘拐されて』（一八八六年）の主人公デービット・バルファも十七歳の少年だが、旅の相棒アランとお互いにゆずらず、ささいなことで喧嘩を繰り返し、時にはポケットの中の小金のことで争ったりする。ともに名誉を重んじるタイプでありながら実際の行動はそれほど綺麗事ではなく、このように矛盾をはらんでいる。それはこの二作が少年向きの読み物であり、リチャードとデービットが十代の少年だからという理由ではないだろう。

『プリンス・オットー』（一八八五年）は南ドイツの一公国を舞台にし、スティーヴンソンが「はじめて大人のロマンスを手がけた」（岩波文庫訳者あとがき）作品だが、主人公のオットー・ヨハン・フリードリッヒはイギリスの旅行家に「教養に欠けた、勇氣のほども疑わしい、才能は皆無といった若い男で、國人あげての輕蔑の的となっている」（小川和夫訳）と描写される。旅行家の眼にそのような王様として映るのは、政務を公妃と宰相にまかせて、彼が狩りに熱中しているからだ。もちろん、オットーにはそれなりの理由はある。おもちゃのように小さな国で王様然としてふんぞり返るのが照れくさいのだ。無関心にかまえて、すべてをしゃれのめしていればいいという懐疑主義者でもある。

この物語は、オットーが自分のそういう態度は裏返しの虚栄心ではなかったのかと気付くところから始まる。ところが陰謀家の宰相ゴンドレマルクは公妃を丸めこみ、軍備を着々と整え、隣国に攻め入る計画を進行中である。当然、対立せざるを得ない。しかし、口出しさせないために王を幽閉しようとするゴンドレマルクの陰謀に公妃まで荷担していることを知ったオットーは、抵抗せずに捕縛される。

スティーヴンソンの描く善と悪の対立物語は陰翳に富み、そこにこそ彼の特異性があるのだが、オットーの態度に見られるように、善意はいつも「名誉」という言葉が与える印象ほど力強くはない。

『誘拐されて』の中に、こういう一節がある。
「アランには軍人がうってつけの職業だった。将校の任務は、兵隊にがむしゃらに物事をやらせることだ。よしんば選択が許されても、兵隊自身にはなぜ、そして何時その場で身を投げて殺されるかも分からないのだ。たぶん私は本当に立派な兵隊になれたかもしれない。というのは、こんなどたん場になっても、ほかに何とか仕様があろうという考えはぜんぜん浮ばず、できるだけ服従し、服従しながら死のうとばかり思いつめていたから」（大場正史訳）

危機に直面した時のデービットの述懐である。ヒーローとしていささか頼りない点は否めない。なぜもっと力強いヒーロー像を造型しなかったのか。

考えられる理由は二つ。病弱だった作者の無意識の投影が一つ。もう一つはスティーヴンソンの文学観に絡んでくる。

夏目漱石は「西洋ではスチヴンソンの文が一番好きだ。力があって、簡潔で、クド〳〵しい処がない、女々しい処がない。スチヴンソンの文を讀むとハキ〳〵してよい心持だ」と語っているが、「文学評論」の中でも『ロビンソン漂流記』の作者デフォーと比較して、その描写力をほめている。特に「英文學形式論」で「全體を通じて冗語なく、一閑筆なく、簡潔で弛みのない」と評している『バラントレイ家の世嗣』（一八八九年）をここでは見てみることにしたい。

これは放埒な兄と生真面目な弟の確執を描いた長篇である。舞台は十八世紀中ごろのスコットランド。『誘拐されて』と同様に、チャールズ王子とジョージ王の戦闘が背景にある。どちらが勝っても家が守れるように、兄弟の一人だけがチャールズ王子側につくことになり、兄が参戦するところからこの悲劇的ドラマは幕を開ける。スコットランドは伝統的にスチュアート家に味方する者が多いので、チャールズ王子が敗退すると領民たちは弟のヘンリーが王子を裏切ってジョージ王に味方したからだと無責任な噂を流し始める。ヘンリーはその屈辱に耐える。父や妻までもが兄を慕っていることにも耐える。しかし死んだはずの兄が帰ってきて、何度も迷惑をかけられ、家庭をずたずたにされていくうちに、ヘンリーは兄を憎み始めていく。

『プリンス・オットー』と同じように、善と悪の対立に直接的なアクションがないので、現代の性急な読者にはなじみにくいかもしれないが、『バラントレイ家の世嗣』のテーマは兄側のエピソードに示唆されている。兄の冒険行が同行した大佐の手記というかたちで挿入されているのだ。ここに描かれる男は、戦場では勇気を振って闘う兵士だが、同時に抜け目のないずるがしこい男であり、海賊の仲間に入り、道案内役をためらいもなく刺し殺すほどの冷酷な男である。そのシーンで、軍人である大佐に「彼が原則としては正しかったことは否めなかったが、同時に涙を禁じることもできなかった。そのことは剛勇の士としていささかも恥づべきことだとは思わなかった。（略）慈悲は武人にあっては誇るべきことである」（西村孝次（にしむらこうじ）訳）と作者が語らせていることに留意したい。

もし「名誉を重んじる男」を描くなら、主人公をこの大佐のような男として設定すればよい。「子供のころから軍人になりたがった」（G・B・スターン『英文学ハンドブック「作家と作品」No.22スティーヴンスン』日高八郎（ひだかはちろう）訳、研究社）スティーヴンソンならそのほうが自然だろう。

なぜこの中心を避け、両端の存在を描くのか。

『バラントレイ家の世嗣』は苦悩する弟ヘンリーに味方する老執事の眼で描かれているが、後半その執事が問題の多い兄と旅に出る件りがある。数週間、起居をともにしている間に、老執事は、冷酷でずるがしこく、しかし陽気で快活な兄に対し、なんと信頼感さえ抱き始める。魅力あふれる男ではあるのだ。兄は執事に言う。

「俺がお前をもっとも尊敬するようになったのは、お前から命をねらわれていることがわかってからのことなんだぜ。それでもけちな根性だといふのかい」

虚栄心の強い悪党ではあるけれど、たしかにけちな根性の持ち主ではない。

『二つの薔薇』に登場するサー・ダニエル・ブラックレーはリチャードの父を殺し、財産を奪った悪人だが、しかし「三軍の指揮官としては麾下の信望は厚かった」ことをここに想起してもいい。『誘拐されて』において、誘拐された主人公も次のように述懐している。

「どんな種類の人間にしても、隅から隅まで悪党というわけではない。おのおの欠点もあれば美点もある。これらの船員とて、この通則の例外ではなかった。たしかに、彼らは粗暴だった。悪党でもあったろう。が、それでいて、美点もどっさり持っていた」

人間は矛盾に満ちた存在であり、その矛盾をそのまま描くスティーヴンソンの態度は、このように悪人たちの描写に顕著に現れているが、その集大成が（というより源流といったほうがいいか）あの魅力あふれる悪党ジョン・シルバーなのである。

そういうスティーヴンソンの人間認識、文学観は当然ヒーロー像にも影響してくる。『二つの薔薇』のリチャードは機会がありながらも仇を自らの手では倒さないし、他の主人公たちも時には泣き、絶望し、己れの弱さをかくさない。スティーヴンソンの作品のなかで、オーソドックスなヒーロー像にやや近いと思われる『自殺倶楽部』の狂言まわし、フロリゼルにしても、バカげた賭博で命を捨てなければならなくなったとき、口が渇き、舌は麻痺し、汗でびっしょり濡れるほど頭が混乱してしまう（『自殺倶楽部』の一篇「辻馬車の冒険」の中でフロリゼルと悪党が決闘するとき「その身振にはどこか粗野ながらも天晴れなところがあった。危険の切迫と勇気の念とが、この憎むべき悪漢にも一種の男らしさと或る気品とを与えたのであった」（村上啓夫《むらかみひろお》訳）とあるのも、いかにもスティーヴンソンの作品らしい）。

　名誉はそういう男たちが内に秘めた芯なのである。『虜囚の恋』では直接的に描かれているが、その他の作品では水面下にかくれているので見えにくいだけだろう。

　スティーヴンソンの書いた小説は「ジキル博士とハイド氏」や『プリンス・オットー』などのように、冒険より善悪の対立のほうにテーマの力点を移した作品もあり、当然ながらすべての作品がヒーロー小説なのでは決してない。だが『宝島』『二つの薔薇』『誘拐されて』『バラントレイ家の世嗣』『虜囚の恋』とロマンの香り強い物語を一方で書いたことも事実であり、それらの作品の中に息づくヒーローたちこそ、批評家のきびしい眼にさらされたとはいえ、十九世紀末のイギリス読者を沸かせた勇者たちであった。

　我々と同じように、罪深い欲望や嫉妬心や脆弱さをかかえ、しかし最後には名誉を守って死にたいと願う男――近代冒険小説のヒーローは、まさにそのような矛盾に満ちた存在として産声をあげたのである。

ドイルと騎士道小説

ロバート・ルイス・スティーヴンソンと同時代の作家、アーサー・コナン・ドイルはシャーロック・ホームズの生みの親としてあまりに有名だが、『失われた世界』（一九一二年）、『マラコット深海』（一九二七年）などのＳＦ冒険小説までは読まれても、彼の残した歴史小説は現在ほとんど省みられていない。

　コナン・ドイルが作家として記憶されたいと願った、このジャンルの作品、たとえば『白衣団』（一八九一年）や、『ナイジェル卿』（一九〇六年）について、ジュリアン・シモンズは「彼の数ある創作のなかでも、もっとも現代の読者の嗜好にはそぐわぬものである」（『コナン・ドイル』深町眞理子訳、東京創元社）と書いているし、ロナルド・ピアソールも『シャーロック・ホームズの生れた家』の中で「『白衣団』はたしかに見事な物語ではあったが、それ以上のものではなく、威勢のいい少年向きの作品であった」（小林司・東山あかね訳、新潮社）と否定的な評価を下している。

　十九世紀後半の文学を、ディケンズ、イプセン、ゾラ、ドストエフスキーなどの写実派と、デュマ、スティーヴンソン、ハガードらの空想派にわけたコリン・ウィルソンも、コナン・ドイルを後者に分類したあと、これらの歴史小説に触れ、次のようにあっさりと切り捨てている。「彼（ドイル）は、自分の最もできが良い作品は『マイカ・クラーク』や『白衣団』その他の歴史小説だと考えていた。しかし仮に諸君がウィンストン・チャーチルのように歴史小説の崇拝者だったとしても、それらは実は現実逃避の空想物語であることにすぐ気付くだろう」（「超人ホームズ」小林司・荒井康子訳、『名探偵読本1』パシフィカ、所載）

ホームズ物語は例外だが、スティーヴンソンと同様に、コナン・ドイルもまた批評家の厳しい評価にさらされているロマン派の作家なのである。だが『白衣団』は発表当時、一巻本が五十版以上版を重ね（『シャーロック・ホームズの生れた家』）、『ナイジェル卿』はそのクリスマス・シーズンのベストセラーになった（ジョン・ディクスン・カー『コナン・ドイル』、大久保康雄訳、早川書房）という。ホームズ物語のように時代を越えて読まれる作品ではなかったとしても、十九世紀末のイギリス読者を惹きつけた物語ではあったのだ。

当時の批評家たちがどういう反応を示したかについては、ディクスン・カー『コナン・ドイル』に詳しい。ドイルは『白衣団』の書評に深く傷ついた。だがそれは批判されたからではなく、見当違いの賞讃をされたからだ。作者は中世イギリスに生きた「国民の的確な性格」を描き、「英国軍事史上もっとも重要な花形、射手軍団を描いた最初の本」だと考えていたのに、波瀾万丈の冒険物語として賞讃されたからだ、というのである。

作者の意図と現実の作品が喰い違うのはやむを得ない。冒険物語として賞讃されたという当時の反応にこそ興味を覚える。十九世紀末のイギリス読者が喝采を送ったヒーロー像がここにもあるのだ。

『白衣団』は十四世紀のイギリスを舞台にした剣と冒険の物語である。主人公は二十歳の青年アレイン・エドリクソン。修道院から実社会に出たばかりのアレインがナイジェル卿の従者となり、幾多の闘いを繰りひろげて一人前の騎士に成長していく冒険物語だ。まず、戦闘の描写が大変素晴らしい。海賊と戦い、館を襲撃し、絶壁を降り、アクションの見せ場は飽きさせない。

アレインは礼儀正しく、おとなしく、犯罪者が処刑される現場に遭遇すると「これは何という恐ろしい世の中だろう。悪人を恐れるべきか、それとも法律の執行人を恐れるべきか、判らないではないか」（石田幸太郎訳）と道端に坐り込んでしまうような無垢な若者だが、いったん侮辱されると名誉が回復するまで絶対に妥協しない青年でもある。そういう騎士道精神が、コナン・ドイルの他の歴史小説同様、この作品にも色濃く流れている。

フランスの遍歴（武者修行）騎士が四人の英国騎士を倒す試合の章で、作者は次のように書く。

「市民や農民だけでなく英国の兵士からも、嵐のような喝采が起きて、勇気と騎士的勲功との愛は人種的反感をも超越したものであることを示した」

正々堂々と闘う相手に敬意を表すこの態度こそ、前世紀ヒーローの理想であったことを、スティーヴンソンと同様に、コナン・ドイルの小説もまたよく伝えている。

だがそれだけなら、教条主義的な騎士道小説にすぎない。『白衣団』に生彩を与えているのは、〝名誉の道〟を歩むアレイン、ナイジェル卿の一派ではなく、あのジョン・シルバー的人物、サムキン・エイルワードである。「肩幅の広い、胸の張った、逞しい身体の、中背の男」エイルワードは、アレインやナイジェル卿のように単色の男ではない。陽気で、こすっからく、女に手が早くて口がうまい。エイルワードが戦闘に参加するのは、「我々は昇進とわずかばかりの名誉の分前をかち得る戦場を求めて、フランスに行くのだ」と言うナイジェル卿とは違い、戦利品や身代金目当てなのである。こういう男はアレインの理解を越えている。

居酒屋で初めてエイルワードに会うシーンはアレインの眼を通してこう描写される。

「彼の範疇では人間は善人か悪人かにきまっていた。ところがこの男は或る時には獰猛に成るかと思うと、次の瞬間にはおとなしくなった。唇には呪いを持ち、眼には微笑をたたえていた。こんな人間は一体どう解釈したらいいのだろうか?」

『白衣団』の成功は、このサムキン・エイルワードを登場させ、さらに気のいい大男ホールド・ジョン（こちらも平気で人をだます）とアレインの三銃士冒険物語（射手ブラック・サイモンを入れれば四銃士）とした点にある。この三人組がナイジェル卿を追う道中（第二十六章）に巡礼にだまされるエピソードがあるが、不思議なおかしさにも満ちているのだ。

たとえば十五年後に書かれた『ナイジェル卿』と比較してみればいい。これは『白衣団』のもう一方の主人公、ナイジェル・ローリングの若き日を描いた歴史小説である。こちらも戦闘の場面は臨場感ゆたかで迫力に富んでいる。さらに、ナイジェルが遍歴騎士と出会う個所では、鎧を着るために服を脱いでいる間に鎧を積んだ馬が逃げ出し、シャツともも引きだけの姿になってしまうユーモラスなシーンもある。だが「なさなければならないことはいかなることがあっても必ずなし遂げる――これが騎士の本分だ」(石田幸太郎訳)という響きが強すぎて、作品全体を単調なものにしてしまった。サムキン・エイルワードもナイジェルの従者として登場しているが、英国騎士の誉、ジョン・チャンドス卿をはじめとする〝名誉〟派に押され、『白衣団』ほどの生彩がない。

『白衣団』と『ナイジェル卿』をわけるのは、そういう作品としての奥行の差であり、シモンズの言う〝過度のロマンティシズム〟という言葉にうなずけないこともない。ナイジェルに騎士道を教える祖母アーミントルード夫人が、明らかにドイルの母親の投影であることを考えれば、『ナイジェル卿』のヒーローがドイル自身であることもたしかだろう。ヴィクトリア朝時代の頑固な保守主義者としての貌が、いささか性急に、そしてストレートに現れてしまっている点は否めない。

だがそれは小説の出来の問題であり〝中世騎士道の理想〟への信奉という点では『白衣団』も『ナイジェル卿』も、そして失敗作『伯父ベルナック』(一八九七年)もさして差はない。〝騎士道と名誉〟の洪水を、巧みなストーリーの中にいかにかくすか、かくしきれないかの差なのである(『伯父ベルナック』はイギリスに亡命していたフランス青年が故国に帰り、ナポレオンの下で活躍する姿を描いた歴史小説であり、前半はサスペンスに富んだ展開だが、後半、突然テンポを乱す。長篇の構想が息切れして、中途半端に打ち切った感がある。中尉時代のジエラールが脇役として登場するが、他にもナポレオンの描写にドイルの貌が垣間見える）。

ここまでくると、当時の読者は『白衣団』や『ナイジェル卿』に出てくるどの人物に喝采を送ったのか、という疑問が生じてくる。アレイン・エドリクソンなのか、ナイジェル・ローリングなのか、それともサムキン・エイルワードなのか。

ジュリアン・シモンズは「ホームズの正義」（『シャーロック・ホームズ全集4』パシフィカ、所載）というエッセイの中で次のように書いている。「ホームズの短篇が一八九一年の初登場とともに、ヴィクトリア時代の読者大衆の心をしっかりつかんでしまったのは、それが概して退屈な生活を送っている読者にたいし、道徳的であると同時に、反面、無法でもある冒険の興奮を味わわせてくれたからである」（深町眞理子訳）

もしそうであるなら、『勇将ジェラールの回想』（一八九六年）、『勇将ジェラールの冒険』（一九〇三年）がヒントになるだろう。「文章には新鮮さがなく、月並みな文句が溢れているし、登場人物も薄っぺらである」（ロナルド・ピアソール）と手厳しく評する人もいるが、概して読者にも批評家にも評価の高いシリーズである。

この主人公ジェラールは、ナイジェル卿同様に〝騎士道と名誉〟に生きる軍人だが、アレインやナイジェルと明らかに違う点は彼らほどストイックでないことだ。開けっぴろげで、陽気である。大言壮語癖があり、自惚れ屋であり、上官から「女と馬のほかは何も考えない奴」と言われたりする。

「戦闘の腕前で頼りになる男、しかもあまり考え込んで勘繰ったりしない男」（上野景福訳

「准将がアジャクショの殺し屋組員を斬った顛末」である。不道徳漢ではないが、アレインやナイジェルのように堅物ではなく、サムキン・エイルワードと似通ったものを持つ武人だ。

コリン・ウィルソンが前出のエッセイを結んだ一節を想い起こす。

「人間はスーパーマンに憧れをいだくが、それが欠点をもったスーパーマンなら、文句なしにこちらのほうを愛するのである」

大観光時代

1

十九世紀末のイギリス冒険小説を語るなら欠かすことの出来ないのが、ヘンリー・ライダー・ハガード『ソロモン王の洞窟』（一八八五年）である。スティーヴンソンの『宝島』に触発されて書かれたこの作品によってハガードは一躍名を成したが、後に長短十数篇続くことになる〝アラン・クォーターメン〟シリーズを、この時代のしめくくりに考えてみたい。

『ソロモン王の洞窟』はアフリカ奥地に眠る幻のダイヤモンド鉱山めざして三人の男が冒険行に出る秘境冒険小説である。砂漠の横断、山越え、戦闘、そして決闘と息つぐ暇ない見せ場の連続で読者を冒険の世界に誘い込む古典的名作であり、迫真のリアリティと興奮に満ちた傑作である。

そういうテンポの良いストーリー展開とすぐれたディテール描写が『ソロモン王の洞窟』を秘境冒険小説の傑作たらしめているのだが、実はこの作品に奥行きをもたらしているのは、語り手であるアラン・クォーターメンの人物設定だろう。クォーターメンは旅商人兼狩猟家だが、慎重で臆病な男として設定されている。ヘンリー・カーティス卿に旅の同行を求められても、前渡金や死後の補償金を要求するほどで、一般的な冒険者のイメージからはかけ離れている。ククアナ国の王位争いに助力を請われた時も、礼金を出すというウンボパに「イギリス人を見そこなってはいけない」（大久保康雄訳）と言い放つカーティス卿にくらべ、クォーターメンは「私は商人だ」とダイヤモンドの謝礼を要求するのである。さらに戦闘シーンにおいては、ウンボパの巨体の陰にかくれようとするし、洞窟から脱出する際、ポケットにダイヤモンドをつめ込んでから逃げるほど、計算高く、しっかりしている男である。容貌も冴えない。背が低くて、やせていて、色が黒く、「白髪まじりの短い髪の毛がまっすぐに突っ立っている」初老の男なのだ。なぜこのような男が冒険小説の主人公であるのか。

ヘンリー・カーティス卿とくらべてみよう。彼は次のように描写される。

「三十歳ぐらいで、見たこともないほど胸の大きな腕の長い男だった。髪は黄色で、大きな黄色いあごひげをはやし、彫りの深い顔立ちで、大きな灰色の眼が深い眼窩の奥で光っていた」

ヒーローならば、クォーターメンよりカーティス卿のほうがふさわしいように思われる。しかし、この作品における主人公はカーティス卿ではなく、クォーターメンである。なぜなのか。

それは続篇『二人の女王』（一八八七年）で明らかになる。これはククアナ国からイギリスに帰って三年後の物語だ。アフリカ奥地に住むという白人の国をめざし、再度三人が旅に出る冒険行を描いた小説で、完成度は『ソロモン王の洞窟』より劣るものの、アラン・クォーターメンを考える上では重要な作品である。

ここでもクォーターメンは、マサイ族を襲撃するシーンで、「いつものことだが、私は、こういう場合は、口にするのも恥ずかしいが、怖さが先に立ってしまうのだ」（大久保康雄訳）と述懐するし、ニレプタに夢中のカーティス卿を見ては「本当は利己的で嫉妬深い老人なのだ」と己れの感情をかくさない。誘拐された少女との人質交換に身代わりを決意するのも「私は年老いて、あまり価値のない生命だし、彼女は若くて、貴重な生命なのだ」という諦観であって、決して勇気をふるい立たせた行為ではない。熱気と呼吸困難で仲間が全員失神したカヌーを、一人で舵をとるシーンもあるが、『二人の女王』におけるクォーターメンは『ソロモン王の洞窟』の彼と、基本的に大差はない。

鍵は、アルフォンスだ。この小男の料理人は、戦闘では真っ先に逃げ出すほど臆病な男だが、なぜこの男が登場しなければならなかったのか。

『二人の女王』の末尾につけられたカーティス卿の手記を読めば、その鍵の意味が解ける。クォーターメンはたしかに嫉妬深い欠点を持つが決して臆病ではない、とここで書かれていることに注意されたい。謙遜しすぎるのも彼の欠点だとカーティス卿が書いていることにも留意。グッド大佐の危機を身を挺して救ったのはクォーターメンだったのである。『ソロモン王の洞窟』『二人の女王』ともにクォーターメンの手記として書かれているので、読者はクォーターメン自身の独白をそのまま受け取ってしまうが、作者は最後にカーティス卿の手記をつけることによって、それを別の角度から照射してみせる。クォーターメンも勇者だったのだ、と。

ここまでくれば、アルフォンスがクォーターメンを映す鏡であることが見えてくる。まぎれもなくクォーターメンは、罪深い欲望や嫉妬心や脆弱さをかかえながらも、最後には名誉を守って死にたいと願う、この時代のヒーローの一人なのだ。『ソロモン王の洞窟』『二人の女王』が奥行きのあるドラマであり得たのは、そのように矛盾に満ちたヒーロー像をよく活写したからである。もしカーティス卿を主人公にすれば、これらの物語はもっと単調なドラマになってしまっただろう。

そのことは「アランの妻」（一八八九年）が示唆している。これは宣教師の息子としてアフリカに渡ったアラン・クォーターメンの若き日の冒険行を描いた作品で、この冒険家の出自を教えてくれる貴重な短篇だが、ズル族と決闘するシーンの「勝とうが負けようが、そんなことは問題ではない」（大久保康雄訳）という力強いひびきが虚しく聞えてくる。そこには人間であるなら感じるはずの躊躇（ちゅうちょ）も恐怖も何もなく、感情のない紙ヒーローがいるだけだ。炉をかこみながら狩猟仲間に若き日の冒険談をクォーターメンが語る短篇「マイワの復讐」（一八八八年）も同様である。若く、活力にあふれていればいいというものではないのである。

ヘンリー・ミラーが『わが読書』の中で絶讃している『洞窟の女王』（一八八六年）にも触れておきたい。こちらはホレース・ホリーを語り手とするシリーズである。クォーターメン・シリーズにおけるクォーターメンとカーティス卿の関係同様、このシリーズのホリーとレオ・ヴィンシィも対照的だ。レオは若き美青年だが、ホリーは初老の醜男である。女王アッシャがレオに接吻するシーンでは激しく嫉妬するし、このようないくつかの点で、ホリーとクォーターメンとの類似性は強い。だが二人が決定的に違うのは、ホリーが「鉄のような異常な体力と知力」に恵まれていて、泥沼にとび込んで長老を助けたり、戦闘シーンでも活躍するほど勇気あふれた闘う男であることだ。醜男であることの鬱屈（うっくつ）はあっても、クォーターメンほど闘うことに関する矛盾はない。『洞窟の女王』が『ソロモン王の洞窟』にくらべてやや平板なのは、語り手のそういう設定の違いに因る。

もっともこれは冒険小説、ヒーロー小説としての比較であり、小説の完成度の比較ではない。というのは、女王アッシャが恋人の生れ変りを二千年待つという構造が示すように、『洞窟の女王』は冒険譚というよりも幻想譚に近いからだ。ヘンリー・ミラーが激賞したのも超現実こそが真実であるという点であり、そういう怪奇幻想譚を生むハガードの想像力こそ、観点を変えれば、たたえられるべきなのだろう。しかし、そこまでいくとヒーロー小説の範疇（はんちゅう）ではない。

もう一つ、ハガードの特徴をあげるなら、「文明とは、野蛮性に銀メッキをほどこしたものにすぎない」（『二人の女王』）というひびきが作品の底を流れていることか。『二人の女王』において、クォーターメンとカーティス卿がアフリカに旅立つのは、イギリスが「堅苦しい連中ばかりの国でうんざり」したからであり、そういう〝文明への嫌悪〟がいつも登場人物を秘境に駆り立てている点は見逃がせない。『ソロモン王の洞窟』のウンボパ、『二人の女王』のウンスロポガース、「アランの妻」のインダバ・ジンビなどの従者たちを理解ある筆で書いているのも、おそらくは原始への共感のためだろう。ハガードにとってのアフリカは、冒険譚の単なる舞台なのではなく、そういう非文明の想像上の拠点だったのかもしれない。『二人の女王』のラストで、ズ・ベンディ国の王となったカーティス卿が「正直で寛大なこの国の人々のためには、比較的未開の状態のほうが幸福だと信じ、その状態を守ってやるのが、私の神聖な義務だと確信」するのも、ハガードの自然回帰志向を象徴しているようだ。

となると、舞台を現代の秘境から古代に移すのも必然的な道筋であり、『古代のアラン』（一九二〇年）のような作品も生れてくる。これはハガード晩年の作だが、内容的には『ソロモン王の洞窟』と『二人の女王』の間に位置する。薬の作用で古代エジプトにタイム・スリップしたクォーターメンが別人に乗り移って活躍する冒険譚である。なんとあのクォーターメンが「眉はふとく、大きな黒い眼の輝きは誇りにみちて、眼鼻だちはいくらか大きめだが、端正で知性にあふれ」（山下諭一訳）た男になってしまうのである。しかも年齢は男ざかりの三十代。カーティス卿を主人公にした物語がもしあれば、こういう作品になっただろう。いつものように実は高貴だったという従者が登場し、戦闘があり、恋があり、波瀾万丈の冒険譚であるが、盛り上がりに欠けるのは「アランの妻」と同じ事情に因る。

コナン・ドイルは、ハガードにライバル意識をもやして歴史小説を書いたと言われているが、「ハガードはファンタジーのなかにリアリティを求め、ドイルはリアリティのなかにファンタジーを求めたという創作上の決定的相違はあるが、それを別にすると、もっとも大きな共通点は、いずれもイギリスの騎士道精神を基調にしていることだ。当時のイギリス小説は、多かれすくなかれ、みなそのような傾向をもってはいたが、一種の国士的風格をもって騎士道を作品の支えとしたという点では、サーの称号をもつこの二人の作家が、とくに際立っているように思われる」（大久保康雄『ソロモン王の洞窟』解説、創元推理文庫）とあるように、ハガードの作品に流れているのも、ドイルにくらべ怪奇幻想の色調がやや濃いとはいえ、やはり海の向うに、未知の国に、敢然と向っていくイギリス冒険精神である。

『二人の女王』の中で、クォーターメンが自ら語っていたではないか。「健康と財産と地位にめぐまれ、なに不自由なく生きていけるはずの三人の男が、自分たちの道楽から、生きて戻れる望みのない、まるで雲をつかむような冒険に乗り出すというのが、そもそもおかしな話なのだ。しかし、あえていうなら、それが骨の髄まで冒険好きなイギリス人のイギリス人たるところなのだ」

2

ロバート・ルイス・スティーヴンソンが十五世紀を舞台にした『二つの薔薇』（一八八八年）を書き、コナン・ドイルが十四世紀のイギリスを舞台にした剣と冒険の物語『白衣団』（一八九一年）、『ナイジェル卿』（一九〇六年）を書いたように、ヘンリー・ライダー・ハガードもまた『クレオパトラ』（一八八九年）、『モンテズマの娘』（一八九三年）などの歴史小説を残している。この時代のロマン派の作家たちが一様に歴史小説に手を染めたのは、物質的繁栄をもたらした産業革命が結果として〝古き良きイギリス〟を解体しつつあったヴィクトリア朝末期のロマン主義者たちにとって、眼の前の現実からは得られない騎士道の理想を過去に求めるための回帰現象だったのかもしれない。

　アントニー・バージェスはその文学史の中で、このラインの先達であるサー・ウォルター・スコットについて「彼の悪漢は悪の権化であり、彼の女性はあまりに清純、男性はあまりに騎士道的で、本当とも思われない」（蜂谷昭雄訳『バージェスの文学史』人文書院）と辛辣な評価を下し、ジュリアン・シモンズもコナン・ドイルの『白衣団』に触れ、「この時代の遍歴騎士の一団が、戦闘のさなかにも中世的な騎士道の理想にもとづいて行動するというのは、今日のわれわれには歴史の現実を無視しているとしか思えない」（『コナン・ドイル』）と書いている。これら英国ロマン派の歴史小説はこのように評論家の厳しい評価にさらされているが、それはロマン派の宿命ともいうべきもので、たとえスティーヴンソン『二つの薔薇』、コナン・ドイル『ナイジェル卿』が失敗作であったとしても、ハガードの『モンテズマの娘』は現在読んでもなお躍動感に富む小説である。

『モンテズマの娘』は十六世紀のメキシコを舞台にした恋と冒険の物語だ。主人公はトマス・ウィングフィールド。イギリス人の父とスペイン人の母を持つ十九歳の青年である。母親を殺した男を追って、メキシコ奥地の大帝国に渡り、スペイン侵略戦争に巻き込まれて帰国するまでの十八年間の冒険行を描いている。嵐、奴隷船、生贄の祭壇、戦闘、そして決闘と、ハガードの他の小説と同様に息つぐ暇ない見せ場の連続で、波瀾万丈の冒険行を色彩感豊かに活写した歴史冒険小説の傑作である。

主人公トマス・ウィングフィールドは「四肢の均衡がよくとれていて、胸幅が広かった。色は、めだって浅黒く、眼が大きく黒く、波うつ髪の毛は炭のように黒かった。性格はどうかというと、重厚で感情を表面に出さず、話しかたも、ひかえめで、いつも話すよりは聞くほうにまわることが多かった」(大久保康雄訳)という青年である。本来なら、このように若く、逞(たくま)しい男はこの世紀のヒーローにふさわしくない。しかも『ソロモン王の洞窟』のアラン・クォーターメンや、『洞窟の女王』のホレース・ホリーのような老人を配することもなく、ストレートである。

「アランの妻」『古代のアラン』が波瀾万丈の冒険譚でありながらも生彩を欠いたドラマであったことをここに想起されたい。『モンテズマの娘』が構造的にそれらの〝若き日のクォーターメン物語〟と同系列でありながら、なぜこれほど躍動感に富んでいるのか。

第一の理由は、最後まで物語の力点が復讐からズレていないことに求められるだろう。トマスが冒険に旅立つのは名誉のためではなく、国王のためでもなく、復讐という私的理由のためだ。恋すらもこの復讐の前にはかすんでしまう。婚約者リリーよりも王女オトミーよりも、まず復讐が先なのである。この色調が最後まで崩れないので、名誉を求めるナイジェル卿の単調さを免れ、人間感情ゆたかな力強いドラマとなっている。これがひとつ。

次に、脇役が魅力に富んでいること。『白衣団』の成功が小悪党サムキン・エイルワードの登場によってなされたように、登場シーンは少ないものの老医師アンドレス・デ・フォンセカが『モンテズマの娘』に生彩を与えている点は見逃がせない。この老医師、患者の無知につけこんで金をまきあげるかと思えば、無報酬で他人を助けたり、決してただの悪党ではない。すなわち、ジョン・シルバーであり、サムキン・エイルワードなのである。こういう男が出てこないと冒険譚に活力も生れない。

となると次は当然、仇役の描写が問題になる。実はトマスの仇敵ジュアン・デ・ガルシャは残忍な男であるものの、読者にそれほどの嫌悪感を与えないキャラクターとして設定されている。トマスの冒険行が復讐のためでありながら実際の行動にその色が薄く、巻き込まれ活劇譚として進展していくのも、その設定が影響している。仇敵ガルシャは都合のいい偶然としか思えない唐突な出現を繰り返すが、そうやってでも登場しなければその存在を忘れてしまいそうだ。この存在感の希薄さは、ハガードの不備ではない。

老医師フォンセカの財産を譲り受け大金持ちになったトマスがそれでも婚約者の待つイギリスに帰らず、仇敵をあくまでも追う決心をかためる件(くだ)りに、「幸福を味わうには、その前にデ・ガルシャを討たねばならぬ。神に誓った以上、これを破っては天罰がくだる、そう私は信じていたのだ」(大久保康雄訳)とある。別の件りに「われわれは運命の奴隷だ」という個所もある。この〝神への誓い〟と〝運命〟というキーワードに留意すれば、復讐がストーリー上の理由にすぎないことが見えてくる。

たしかに〝復讐〟は『モンテズマの娘』を、『ソロモン王の洞窟』や『洞窟の女王』とひときわ違った物語に仕立ててはいるが、その底には主人公トマスも仇敵ガルシャも運命に翻弄(ほんろう)される人間の一人だという著者の認識が流れている。ガルシャが残忍な悪党としてクローズアップされず、どちらかといえばトマスの双生児のように見えるのもそのためだ。

トマスが決してスーパーマンではなく、時には恐怖に震えたり、敵方の将ディアスが武士の情を知る人物だったり、『モンテズマの娘』はこの時代のヒーロー小説の特質を持った小説だが、『ソロモン王の洞窟』と違う点は、底を流れるこの〝運命〟の響きが強いことだろう。スティーヴンソンにもややこの傾向は見られるが、ハガードほど顕著ではない。

考えてみれば、『洞窟の女王』『女王の復活』という完成度の高い幻想譚の底を流れているのも、この〝運命〟の響きだった。その意味で『モンテズマの娘』は、『ソロモン王の洞窟』『二人の女王』という冒険物語の系列と、『洞窟の女王』『女王の復活』などの幻想譚の系列をつなぐ輪である。

では『クレオパトラ』はどうか。これはエジプトの覇権をめぐる争いを描いた歴史小説だが、ここにはもはやヒーローが存在しない。描かれるのは男女の愛であり、運命である。格調高い小説ではあっても『モンテズマの娘』より単調な仕上げであるのは、テーマである〝運命〟を前面に出しすぎたためだろう。クレオパトラに翻弄されるファラオの末裔ハルマキスに共感を持てず、現在読むとやや退屈である点は否めない。コナン・ドイルが名誉をテーマに描いた『ナイジェル卿』の退屈さに通じるものがある。テーマ主義の小説が落ちやすい陥穽(かんせい)といえばいいいか。

『モンテズマの娘』が今もなお読まれるのは、そういうテーマをストーリーの水面下に巧みにかくし、さらに復讐という衣装をつけ、物語に奥行きを作っているからである。

ヘンリー・ライダー・ハガードは同時代のスティーヴンソン、コナン・ドイルなどの作家の中で、もっとも資質的に冒険物語に合った作家である。スティーヴンソンとコナン・ドイルが作家として劣っていたわけではない。彼らの小説には他の要素が若干あり、作品によっては冒険譚としての成熟を自ら拒否しているところが感じられる。その点、ハガードは冒険譚を書くために生れてきた作家といっていい。その着想の奇抜さ、豊富な想像力、テンポの早いストーリー展開、雄大な構成力、どれをとっても一級であった。

そのハガードに『黄金の守護精霊』（一九〇六年）という特異な作品がある。『ソロモン王の洞窟』『三人の女王』などのアラン・クォーターメンを主人公とする冒険物語と、『洞窟の女王』『女王の復活』などの幻想譚、そして『モンテズマの娘』『クレオパトラ』などの歴史小説、というハガードの作品系列の中では異彩を放つ小説である。女性が主人公なのだ。

ロバート・シーモアという射撃の名手が相手役として登場するが冒頭で海に落ち、クライマックスまで現れない。その間、アフリカ奥地に眠る秘宝をめぐってヒロインが大活躍する秘境冒険小説なのだが、そういう道具立て、さらに残忍な悪党を登場させるなど冒険譚としての背景を準備しながらも、精霊の出現から明らかなように、作品自体は『洞窟の女王』に代表される幻想譚に向っている。つまり、どちらつかずの中途半端なのだ。

だがこの作品こそハガードの素顔をよく伝えているような気がしてならない。たとえ完成度は低くても、いやだからこそ逆に、他の作品では面白すぎるストーリーに幻惑されて見えにくいハガードの意思が、冒険を物語ろうとする強い意思が、垣間見える。

ハガードの冒険物語を語るとき、イギリス騎士道精神をあまりに強調しすぎると、彼の実像を見失ってしまいそうになる。たしかに、ヒーローの設定にまぎれもなく騎士道的性格を付与してはいるが、それはコナン・ドイルほど頑迷ではなく、むしろ類まれな想像力と物語の構築力こそが、何よりもまずハガードを特異な作家にしているのだ。ハガードは幾多の冒険物語を腹案も下書きもなく、一気に書きあげたと言われているが、天性の物語作家だったのだろう。

ハガードの幸運は、彼の生きた時代がこのような冒険譚を求めていた、ということにあるのかもしれない。

3

ハガードの秘境ものに代表される異国趣味的冒険小説がこの時代に競って読まれたのは、十九世紀が観光の世紀だったからだ。

十八世紀のイギリスにおいても旅行ブームはあったと、幾多の書物は教えている。だが長期にわたる準備と莫大な費用を必要とした十八世紀の「大修学旅行」は貴族の子弟らによる遊学の旅にとどまり、一般大衆とは無縁のムーブメントだった。十九世紀後半の大観光ブームは庶民階層のものである。なぜこの時期に旅行の性格が変ってしまったのか。

第一の理由は交通網の充実だろう。アメリカ大陸横断鉄道の開業（一八六九年）、スエズ運河の開通（同）、アルプスを貫いた最初のモン・スニー・トンネルの開通（一八七一年）など、交通網の発達により「観光」が貴族階級の命がけの冒険から、庶民の手の届くものになったこと。もう一つは、リヴィングストン、スタンレー、スコットらの探検隊によるアフリカ内陸部の探索や極点征服にみられるように、地理上の空白を埋めようとしていた時代であったこと。つまり、人々の探究のエネルギーが外に外に向いていた世紀だったのである。産業革命によって余暇を持つ労働者階級が生れてきた、ということもあるかもしれない。

外に向う探究心を持ち、容易な旅を実現できる交通網があり、そして余暇があるなら、「観光」は身近なものになる。この観光の世紀を象徴するのが、一八五一年のロンドン万国博覧会である。

「このエクスポが大衆層に新しいレジャーとしての団体観光旅行の機会を与えたのである。すでにこの頃にはイギリス国内の幹線鉄道網ができあがっていたが、鉄道会社はロンドン近郊の人々のために特別団体割引を実施し、この割引を利用するために国中のあちこちに旅行クラブが結成された。のべ六百万人といわれる万国博の参加人員はまさに初めての団体観光旅行がもたらした大いなる成果であったといえるだろう」（伊藤俊治『ジオラマ論』リブロポート）

松村昌家『水晶宮物語』（リブロポート）によれば、入場料が一シリングになる「シリング・デーズ」の一日の見学者の数は六万から十万にのぼり、それまで一度も汽車の旅をしたことのない地方の人々が、特別割引運賃の団体列車に乗って続々と会場につめかけたという。

　この万博で一躍名を上げるのが、有名なトーマス・クックだ。中川浩一（なかがわこういち）『観光の文化史』（筑摩書房）に「薄利多売で利益をあげる方針から通常の運賃では観光旅行は思いもよらない労働者階級に、トーマス・クックは狙いをつけてみた。大量動員を条件として運賃割引を鉄道会社に承諾させる一方、お客の積極的獲得をめざして、積立方式で旅費と宿泊費をつくらせる博覧会見物クラブを組織した」とあるが、今日のパック旅行の先駆だろう。クックは、一八五五年のパリ万博でパック旅行を組織して成功し、続いて一八五六年ヨーロッパ一周大旅行、一八六〇年ガイド付き聖地エルサレム巡礼旅行、一八七二年世界一周観光ツアー、などを組んだという。前出の『ジオラマ論』に、こうした風潮に対する「クックの鉄道旅行はだんじて旅行ではない。それは単にある場所へ送られることであり、人間は小包とたいして変らない」というジョン・ラスキンの批判が紹介されているが、是非はともかく、十九世紀後半はそういう観光の時代だった。

　人々はまだ見ぬ国に、遠い異国の地を行く冒険者の物語に、想いを馳せていたのだ。そこには現代の我々が考える以上の夢があったに違いない。ハガードの幸運とは、そういう時代に類まれな想像力を駆使して秘境冒険小説を書き得たことにある。

　この時代の象徴的な作家をもう一人あげるなら、ドイツのカール・マイだろう。一八七六年から一九一二年までに数多くの冒険小説を書き（没後まとまった全集は全七十四巻）、一九七六年までの総発行部数五千六百万部というドイツの国民作家である。わが国にはその一部しか紹介されていないので全貌は摑みきれないが、「彼の物語の舞台になっている近東は二十五巻、南米は四巻、東洋は三巻、メキシコは五巻、主なヨーロッパ諸国は二十二巻」（『シルバー湖の宝』訳者あとがき、エンデルレ書店）あり、他にも北米を舞台にしたものが少なくとも十巻はある。異国趣味あふれる冒険小説を書いた典型的な世紀末作家である。

中近東を舞台にした『砂漠への挑戦』『ティグリス河の探検』『悪魔崇拝者』『秘境クルディスタン』はドイツ人、カラ・ベン・ネムジを主人公にしたもので、アラビア人の従者ハジ・ハレフ・オマールを連れ、北アフリカのアルジェリアからエジプト、アラビア半島、バグダードへと旅する冒険小説である。原著六巻のうち二巻までしか翻訳されていないので性急な判断は控えたいが、現在読むとやや退屈な点は否めない。アラビア遊牧民の抗争に巻き込まれたり、回教徒の聖地メッカに潜入するなど、当時のドイツ読者にとっては興味深い異国趣味的冒険小説だったのかもしれないが、アクション・シーンもあるとはいえ、その悠々たる語り口が時代を感じさせる。

これにくらべ、『アパッチの酋長ヴィネトゥー』は（こちらも原著三巻のうち一巻しか邦訳されていないが）、はるかに生彩に富む冒険小説だ。主人公はドイツ青年、通称オールド・シャッターハンド。家庭教師としてアメリカに渡った彼が、大陸横断鉄道建設の測量員として雇われ、インディアンとの確執に巻き込まれるうちに西部の男として成長していく物語である。この小説が、カラ・ベン・ネムジを主人公とする中近東シリーズより生彩があるのは、相棒サム・ホウクンスの存在のためだろう。祖父母の代にアメリカに移住してきたドイツ人猟師。つるつる頭にかつらをかぶり、だぶだぶの猟着を着た小男。大きな鼻に「異常なくらい敏捷そうで、いたずらっぽい狡猾さを秘め」（山口四郎訳）た目を持つ男。異様な風体の男である。さらに口が悪く、ずるがしこい。中近東シリーズのアラビア人従者、ハジ・ハレフ・オマールもずるがしこい男だが、サム・ホウクンスほど彫りは深くない。サムは、本から得た知識しか持っていない主人公を常に「青二才」とののしりながらも、オールド・シャッターハンドの成長を実は暖かく見守る西部の男である。この屈折した男が単調になりがちな西部の復讐物語に奥行きを与えている。

ただ、カール・マイの冒険物語には、コナン・ドイルの歴史小説がそうであるように、頑迷なナショナリストの匂いがつきまとっている。たとえば、中近東シリーズに登場するイギリス人、デービッド・リンゼー卿の描写を見よ。遺跡を発掘して名をあげることしか頭にない男として描かれているのだ。『シルバー湖の宝』に登場するイギリス貴族カースルプールも、冒険を求めてアメリカ大陸に渡ってきたとの設定だが、「わしは冒険がやりたい」とわめきちらし、誰にでも「賭けるか」と持ちかけ、結局はドゥロルおばさん（これはなんと女装の奇人！）との力くらべに負けてしまう。カール・マイの筆にかかるとイギリス紳士もかたなしである。

逆にドイツ人は正義の味方であり、オールド・シャッターハンドはスーパーマンですらある。脇をかためるサム・ホウクンスやドゥロルなどの魅力的な登場人物も善人の大半はドイツ人なのだ。カール・マイの作品が世紀末のドイツで熱狂的に読まれたのは、彼の物語が異国情緒にあふれていたこともあるが、このようにドイツ人好みに仕上がっていることもあったように思える。

この二点こそがカール・マイの特徴であり、ヒーロー小説として見た場合、その造型がやや脆弱である点は否めない。射撃の名手であり、言語の達人であり、決して他人を傷つけないというスーパーマン物語では、いかに秘境の冒険行をディテール豊かに描こうとも、ヒーローは活写し得ない。カール・マイ冒険物語が現代の我々に教えてくれるのは、そういうヒーロー物語の教訓であり、それ以上でもそれ以下でもない。

いや、本当にそれだけか。

『アパッチの酋長ヴィネトゥー』邦訳第二巻の巻末にある山口四郎のあとがきによれば、カール・マイは貧しい織物工の子として生れ、栄養失調のために四歳まで失明状態にあったという。この間、祖母から昔話を吹き込まれ、空想癖を育てたことが後半のマイの基盤になったと言われている。十七歳のとき窃盗の罪で学校から放り出され、教員となってからも窃盗で四年の懲役をくらい、出所後も詐欺、窃盗を重ねて再逮捕。刑期を終えたのは三十二歳の時だ。三十三歳で小説を書き出し、次々にベストセラーを生む大作家になるが、晩年はスキャンダルに巻き込まれ、不遇だったという。カール・マイは数々の冒険物語を、一度も現地に行くことなく奔放な空想力を駆使して書いた作家だが、自分が主人公と同一人物であるとの妄想にとりつかれてもいたらしい。晩年のスキャンダルの一端はここに発している。自らの空想力の犠牲となり、不幸な晩年を過ごしたこの作家については、種村季弘（たねむらすえひろ）に「詐欺としての文学」という興味深い論考があるが（実生活と作品との境界を越えてしまったカール・マイに、アドルフ・ヒトラーを重ね合わせている）、その中に次のような件りがある。

「世紀末のエキゾチックな冒険はあり余る活力の自然な表現ではなくて、むしろ死の衰弱から夢見られた幻影だった」（『愚者の機械学』青土社、所載）

世紀末の異色作家、カール・マイの冒険物語を、観点を変えてみた場合、一つの問いが生れてくる。ヒーロー物語は、あり余る活力から生じてくるのか、それとも死の衰弱から夢見られるのか。カール・マイは興味深い問いを今に残しているのである。

荒野に立つヒーロー

アメリカ娯楽小説におけるヒーローの変遷については、イギリス同様、十九世紀末から始めるべきかもしれないが、アメリカにはそれ以前に欠かすことの出来ないヒーローが一人だけいる。ジェイムズ・フェニモア・クーパー（一七八九～一八五一）の革脚絆（かわきゃはん）物語に登場するナティ・バムポーだ。革脚絆物語は五作書かれているが、それぞれに名前を変えて登場するナティ・バムポーの年齢順に並べると次のようになる。

『鹿殺し』（一八四一年）
『モヒカン族の最後』（一八二六年）
『案内人』（一八四〇年）
『開拓者』（一八二三年）
『大平原』（一八二七年）

フェニモア・クーパーは地主の息子として生れ、商船に乗り込んだり海軍に入ったのちに作家となったが、同時に開拓者でもあり、農場の指導者でもあった。彼の小説は、海や大森林に対するその豊富な経験をもとにディテール豊かに描かれたので、「アメリカの大森林の奥に住む赤色裸体のインディアンの色彩に富んだ生活を描いて成功をおさめた最初のアメリカの作家」（R・E・スピラー『アメリカ文学の展開』吉武好孝・待鳥又喜訳、北星堂書店）と言われている。彼の描いたナティ・バムポーこそ、アメリカン・ヒーローの原型とも言われているのだが、ではそのバムポーとはどういう男だったのか。唯一、完訳の出ている『モヒカン族の最後』（犬飼和雄訳）を見てみよう。

『モヒカン族の最後』は一七五七年のニューヨーク北部、カナダ国境近くの荒野が舞台。フランス軍に包囲されたイギリス軍の砦に、イギリス将校の二人の娘をバムポー（この作品ではホークアイと呼ばれている）が護送していくところから幕が開く。一行は他にイギリス士官ヘイワードと、フランス軍スパイ、ヒューロン族のマグワ。バムポーとともに途中から護送役にあたるのは、モヒカン族の最後の酋長チンガチグックとその息子アンカス。

　物語の前半は、フランス軍とその配下のヒューロン族の手からいかに逃がれてイギリス砦にたどりつくかという逃走劇だが、後半は一転して、マグワに誘拐された二人の娘を救出しに行く追跡劇になる。十八世紀のアメリカ荒野を舞台に展開するこの逃走と追跡のドラマは、今なおサスペンスに富む物語と言えるだろう。

　まず、ナティ・バムポーは次のように描写されている。

「たくましいからだではあったが、どちらかといえば、やせぎすだった。しかも、筋や筋肉は、たえず苦労にさらされてきたので、かたくひきしまっていた」

バムポーは何よりもまず、アンカスに火薬のつめ方を教えたり、ほんの少しの足跡から敵をたどったりするように、自然の中で生きていく知識を持ち、「やすらかに死ぬほうが、うしろめたい気持ちにとりつかれて生きていくよりいい」と名誉を重んじ、「肌の色がちがうとか、そんなことは問題じゃない」と、捕虜になったアンカスを命を捨てても助けようとするほどの義に生きる男である。

ヒロインの一人、アリスを救出しにインディアン部落に単身入っていくヘイワードを無茶だと思いながらも「おれは、あんたのような気性の人間がすきなんだ」と認める件りでは、「ホークアイは勇敢だったし、しまいには、ひそかに危険な冒険を愛していた。そして、年とともにそういった気持ちが大きくなり、危険な冒険をおかすことが、あるていど、生きがいとして必要なものになってきた」と書かれている。小鷹信光が『ハードボイルド以前』（草思社）の中で書いているように、ナティ・バムポーは「単純で強固な自分だけの掟をもち、冷徹な神経と比類のない知恵を武器に、なによりも名誉を重んじ、束縛を嫌ったフロンティア・ヒーロー」なのだ。

このナティ・バムポーがアメリカン・ヒーローの原型と言われているのは、アメリカ固有の風土を舞台に生れてきた最初のヒーローだからでもある。

フェニモア・クーパーは「修道院長ジロマッチへの書簡」の中で、

「アメリカ文学の行く手をさえぎる第二の障害は、文学の題材の乏しさという形で存在しています。ヨーロッパのように豊かな鉱脈には作家の資財として役立ちうる鉱石が潤沢に含まれていますが、この国ではそのような鉱石はほとんど見当たりません。つまり、歴史家には年代記がなく、諷刺作家には（いたずらに低級なだけで何の面白味もないようなものを除けば）愚行がなく、劇作家には風俗がなく、伝奇小説（ロマンス）の作家にはほの暗い伝説がない」（小原広忠（おはらひろただ）訳）

と書いているが、このことこそイギリスやフランスと違うアメリカの特殊性だった（余談だが、第一の障害とは当時のアメリカに版権法がなく、そのためにイギリスの小説を海賊出版するのが流行り、印税を支払わなければならないアメリカ作家が育ちにくかった状況をさす）。

歴史の浅い国には語るべきものがなかったのだ。クーパーはそこに大森林を、読者の目の前にひろがっている荒野を、さし示したのである。アメリカには「神秘的な古城や土牢や修道院」もないが、はてしなくひろがる荒野があり、開拓していく人と追われるインディアンというアメリカ固有のドラマがある、と読者に提出したことが、クーパー成功のもっとも大きな理由だろう。そこには自分たちの国があり、叙事詩がある。

ただ、フランス軍指揮官モーンカルム侯爵からの大事な伝言を忘れ、ヘイワードが上官マンロウにアリスへの求婚を訴えるシーンに象徴されるように、やや緻密さを欠くところもある。さらに、姉娘コーラにまつわる人種的問題が死によって巧みに回避される陳腐なメロドラマ構成を指摘する評者もいる。ウォルター・スコット流のロマンス小説というわけだ。マーク・トウェインはその筆頭だが、D・H・ロレンスのように、それらの欠点を認めた上でなお独創的だとする立場もあり、スティーヴンソン、ハガードらのイギリス十九世紀末伝奇物語作家たちが浴びた批判と賞讃を、クーパーもまた受けているのは興味深い。

『モヒカン族の最後』に奥行きを与えているのは、実はデイビッド・ギャマットである。この賛美歌の教師は、前記のヘイワード潜入の件りで「単純な人間で、こんなふうにさしせまったときには、ほとんどたよりにならなかった」と描かれているが、バムポーの熊の変装が見破れずにぶるぶると震え、あわてて賛美歌の本を探したり、戦闘の最中にも歌をうたうしか能がない無力な男として設定されている。頭のおかしな奴だと敵方のインディアンも相手にしない男である。荒野を舞台にした逃走と追跡のフロンティア・ヒーロー物語に、場違いなこの男がなぜ登場しなければならなかったのか。その寓意を考えたい。

デイビッドと議論する件りで、作者はバムポーには次のように言わせている。

「聖書だって！　おれのように荒野にくらしている戦士には、キリスト教徒でない男には、そんな本など用はない。おれが読んだ本といえばたった一冊だけで、それも、そこにかかれていたことばは、いとも簡単でやさしいものだった」

これだけでは宗教の問題として受けとられかねないが、デイビッドの信仰がひとりよがりで、その話もキリスト教的に正しいものではない、と作者が書いていることに留意したい。デイビッドの戯画化はキリスト教批判を意味するものではない。作者の意図はバムポーの次のセリフで明らかになる。

「その本というのは、おまえの目の前にひろがっている自然のことだ」

すなわち、自然と文明の対比こそが、『モヒカン族の最後』の底流なのだ。アメリカ開拓史がインディアン虐殺の歴史であり(猿谷要『西部開拓史』(岩波書店)に、アメリカ独立から一八四五年にかけて一一五万人いたインディアン人口が一八七〇年には二万五千人になっていた数字がスタン・スティナー『ニュー・インディアン』から引かれている)、同時に自然と文明の闘争でもあったことを一方に置けばいい。

バムポーがインディアンの側にいる、というわけではない。マグワとまじない師を殺さずにしばるだけでバムポーが立ち去る件りに、インディアンならあとで自分が危なくなるから殺すところだが、それはまったく意味のないことだ、と述懐するシーンがある。ナティ・バムポーは自然の中に生きた男だが、やはりインディアンではない。文明に反発しながらも、しかしインディアンにもなれない男なのである。バムポーがこのような男として描かれているからこそ、『モヒカン族の最後』が観察者の小説としてすぐれているのだ。デイビッドはそのための強調である。

脇役がやや類型的であったり、筋の運びに緻密さが欠けていても、フロンティアのヒーローが生きた現実を、クーパーがこのように的確に描写していることは認めなければならないだろう。

『モヒカン族の最後』で美しいのは、焚火を囲んだチンガチグックとアンカスが親子でふざけ合うシーンである。ヘイワードの目を通して読者に伝えられるが、バムポーですらもその中に入れない。このなごやかな、比類ないほど美しい情愛の場面は、二度と還ってこないからこそ読者の胸に強く迫ってくる。

デラウェア族の大酋長タメナンドの「インディアンの時代は、もう二度とおとずれはしまい」という言葉で『モヒカン族の最後』は終っている。仇敵マグワも〝高貴な野蛮人〟アンカスも滅びゆく種族であり、時代はフロンティアから都市へ、その舞台を変えていく。ナティ・バムポーは、その失われていく西部の挽歌をうたうヒーローだった。

スティーヴンソン、ハガードらの描いたイギリス十九世紀末ヒーローと、アメリカン・ヒーローの原型が異なる点は、この自然との密着度にこそある。アメリカもまたこの後、都市型ヒーローの時代に移っていくが、最初のヒーローがこのように自然の中から生れてきたことは記憶されていい。

ハックルベリーの旅

マーク・トウェインをここで採り上げるのはいささか場違いかもしれない。

リチャード・チェースは『アメリカ小説とその伝統』（待鳥又喜訳、北星堂書店）の中で、「マーク・トゥエインはスコット、クーパー、それからゴシック小説や感傷小説作家たちに対する露骨な敵意によって勇名をはせたが、彼のこれらの作家やその模倣者たちに対する攻撃はなかなか痛快である」と書いたあと、トウェイン「フェニモア・クーパーの文学上の罪科」から、「この本は何らの発明工夫をも持っていない。秩序も体系も順序も結果もない。感激も感動も事実らしさをも持っていない。人物描写は混乱し、その人物たちは、その言語動作によって、作者が主張しているような種類の人間でないことを自ら証明している」というクーパー『鹿殺し』批判の文章を引いている。

マーク・トウェインは、スティーヴンソン、コナン・ドイル、ライダー・ハガード、フェニモア・クーパーと続く、伝奇ロマン派の作家たち、ウォルター・スコットの嫡子（ちゃくし）たちとは明らかに異なるリアリズム作家なのだ。従って、ここに採り上げるには若干のためらいがある。

しかし同時に、マーク・トウェインは十九世紀後半のアメリカ読者に熱狂的に迎えられた国民作家でもある。当時の西部辺境、ミズーリを舞台に綴られたハックルベリー・フィンの冒険は「生き生きとした話し言葉で終始し、文法などを無視した方言で溢れている」(猿谷要『トム・ソーヤーのアメリカ』トラベル・エンタプライズ)ために、よりいっそうの親密感を読者に感じさせたのだ。クーパーの革脚絆物語は舞台をイギリスの古城からアメリカ荒野に移しはしたものの、主人公はまだウォルター・スコット流の騎士道精神をどこかにひきずっていた。マーク・トウェインが「アメリカ最初の作家」と言われているのは、そういうイギリスの呪縛から主人公を解き放ったからだ。

たとえば、ジャック・カポーが『喪われた大草原』(寺門泰彦・平野幸仁・金敷力訳、太陽社)の中で「子供向けの本ではない。それは暴力に満ちた小説である」と書いた『ハックルベリー・フィンの冒険』(一八八五年)を見てみよう。

これは自然の放浪児ハックと黒人奴隷のジムがミシシッピ川を筏で下っていく物語だ。この小説が異彩を放つのは主人公ハックルベリー・フィンの設定だろう。『トム・ソーヤの冒険』にはこう書かれている。

「ハックルベリーは、町の母親たちみんなから、ひどく嫌われ、恐れられていた。そのわけは、かれが怠け者で、下品で、たちのよくない少年であったからだ」(斎藤正二訳)

家柄もよく、育ちのいいトム・ソーヤとは正反対の少年なのだ。衣服にかまわず、タバコもふかす野性児である。

『トム・ソーヤの冒険』のラストで六千ドルの金貨を得たハックが、酒飲みの父親から逃がれるために死を演出して筏で河を下るのが『ハックルベリー・フィンの冒険』の発端だが、それだけなら『トム・ソーヤの冒険』（一八七六年）の中で、トムとハックとジョーが小島で遊ぶ海賊ごっこと大差はない。『ハックルベリー・フィンの冒険』が『トム・ソーヤの冒険』よりも強い印象を残すのは、黒人逃亡奴隷のジムが合流するからだ。この瞬間に、筏下りは海賊ごっこからその意味を変えてしまう。

『トム・ソーヤの冒険』は西部辺境地における少年たちの冒険を色彩感豊かに描いた小説ではある。トム・ソーヤは大人の言うことをきかず、いたずらばかりしている少年だ。トムとジョーがロビン・フッドごっこをするシーンに、「ふたりの少年は、死ぬまで合衆国の大統領でいるよりも、一年間でいいから、シャーウッドの森の無法者の暮らしをするほうがいいなあ、と話し合った」とあるが、そういう冒険者への憧れを色濃く持つ少年でもある。しかし、それは永遠の少年でありたいというニュアンスにすぎず、決して日常への反抗を意味するものではない。トムの冒険は少年の日における一過性のものであり、彼をとりまく日常からはおそらく逸脱しない。それは『トム・ソーヤの冒険』のラストに象徴的に現れている。

　今度は山賊になると宣言するトムは「ちゃんとした紳士じゃなければ仲間に入れてやれない」とハックに言うのである。海賊よりも山賊のほうが品格が高いから、というのがトムの論理だ。その時ハックは「ようし。おれ、一と月ばかし未亡人（おばさん）のとこへ帰って、辛抱してみることにすらあ。そいで、我慢できるようになるかどうか、やってみらあ。もし、おめえが、おれを仲間に入れてくれるならばだぜ、トム」（野崎孝訳）と答えるが、結局辛抱できずに逃げ出すところから始まるのが、その続篇の『ハックルベリー・フィンの冒険』なのである。

トム・ソーヤの冒険は「ちゃんとした紳士」のものであり、ある意味ではウォルター・スコット流の冒険と言えなくもない。R・E・スピラーは『アメリカ文学の展開』の中で「トムとハックの違いは、前期のマーク・トウェーンと後期のマーク・トウェーンの違いである」と書いているが、トム・ソーヤの冒険がそういうレディメイドの冒険であることは、トムがいつも本に書かれてある通りに行動することにも現れている。『ハックルベリー・フィンの冒険』で黒人ジムを救出する際、本に書いてあった通りの手順で行なうことに執着するトムを、マーク・トウェインは克明に描き、その奇異な点を読者に印象づけたうえ、さらに「トムって野郎は、いつもこんな具合にうるせえんだ。なんでもすじを通すんだな」とハックに言わせている。この念の入った描写からマーク・トウェインの意図が伝わってくるようだ。

『トム・ソーヤの冒険』は、トムとハックが殺人を目撃するなど、少年だけの物語に終わらず、当時の猥雑な西部辺境の現実をリアリスティックに描いているが、ハックを脇にまわし、トムが主役をつとめることで、基本的には牧歌的な冒険譚となっている。ところが、『ハックルベリー・フィンの冒険』は、放浪児ハックを主人公にし、さらに黒人ジムが筏に乗り組むことで、牧歌的なイメージは姿を消す。

ジムは逃亡奴隷であり、彼の筏下りは自由の大地を求める旅である。同じ筏でミシシッピを下るハックの旅は「ちゃんとした紳士」でなければならない〝冒険〟から一転し、自らを縛りつけるすべてのものから逃げる旅になる。ここにあるのは、もはや海賊ごっこではなく、切実な旅だ。しかし、ハックが時折ジムをからかうエピソードからわかるように、この二人が肩を寄せ合って旅するわけではない。

「ほかんとこは狭っ苦しくって息がつまりそうだけんど、筏はそんなことあねえ。筏は野放しでのんきで、とっても良い心持ちだぜ」という自然児ハックの自由への希求は、いつの時代でもありそうな感情ではある。たとえばハックが現代の少年であっても、このセリフは力を持ち得るだろう。そこに黒人逃亡奴隷を同乗させることで、十九世紀アメリカという時代の現実を重ね合わせたことが、マーク・トウェインの独創なのである。

流れゆくミシシッピ川がハックとジムの夢を運び、対岸の町々の現実を映し出すという象徴的な小説構造は、〝公爵〟と〝王様〟の詐欺師コンビを生み出し、この物語をよりいっそう錯綜させている。詐欺師コンビは対岸の現実を明瞭に浮き彫りにする鏡である。マーク・トウェインは魔法と迷信に満ちた当時の西部辺境を、彼らが巻き起こす事件を通して、あざやかに描き出している。

ハックは彼らの詐欺行為をとめるどころか、協力さえするのである。ハックもジムも、〝公爵〟や〝王様〟と同様に、現実に背を向けた〝犯罪者〟なのだ。『ハックルベリー・フィンの冒険』には、冒険が本質的に現実と相容れないことと、それでも冒険を希求するまぶしさと、そして結果的に〝犯罪者〟になることを恐れない強い響きがある。ジャック・カポーは前掲書の中で「ハックが法の外であまりにもたやすく身を処しているとすれば、それは暴力が合法的で、奴隷制という人間軽視の最悪の形態が権威をもつ一つの世界に彼が生きているからである」と書いているが、そういうリアルなヒーローだからこそ、十九世紀アメリカ読者の喝采を浴びたのだろう。

マーク・トウェインに『アーサー王宮廷のヤンキー』（一八八九年）という作品がある。十九世紀のアメリカ青年がアーサー王時代のイギリスに迷い込むというSF仕立ての長篇である。これは国王、貴族、上流階級への批判に満ちた作品でもあり、大変興味深い。貴族連中は「怠慢で、非生産的で、もっぱら浪費することと破壊することの技術にだけ通じている」（龍口直太郎訳）とか「暴虐で、殺人的で、強欲で、道徳的には腐敗してはいたが、信心深さにかけては天下一品。まことにご熱心だった」とか「特権階級たる貴族は、奴隷所有者集団の別名にすぎない」など、痛烈な皮肉、批判にあふれているのだ。さらに「一般的に言って、騎士なんてのは間抜けで、時には底抜けですらある」とあるように伝説上の騎士たちにも批判の矢を浴びせている。主人公のアメリカ青年が鎧兜姿で諸国遍歴の旅に出るシーンでは、太陽に照らされて汗をかきながらもどうすることも出来ない姿や、兜の中に虫が入り込み、かゆくてもかけない姿を、滑稽に描いている。そして主人公に、こんな姿で旅に出るのは不便だし、こういう悪弊は一掃してしまいたい、とまで言わせている。

これは明らかにウォルター・スコット流ロマン派小説に対する批判である。『アーサー王宮廷のヤンキー』の中に、当時が衛生思想の発達していない不潔な社会であることを暴露する件りがあるが、ロマン派作家たちに対する批判は、そういう現実から目をそむける虚偽に、マーク・トウェインが我慢できなかったからだろう。

とは言ってもマーク・トウェインがリアリズムのためのリアリズムを求めていたわけではない。マーク・トウェインにとってのリアリズムとは、神秘に満ちたアメリカ西部辺境の現実を丸ごと描く際の、おそらくは方法論を意味している。

ハックルベリー・フィンは陸の上の暴力といつわりを報告する冷静な観察者である。自然と人間の調和を文明が破壊していく時代の変り目に立つ証言者である。アナーキーな香りに満ちたハックのミシシッピ下りの旅が今でもまぶしいのは、冒険を喪失した文明社会からどこまでも逸脱し続ける強い意思が、筏の上に漂っているからだという気がする。

西部辺境の男たち

サイレント時代から七〇年代までのウェスタン映画史をまとめたG・N・フェニン／W・K・エヴァソンはその書『西部劇』（一九七三年）を、「西部劇の観客が一人もいなくなるということはとうてい考えられない。なぜならば、西部劇はロマンティックな冒険、理想主義、偉業、明るい将来、正義、個人主義、大自然の美、その新天地を勝ち取った人間の勇気と独立心といったもののすべてを描いているからだ」（高橋千尋訳、研究社出版）と結んでいるが、ブライアン・ガーフィールドは『切迫』（一九八四年）の中で、西部小説専門書店の店主に次のように言わせている。

「若い連中は古き西部などに関心を持ちません。あなたが最後に映画館で西部劇を見たのはいつでしょうか。今ごろはテレビでも西部劇のシリーズをやらなくなりました。二十年前なら、毎週カウボーイの連続ものを二十以上やっていましたがね」（丸本聰明訳、文春文庫）

人間の勇気と独立心を描くものがすたれてしまった、ということではないだろう。テーマは不変でも物語の形態が変るということはある。西部小説を多く書いたガーフィールドが作中人物に託した言葉は、その物語が変ってしまったことの作者自身の嘆きと受け取れないこともない。鏡明「ヒーロー・ペーパーバックスの系譜三」（テイバー・エヴァンズ『連邦保安官』創元推理文庫、解説）によれば、ウェスタンは、暴力とセックス、血と汗と土埃で満ちている西部を描いた「リアル・ウェスタン」で六〇年代の半ばに再生し、その方向を押し進めた「アダルト・ウェスタン」が八〇年代を席巻したという。そこまでくると昔のウェスタンとは隔世の感があるが、ここではウェスタンの原型がいかにして作られたのかを見ることにしたい。ウェスタン・ヒーローの本質とは何なのか。それをまず確認しておきたいと思う。

　西部のヒーローの条件として、津神久三は『フロンティアの英雄たち』（角川書店）の中で、実在したヒーロー、ダニエル・ブーンを紹介しながら、たぐいまれな勇敢さ、進取の気性、自然を愛する心、武器の操法の練達、さらに未開の自然の中で生き抜く知識、などを挙げているが、ナティ・バムポーの例で見たように、自然との密着度がそこに強調されていることが、イギリス型〝騎士道〟ヒーローと明らかに違う点である。

　それは西部のヒーローたちが生きた辺境が、苛酷な自然の只中にあったからだ。ウィルソン・O・クラークは〝アメリカ文学における自然と孤独〟と副題の付いた『フロンティア』（篠崎書林）の中で次のように書いている。

「この場所に、徒歩で、あるいは馬でやってきた人たちの中で、最もおとなしい人も、早速、彼の優しさを放棄して、彼の運命として、剛勇と、不屈の決意を選んだ。（略）絶えず存在する危険などが、すべての人を待ちかまえていた。例えば、それがインディアンでなければ、灰色の熊であるか、旱魃か、砂嵐、あるいは野火や、水のない平原や、樹木のない地平線や大吹雪や日々のみじめな生活と飢餓であった」（鶴谷寿訳）

西部はそういう〝広大で、変化に富み、また未征服で、粗野で、たくましい〟荒野そのものであったのだ。その辺境の地に生きる男たちが、すでに文明の洗礼を受けていた十九世紀ヨーロッパ型ヒーローと違ってくるのも当然だろう。事実、アメリカ最初のヒーローは、そういう西部辺境に入り込んでいったマウンテン・マンである。毛皮猟師であり、交易人であり、またのちに開拓移民たちの案内人にもなった彼らは、広大な荒野の中で道を探し、水を探し、西部の奥地へと入り込んでいった自然と自由を愛する冒険家でもあった。すなわち、キット・カースンであり、ジュデディア・スミスであり、ジム・ブリッジャーである。

エマースン・ホフが一九二二年に発表した『幌馬車』は、一八四八年、ミズリーからオレゴンに向う開拓者たちの旅を描いた西部小説だが、この中に案内人として、その実在の人、ジム・ブリッジャーが登場している。ブリッジャーは「くせのない髪を長くのばし濃い灰色の頬髯をたくわえた、中年の背の高い男」（有高扶桑訳、新鋭社）であり、「鐙のないインディアン風の鞍にまたがり鍔広の帽子に、かつて西部の猟人たちが用いた房のついた上衣、鹿皮の足当をつけ、未開人と間違われたとしても無理のないような扮装」で現れ、一行に合流する。

猿谷要『西部開拓史』によれば、彼はインディアンの妻を三人持ち（若い頃にすべて死別）、ブリッジャー砦をつくって移住者たちに物資を商ったり、道を教えたりしていたらしいが、この小説では四十数歳になりながらなお二人のインディアン妻を持つとの設定になっている。

「第一次フリモント探検隊にガイドとして参加、一躍全国に勇名を轟かし、〈平原の英雄〉とうたわれ、フロンティアの生ける象徴として、生前からすでに伝説上の巨人」（小鷹信光『ハードボイルド以前』）だったキット・カースンまで都合よく登場させているところをみると、エマースン・ホフは史実に忠実に描くというよりも、舞台背景のリアリティ獲得を念頭に置いたと思われる。

それを認めたうえでなお、この小説におけるジム・ブリッジャーは生彩に富む人物である。「野牛にゃ弓が一番なんだ。見てろ、そのうちすぐわかるからな」と果敢に野牛と戦い、さらにその料理法まで移住者たちに教えるブリッジャーは、同時にいつも軽口を叩く陽気な男である。再会したキット・カースンに「商売の時代は終ったんだ」と言われ、昔の日々のために乾杯する場面には、過ぎ去りし栄光の時代をなつかしむマウンテン・マンの悲哀が漂っているが、このブリッジャーを重要な脇役として登場させることで、『幌馬車』は陰影に富む物語となっている。

もし、ジム・ブリッジャーが不在ならばこの小説は平板なメロドラマに終始していたに違いない。主人公のウィリアム・バニヨンは二十八歳の青年であり、〝端正な顔だちと物怖じしない黒い眼〟を持つと描かれているが、ヒロインをめぐって対立するサム・ウッドハルを殺すどころか助けてしまう（しかも最後には結局倒してしまう）曖昧さが脆弱なヒーローとの印象を与えていることは否定できない。

同じ行程を旅する移住者群像を描いたA・B・ガスリー『西部への道』（一九四九年）にも、

がアメリカ最初のヒーローであったことを確認しておきたい。

小説評価という点では、この小説の末尾でサマーズが一行から離れることに対する批判（J・K・フォルサム『アメリカ西部文学』篠崎書林）もあるが、むしろフォルサムがフロンティア・ヒーローの条件に、行動力と洞察力を挙げていることをここでは考えたいと思う。『アメリカ西部文学』のその項で採り上げられているのは、マックス・ブランド『砂塵の町』だ。

これは無実の罪で服役した無法者が六年後に出所して復讐する物語だが、真犯人を少年に教えられるまで気付かないという主人公の洞察力の欠如を、J・K・フォルサムは指摘している。この主人公、ハリスン・デストリーはどう読んでも頭が良さそうには見えないし、その復讐も臆病者を装うなど爽快感に欠けるので、J・K・フォルサムの指摘にうなずけないこともない。ジャック・シェーファー『シェーン』の主人公にくらべれば、デストリーは作者が都合よくストーリーを運ぶための手駒にしかすぎないことがわかる。

しかしこの小説は、もっと興味深いものを示唆してくれる。つまり、なぜ、その行動に爽快感がなく、洞察力も欠如したこの男がヒーローとしてあがめられるのか、ということだ。そこにウェスタン・ヒーローの本質的な基盤がひそんでいる。ヒントはデストリーが子供たちからヒーローとして人気を集める件りにある。

大半の西部小説が背景とした時代は、南北戦争終結の一八六五年からフロンティア消滅宣言までの二十五年間である。この時代は「西部の伝承に名高い英雄、銃豪が雲の如く輩出し、アメリカの「古き西部」が最も鮮烈に、最もロマンティックにいろどられた時であった」（津神久三『フロンティアの英雄たち』）が、それは同時に「金ピカ時代」といわれるアメリカ資本主義の急成長期でもあった。幌馬車隊が西に向ったのも、東部に次々と工場が建ち、農民や牧畜業者が土地を追われたからでもある。多くの西部小説が、大牧場主と小牧場主の、そして牧場主と農民の暴力的な土地争いをテーマにしたり、あるいは開拓移民の幌馬車隊をインディアンが襲う派手なシーンを挿入しているので、当時のアメリカが原始的な状態であったと錯覚しやすいが、それらは西部辺境が特殊な状況に置かれていたからだ。東部に勃興した工場資本主義の波がまだ訪れず、暴力が支配していた特殊な区域だったのである。

そう、問題は〈暴力〉なのだ。これこそがウェスタン・ヒーローと十九世紀ヨーロッパの紳士型ヒーローをわけるもう一つの線である。「西部にワイルドな暴力が横行していた原因は、広大な合衆国の国土に比してあまりに急速なフロンティアのラインの前進のため、秩序社会からの文明や法律の到着が間に合わなかったという事実が、根本の理由であった」（同前）のだが、そのような西部では銃が、力が〈正義〉でもあったことを想起すればいい。法の外にある男たちへの礼賛＝アウトロー神話が西部小説の底を流れているのもそのためだ。アメリカ初期のヒーローに、マウンテン・マンと並んで、ジェシー・ジェームズなどの無法者の系譜があるのは理由のないことではない（このジャンルの原型を作ったとされているオーウェン・ウィスター『ヴァージニアン』（一九〇二年）の中で、家畜泥棒をリンチで処刑するのは間違っていないと判事が言明するのも、西部が文明の外にあるという認識があるために他ならない）。

かくて、ジャック・シェーファー『シェーン』に代表される流れ者がウェスタン・ヒーローとして現れる。西部小説におけるヒーローと悪漢は〈暴力〉を支点にして紙一重であり、だまされやすい好人物はむしろ揶揄（やゆ）される対象にしかすぎないという構造は、オーウェン・ウィスター「贈られた馬」一篇で明らかだろう。この短篇の主人公は東部人であり、「旅がしたけりゃ、これからは乳母車にのりゃあいい」（山下諭一訳『西部小説・ベスト10』荒地出版社）とまで言われてしまう。『砂塵の町』のデストリーが行動力も洞察力も欠きながら子供たちのヒーローであり得たのは、「贈られた馬」の紳士的な東部人とは違い、彼が無法者だったからだ。『砂塵の町』は欠点の多い作品だが、だからこそ逆に、ウェスタン・ヒーローのそういう本質をよく象徴しているように思える。

フロンティア・ヒーローからウェスタン・ヒーローへと流れていくアメリカン・ヒーローには、もう一つ現実主義者（リアリスト）という側面もあるのだが、それはバローズの項まで待たなくてはならない。

十九世紀イギリス補遺

十九世紀最後の二十年間に登場したイギリスのロマン主義作家は、スティーヴンソン、ライダー・ハガード、コナン・ドイルという現在もその名を残す作家たちだけでは決してない。H・G・ウェルズの伝記『時の旅人』では、当時ウェルズが本の売れ行きで足元にもおよばなかった人気作家として、マリー・コレリの名があがっている。イタリア人の父とスコットランド人の母を持つこの女流作家は、現在ほとんどかえりみられていないが、その作品の中から『復讐（ヴェンデッタ）』（一八八六年）を、まずここでは見てみたい。

これはナポリを舞台に、生きながら葬られたイタリアの青年貴族の復讐行を描いた小説である。主人公は、ファビオ・ロマニ。コレラが猛威をふるっていた一八八四年の夏、ナポリのダウンタウンで苦しんでいる少年を見過ごしに出来ず、彼が思わず助けるところからこの物語は幕を開ける。

暑さにやられて気を失ったファビオはコレラ患者と間違えられて埋葬される。やっと棺から出てくると髪は一夜のうちに白髪になり、家に帰ると美しい妻が親友と姦通していたことを知らされる。そこからファビオの復讐行が始まるわけだが、盗賊の財宝を発見するという都合のいい偶然（このために金を湯水のように使って復讐が出来る）と、親友ギドーが変身したファビオにあまりに正直に喋りすぎる不自然さ（変身したといってもファビオの父の友人という設定なのだから、ギドーにファビオの悪口をここまで正直に喋らせるのはおかしい。ギドーがいかに薄情な男であるかを読者に伝えるための作者の都合としか思えない）が、この小説の完成度を低めている。

クックのパック旅行参加者が観光地を騒々しくさせていることへの嘆きや、現代英国の道徳的退廃を攻撃しているところなどは興味深いが、親友ギドーや妻ニーナの造型が平面的すぎるので、テンポのよい復讐話ではあっても、ドラマに深みがない。生きながらの埋葬というショッキングな幕開けに象徴される読者をひきずりこむ力と、全篇に漂うロマンチシズムが当時の読者に熱狂的に迎えられた原因なのだろうが、現在からみると、その荒っぽさに目がいってしまうのも仕方あるまい。

その点、同時代の作家、アンソニー・ホープの『ゼンダ城の虜』（一八九四年）は、はるかに生彩のある小説だ。こちらは主人公がルドルフ・ラッセンディル。ルリタニア国王にうり二つのこの英国紳士が王位争いの渦に巻き込まれる恋と冒険の物語である。

この小説に生彩を与えているのは、しかしルドルフではなく、仇敵ルパートである。この美男子のならず者はルドルフをだまして短剣で刺したりするが、不思議と憎めない。当のルドルフですら「わたしから見ると、同じ悪党なら彼のような優雅な悪党がよい」と思ってしまう。

「さよなら、ルドルフ」と去っていくクライマックスが、主役の退場シーンであるかのように印象深いのも、この「向こう見ずで、抜け目がなく、優雅で、作法を守らず、好男子で、上品で、悪党で、人に負けない男」（井上勇(いのうえいさむ)訳）が魅力に富んでいるからだろう。

たとえば、ルドルフがとらわれの王を救出しにゼンダ城に侵入する件(くだ)りで、見張りの兵士を突き刺すシーンがある。彼はそれが卑怯な行為であったのではないかと思い悩んでしまう。「生涯にいろいろなことをやったなかで、この時のことだけは思い出したくない。それが男のすることだったのか、裏切者のすることだったのかも、問題にはしたくない」というように。この屈託は、直後にルパートを撃つチャンスがありながらも撃たないという遠慮にもつながり、ルドルフのあいまいさを浮き彫りにしている。結局、「これは戦いだ——王様の生命が危ないのだ」と自分を納得させるが、そう言わざるを得ないところに、ルドルフの弱さがあると言えそうだ。

　ルパートは違う。続篇『ヘンツオ伯爵』（一八九六年）でルパートとルドルフが闘うシーン、「力と技で勝てぬなら、悪知恵と背信とで勝ってやれ」とルパートはルドルフを出し抜くことを考えるが、こちらのほうがはるかに力強い。

　もっとも『ヘンツオ伯爵』には「大胆な勝負はルドルフにとってお手のものでもあったし、彼の好むところでもあった。この性格はヘンツオのルパートのそれと同じだった。この共通の性格のために、ルドルフは悪事を恐れぬルパートにたいして内心好感を抱いていた」という件りがある。違うのではなく、同じ男だというのだ。なるほど、そう考えてみれば、ルドルフに紳士的態度が濃いという違いだけで、この二人が裏表であることに気が付く。前記の決闘シーンで、策略をめぐらすルパートに対して、ルドルフが「騎士道もこうした夢中な状態におかれると邪道に豹変することを知っていた」のも、ルドルフの中に同じ要素があるからに他ならない。

問題は、たとえ己れのなかに弱さやずるさがあったとしても、それを克服し、あくまで騎士道の側に立つかどうかで、『ゼンダ城の虜』『ヘンツオ伯爵』において、奔放に生きるルパートではなく、邪道に豹変したことを思い悩む紳士的ヒーローのほうを主人公に設定したところに、この時代の枠組みを見ることが出来る。

では、その場合の〝紳士〟とはいったい何なのか。

もう少し時代をさかのぼって、フレデリック・マリアットの例を見るとわかりやすい。神宮輝夫「イギリス児童文学史」（瀬田貞二・猪熊葉子・神宮輝夫『英米児童文学史』研究社、所載）の中で、この作者は次のように紹介されている。

「キャプテン・フレデリック・マリヤットは一四歳から三八歳まで海軍軍人として波瀾にみちた時代を生きたが、退役後、海軍での経験をもとに、一人の才能豊かな海軍士官の生活を、宗教的くさみなどまったくないユーモラスで簡潔な文体で描いた『イージー候補生』（一八三六年）その他を発表して有名になった。その後、マリヤットは、自作が大人のみならず、若い読者によく読まれていることを知り、また、男性的で単純明快な文体が子どもの文学に適していることを自覚して、『老水夫マスターマン・レディ』（一八四一年）以後、児童文学に転じた」

一八三〇年代の海洋小説作家であり、この分野の先駆者とも言われている作家である。『ピーター・シンプル』（一八三四年）はその作者の自伝的作品だが、紳士型ヒーローを考える上では示唆に富んだ小説と言えるだろう。十四歳で海軍に入った主人公の半生を描いているが、当時のイギリス海軍の赤裸々な実態をディテール豊かに活写しているので、大変興味深い。艦内で豚を飼ったり、細君を同乗させたりするデタラメの艦長もいれば、ホラ吹き艦長、なまけもの艦長（敵の砲火をあびても走って逃げるのが面倒くさく、そのため悠々としているので結果的に称賛を得てしまう！）と、いろいろな艦長がいる。水兵は寄港するたびにいつも逃げ出し、責任者がそのために補充に追われるというありさまだ。そういう猥雑な艦内の様子が、克明にユーモラスに描かれている。

主人公ピーターは気のいい男として設定されている。だまされても相手を許し、決闘の時ですらピストルを空に向けて発砲しようとする男である。そして一方では、海軍に力を持つ祖父プリヴィリッヂ卿に職の世話をちゃっかり頼むしっかり者である。臆病な艦長が敵艦との戦闘を回避した時には、昇進が水の泡になることを口惜しがって寝床で泣くほど功利的な男だが、同時にフランス人捕虜に対して紳士的ふるまいを示す男でもある。しかしそれだけなら紳士型ヒーローのヒントにはならない。

掌帆長（しょうはんちょう）チャックスが鍵だ。自分は泥酔漢だった父の子ではなく、母親と身分の高い紳士との間に生れた不義の子なのかもしれないと告白したあとで、彼はピーターに次のように言う。

「僕にとっては一掌帆長とその妻の正当な子というよりは、一紳士の落胤（らくいん）のほうが好ましいのです。前者ではわれわれの血管に立派な血をうける筈は全くないのですが、後者ならば一二滴授っているかも知れないからです」（伊藤俊男訳）。さらにチャックスは若い頃、貴族になりすまして過ごした日々のエピソードを話し、貴族へのあこがれの感情をかくさない。「紳士になりたい」というチャックスの願望が、ここでは貴族信仰に結びついていることに留意したい。

念の入ったことに、作者は一度死んだはずのチャックスを後半生き返らせている。彼はスエーデン巡洋艦の艦長となり、そして伯爵未亡人と結婚し、なんと本物の伯爵となって凱旋するのである。このチャックスの挿話はこの時代の〝紳士〟が貴族階級の精神であることを端的に物語っている。選ばれた貴族でありさえすればいいのだ。いわば内実を伴わない精神である。『ピーター・シンプル』の縦糸が、ピーターの父と伯父の爵位争いであることを想起してもいい。ピーターは最後に子爵となり、相棒のオブライエンまで男爵となって、この物語は終っている。かくて気のいい勇敢な男たち、紳士の冒険物語は輪を閉じる。

『ゼンダ城の虜』のルドルフ・ラッセンディルも何一つする必要のないイギリス貴族である。仇敵のルパートですらルリタニアの伯爵だ。ルパートを優雅な悪党として描いているのは、その出自と決して無縁ではあるまい。ルドルフを紳士として描き、ルパートを悪党にしているのは作者の巧妙な計算である。『復讐（ヴェンデッタ）』の主人公ファビオ・ロマニもイタリア貴族であったことを考えれば、この時代の紳士ヒーローが貴族ヒーローであることが見えてくる。『ピーター・シンプル』はその本質を明確に描いた作品で、『ゼンダ城の虜』や『復讐（ヴェンデッタ）』の底流をさし示しているようだ。

時代は貴族階級から新興ブルジョワジーに政治的かつ経済的主導権を移しつつあり、そして印刷技術の進歩と教育の普及と工場労働者の増大によって新しい読者層がふえつつあったが、だからこそ逆に、人々の意識の中に、生れもった血に対するこだわりがあったのだろうか。ヒーローが夢の存在であり、従って、現実にいないものがいつも求められるように。犯罪者を主人公にした一八三〇年代のニューゲイト・ノヴェルもあるが、これも裏返しの血の小説と読めないこともない。犯罪者もまた現実の退屈な日々から遠くにいる〈夢〉のヒーローなのだ。

ヒーローをわけるその線を、貴族であれ犯罪者であれ、生れもった血に意識下で求めていたのが、十九世紀イギリスの大衆小説を貫く特色であったのではないか。その牧歌的な時代は第一次大戦まで続く、というのが現在の仮説だが、そこまで行き着くためには、もうしばらく遠まわりしなければならない。

芥溜のパリ

1

〝資本主義黄金期の日常生活〟と副題の付いた『フランス人の昼と夜　一八五二〜一八七九』（尾崎和郎訳、誠文堂新光社）を書いたピエール・ギラールは、その書の中で十九世紀のパリを簡潔に表現している。「芥溜のパリ、下水のパリ、犯罪の首府パリ」と。

　洗練された文化の中心地としてヨーロッパに君臨したパリと、この〝芥溜のパリ〟はあまりにもかけ離れているが、その矛盾こそ十九世紀フランスがかかえていた最大の問題でもあった。

　まず、パリの人口推移を資料からひもといてみよう。十八世紀まで五十万人だったパリの人口は、一八四六年に一〇五万人、一八六六年に一八〇万人にふくれあがっている。そのパリの人口増加を支えたのは、フランス全土からパリに流入してきた出稼ぎ労働者である。パリ郊外に次々に建てられた近代的な工場労働者として、あるいは第二帝政期、ナポレオン三世の命を受けたオスマン男爵によりパリ大改造の土木工事労働者として、この時期多くの農村労働者がパリに流れ込んでいた。全体的にみれば、第二帝政期（一八五二〜七〇年）にフランスの経済は発展しているが、問題はその富が大ブルジョワジーに集中し、庶民階層に反映されなかった点にある。

一八七〇年のパリ・コミューンを筆頭とする十九世紀フランスの内乱、そして相次ぐ労働者の反乱は、この階級間の差が、産業革命が完了をみたこの世紀に濃厚に露呈してきたことと決して無縁ではあるまい。喜安朗（きやすあきら）『パリの聖月曜日』（平凡社）には、一八二五年に完成したウルク運河がパリの水事情を好転させたものの、その水が庶民にまでまわらず、結果的に階級間の差をより明確にしてしまった過程が描かれている。前記のオスマン男爵によるパリ大改造にしても、ナポレオン三世の威信を内外に誇示するためと（一八五五年のパリ万博とこのパリ大改造が第二帝政の残した大イベントだった）、労働者反乱のたびにバリケードの拠点とされる網の目のように入り組んだ狭い路地を一掃するためのものであったという。ところが道路を拡張したことにより、交通事情は良化したものの、水売りやミルク売りなどの路上物売りの往来を逼迫させ（原因としては小売業の発達も同時にあるが）、結果的には失業者を増大させていく。かくて十九世紀のパリは、大ブルジョワジーが富を謳歌する一方で、低賃金でこき使われる労働者や、曲芸師、ジプシー、浮浪者、やくざなど周縁（マルジナル）の人々があふれ、矛盾と活気に満ちた街となっていくのである。

十九世紀フランスの大衆小説は、こうした時代背景のもとに生れてきた。イギリスと同様にフランスでも教育の普及と余暇の誕生によってまず読者が生れ、追いかけてその読者のための大衆小説がこの世紀に産声を上げる。

その最初は新聞連載小説である。ピエール・ギラールの前掲書によれば、一八五五年にパリには二百の読書室があったというが、本は高いものであったから（初版千部が普通だから定価も高くなる）新聞を読むことのほうが庶民にとっては身近な娯楽であった。ジャン＝アンリ・マルレの『タブロー・ド・パリ』（鹿島茂訳、新評論）には、新聞を野外図書館から借りて公園で読む庶民の姿が描かれているが、そういう習慣を背景に、一八三六年創刊された「ラ・プレス」は年間購読料をそれまでの半分に下げ（当時は一部売りはしていなかった）、なおかつバルザックやデュマなどの連載小説が人気を呼び、最盛期には七万部に達したという（宝木範義『パリ物語』新潮社）。

ではなぜ、当時の庶民階層がそれらの新聞連載小説を読みふけったのか。

それは「実生活や歴史と違って、連載小説では美徳が激烈な闘いの後勝利する」（ピエール・ギラール、前掲書）からである。当時の庶民階層の生活実態が悲惨なものであったことを想起すればいい。出口のない悲惨な生活に押し込まれていたからこそ、せめて紙上の夢を見たい、という意識下の想いが新聞連載小説を競って読む因の一つになっていたことは容易に想像できる。従って、民衆の苦しみを描き、社会正義を訴える小説が多かったことも、当時の時代精神の表出として理解されるだろう。

そういう社会小説の代表が、ユージェヌ・シュー『パリの秘密』であり、ヴィクトル・ユゴー『レ・ミゼラブル』であった。

（ユージェヌ・シュー『パリの秘密』は十九世紀中頃のパリを舞台に、泥棒、売春婦、堕胎医、そして貧困に苦しむ労働者など、底辺に生きる人々と、贅沢な生活を営む貴族階級の人々が織り成す波瀾万丈のドラマをストーリー色豊かに描く風俗小説である。他人の財産をかすめとるインチキ公証人や前科者、気のいい荷上げ人足、そして足を洗いたがっている泥棒一家の長男など、多彩な登場人物が入り乱れ、そういう意味では矛盾に満ちた芥溜（ごみため）のパリが活写されている。しかし、薄倖の少女マリや貧困の中でも笑顔を忘れない娘リゴレットなどにみられる大衆小説のツボを外さないメロドラマづくりは見事でも、狂言まわしのロドルフが無個性なので、全体の印象を弱めているのは惜しまれる。さらに御都合主義的な展開が目立ちすぎ、必ずしもすぐれた小説とは言いがたい。底辺の人々への愛情と物語を貫く正義感、そしてその通俗性が当時の読者の喝采を浴びた要因なのだろう）。

　アンドレ・モーロワ『ヴィクトール・ユゴー』（辻昶（つじとおる）・横山正二（よこやましょうじ）訳、新潮社）によれば、ユゴーが一八六一年に書き上げたこの小説を、連載したいといういくつかの新聞からの申し込みをすべて断わって出版社に三十万フランで売ったのは少しずつ区切って載せると価値がそこなわれると思ったからだという。『パリの秘密』の方は一八四一年に新聞に連載され、大当たりをとった小説である。このように発表舞台が異なる小説だが、ユゴーが『パリの秘密』に触発されて『レ・ミゼラブル』を書いたのは事実で、前述した時代精神の象徴としてもこの二作は密接につながっている。

　その新聞連載小説（ロマン・フィユトン）からフランス・ミステリーの歴史を説き起こした

松村喜雄の労作『怪盗対名探偵』（晶文社）によれば、シューには『パリの秘密』より面白い『民衆の秘密』（一八四九年）という作品があるとのことだが、氏はフランス大衆小説を確立した最初の作家として、そのシューの名をあげ、ユゴーやデュマは「本来の意味での大衆小説とは認めがたい」と書いている。その小説構造を考えれば、その説にうなずけないこともない。

従って、フランス・ヒーローの変遷をユゴーから始めるのはいささか見当外れかもしれない。しかし『海に働く人びと』（一八六六年）は単行本のあとに新聞連載されるという変則的なかたちにもかかわらず、その新聞は連載が始まるや、二万八千部から八万部にのび（アンドレ・モーロワ、前掲書）、さらに小型本では十八フランの高定価だった『九十三年』（一八七四年）が売れるのを見て「ヴィクトル・ユゴーは民衆に無理やり買わせることができる」とゾラに言わしめた（ピエール・ギラール、前掲書）ほど、ユゴーはボードレールなどの文学者のみならず、当時の庶民階層に圧倒的な喝采を浴びた作家なのである。その時代精神を探る意味でも、ユゴーを読むことは決して無駄ではあるまい。

まず「慈悲の書であり、あまりにも己れ自身を熱愛して、博愛の不滅の掟をあまりにも顧みない社会への、けたたましい警鐘であり、現代のもっとも雄弁な口から発せられた、悲惨な人口に対する弁護演説である」（佐藤正彰訳『ボードレール評論集Ⅲ』創元文庫）とボードレールが評した『レ・ミゼラブル』（一八六二年）を見てみよう。

これは十九世紀初頭のパリを舞台に、徒刑囚ジャン・ヴァルジャンと彼を追う冷酷な警視ジャヴェールのドラマ、孤児コゼットと熱血漢マリユスの恋、そして悪党テナルディエとのちにパリの浮浪児の群れに投じる息子ガヴロッシュなどの人間群像を描く壮大な小説である。

この大作において、ユゴーの筆はしばしば脱線する。ワテルローの会戦描写が長々と挿入されるかと思うと、修道院の歴史的意義を語る宗教エッセイになり、はては隠語の起源からパリ下水道の歴史まで、物語をたびたび寸断して講釈が入る。その悠々たるテンポは現代のスピーディな物語に慣れた読者にはいささか読みにくい。だが登場人物を取りまく建物や生活風俗をそのように克明に描写するからこそ、当時の猥雑なパリ、芥溜のパリが活写されるのだ。

たとえば『ノートル・ダム・ド・パリ』（一八三一年）と比較してみればいい。

こちらは十五世紀のパリを舞台にした歴史小説である。ジプシーの踊り子エスメラルダを軸に、副司教クロード・フロロ、捨子カジモド、近衛隊長フェビュスの三人が争う悲劇を描いているが、カジモドが白骨になってまでエスメラルダを抱いているクライマックスは印象深いものの、クロード・フロロの苦悩をはじめとする登場人物の感情の揺れが芝居じみている点は否めない。アンドレ・モーロワは前記の書の中で「童貞の誓いをたてながら情欲に苦しむクロード・フロロの姿には、ヴィクトル・ユゴーのおもかげが認められる」と書いているが、同時に「登場人物の性格は現実ばなれしている」と評しているように、人物造型に物足りなさが残るのも事実なのである。

その点、『レ・ミゼラブル』には、わが子コゼットを捨てざるを得なかったファンチーヌの悲しみが切々と脈打っている。ジャン・ヴァルジャンがマリユスを背負ってさまよう下水道シーンがあざやかなのも、彼が背負っていたものがどんな逆境にあっても決して捨て去らない希望だからだ。

『ノートル・ダム・ド・パリ』の仕上がりが観念的すぎたことを考えれば、このダイナミックな感情表現は驚異だが、この二作の間には三十年の歳月がある。ユゴーの成熟と解すべきだろう。唯一の瑕(きず)は、父の恩人テナルディエが悪党であったことに気付いたマリユスの苦悩が、やや図式的で観念的すぎることか。ユゴーの小説には、テーマが先走るあまり、このように人物造型がおろそかになる欠点がたびたびある。

だが『レ・ミゼラブル』はそれにもまして、一個のパンを盗んだだけで十九年間投獄され、いっさいの身分を剝奪されてしまう社会への怒りと、底辺の人々に対する限りない愛情に満ちている。ジャン・ヴァルジャンやマリユスは超人なのではない。ジャン・ヴァルジャンは養女コゼットが恋をすると年甲斐もなく嫉妬に苦しむし、マリユスもジャン・ヴァルジャンが徒刑囚であることを知ると軽蔑の念をかくせない。人間はそういう嫉妬深い、哀れな、不幸な存在なのだ。だからこそ人間は悪ではなく善を希求し、崇高なものを求めていく。ユゴーは『レ・ミゼラブル』において、そういう人間の弱さと善への希求と、そして社会正義を力強く訴えたのであった。

華麗な万博のかげで貧民宿が軒を並べ、街には失業者や浮浪者があふれ、警察も病院も頼りにならない芥溜(ごみため)に生きる人々にとって、ユゴーの訴えはおそらく天上の声だったに違いない。現代から考えれば、その声はやや生硬すぎる点もないではないが、十九世紀後半のフランス読者はユゴーの小説に素直に喝采を送ったのである。それが生硬な訴えに見えるのは、我々がユゴーより不幸な時代に生きているからだろうか。

2

「宗教、社会、自然、これが人間の三つの闘いである。（略）『ノートル・ダム・ド・パリ』において、第一のものを告発し、『レ・ミゼラブル』では、第二のものにとくに注意を喚起したが、本書においては、第三のものを描いて示す」（山口三夫・篠原義近訳）と冒頭にかかげた『海に働く人びと』（一八六六年）は、一八二〇年代のガーンジー島を舞台にした小説である。

　これはヴィクトル・ユゴー「宿命」三部作の最終篇とされているが、海の描写が比類のないほど素晴らしい。船主の娘デリュシェットの気をひくために、難破船のエンジンを回収しに海へ出ていく水夫ジリヤットの冒険を描いているのだが、巨大なタコとの凄絶な死闘をはじめ、ここに描かれた神秘的な海はあざやかである。

　それがあまりにあざやかなために、デリュシェットをエベネザーにゆずるジリヤットの苦悩が例によって芝居じみ、現実味が希薄になってしまった。その意味では残念ながら、ユゴーの欠点が表出した作品といえるが、タコの悪魔的イメージはたとえようもなく強烈で、それだけでも読む価値はあると言えそうだ。

　その点、ユゴー最後の小説『九十三年』（一八七四年）は、バランスのとれた作品である。

十八世紀末のフランス内乱を背景に、王党派と共和派の争いを描いたこの小説は、海の描写もよければ、当時のパリ風俗と庶民の生活の実態が克明に描写されているのもいい。そういう時代背景のもとに象徴的なドラマが展開していくのだが、問題はラントナック侯爵が火事の中から三人の子供を救出するクライマックスだろう。

王党派のラントナック侯爵は、共和派のシムールダン僧侶に対応している。つまり恐怖によって大衆を導く人間である。ラントナックには「暴力、恐怖、盲目、不健全な片意地、傲慢、エゴイズムなど、ありとあらゆる悪」（榊原晃三訳）が与えられているが、観点を変えれば、シムールダンも同タイプの男であり、この二人はあくまでも裏表なのである。彼らに対するのは熱血漢ゴーヴァン。彼は敵を殺さず、平和によって人を導こうと考えるタイプの人間として設定されている。『九十三年』はこの三人が軸になっているのだが、クライマックスの火災シーンで、悪の象徴たるラントナックは逃げるのをやめて、火の中から子供たちを救い出す。この小説において「おさなごこそ正義であり、真実であり、潔白であり、天にあるおびただしい天使たちも、これらおさなごらの心の中にいる」と作者が書いているように、子供は良心の象徴である。ラントナックの英雄的行為は従って「人間愛が非人間的なものにうち勝った」ことを示している。

ここで物語が終るなら、この小説は『レ・ミゼラブル』の地点にとどまっただろうが、物語はまだ終らない。ゴーヴァンは英雄的行為をとったラントナックを自らの良心にもとづいて逃がし、裁判にかけられる。裁くのは養父シムールダン。ゴーヴァンを愛しながらも法を曲げることの出来ないシムールダンは、ゴーヴァンに死刑を言い渡す。ラストは断頭台のシーン。ゴーヴァンの首がはねられる瞬間、シムールダンは自らの胸を銃で撃ち、この悲劇は幕を閉じる。人道主義に生きた作者が、歴史に翻弄（ほんろう）される人間の悲劇を静かに謳い上げるこの地点こそ、ユゴーがたどりついた境地である。相変らず登場人物が芝居がかってはいるものの、「宿命」三部作にはあまり見られなかったドラマの深みと人間の悲しみが、この作品には見事に息づいている。

とはいうものの、ここまでくると〝大衆小説におけるヒーロー像の変遷〟というテーマから、いささか逸脱してしまう点は否めない。最後に、ユゴーの第一作『氷島奇談』を紹介して、急いでヴィクトル・ユゴーの項をしめくくりたい。

『氷島奇談』（原題『アイスランドのハン』一八二三年）はユゴー二十一歳の時の作品である（ユゴーの実質的な第一作は十六歳の時に書かれた『ビュグ＝ジャルガル』だが、この作品を大幅に書き直して出版したのは一八二六年のことだから、出版された本としては『氷島奇談』がデビュー作になる）。

これは十七世紀末のノルウェーを舞台にした冒険小説である。主人公はノルウェー総督の息子オルデネル・グルデンレウ。冷酷無比な山賊アイスランドのハンをつかまえに、死体収容所の番人、ベニグヌス・スピアグドリを連れて冒険行に出かける物語だが、この物語に生彩を与えているのは、殺戮を楽しむ凶暴なその山賊、ハンである。この殺人と破壊にしか興味を持たない男は、巨大な熊と行動をともにし、人間に対しては憎悪しか抱いていない。『九十三年』

のラントナックのように「人間愛が非人間的なものにうち勝つ」ということは、この男には最後まで起こらないのだ。この徹底ぶり！

幽閉されているヨハン・シュマッケルは、度重なる裏切りに人間を信じなくなっているが、その憎悪はしょせんラントナック程度であり、ハンを知って逆に人間愛を取り戻していく。ハンは人間の憎悪を映す鏡である。シュマッケルの娘エテルとオルデネルの恋を横糸に、人間の裏切り、憎悪をテーマにしたこの冒険小説は、このように特異な悪党ハンを造りあげた点で記憶されるに価する作品となっている。

しかし、ユゴーはアイスランドのハンに匹敵する悪党を、この後ついに描かなかった。テナルディエ（『レ・ミゼラブル』）は小悪党にすぎないし、ジャヴェールも頑固な役人にすぎない。ラントナックも〝改心する悪〟にとどまっている。闘うべき敵が巨大であればあるほど、ヒーローもまた力強さを帯びることを考えれば、アイスランドのハンが二度と登場しなかったことは惜しまれる。

ヴィクトル・ユゴーは十九世紀のフランスを代表する作家であり、その作品にはこれまで見てきたように時代精神が表出しているが、その理想主義とロマンチシズムはやや隔世の感がある。さらに彼の小説では主題が先走り小説的効果をしばしば犠牲にしてしまう欠点もみられる。同じ世紀に生きたフランスのロマン作家、アレクサンドル・デュマやジュール・ヴェルヌと較べると、通俗性では共通するものの、社会への主張に熱心なあまり、その作品を不調和にしてしまった点は否めない。

観点を変えれば、『レ・ミゼラブル』は余分な要素が多すぎるし、『九十三年』はせっかく波瀾万丈のドラマを作りながら、肝心のところで観念的すぎる。冒険家の生涯を送ってきたという興味深い船主、ルチエリー親方を登場させながらも主人公ジリヤットと交わることなく物語が終ってしまった『海に働く人びと』も、全体的効果からいえば力点がズレているし、全作品中もっとも印象深い悪党ハンを描きながら、そこから憎悪と信頼というお得意のテーマを引き出すだけの『氷島奇談』も、別の展開が考えられるだけに残念である。しかし、これらのぎくしゃくとした作品群は、だからこそ逆に私たちの忘れてしまったことを行間から伝えてくる。富田仁『フランス小説移入考』（東京書籍）によれば、『九十三年』がわが国に初めて紹介されたのは明治十七年、坂崎紫瀾訳『佛國革命修羅の衢』だった。その原書は板垣退助が渡欧の際に持ち帰ったものだが、板垣はユゴーに会い、自由民権の思想を国民に普及するにはどうしたらよいか尋ね、「適当な小説を読ませるのが一番だ」という回答を得たという。つまりユゴーは政治小説の意図のもとにわが国に紹介されたのであった。ユゴー自身も板垣の問いに『九十三年』をすすめたぐらいだから、当然ながら政治的な意図をその中に込めたのだろうが、現在からみればその政治性は希薄であり、たとえば『九十三年』は前記した通り、むしろ哲学的命題をそこから学ぶことができる。

『レ・ミゼラブル』が社会小説で、『ノートル・ダム・ド・パリ』が宗教小説で、『九十三年』が歴史小説であるならば、『海に働く人びと』は海洋小説であり、『氷島奇談』は冒険小説である。ユゴーの残した作品は、衣装はそのように異なるものの、人道主義という点では一貫しており、人間への限りない信頼が太い芯として通っている。この中でヒーロー小説としてヒントになるのは、『海に働く人びと』と『氷島奇談』だろうが、どちらも他の要素が強すぎるので、その実像はいささか見えにくい。

そのヒーロー像が見えにくいのは、闘うべき相手が社会の不正義という〝敵〟であったからではない。『海に働く人びと』に登場する大ダコが神秘に満ちていたのは、あの大ダコこそ庶民を苦しめる貧困であり、不正義であり、不平等の象徴だったからで、ジリヤットに託したユゴーのヒーローは、そういう敵と闘っていたのだが、それが見えにくいのは、同時代の作家、ユージェヌ・シューと同様に、ユゴーもまた一人の男（ヒーロー）を描くことに興味はなく、時代を丸ごと描こうとした作家だったからかもしれない。

デュマの剣豪小説

1

「文学様式というものは、一人の天才と周囲の情況とが偶然に結び付くことから生れるものだ」とアンドレ・モーロワは書いている。ヴィクトル・ユゴーが「低俗ではあるが天才である」と認めたアレクサンドル・デュマのことだ。

デュマ三代の歴史を描いたモーロワ『アレクサンドル・デュマ』（菊池映二訳、筑摩書房）を読むと、デュマは若い頃、ウォルター・スコットの翻訳本を読みふけっていたという。「帝政時代の軍人によって精神を形成された全ての他の青年たちと同じく、彼は輝くようなあるいは血まみれの冒険譚をきかされて育った」のである。そういう資質を持ち、なおかつ天才的なドラマづくりに秀でていたデュマの劇壇、そして文壇への登場を促したものは、第一に歴史小説の復興であり、第二に当時の新聞の事情であった、とモーロワは分析している。時代は、読者が「目のさめるような奇蹟に渇えていた」時期であり、ヒーローを描く歴史小説が求められていた。新聞の事情とは、ユージェヌ・シュー『パリの秘密』の成功にみられるように、最大多数の読者をひきよせる連載小説を新聞が求めていたことをさす。そうして生れたのが、冒険小説史上に今もなお輝く、あの『ダルタニヤン物語』である。

時代は十七世紀、主人公はダルタニヤンと、アトス、ポルトス、アラミスの三銃士。多彩な登場人物が入り乱れるものの、この四人を中心に展開する恋と冒険と友情の大長篇小説である。その第一部「三銃士」は一八四四年に書かれた。一七〇〇年に出版されたガティアン・ド・クールチル「王室附銃士第一中隊長ダルタニヤン氏の回想録」が底本とされているが、生き生きとした躍動感に富む物語に仕立てたのはやはりデュマの功績だろう。たとえば五十年後に書かれたコナン・ドイルの騎士道小説と比較してみればいい。『ナイジェル卿』が現在ほとんどかえりみられないのにくらべ、「三銃士」が今なお読み継がれているのは、ダルタニヤンと三銃士が国や国王への忠誠で生きるのではなく、時代が変ってもふらつかない根源的な〝正義〟とともにあるからだ。それは人間への信頼であり、友への友情であり、己れへの誠意である。デュマはそういう男たちを、しかも生き生きと描き出したのである。

アンドレ・モーロワは次のように書いている。「『三銃士』の永続きのする全世界的な人気は、デュマが主人公たちを通して彼自身の天性を素朴に表現することによって、あらゆる時代、あらゆる国に共通する行動と力と寛容への欲求に応えていたことを示している」

『ダルタニヤン物語』の魅力の大半は、ダルタニヤンと三銃士の魅力につきる、と言ってもいい。この四人のキャラクター設定に、デュマの巧みな計算をうかがうことができる。まずダルタニヤンは三銃士より十歳若い二十歳の青年として登場する。機敏さと勇気と機智を持った青年である。才気煥発な青年だが、言葉をかえれば人をじっと観察し、その奥を探ろうとする油断のできない男でもある。決して単色の男ではない。このダルタニヤンを息子のように可愛がるのが、リーダー格のアトス。文武両道に秀でた優雅で気品のある騎士である。稀代の悪女ミレディーに「馬鹿で、まぬけで、ぼんやりで」と評される巨漢ポルトスは、友情に厚いヘラクレスで、彼の描写には勇猛果敢な将軍だった作者の父親が投影されている。そのポルトスが最後に行動をともにするのが、アラミス。こちらは策士であり、のちに大陰謀を画策し、ダルタニヤンと対決する。「三銃士」はこの四人がフランス王妃のためにダイヤモンドの房飾りをイギリスに取りに行く若き日の冒険譚を描いたもので、活力にあふれた一篇となっている。

　現在からみると、ポルトスが他人の女房から金をしぼりとったり、ダルタニヤンがにせ手紙で女の弱味につけ込むところなどは、ヒーローの行動としていささか奇異に思えるところがある。しかし作者が「騎士道華やかなりしこの時代に、恋人が鞍の脇に結びつけてくれる大なり小なりの財布がなかったら、さしあたり拍車を買う金もなく、ひいては戦場で武勲をたてることもできないといった英雄たちが、どれほどあったかしれないのである」（鈴木力衛訳）と書いたり、「現代人にとって恥になるようなことも、この時代の連中は平気でやってのけたものである。名門の子弟だって、大部分は女にみつがせていた」などとことわりをつけたところをみると、作品の背景となった十七世紀がそういう時代であったということなのだろう。『ダルタニヤン物語』は、他人の細君に平気で恋を語りかけたり、貴族の身分や職位を金で買うというように、この世紀が道徳観念のうすい世紀であったことを頭に置かなければ若干理解しにくいところがある。たとえばダルタニヤンが通行許可証を奪い取るためだけに若い貴族を剣で倒し重傷を負わせる場面があるが、これなども決闘が日常茶飯事であった人命軽視の時代であることを考えなければ、いくら何でも乱暴すぎる。「三銃士」が、大酒を飲み、喧嘩と賭博にあけくれ、女を利用して金をひきだし、決闘で人を殺し、およそストイシズムとは縁のない連中のくりひろげる冒険絵巻、に見えてしまうのもそのためだ。しかし、だからこそ活力にあふれているということも言えるのである。そのことは第二部と比較してみるとわかりやすい。

第二部「二十年後」（一八四五年）は悪女ミレディーの息子モードントの四人に対する復讐を軸に、一六五〇年のフランス内乱に沸くパリから、密命を受けてダルタニヤンがイギリスに渡り、チャールズ一世を救わんとするアトスたちに協力して活躍する物語である。設定は「三銃士」から二十年後で、すでにダルタニヤンも四十歳、二十年間銃士隊の副隊長の職にあるものの報われず、「二十年このかた、鎧兜を身につけて、ろくでもない職にしがみつき、進みもせず、しりぞきもせず、かろうじて生きているに過ぎない。つまり、死んだも同然だ！」という鬱屈の中にある。

ダルタニヤン、ポルトスと、アトス、アラミスは、マザラン派とフロンド派にわかれ、政治的には対立する立場にある。ダルタニヤンはこう言う。「ぼくたち四人が仲違いしたのは、かならずしも内乱のせいばかりじゃない。ぼくたちはもう二十歳じゃないし、青春の夢が消えれば、だれしも利害にとらわれ、野心にそそのかされ、自分のことばかり考えるようになる」アラミスも言う。「お互いにもう二十歳じゃないし、人間というものはそんなふうにできているのさ」

たしかに彼らはもう若くはない。立場が違えば意見もまた異なる。昔のように一緒に大酒を飲み、ともに喧嘩にあけくれた日々は遠い彼方にある。大半の人間が変っていくように、彼らもまた変ってしまった。

しかし『ダルタニヤン物語』がいかなる時代でも読者の気持を摑んで離さないのは、四銃士が立場を越えて再度結び付き、義に生きるからである。早くなろうと遅くなろうといつ死んでも同じだ、とダルタニヤンはアトスに協力する。それは鬱屈がひき出した冒険との意味合いもあるけれど、その死への接近は同時に神話的ヒーローになり得るための条件でもある。敢然と死地に赴いていくヒーローが喝采を浴びるのは、いつの時代でも読者は死ぬ自由すらない日常に縛られているからだ。日常の呪縛から解き放たれたヒーローに喝采を送り、あり得たかもしれない別の人生を、読者はそうやって紙の上で体験する。ヒーローとはそういう夢の体現者の別名に他ならない。アメリカ大衆小説が生んだ史上もっとも有名なヒーロー、ターザンが機会あるたびに「いま死ぬのも十年後に死ぬのも同じだ」と繰り返すのは理由のないことではないのだ。

「三銃士」が若者たちの自由奔放な冒険譚なら、「二十年後」は中年男の苦い冒険譚である。そして『ダルタニヤン物語』は第三部「ブラジュロンヌ子爵」（一八四八〜五〇年）のクライマックスに突入していく。これは第二部からさらに十年後が舞台で、アトスの息子ラウルが若き子爵となって登場し、彼の恋物語を中心に展開していく最終篇だ。『ダルタニヤン物語』の中でもっとも長いパートだが、途中、宮廷絵巻の部分がやや退屈させるものの、初老のダルタニヤンがふたたび活力を取り戻して大活躍する一篇となっている。

第三部の背景にあるのは、財務卿フーケと財務監督官コルベール（その上に国王ルイ十四世）の対立であり、フーケ側についたアラミス、ポルトスと、銃士隊長として国王につかえるダルタニヤンはまたもや対立せざるを得なくなる。しかし対立しながらもアラミスは言う。「わたくしはダルタニヤンを愛し、かつ讃嘆しています。なぜ愛するかといえば、善良で、偉大で、公明正大だからです。なぜ讃嘆するかと言えば、人力の極限をわたくしに示してくれるからです」。ポルトスも例外ではない。いや、彼の友情は想像を絶している。アトスがバスチーユの牢獄に入れられたことを聞いたポルトスは、ダルタニヤンさえいればアトスを脱獄させることも不可能ではない、と言うのだ。実はそのときアトスを逮捕したのは国王の命を受けたダルタニヤンであり、ポルトスもそのことを聞いて知っているのである！　友人に対するポルトスの絶対的な信頼は、陰謀が露見したアラミスから「おい、出かけるぞ」と夜中に叩き起こされても、「おう！」と言うだけですぐ旅支度をする彼の態度にもつながっている。知らない間に国王への反逆の手助けをしたために、財産を没収され、追手から逃げる旅だと聞かされても、ポルトスに屈託はない。彼こそ「一人のためにみんなが、みんなのために一人が」という四銃士のモットーをそのまま生きる愛すべき巨漢なのである。

ポルトスが崩れ落ちる岩に押しつぶされる壮絶な最期は、おそらく涙を禁じ得ないだろう。

彼を追うように、アフリカ戦線でラウルが戦死し、その知らせを聞いたアトスも息絶え、ついにはダルタニヤンもオランダとの戦闘で倒れていく。ポルトスの最期は、そうしたヒーローたちの死の象徴のようにも思える。

2

ガイ・エンドア『パリの王様』（河盛好蔵訳、東京創元社）の中に、目にいっぱい涙を浮かべて机の前にすわっているデュマの姿を、息子のデュマ・フィスが目撃する件りがある。どうしたのかと尋ねる息子にデュマはこう応える。「三銃士」の主人公の一人、ポルトスを殺してしまった。あの高潔な男を、読者を喜ばすためにそうしなければならなかった。自分はなんという恥しらずなのだろう、と。

面白いのはこの先だ。彼は『ダルタニヤン物語』の連載を一週間休んでしまうのである。事実、「アレクサンドル・デュマ氏は、昨日の紙上で詳述されたポルトスの死に烈しい衝動を受け、一週間の喪に服するために、故郷のヴィレル・コトレへ帰られました」という断わりが新聞に載る。ところが、この喪に服した一週間は狩猟の解禁日で、デュマはその第一日目に三匹の小鹿を射とめたという。いかにもデュマらしいエピソードだろう。

十六世紀のフランス宮廷を描いた散文史劇『アンリ三世とその宮廷』（一八二九年）でロマ

ン派の口火をきり『三銃士』でパリの読者を熱狂させたこの娯楽小説の天才は、同時に稀代の浪費家であり、莫大な原稿料を稼いでいるにもかかわらず、いつも財政上の窮乏に追いまくられていた。前記の書によれば、デュマ・フィスの母親カトリーヌに生活費を求められてもポケットの中に金はなく、二人に買い与えた家も勝手に処分してしまうほど、野放図に生きた男だったようだ。

ユゴーにくらべてデュマの作品には通俗性が濃く、そのぶんだけ一般読者の喝采を浴びたが、自由奔放に生きたフランス大衆小説界の巨人デュマは、自分の作品がそのような娯楽作品であることに幾分の鬱屈があったらしい。『パリの王様』は伝記ではなく、調査にもとづいたガイ・エンドアの創作であるが、デュマを彷彿させるエピソードに満ち、この巨人をいきいきと描き出している。その書の中で、デュマは次のように語っている。「いったん書きはじめると、読者を面白がらせ、夢中にさせ、びっくりさせることにしか、おれの頭は働かない」

フランス文学史をひもといても、デュマはロマン派劇の作家として登場はするものの、彼の残した膨大な作品にはほとんど触れられていない。しかし百年以上たった現在でも「三銃士」は読まれ続けている。それは人々から愛されたデュマの魅力がこの作品に息づいているからだ。文学史には残らなくても読者の中に残り続けることが大衆小説作家の栄光であり、そういう作家は数多いが、アレクサンドル・デュマはまさにそのような代表的な作家だったと言えるだろう。

デュマの魅力をここでは『モンテ・クリスト伯』（一八四五年）に見てみよう。『ダルタニヤン物語』がマルセイユ図書館に眠っていた「王室附銃士第一中隊長ダルタニヤン氏の回想録」から材を得たように、『モンテ・クリスト伯』もパリ警察文書に収められていた「復讐のダイヤモンド」という事件の顚末にヒントを得て書かれた。この事件は一八〇七年、嫉妬心の強い友人たちにスパイだと密告され、七年間も刑務所に入れられた男が主人公である。そこで老僧に会い、莫大な財宝を与えられ、出所後大金持ちになって復讐するというもので（「デュマと『モンテ・クリスト伯』〔1〕」高橋邦太郎、新潮社『世界文学全集3』月報）、デュマはこの話をもとに、七年を十四年に変更し、刑務所をマルセイユ港の沖合に浮かぶ脱獄不可能な島に設定する。こういう年代記や事件の顚末記を発掘してきて、それを題材にするのは当時のロマン派の流行りだったのである（篠沢秀夫『フランス文学講義I』、大修館書店）。

『モンテ・クリスト伯』の主人公は船乗りのエドモン・ダンテス。恋人メルセデスと結婚する直前、嫉妬にかられた友人たちから密告され、無実の罪で投獄される。獄中でファリア神父と出会って莫大な財宝のありかを教えられ、脱獄後その富を背景に仇をうつ復讐物語である。

　このストーリーからだけでも、話の骨格をほとんど事件文書から借りていることがよくわかるが、デュマの卓越したところはそれをいきいきとしたストーリーに仕立て上げていることで、たとえば前半のクライマックスである脱獄シーンは息を呑むほど圧巻。ファリア神父の死体に化けて脱獄するのだが、埋葬されるものとばかり思っていたダンテスはおもりをつけて海に投げ込まれるのだ。このように読者の興味を惹くデュマのプロットは際立っている。

　ダンテスは十四年間の獄中生活で「人間的な感情は冷却し」、助けてくれた密輸入業者との格闘で致命傷を受けた税関吏を見ても何も感じないとの設定である。復讐のためだけに生きるダンテスの標的は、次の四人。船の会計士であり、今や大銀行家となったダングラール。恋人メルセデスを妻にし、モルセール伯爵となった漁師フェルナン。そして無実と知りながら投獄した検事ヴィフォール。ダングラールの友人で旅籠(はたご)屋の主人となっているカドルッス。ダンテスはモンテ・クリスト伯となって彼らに近づき、時には変装して自由に出没し、策略をはりめぐらせる。

『モンテ・クリスト伯』はこのようにエドモン・ダンテスの復讐物語だが、しかし単調な復讐話では決してない。フェルナンの若き日の裏切りを新聞に暴露したために息子アルベールから決闘を申し込まれる件りで、母親(昔の恋人)から懇願されると、息子を殺すことで父親を苦しめてやるという強い決心はたちまち崩れ、ダンテスは自らの死を覚悟してしまう。人間的な感情をなくしたと言いながら、最愛の人を悲しませたくないという感情をよみがえらせるところに、この小説の救いがあるということだが、それは、一人が仲間の裏切りにあって殺され、一人は発狂、一人は自殺、とそれぞれ追いつめながら、最後の一人を許してしまうことも同様だ。

登場するのが救いのない悪人だけでなく、恩人の息子マクシミリヤンをはじめ、密輸入業者のような悪党たちの中にまで友情の誠実さを見る件りも、この小説を暗い陰惨さから救っている。『モンテ・クリスト伯』はエドモン・ダンテスの「待て、而うして希望せよ!」という言葉で終っているが、復讐物語でありながら人間への希望を捨てないところが、このジャンルの古典にしたもっとも大きな要因だろう。マリー・コレリ『復讐（ヴェンデッタ）』や、わが国の三上於菟吉『雪之丞変化』に見られるように、『モンテ・クリスト伯』が与えた影響が大きいのもこうしたプロットと決して無縁ではない。

　しかし『モンテ・クリスト伯』は復讐譚として巧みに仕立て上げられているだけに、そのプロットに目を奪われやすく、ヒーロー像という点に関しては、いささか見えにくいところがある。そこでもう一作とりあげることにしたい。

　アレクサンドル・デュマには、十七世紀を舞台にした『ダルタニヤン物語』の他に、十六世紀を背景にした『王妃マルゴ』『モンソロー夫人』『四十五人組』のシリーズ、十八世紀のフランス革命を舞台にした『ジョゼフ・バルサモ』『王妃の首飾り』『アンジェ・ピトゥー』『シャルニー伯爵夫人』のシリーズがあるが、これらの連作以外にもフランス革命を背景にした単発作品があり、『赤い館の騎士』（一八四五年）はそうした中の一冊である。これはルイ十六世が死刑になったあと、とらわれの身となった后マリー・アントワネットを救出しようとする王党派の画策を、共和党員の中尉モーリス・ランデーを軸にして描いた小説である。このモーリス、筋骨たくましい大男で、まれにみる美青年という設定であり、この類型化から推察されるように、いささか生彩を欠く物語であるが、ヒーロー像を考える上では示唆に富んだ小説と言える。

　后を救出しようとする謎の騎士モーランに対し、モーリスとその親友ローランは「あいつがなかなか誇り高い男だというのは認めよう」「事実、あれほどの大事を計画しようっていうんだから、大へんな勇気が要るね」と敵を賛美してしまうのである。モーリスは「ぼくはですね、誇り高く、勇敢な人間ならだれでも好きなんですよ。もっとも、だからと言って、敵陣でそんな相手に出会ったときに、闘う妨げにはなりませんがね」（鈴木豊訳）と明言する男で、つまりは〝正義の騎士〟に憧れている設定である。では、その〝理想の騎士〟とはどういう男なのか。

モーリスは王党派の婦人ジュヌヴィエーヴに恋をし、そのためいつも行動をともにしている謎の男モーランに嫉妬するが、まだモーランの正体がわかっていないので弱い男だと錯覚し（モーランは小男なのである）、喧嘩をふっかけるのを断念する。それは、とらわれのマリー・アントワネットを他の兵士が侮辱するのを許さない態度につながっている。つまり、弱者へのいたわりなのだ。言葉をかえれば、強者の憐憫である。『ピーター・シンプル』『ゼンダ城の虜』にみられる十九世紀イギリス大衆小説のヒーローが貴族ヒーローであったことをここに想起すれば、デュマの描いたヒーローも同時代のイギリス・ヒーローと同じであることが見えてくる。

一八三〇年の七月革命後、社会は一応の安定を見て、歴史上の知識が普及し、その歴史小説ブームに乗ってデュマは大衆小説界にデビューしたが、一八四八年の二月革命を境にフランス社会は大きく変動する。ガイ・エンドア『パリの王様』のエピローグに次のような件りがある。

「オスマンが中世紀時代の古い家を取り壊して、近代的な大道路を貫通させるようになってから、パリのロマン主義は影をひそめてしまった。新しい家屋に住み出した人々はもはやデュマを知らず、デュマの文学を理解しなかった。剣豪物語は彼らには滑稽なものとしか見えなかったのである」

　時代はガス燈がパリを光の都へ変え、パリを起点とする鉄道工事がはじまっていた。パリは近代都市に生れ変りつつあった。オスマン男爵のパリ改造はその変化に拍車をかけ、フランスは十九世紀後半に突入していく。その時代の変化に合わせてヨーロッパに一つの信仰が生れ、ヒーロー譚もまた変貌していく。デュマの描いたヒーローが古くなったわけではない。友情に誠実であり、弱者をいたわり、死をも避けない勇猛さを持つヒーローは、冒険物語に生き続ける永遠のヒーロー像である。物語の衣装が時代に合わせて変貌するのだ。世紀末のイギリスで、スコットの歴史小説の精神を受け継ぎながら秘境冒険譚という新たなかたちが生れたように、十九世紀後半のフランスでもデュマの騎士はかたちを変える。

　第一次大戦まで生きのびるヨーロッパの騎士物語は、ではフランスでどのような冒険譚に変っていくのか。

科学の冒険

1

一八四八年の二月革命を境に、フランスは大きく変動する。それは「世紀初頭からの科学上のおびただしい発明発見にささえられて、産業の急速な成長を見た時代」（渡辺一民『フランス文壇史』朝日新聞社）の始まりであった。

特に、一八五二年ナポレオン三世が王位についてからのパリは、駆け足で近代都市に変貌していく。一八五〇年英仏海峡の海底ケーブル敷設、一八八四年蒸気タービンの出現、一八九三年ディーゼル・エンジンの出現、と〈文明の利器〉が街にあふれはじめていた。私市保彦はその秀逸なヴェルヌ論「夢想家ヴェルヌ」の中で次のように書いている。

「十九世紀を二つに分けるこの時期に、フランスでは一つの時代が終末を告げ、新しい時代が訪れようとしていたのである。専制政治打倒の声が響き、蒸気機関車が大陸を網の目のように走りはじめ、電気通信、写真術、輪転機が実用化され機械文明の幕が切って落されようとして

いたのである。そして科学と機械への夢と信仰は果てしなくひろがりはじめていた」(『ネモ船長と青ひげ』晶文社、所載)

その夢と信仰の時代に登場してきたのが、ジュール・ヴェルヌである。産業革命が終結して機械文明に突入しつつあった世紀末のイギリスにH・G・ウェルズが出現したように、ジュール・ヴェルヌもまた〈科学の時代〉が生んだ冒険作家である。彼の生きた時代が、科学技術の発達は人類の進歩に直結するとまだ信じられていた時代であったことを念頭に置かなければ、四十数年間〈驚異の旅〉シリーズを書き続けたことも理解しにくい。ヴェルヌ個人の着想力やストーリーづくりがいくら巧みであっても、彼の成功はそういう時代的背景と決して無縁ではない。

では、ヴェルヌの冒険譚とは、どのようなものであったのか。ここではまず、『グラント船長の子供たち』『海底二万里』『神秘の島』と続く三部作を見てみよう。

『グラント船長の子供たち』(一八六八年)は、スコットランドの貴族、エドワード・グレナヴァンが海で謎の紙片を手に入れるところから幕が開く。それは二年前、太平洋で行方不明となったグラント船長が救出を求める手紙だった。そこでグレナヴァンは、グラント船長の娘メアリ、息子ロバートを連れ、愛船ダンカン号で大冒険の旅に出かけることになる。同行するのは、妻ヘルナ、従兄弟のマクナブズ少佐、ダンカン号の船長ジョン・マングルズ、航海士トム・オースティン、コックのオルビネット。

グラント船長の手紙は海水でところどころが消え、原型がつかめず、暗号化している。そのために一行は試行錯誤を繰り返し、南米チリに上陸したあとアンデス山脈を横断、さらにはオーストラリアまで出かけていくはめになる。その間、地震、洪水、火事、竜巻、と次々にアクシデントが一行を襲い、波瀾万丈の冒険行が展開する。スピーディな展開と山場の連続は、この作品を一級の冒険小説にしているが、しかしそれだけなら、この時代に流行った秘境冒険譚と大差はない。ヴェルヌ冒険譚と、ハガードらの秘境冒険譚をわけるのは、そういうストーリーではなく、一人の人物に求められる。

ジャック＝エリアサン＝フランソワ＝マリ・パガネル。知的で陽気なパリ地理学会書記、著名な地理学者との設定である。インドに行くつもりが間違ってダンカン号に乗り組み、そのまま一行と行動をともにするこのそそっかしい初老の学者が、『グラント船長の子供たち』を解く鍵だ。この男、スペイン語のつもりでポルトガル語を勉強するというケタ外れの粗忽者で、この波瀾万丈の冒険譚にユーモラスな味をもたらしているが、役割はそれだけではない。彼はたぐい稀（まれ）な博識の持主で、動植物、風俗、地理、歴史、と一行の目に映るものすべてを説明してくれる案内人である。オーストラリアは未知の大陸ではなく、数十人の探検家が足跡を残した地であり、植物にも動物にも一つの川にも名前があり歴史がある。パガネルは一行にあたかも講義するかのようにそれらを説明しながら旅を続けていく。

かくて読者もまた、グレナヴァン一行の冒険に一喜一憂しながら、さまざまな知識を学ぶことになる。時には冒険行よりもそちらの方が主題であるかのような錯覚に陥（おちい）ってしまうほどだ。この〝科学的実証主義〟こそが、ハガードらの秘境冒険譚と異なるもっとも大きなヴェルヌ冒険譚の特徴だろう。
『海底二万里』（一八七〇年）では、案内人がパリ自然科学博物館のアロナックス教授に変る。こちらは『グラント船長の子供たち』ほど、冒険色は強くない。ネモ船長の指揮する潜水艦ノーチラス号に同乗して、海底の神秘を克明に描写することに一巻が費されている。それでも『海底二万里』が強い印象を残すのは、謎の人物ネモ船長の造型が際立っているからだ。ネモ船長は冷徹な男だが、部下の死には涙を流すヒューマニスティックな男であり、何よりもまず圧制者を憎み、自由を愛する反抗の人である。サメに襲われるインド人を比類ない大胆さで助ける件りでは「あのインド人は圧迫されている国の住民ですよ」と言い、アロナックス教授と一緒にとらわれた銛打ちの名手ネッド・ランドが鯨漁りの許可を求める件りでは「殺生な娯楽を認めることはできない」と拒否する男でもある。陰影に富んだ男であるのだ。

海底の墓地に死んだ部下を埋める幻想的な美しいシーンはこの物語の白眉だが、しかし『グラント船長の子供たち』にくらべると、『海底二万里』の色調は暗い。それは「海上では、不正な法律がまだ施行され、戦争をし、殺し合い、地上のあらゆる恐怖をそこに及ぼしています。しかし、水面下10メートルになりますと、彼らの権力は断たれ、彼らの影響は消え去り、彼らの力はなくなるのです！（略）そこでは、わたしは自由なのです！」（江口清訳）と言うネモ船長の孤独が、全篇の底に流れているからかもしれない。それは同時に、『海底二万里』を単なる海底案内で終らないものにしたが、ではその孤独、その暗さとは一体何なのだろう。

その時ヒントになるのが、三部作最終篇『神秘の島』（一八七四～七五年）だ。『神秘の島』

は、気球に乗って南軍から逃げ出したアメリカ北軍の技師、サイラス・スミス一行が謎の無人島に降り立ち、近代的生産活動をはじめていくロビンソン物語だが、スミスたちをかげから助けるネモ船長は、この物語のラストで死に、ノーチラス号とともに沈んでいく。それは決して満ち足りた死ではない。私市保彦が前記の書の中で書いたように、そこには「不吉な巨大な影とともに、進歩の歴史の悲劇的結末が暗示されている」ように思える。すなわち、ネモ船長が最先端の科学技術で武装した〈近代〉の象徴であるなら、その不幸な死は、科学への信頼と夢にいろどられた〈未来〉への不信を意味しているのではないか。

ジュール・ヴェルヌはたしかに「産業資本主義の発展は階級闘争の激化、植民地主義をはじめとするさまざまな矛盾を生み出すことになったのだが、そのような矛盾が科学技術とか産業自体に対する〈怨念〉になったりすることはなかった」（加藤晴久『新集世界の文学20』中央公論社、解説）特権的な時代に生きたが、その冒険譚は科学への讃歌に終始していたわけではない。むしろ、科学の夢と現実をヴェルヌが等しく視ていたからこそ、その作品も長く読まれ続けているのではないか。ヴェルヌの書き続けた〈驚異の旅〉シリーズが、もし科学技術の発達を無条件に讃美する冒険譚であったなら、世紀末の徒花として、たちまち忘れ去られただろう。そうした例は、ＳＦの先駆的な作品にいくつも見ることができる。

考えてみれば、『グラント船長の子供たち』にしても、ダンカン号のオーナー、グレナヴァンをはじめとしてロバート少年にいたるまで、冒険を求める男たちの意思と勇気を力強く訴えた小説であった。科学的な色彩がほどこされているので、ついそちらのほうに目が行きがちだが、『神秘の島』のサイラス・スミスにみられるように、ヴェルヌ冒険譚の男たちは、切れ味鋭い頭脳とたくましい肉体を持ち、希望に対する執着を捨てず、強い意思の力で生き抜く男たちである。そういう男たちであるからこそ、〈科学の冒険〉もいきいきとしたものになるのだ。決して順序が逆なのではない。

ジュール・ヴェルヌは一八二八年、ブルターニュの港町ナントに生れ、ロマンの香りが濃いスコットやクーパーの小説を読んで育ったという。そういう夢想癖のある青年が、激動の一八四〇年代にパリに上京し、〈科学の時代〉と遭遇することで、作家ヴェルヌが誕生する。写実的であると同時に抒情的な彼の小説は、現在ではすぐれた幻想小説として高く再評価されているが、当時の読者にとっては、まだ見ぬ未知の世界に案内してくれる驚異の物語であった。世紀末のイギリスで、ハガードの秘境冒険譚が歓迎されたように、人々のエネルギーが外に外に向いていた時代である。ヴェルヌの物語も、読者のそういう好奇心にささえられた側面は否定できない。いわばヴェルヌの登場は、時代の要求でもあったのである。

しかし、科学的な知識だけで冒険物語は成立しない。ヴェルヌの作品には多くの場合、謎があり(『グラント船長の子供たち』に出てくる暗号を見よ)、さらに奇想天外な想像力と、克明な描写が生み出す迫真のリアリティがあった。物語作家としてのそういう特質が、科学の時代に合った背景と一致した時、『気球に乗って五週間』(一八六三年)が生れたのである。〈科学作家〉としての側面をあまり強調しすぎると、〈ロマン作家〉ヴェルヌの本質を見落としてしまいそうだ。

松村喜雄はフランス・ミステリーの歴史を論じた『怪盗対名探偵』の中で、「後期になるに従って空想科学小説が影をひそめ、冒険小説の色彩が濃くなり、外国を舞台としたフィユトンになっていく」とヴェルヌの晩年を分析しているが、そこまで行きつく前に、ロマン精神と科学が結び付いたヴェルヌの幸福な初期作品を、もう何作か振り返ってみたい。

2

『気球に乗って五週間』(一八六三年)はジュール・ヴェルヌの長篇第一作である。それまで劇場書記や株式仲買人をつとめながら、細々と戯曲や短篇を書いていたヴェルヌは、科学と地理を結合させたこの長篇をパリの出版人エッツェルに見出され、一躍人気作家となる。ヴェルヌは一八五一年に、「気球旅行」という短篇を書いているが、気球からの空中写真に成功した友人ナダールの気球〈巨人号〉建設計画が、第一長篇『気球に乗って五週間』の直接の引き金となったようだ。この原稿を読むなり、エッツェルが今後二十年間の出版契約を申し出たほど、それは新しい科学の時代を告げる小説だった。デビュー長篇だけに、その後のヴェルヌのすべてがこの中にあるといっていい。

気球に乗ってアフリカ大陸を横断するのは、イギリス人のサミュエル・ファーガソン博士と、その親友で射撃の名手であるディック・ケネディ。そして陽気な召使いジョーの三人組である。主人公の冒険を通して、未知の国々の歴史や風習を読者に〈学習〉させるのは、その後綿々と続くヴェルヌ〈驚異の旅〉シリーズの基本構造だが、デビュー作からすでに例外ではない。

デビュー長篇のテキストにアフリカが選ばれたのは、アフリカ探検中のリヴィングストンがちょうどその頃世界中の話題になっていたからかもしれない。バートン、スピークによってヴィクトリア湖が発見されたのが一八五八年。スタンレーがナイルの源流を突きとめるのが一八七五年。十九世紀は地理上の空白を埋める探検の時代だったが、アフリカはその大きな目標の大陸でもあった。そういう時代にヴェルヌは気球とアフリカを結合させたのである。

『気球に乗って五週間』は、ナイル源流を求める旅だけでなく、アフリカ各地の探検の足跡をも克明に学習しながら、読者を暗黒大陸の奥地へと案内する。〈科学の時代〉の読者にとっては、それだけでも胸躍る冒険だったに違いない。この長篇の中ほどに、原住民にとらわれていた伝道師を救出する場面がある。一行が気球に乗ってアフリカ大陸を横断中と知った伝道師は思わず「科学は英雄を生みます」（手塚伸一訳）と言うが、このセリフは当時の気分をある程度正確に表わしているようだ。ヴェルヌの小説は、好奇心と知識欲に燃えている十九世紀後半の読者に、通俗的に、具体的に、科学を解説することで時代に迎えられたのである。

しかしそのために時としてストーリー展開と人物造型がややおろそかになる点は否めない。『気球に乗って五週間』も、全体の八割を過ぎてから突然動き出す。それまでは「砂漠で水がなくなったとき以外は、ほんとに困ったことがない」と登場人物が言うほど優雅な気球旅行であり、アフリカ大陸の様子を空の上から読者にレポートしていたが、末尾近く、突然鳥に襲われるところから高みの見物旅行はせっぱつまった冒険行に変貌する。気球の外側をくちばしで破られ、荷物を投げ捨ててもぐんぐん高度を落として墜落寸前になるのだ。もう何も捨てるものがない、というときに「まだあります！」とジョーが眼下のチャド湖めがけて跳び降りる。ここから波瀾万丈の冒険行がスタートする。物語作家としてのヴェルヌの特質が発揮されるクライマックスまでの冒険行は迫力に満ちているが、しかし冒険行が始まった時には全体の五分の四が過ぎているのである。これではバランスを欠くと言われてもやむを得ない。もっとも「読者が少しあきてきたかな、と思うところ、奇想天外なできごとを用意して眠気をさます」（鈴木力衛、同書あとがき）という見方もあるから、これはヴェルヌなりの方法論と言うべきなのかもしれない。

『月世界旅行』（一八六五年）とその続篇『月世界探検』（一八七〇年）もヴェルヌの特質を教えてくれる作品だ。これは例によって三人組（沈着冷静なバービケインと、その友人ケネディ、そして陽気な男アルダン）のパターンで、彼らが大きな砲弾の中に入って月に向う科学啓蒙小説である。大砲、天文学、月観測の歴史など、いつものように〈講義〉が頻出するが、なんとこの作品では数式まで出てきて科学の気分を盛り上げる。しかし『月世界旅行』は出発までの準備を克明に描くのみで、『月世界探検』も至近距離からの月観察記録に全篇が終始する。バービケインとケネディが無事に帰還できるかどうかもわからないというのに、密閉された砲弾の中で賭け金をやりとりするオカシなシーンはあるものの、三人が乗り込んでいる必然性は少ない。繰り返すが、全篇がなんと観察記なのである。

それが観察、であることに注意。『海底二万里』も『気球に乗って五週間』も、膨大な資料を読み漁ったヴェルヌがその科学知識を読者に伝える、海底とアフリカ大陸の観察記である。彼は海底旅行をしたわけでもなければ、アフリカに行ったわけでもない。ナイルの源をヴィクトリア湖と断定したように（当時はまだ源が発見されていなかった）、資料の隙間を想像力で埋めはするが、ヴェルヌ冒険譚の特質は〈講義〉の頻出で明らかなように、冒険旅行記の体裁を借りた観察記である。従って、冒険と科学的な観察がうまく結合すると傑作も生れるが、時にキャラクターの造型と冒険を忘れ、観察だけに終始すると、『月世界旅行』『月世界探検』のようなレポートになってしまう。

『地底の冒険』（一八六四年）は、その両者の間に生れた作品と言うべきだろう。これはドイツの鉱物学者リーデンブロック教授とその甥アクセル、そして案内人ハンスの三人が、ルーン文字の暗号で書かれた古文書に導かれ、地球の中心を求めて地底深く入り込んでいく小説である。この作品では、地質学、鉱物学、古生物学の〈講義〉が行なわれるが、「意志の強い人間は、心臓が動いているかぎり、絶望するなんてことはありえんのだ」（川村克己（かわむらかつみ）訳）という教授の力強さが、他の観察小説とは一線を画する結果となっている。

ここには、地底深くに失われた生物が闊歩する世界が登場するが、その地底の空洞を〈科学的〉に説明しようとするのがヴェルヌの特徴で、ハガードやバローズならその先の物語を書くところだろう。しかし、ヴェルヌはあくまでもその世界が科学的に説明できるかどうかにこだわっていく。それは、そこで繰りひろげられる冒険よりも、ヴェルヌにとっては重要な関心事だからである。ここにこそヴェルヌの特質がある。集英社版・世界文学全集の解説で、田辺貞之助が紹介しているヴェルヌの手紙は、この間の事情を示唆している。『海底二万里』執筆当時、父にあてた手紙の中で、ヴェルヌは次のように書いた。「ぼくは先日真実とも思われぬ架空なことどもが頭にうかんできたと申しましたが、それは決して架空ではないのです。誰かが想像しうることはすべて他の人々が将来実現できることなのです」

もっとも中には例外があり、『八十日間世界一周』（一八七三年）がその代表。これはパリの大新聞「ル・タン」紙に連載され、その発行部数を大幅にふやしてヴェルヌの名声を確立した作品である。

この主人公、フィリアス・フォッグは歩く足数まで倹約するほど無駄なことはしない変人で、「人なみに生活すると他人との摩擦をさけることができず、しかも摩擦は時間をおくらせることを知っていたので、だれとも交際をしなかった」（田辺貞之助訳）という変り者のイギリス人である。そのフォッグが八十日間で世界を一周できるかどうか知人と賭けをして旅に出るのがこの物語の発端で、お伴は陽気な下男のパスパルトゥー。

この主人公が異彩を放っているのは、途中で同行した男に「自然の美や道徳的熱意を感じる魂」を持っているのかと疑われ、下男が土地の警察につかまったら計画が狂って大変でしょうと言われても、置いていけばいいのだから関係ないとまで答えたりするところからも明らかだ。このようにヴェルヌの主人公の中では極端な男として設定されているので、この長篇ではいつものが少ない。スエズ、インド、中国、日本、アメリカと、世界を一周するわけだから、行く先々の歴史、因習、社会組織と〈講義〉の対象には事欠かないというのに、なぜ少ないのか。それはフォッグが、地球のまわりの軌道を走る物体にすぎないからである。彼は金にあかせて交通機関を乗り継ぎ、急いで通りすぎるだけなのである。主人公が景色にも関心を持たないので、読者にもいつもの博識が講義されない、というわけだ。

もっとも、まったく講義されないわけではない。上海のアヘン窟を描写する場面ではイギリスを批判したり、インドや日本では街の風景が克明に書かれている。ただ他の作品にくらべると、その歴史に深く入り込まず、いつものように寄り道しないぶんだけ、ストーリー展開をとめることがない。

従って本来なら申し分ない展開とも言えるのだが、インドで美女アウーダを救出するシーンで、「人情にあついんだ」と言われて「なに、ときたまですよ。時間のあるときだけです」と言うようになったり、アメリカ大陸横断鉄道でインディアンに襲われ、下男がつかまってしまう場面で、いっさいを犠牲にして「それはわしの義務だ！」と救出する覚悟をかためる、という途中からのフォッグ氏の変貌がいささかわかりにくい。これでは、「若き日のヴェルヌは、アレクサンドル・デュマ父子と識りあい、その影響のもとにいくつか小説の習作などを書いている。しかし、大衆小説家として、おなじように多くの読者はもったが、手腕のほうは、文章の格調といい、形容の豊富さといい、『ダルタニヤン』の作者にはとうていおよばない」（鈴木力衛『月世界旅行』あとがき）と評されてしまうのも、仕方がない。

しかし、そういう欠点はあるものの、それでも読者を惹きつけて離さないのがヴェルヌの冒険譚で、フォッグがはっきりせず、さらに、フォッグとパスパルトゥーをロンドン警視庁の刑事が追いかけるという類型的パターンでありながら、最後まで目が離せないのは、アイデアの秀逸さと場面転換のテンポが良いからだろう。その意味でこの作品は、欠点はあっても読者の気持を摑んで離さない。ヴェルヌ作品群の典型とも言える小説かもしれない。

3

『八十日間世界一周』は、わが国に翻訳された（明治十一年）最初のフランス文学である。この翻訳がきっかけになって、明治十年代にわが国にヴェルヌ・ブームが訪れるが、富田仁は『ジュール・ヴェルヌと日本』（花林書房）の中で、その理由を次のように書いている。

「ヴェルヌの小説に盛りこまれていた科学万能思想と功利思想が近代国家として急速に発展していかなくてはならなかった当時の日本の社会ではきわめて魅力的なものに受けとめられたようである」

〈科学万能思想〉については詳述してきているので、もういいだろう。洋の東西を問わず、ヴェルヌの小説は、科学の発展が人類の進歩に貢献すると信じられていた時代に生れたのだ。では功利思想とは何か。現在からみれば、『八十日間世界一周』は金にあかせた冒険との印象が強いが、そのことが逆に当時の日本では新鮮に受けとられたようなのである。困難にぶつかった時、金によって窮地を脱するという考え方は、神仏に祈る概念しかなかった前近代的な社会に住む日本人にとって、見習うべき思想だったという。そしてジュール・ヴェルヌの小説は明治の日本人に喝采をもって迎えられる。

だが、そういう側面ばかり見ていると、ジュール・ヴェルヌのもう一つの特質が見逃がされる。ヴェルヌの科学小説は、『月世界旅行』『月世界探検』のように、時に〈観察〉に終始する場合が多いので、その受けとられ方もある意味ではやむを得ないが、中期以後のヴェルヌ作品群には、物語作家としての特質が色濃く表出しているのだ。

その典型が一八八五年に刊行された『アドリア海の復讐』（原題『マチアス・サンドルフ』）である。これは壮大な復讐小説だ。サンドルフ伯爵を中心とするハンガリー独立運動のメンバーが卑劣な密告者によって捕えられ、脱獄するもまた密告され、ただ一人生き残ったサンドルフが、十五年後に名前を変えて復讐に乗り出す小説である。このストーリーから明らかなように、これはデュマ『モンテ・クリスト伯』を下敷きにしている。ヴェルヌはアレクサンドル・デュマ・ペールと交友のあった作家で、その著名な作品と同じ筋立ての作品を書くのは、よほど自信がなければ出来るわけもない。集英社版ヴェルヌ全集のあとがきで訳者の金子博（かねこひろし）はアシェット社のポケット叢書版（一九六七年刊）に載ったデュマ・フィス（大デュマの息子で『椿姫』の作者）への献辞を引用している。

「この本をあなたと、物語作者の天才であられたあなたの父君アレクサンドル・デュマへの追憶に捧げる。この作品で、わたしはマーチャーシュ・サンドルフを〈驚異の旅〉叢書におけるモンテ・クリスト伯たらしめようと試みた。わが深き友情のしるしとして、これを捧げることを許していただきたい」

マリー・コレリ『復讐（ヴェンデッタ）』に見るように、『モンテ・クリスト伯』を下敷きにした作品は多く、それだけ大デュマが偉大だったと言えるのだろうが、科学冒険小説で人気作家となったヴェルヌがこの筋立てに挑戦したところに、ジュール・ヴェルヌのもう一つの顔を見ることができる。

主人公は、筋骨たくましく、率直で温かい人柄の持ち主であるサンドルフ伯爵。彼が秘密の通信に使っている伝書鳩の付けていた暗号文を、卑劣漢サルカニーに拾われるところからこの物語の幕が開く。暗号趣味から始めるところがいかにもヴェルヌらしい。サルカニーは銀行家シーラシュ・トロンタルをスポンサーにサンドルフに近づき、ついに暗号を解いて密告する。つかまったのは、サンドルフとその仲間のバートリ、そしてザトマール。

脱獄シーンがまず圧巻である。『モンテ・クリスト伯』の有名な脱獄シーンに匹敵する迫力で描かれている。嵐の夜、放電線を伝って降り、最後は眼下の急流にとび込み、地下を流れる河に吸いこまれるのだ。そして三人はコルシカ生れの漁師フェラートに助けられるが、その娘マリアに横恋慕しているカルペナに密告され、バートリとザトマールは銃殺。漁師フェラートも終身徒刑を宣告される。ここまでが全体の四分の一。あとは、十五年後にアンテキルト博士と名前を変えたサンドルフの復讐行となる。

エドモン・ダンテスは囚人仲間から財宝のありかを教えられ、その資金をもとに復讐するが、サンドルフは不治の病を治してあげた財産家から巨額の遺産を贈られる。父を投獄され、貧困に苦しんでいたフェラートの娘マリアと息子ルュイジを助け、バートリの遺児ピエールを副官にして、サンドルフはアンテキルタ島を隠れ家に、卑劣な三人の男に復讐を開始する。後半は、バートリの遺児ピエールと、宿敵トロンタルの娘サヴァが恋仲になって苦しんだり、ペスカードとマティフーというユーモラスな曲芸師コンビがサンドルフの片腕になって活躍するように、多彩な登場人物と巧みなプロットで、ヴェルヌは下敷きを借りながらも独自の復讐譚をつくりあげる。カルペナに催眠術をかける件りや、サヴァの出生の秘密など、やや乱暴な面がないわけではないが、物語作家としてのヴェルヌの特質が十分に発揮された中期の傑作といえるだろう。

ジュール・ヴェルヌ〈驚異の旅〉叢書は、科学小説や冒険小説、そして『黒いダイヤモンド』(一八七七年)のように、スコットランドの廃坑を舞台にした幻想的物語まで、玉石混淆(ぎょくせきこんこう)である。たとえば『シナ人の苦悶』(一八七九年)は中国青年が主人公という珍しい作品だが、カリフォルニア銀行が倒産して破産した彼が愛する人のために生命保険に入り、親友に自分の殺人を依頼するところから話が始まる。ところが銀行倒産は誤報とわかり、連絡のとれない親友から逃げまわるハメになる、という小説である。だが親友は銀行倒産が誤報であることを最初から知っていたというのだ。「死に直面させて人生の価値がどんなものであるかを理解」させるために、主人公をあえて必死に逃げまわらせた、というのだが、この理由はいささか乱暴すぎる。いくらそれまでの主人公が「興味もなく、情熱もなく、闘いもなく、無為徒食してきたにすぎない」とは言っても、これでは図式的すぎる点は否めない。

　こういう強引な展開は、中期の佳作『皇帝の密使』（原題『ミッシェル・ストロゴフ』）にも見ることが出来る。これはモスクワからイルクーツクまでのシベリア大草原六〇〇〇キロを横断していく物語だ。主人公ストロゴフは、シベリアの漁師の息子で、「寒さ、飢え、渇き、疲労を極限まで耐えきることの出来る男」である。皇帝の命を受けて、密書を届けに行くのだが、途中から同行するのはヒロインの他に、フランスとイギリスの特派員コンビ。これはヴェルヌ作品によくあるパターンである。この小説が強引すぎるのは、ストロゴフが宿敵イワン・オグレスによって盲人にされるものの、実は盲人のふりをしていたという件りだろう。そうすれば敵は油断するという狙いなのだが、それにしては幾度も危機に陥り、それほど必然性があるとは思えない。ストーリー展開もディテールもいいので、〈驚異の旅〉シリーズでは水準以上の作品になっているが、作者の御都合主義がこの作品を佳作にとどめてしまったと言えそうだ。物語作家としてのヴェルヌには、時にこういう欠点が露呈することがある。

　最後の作品『砂漠の秘密都市』（原題『バルサック調査団の冒険』）も、大悪党ハリー・キラーがヒロインであるジェーンの異父兄であることはなかったのではないか。これはニジェール川沿岸の調査団に同行したフランスの特派員アメデー・フロランスの記事と手帳で構成された小説である。変人アジェノールのユーモラスな行動は、『グラント船長の子供たち』のパガネル書記を彷彿させるし（パガネルと違ってアジェノールが講義しないのは、この作品が科学を離れた冒険小説だからだ）、ハリー・キラーに使われている科学者マルセル・カマレに、著者の晩年を象徴する科学への不信を見ることも容易だろう。いつも計算ばかりしている統計学者ポンサンを皮肉に描いているのも、初期にはなかったことだ。このようになかなか示唆に富んだ小説ともいえるが、大悪党ハリー・キラーを、ネモ船長のように陰影に富んだ男として描かず、自分をないがしろにした一族への復讐という因縁話にしてしまった点に、作者のいつもの欠点が見られる。

だが、この作品は物語作家としてのヴェルヌを考えるうえでは重要な作品である。ここで語られた冒険は、特派員アメデー・フロランスの書いた小説であると、ラストで明記したあと、作者は次のように書いているのだ。

「深遠な心理小説家として、アメデー・フロランスは正当にもつぎのように書いた――もしも本当の事実をただそのまま物語るだけだったら、読者はあごをはずすほど大あくびをするだろう。ところが、そのおなじ事実にフィクションのヴェールを着せて物語れば、しばらく読者をたのしませる可能性があるだろう。世間はそういうものだ」（石川湧訳）

また、この作品の冒頭には、こういう一節もある。

「遠くから来た人は嘘をついても見逃される！」

ジュール・ヴェルヌの〈驚異の旅〉シリーズは、考えてみれば「見てきたような嘘」の物語である。いかに真面目に嘘をつくかを一生考えたのが、ジュール・ヴェルヌであったのだ。

エディ・ランナースによって復刊された『コロンブスの卵』(朝日出版社)は数多くの図版を使った科学遊びの本だが、科学の専門分化が進む以前の世紀末ヨーロッパにおいて、こういう啓蒙書が読まれていた事実は、ヴェルヌの基盤を的確に教えてくれる。十九世紀末は科学が新しい時代へのごく身近な入口であった。そういう時代にジュール・ヴェルヌは、未知の国への冒険譚を科学の衣装をつけることで、見てきたような嘘に変えたのである。それはハガードと同様に、ヴェルヌの幸運でもあったのだが、中期以後、科学への不信が育つにつれてその衣装も消え、冒険譚のリアリティ獲得に四苦八苦せざるを得なかったところに、激動の世紀末に生きたヴェルヌの不幸もまたあったと言えそうである。

愛国主義者ルパン

「金銭に支配される社会への反逆者、この最後の騎士であるアルセーヌ・リュパンに、肩をならべようとする者は多勢いる。しかしその誰もが、このとんでもないお人好しに較べれば、現実味に乏しいし、読者を熱中させることも少ない」（フレイドン・ホヴェイダ『推理小説の歴史』福永武彦（ふくながたけひこ）訳、東京創元社）

アルセーヌ・ルパンは今世紀初頭のフランスに生れた新聞小説（ロマン・フィユトン）最大のヒーローである。犯罪者がヒーロー役をつとめるのは、脱獄常習犯からパリの犯罪捜査局長にまでなったヴィドック以来のフランス独特の伝統だろうが、俠盗伝説そのものはロビン・フッドの例にみるように、フランスだけのものでは決してない。

俠盗の活躍が読者の喝采を浴びるのは、読者大衆のなかに現実社会に対する不平不満が潜在しているからだろう。「盗みはすれど非道はせず」という怪盗への拍手は、社会への反逆行為への共感であり、こう言ってよければ、人々の中に共通の憎悪があるからに他ならない。では、ルパンの生れた時代とはどういう時代であったのか。

第一作「アルセーヌ・ルパンの逮捕」は一九〇七年に発表された。この年、フランスはモロッコをめぐってドイツと対立し、イギリス、ロシアと三国協商を結んでいる。第一次大戦まで、まだ時間はあったが、すでにきなくさい匂いをはらんでいた時代である。

一八七五年に発足した第三共和政は、科学の発達が産業の隆盛を招いたこともあり、フランスに第二帝政時代以上の活気をもたらし、同時に文化爛熟の時代を出現させた（「ルパンの活躍した時代」神木耕『名探偵読本7　怪盗ルパン』パシフィカ、所載）。社交界は夜ごとパリを賑わし、一八八九年の万博にあわせてムーラン＝ルージュをはじめとするダンスホールがモンマルトルに生れ（この間のディテールは、ルイ・シュヴァリエ『歓楽と犯罪のモンマルトル』〈河盛好蔵訳、文藝春秋〉に克明に描かれている）、十九世紀末から二十世紀初頭にかけてフランスは普仏戦争の敗北が嘘のように立ち直るのである。

だが一方で、資源を求めてアフリカから東アジアまで植民地をつくり上げるヨーロッパ列強との帝国主義競争と、国内には金融資本と産業資本が結合して独占的な企業集中が進行していた。一八八八年ブーランジェ将軍事件、一八九二年パナマ運河事件（ルブラン『水晶の栓』はこの事件をモデルにしている）、一八九七年ドレフュース事件など、政界をゆるがした事件がこの時期に相ついだのも、はなやかな隆盛のかげにさまざまな矛盾をはらんでいたことの現れだろう。

ルパンは第一次大戦直前のこういう時期に生れたのだ。この意味をまず頭に置いておきたい。アルセーヌ・ルパンの最大の特色は、犯罪予告、釈明、宣言などに新聞を効果的に利用していることで、これはルパンの自己顕示欲の表出というよりも、象徴的な意味を持っている。

十八世紀中期のフランスに実在した武装密輸団の頭領マンドランは、千葉治男（ちばはるお）によれば、取り締まり役人に先制攻撃を加えて殺害をくり返した男だという。それがフランス義賊伝説のヒーローとなったのは、行商人が売り歩いた大衆向けの読み物〈青本〉（イギリスやアメリカのチャップ・ブックに相当する）のためで、そこで語られるのは「マンドランの神出鬼没ぶり、つねに先手をとる奇襲と機敏な駆け引きという戦略的才能、そしてその大立ちまわり、さらに最後の気高い処刑死、という相つぐ活劇場面の展開と感動的な終局」（『義賊マンドラン』平凡社）である。かくてマンドランは実在の人物から離れ、物語のヒーローとなる。

ルパンの行動も新聞紙上では英雄的扱いで、小説中の大衆はそれを読むことでルパンに喝采を送るが、実際のルパンはそれほどの超ヒーローではない。もちろん、シャーロック・ホームズと互角に闘うほど頭脳明晰で推理力は鋭く、さらに変装の名人で神出鬼没、大胆不敵な男である。しかし『水晶の栓』で逮捕された部下を死刑から助けることが出来ず万策つきた時、絶望と落胆の涙を流すほど人間味あふれる男であるし、『虎の牙』で厚い壁にとじ込められた時には、爆発が迫っていることに気が付き「助けてくれー」と汗びっしょりになって恥も外聞もなく警察に救いを求めてしまう。涙もろい激情家で、しかもあわてふためく姿まで見せる、いささかだらしがない男である。毅然としたヒーローからはほど遠いと言ってもいい。

ヒロインとの関係になると、さらにだらしがない。第一作「アルセーヌ・ルパンの逮捕」でルパンを助けてくれたネリー嬢と「遅かりしシャーロック・ホームズ」で再会するが、昔のことを思い出してくれと、とりすがって哀願したくてもその勇気がなく「許してください……ぼくがあなたのそばにいるだけでも侮辱行為であることを、ぼくは理解すべきだったのです」（石川湧訳）と弱気に言ってしまう。『奇巖城』では、死んだレーモンドのかたわらですすり泣き、なんと海に身を投げてしまうのである。『813の謎』では稀代の悪女ドロレス・ケッセルバッハに恋をし、最後には自らの手で殺して絶望し、ルパンはアフリカの外人部隊に身を投じる。この情熱的なロマンチスト！

ルパンを永遠の失恋者と書いたのは誰だったか失念したが、ヒロインはこのように一作ごとに異なり、尾を引くことはない。『虎の牙』では「おれはいままで、一度も恋をしたことがない。……ほかの女たちは……そうだ、一時の出来ごころだ」（井上勇訳）とまで言うのだが、念のために付けくわえれば、これはアフリカ外人部隊からパリに戻ったルパンが、ドン・ルイス・ペレンナと名を変えた物語である。明らかに『奇巖城』や『813の謎』よりは後の話だ。海に身を投じたことも、パリを捨ててアフリカに流れていったことも、出来ごころというぐらいに忘れてしまうのだから、すごい。そして、この物語ではまた別の女性に恋をするのである！

いつも失恋してしまうことを、ワラリス・メイジーに惚れる『水晶の栓』で、ルパン自身は次のように分析している。

「それが当り前なんだよ。愛すべき悪漢だの、ロマネスクで騎士的な俠盗だの、心からの悪人じゃないだのと、さまざまに言われはするが、だからといって、真から堅気で一本気の、正しくものを見る婦人から見たら、このわしなんか……ならず者以外の何者でもないはずだもの」
（堀口大學訳）

　モロッコで数々の武勇伝をつくった男も、ヒロインを前にするとかくも謙虚になる。人間くさい、ロマンチックなヒーローなのである。こういうルパンの〈実像〉と、新聞で報道される怪盗のイメージはかけ離れているが、ルパン物語はこのようにヒーローの実像を見ながら、同時に紙上の伝説をも知るという二重構造であることに留意したい。どちらか一方であったなら、ルパン物語はおそらく印象が極端に違っていただろう。

　たとえば彼が伝説を持たず、普通の人間と同じような感情の持ち主にすぎなかったら、この物語はリアリティを獲得する代りにヒーローを失ったにちがいない。あるいは主人公が伝説だけの男であれば、ルパン物語はアメリカのドック・サヴェジのように、退屈な超人の記録に終始しただろう。我々と同じように恋をし、涙を流し、あわてふためき、しかし大胆不敵な行動家であったからこそ、ルパンはロマンチックなヒーローになったのである（もちろん、フレイドン・ホヴェイダが「ガヴローシュ《ユゴー『レ・ミゼラブル』に登場する皮肉で勇敢なパリの浮浪児》の後継者」と書いたように、ルパンはロマンチストであるだけでなく、陽気な犯罪者でもある）。つまりそのロマンチック・ヒーローの成立は、ルパン物語の二重構造の中にこそあるのだ。

「ルパンは冒険小説ではなくフィユトンなのだ。フィユトンの面白さを、トリックを使って、証明してみせた」（松村喜雄『怪盗対名探偵』）というように、ルパン物語がトリック小説であることもたしかだろう。『８１３の謎』の大トリックをはじめ、ルブランはさまざまなトリックを使用している。だがイギリス流の合理主義的トリック小説とは違って、そこに活劇をプラスしてフランス流に仕立て上げているのも明らかな事実である。使用しているトリックが多いからといって探偵小説になるわけではない。正確に言うならば、トリックの多い活劇調メロドラマなのだ。

むしろ、問題はルパンの生れた背景にある。ボワロー&ナルスジャックは『推理小説論』(紀伊國屋書店)で「わたしは、盗賊仲間のシラノ、アルセーヌ・リュパンを崇拝していた。そのヘラクレスのごとき腕力と狡猾な勇気と非常にフランス的な知性が一八七〇年代のわが国の敗北の時代の産物であったことも知らずに」(寺門泰彦訳)というサルトルの言葉を引いたあとに、「リュパンの神話は一時代のフランス的感受性である」と書いている。

ルパンが生れたのは、フランスが普仏戦争の敗北から立ち直り、第一次大戦めがけて植民地競争をひた走っていた時期であることを想起されたい。

一九〇九年に刊行された『８１３の謎』に、ドイツ皇帝から警察長官に任命されたルパンが「わたしはフランス人であります」と断わる件りがすでに出てくるが、一九一八年『金三角』、一九二一年『虎の牙』になると、ルパンの愛国主義はより露骨に表面に浮上してくる。『金三角』ではトルコに単独講和を持ちかける私設外交官になり、『虎の牙』ではモロッコを制圧しフランス領としてしまう活躍ぶりだ。ルブランは第一短篇集『強盗紳士』にホームズを登場させ、イギリスへの対抗意識を燃やしてはいたものの、これはフランス人の伝統的なイギリス観であり、中期以降露呈してくる愛国主義とは異なる。

　初期作品でガヴロッシュばりの皮肉で勇敢な悪漢ヒーローであったルパンが、中期作品から退屈な愛国者となってしまうのは、ルパン物語が時代の産物であったことを暗に語っている。ホームズ、ルパンというこの時代のヒーローの生みの親、コナン・ドイル、モーリス・ルブランがともに頑迷なナショナリストとして変貌せざるを得なかったのは、個々の作家の限界というよりも、来たるべき新時代に対する漠としたおそれが、この二人のすぐれた大衆小説作家の中にあったからかもしれない。

　世紀は明けても、ヨーロッパはまだ〈古き良き香り〉をひきずっていたが、来るべき第一次大戦後の、新しい時代の足音がついそこまでやってきていたのである。第一次大戦をはさんでルパン物語が変遷し、この主人公が退屈なヒーローになると、残虐なヒーロー、ファントマがフランスに生れてくる。暗黒小説まで続くリアルな悪党ヒーローの誕生である。ルパン物語の変遷は、そういう時代の変化を指し示しているように思う。

『紅はこべ』と『スカラムーシュ』

フランスのモーリス・ルブランに続いて、今世紀初頭に書かれたイギリスのヒーロー物語を考えてみたい。この時期のもっとも大きな変化は、おそらく『紅はこべ』と『スカラムーシュ』の違いに集約される。両者ともにフランス革命を背景にした作品であるだけに、比較しやすい。作者もそれぞれ、ハンガリーとイタリアという他国生れでありながら、後にイギリスに帰化したことでも共通している。しかしその作品は大幅に異なっている。

まず『紅はこべ』。バロネス・オルツィーの書いたこの冒険物語の特色は、十九世紀型の騎士道精神を底流としていることだろう。共和主義者の手からフランス貴族を大胆不敵な策略と行動で救出し、無事に亡命させる謎のイギリス人集団〝紅はこべ団〟は、その動機を団員の一人が次のように語っている。

「それは単に我々のスポーツにすぎないのでございます。ご承知のように、英国人は非常なスポーツ愛好家でございます。それで今年は猟犬のきばにかかっている兎を救い出してくるスポーツが、流行しているのでございます」（松本恵子訳）

政治信条ではなく、騎士道精神だというところに、この物語の最大の特色がある。

たとえば、続篇である「I Will Repay」（一九〇七年）のデルレイドは、紅はこべと連絡をとりながら女王を救おうとするが、やむを得ない決闘で殺してしまった若い子爵の妹ジュリエットにその計画を密告される。だが証拠がないために逆に嘘をついた罪で彼女が法廷に立つはめになると、デルレイドは自ら真実を証言して彼女を救い出す。そして、なぜ自白したのかと尋ねられたデルレイドは力強く言うのだ。

「フランスの男子は、婦人の名誉を犠牲にしてまで生きようとは思わない」

もちろん物語は、断頭台にかけられる二人を紅はこべが救出するかたちになるが、描かれているのはあくまでもそういう騎士道型ヒーローである。一人二役など、紅はこべの変装ぶりが常人離れしていて、リアリティに欠ける点はあるが、騎士道にもとづいたヒーローを主人公にする〈古き懐しき物語〉なのである。

ところが、ラファエル・サバチニ『スカラムーシュ』はひと味ちがう。こちらの主人公は二十四歳の弁護士アンドレ・ルイ・モロー。孤児という設定だが、これはあとにいきてくる。決闘で殺された親友の遺志を継いで人民の団結を訴える演説をしたために、官憲に追われて旅に出るアンドレの、これは放浪と冒険の物語である。旅役者の一座に入って、台本書きから主演役者まで底知れぬ才能を見せたかと思うと、また逃げ出して次は剣術道場の師範代になる。そして最後は国民議会の議員となって仇敵の侯爵と決闘するまで、激動の時代を背景に波瀾万丈の冒険行が綴（つづ）られている。

この物語を特徴づけているのは、しかしそういうテンポのよさとストーリーの面白さではない。主人公アンドレ・ルイ・モローの性格設定こそが、この作品の太い芯である。この男、常に現実と距離を持ち、自分をさらけ出すことを避ける演技者との設定である。たとえば特権階級を攻撃し、社会改革に熱心な親友ヴィルモランの遺志を継いだといっても、その巧みな弁舌の裏でアンドレは、中産階級（ブルジョワジー）が貴族階級に代って権力者になるにすぎない、と考えている。だから友人シャプリエから政治家になるようにすすめられても興味を持たず、旅役者の一座に入り込んでしまう。中産階級の言う平等は、上流社会と自分たちがごちゃまぜになって身分があがることだと喝破し、「無産階級（プロレタリアート）は、犬小屋のなかで飢餓のために死んでいくのだ」（大久保康雄訳）と分析している男なのである。

さらに、座長の娘クリメーヌと婚約しながらも、彼女が心変りするとそれを冷静に振り返り、幼なじみのアリーヌから「あなたにはあたたかい気持がないんじゃないかと思うことがあるわ」と言われたりする。クライマックス近くで実の母親の存在を知らされるときも、冷静なアンドレは「おまえという人間は木か石でできているのか？」と言われてしまう。仇敵の取り巻きを一人ずつ決闘で倒し、その報告を議会でする件りでは、主人公のそういう態度は思いやりのない行為で、「温かい人情がないと言うアリーヌの指摘は正当」と、作者が書くほどである。

母親との対面シーンで、母親から「おまえには人情というものがないんですか」と言われたアンドレが「育ちのせいですよ」と答えたり、仇敵の侯爵から「きみは冷酷な人間だ」「だが、私はその冷酷さを認める。それは血統からきているのだ」と言われたりするので、主人公アンドレのストイシズムは、孤児として育った環境や、あるいは冷酷な父の血に求められやすいが、クライマックスにアンドレの言う「ぼくらはみな運命の翻弄物なのだ」という言葉に、作者の意図を読むことが出来る。仇敵である侯爵にも幾分の理由はあり、誰を責めることも出来ないというラストの認識と、通行証を渡して侯爵を逃がすアンドレの苦渋にこそ、作者の力点はかかっている。つまりアンドレの孤独は、環境や血のためではなく、懐疑と躊躇（ちゅうちょ）にとらえられた近代人の病いなのである。そう考えないと、アンドレの一貫した〝演技的態度〟は解けない。

　紅はこべが十九世紀型騎士道ヒーローであるとするなら、『スカラムーシュ』のアンドレは近代的自我をもった新世紀の懐疑的ヒーローと言えるだろう。それが作家の個性による違いなのかどうか、もう一作、ラファエル・サバチニ『海の鷹』を見てみることにしたい。

　これは海洋冒険小説である。主人公はオリヴァー・トレシリアン。「乱暴で短気で残忍、気性が荒くて、傲慢で、他人の感情をふみにじる」（小田（おだ）律（りつ）訳）と評される冒険的な船乗りである。あやまって人を殺した弟をかばったものの、いつ真相を暴露されるかわからないと邪推した弟に裏切られ、生きて帰った者はいないと言われているガリー船の奴隷として売られてしまう。ここまでがプロローグ。

　ここからオリヴァー・トレシリアンの波瀾万丈の冒険が幕を開ける。彼の乗った奴隷船がもっともおそれられている回教徒の海賊アサドに襲われ、そのどさくさに大暴れ。すると、その活躍ぶりが敵の大将の目にとまり、誘われて改宗。幾多の武勲をあげ、ついには「地中海の天罰執行者」と言われる副官にまで出世していく。ここで終れば普通の冒険小説だが、作者のサバチニは海賊の内部抗争を用意し、さらには郷里の婚約者が弟と結婚する知らせを聞いて、主人公をイギリスに向わせるのである。そして後半は、昔の婚約者との恋情のもつれと、弟への復讐話になる。

この物語を特徴づけているのは、故国イギリスに対する熱い想いだ。回教徒となって海賊船隊の大将格になっても、捕虜のイギリス人をアサドに代価を支払ってまで解放してやるし、故国の婚約者に送った手紙が破られたという報告がきた夜は、人知れずすすり泣くほどオリヴァー・トレシリアンは〝国〟を捨てることが出来ない。

クライマックスの戦闘シーンで彼が死を覚悟するのも、婚約者を助けるという理由はあるにせよ、遠く国を想う辛い日々を打ち切りたいとのひびきが強い。なにものも信じることが出来ない『スカラムーシュ』の主人公アンドレの孤独にくらべれば、このオリヴァーの覚悟は信じるものがあるだけに甘美な匂いにつつまれている。仲間を助けるためにイギリス人の騎士道精神に訴える件りがあるが、この彼の行動も決してアンドレのものではない。コナン・ドイルやモーリス・ルブランほどナショナリストの側面は濃くないものの、しかし懐疑型ヒーローを主人公にした『スカラムーシュ』を一方に置けば、『海の鷹』の底を流れる強い〝望郷〟の念はやはり異質と言うべきだろう。

同じ作者でありながら、この二作がこれほど異なるのはなぜか。残された鍵は一つ、『海の鷹』が第一次大戦の最中である一九一五年に書かれたことだ。対する『スカラムーシュ』は一九二一年の作品である。一九一五年『海の鷹』の騎士道ヒーローが一九二一年『スカラムーシュ』で懐疑型ヒーローに変化しているのは、この間に第一次大戦を置けば解ける。

　オルツィー『紅はこべ』とサバチニ『スカラムーシュ』の違いも作家の個性による差ではなく、発表年の差なのではないか。前者は一九〇五年の刊行で、第一次大戦前の作品である。後者は繰り返すが、第一次大戦後の作品である。つまりルブランの項で見たように、騎士道型ヒーローはここでも第一次大戦を境に姿を消すのである。『海の鷹』と『スカラムーシュ』の差がその道筋を示唆しているようだ。

『紅はこべ』に登場する共和国政府の密偵ショブランが単調な仇敵であるのに比較して、『スカラムーシュ』の仇役ダジル侯爵は自分の欠点を認める男であるのも、この二作の違いを表わしている。ダジル侯爵がアンドレの親友を決闘で殺したのは個人の感情ではなく、階級間の憎悪であることがラストの述懐で明らかになるが、そういう救いようのない対立を作者が直視し、公平に描いているところに『スカラムーシュ』の新しさがある。

　その現実認識の差がヒーローの設定にも投影されている。仇敵が己れの欠点を認め、しかし階級間の憎悪という時代の宿命から逃がれることは出来ない男であるならば、ヒーローもまた同じ程度の懐疑と自己嫌悪を持たなければ対峙し得ない。もはや牧歌的なヒーローではいられないのである。もちろん、この時期のヒーロー小説がすべてこのようにわけられるものではない。第一次大戦後に書かれた冒険物語にも旧世紀型の騎士道ヒーローはいる。例外は少なからず、ある。そういう例外作も含めて、この時期のヒーロー物語をもう少し見ていきたいが、全体の矢印が第一次大戦を境に変化していくことは間違いないと思われる。

雄々しく、ストイックで、寡黙な、善意のヒーローたちは、懐疑と不信のヒーローに姿を変え、また衣装をつけかえていく。では、その新たな衣装とは何であったのか。そこに行きつく前に、懐疑型ヒーロー誕生の萌芽となったこの時代の意味を、別の角度から見てみたい。冒険物語につきまとう〝騎士道〟とは何か。最後の問いはそこに行きつく。

騎士道の消滅

騎士道とは何かを考えるためには騎士の歴史について述べなければならないが、八世紀から十六世紀まで、つまり中世に存在した特殊階級という先入観を持って書物をひもとくと、その起源と発展についてさまざまな学説があり、混乱させられる。ローマ帝国が滅びたあと、中世ヨーロッパに発生した特殊戦闘階級であることに変りはないが、最初に騎士階級が存在し、十三世紀以降そこから世襲的な貴族階級が生れてきたのか、あるいは騎士であることと貴族であることは最初一致していたのに、その後職能者としての騎士（ミニステリアーレ）が生れ、いわば一時期、二種類の騎士が存在するかたちになり、それが十三世紀に入って高級貴族と下級貴族と分化しながらもふたたび貴族階級化していったのか——諸説わかれている。

いずれにしても、騎士階級の成立はキリスト教と無縁ではない。「勇気、正義、謙譲、長上に対する忠誠、同輩への礼範、弱者への憐憫」（ブルフィンチ『中世騎士物語』野上彌生子(のがみやえこ)訳、岩波文庫）等、騎士の行動規範たる騎士道の精神には、教会の影響が濃い。

興味深いのは、ハインリヒ・プレティヒャが「騎士道の最盛期は、わずかしかつづかなかった」と書いていることだ（『中世への旅　騎士と城』平尾浩三訳、白水社）。具体的には繁栄の始まりが十一世紀で、十三世紀には黄金時代が終る、と言うのである。

その理由の一つを、J・M・ファン・ウィンターは『騎士』（佐藤牧夫・渡部治雄訳、東京書籍）の中で、「かつて騎士たちをもっとも奮い立たせた戦争目的、すなわち聖地への十字軍はすでにとうの昔に破産してしまっていた」からだと書いているが、問題はそうやって一度滅んだはずの過去の遺物、あるいは中世末期に形骸化していたはずの騎士道が、コナン・ドイルやハガードの小説にこれまで見てきたように、なぜ十九世紀末にふたたびよみがえったのか、ということだ。

その疑問に明快に答えてくれるのが〝ヴィクトリア朝社会精神史〟と副題の付いたマーク・ジルアード『騎士道とジェントルマン』（高宮利行・不破有理訳、三省堂）だ。マーク・ジルアードはこう書いている。「騎士道的伝統を復興させる目的は、支配者に必要な道徳的資質を具えているが故に支配する資格をもつという、支配階級を作り出すことだった」

すなわち「十九世紀の英国は産業革命の本格化によって、様々な歪みをはらむ時期を迎えていた。そのような近代化に伴う歪みを修正するために人々が精神的支柱として求めたのが、逆説的にも伝統的な騎士道だった」（前掲書「解説」）のだ。では、そのように復活した騎士道が第一次大戦でなぜあっけなく消滅してしまったのか。順序としてそうなっていく。

第一次大戦は、人類が初めて遭遇した全面戦争である。毒ガスの使用、タンクの登場など、それ以前に存在しなかった兵器が現れたこともあるが、もっとも大きな特異性は旧来の戦争概念が通用しない近代戦争であったことだろう。それまでの戦争では一つの決戦が重要な意味を持っていたが、第一次大戦はそういう古典的な戦争ではもはやなく、前線に物資をいかに絶え間なく補給するかという〝終りなき闘い〟であったのだ。

第二次大戦のほうが、戦死者数は二倍、物的損害は十三倍と、トータルな数字は当然大きくなっているが、ヨーロッパ諸国にとっては第一次大戦のほうが戦死者数が多いのも、その疲労度を現している。イギリスとフランスの経済的打撃は特に大きく、第一次大戦の被害を受けなかったアメリカが、かくて世界の主役におどり出てくる。もっとも、第一次大戦の物資補給のために新しく工業資源を開発したために、戦後十年もたたないうちに各国の経済は戦前の水準に戻ったといわれているが。

歴史の教科書が教えるところによれば、第一次大戦が人類に与えた最大の被害は、全面戦争という苛酷な現実に初めて直面したために、進歩と理想を信じる人間の楽天的な精神生活が滅んだことだとされている。イギリス軍が四十二万人の死傷者を出したソンムの会戦について、A・J・P・テイラーは次のように書いている。「理想主義はソンムで滅んだ。熱狂した志願兵たちは、もう熱狂しなくなった。かれらは、戦友への誠実さ以外は、大義名分とか指導者とか、あらゆるものへの信頼を失った」（『第一次世界大戦』倉田稔(くらたみのる)訳、新評論）

すさまじい現実に対し、騎士道は何の力も持ち得なかったのである。マーク・ジルアードはその騎士道の消滅の瞬間を、前掲書のクライマックスで次のように書いた。

「一九一四年の末には、北海からスイスに至るまで連なる塹壕に、戦闘部隊は封じ込められていた。彼らはそれから四年間、時折ところどころで一マイルか二マイル動くことはあっても、そこにずっと釘付けになったのである。雨や弾丸がひっきりなしに降り注ぎ、その光景は泥土と砲弾の跡、残骸、死体、有刺鉄線の荒地へと変わり果てた。無数の部隊が、くぼみやあぜ、溝などにずぶぬれになりながら、自分たちが作り出した死体や汚物、汚辱の上に身を置いていたのであった。

その場で、彼らのほとんどは死んだ。そして同じその場で、騎士道精神も彼らとともに死んだのである」

かくて男たちは騎士道ではなく、違うところに行動規範を探さなくてはならなくなる。第一次大戦をはさむいくつかの作品を見てみよう。

ロバート・アースキン・チルダーズ『砂洲の謎』（一九〇三年）は、外務省に勤める青年カラザースが友人デイヴィスに誘われ、ロンドンからドイツ沿岸までヨットに乗って出かけていく話だが、ドイツの謀略と大英帝国の危機を訴えるところに眼目を置いた作品である。主人公カラザースはデイヴィスに向って、ぼくらはもはや遍歴の騎士じゃないと友人の冒険を一度はたしなめるものの、「かつてこの世に生きた人々の生き方を知って、特に現在、その模範から勇気を引き出す必要がある時代に生きているのだ」（斎藤和明訳）と、すぐ考え直してしまう。何のことはない。古くさい、と一度は否定しておいて、結局は騎士道の理想を行動規範とするのだ。十九世紀末に騎士道が復活したというマーク・ジルアードの説を実証するかのような、ヴィクトリア朝らしい冒険物語と言えるだろう。

キップリング『キム』(一九〇一年)は、インドを舞台に、ロシアの南下政策を探るイギリス情報部の争いを、アイルランドの放浪児キムを中心に描いたもので、これも古き良き大英帝国時代の産物である。これまで見てきたように、大戦前にはこういう牧歌的な冒険物語が多い。第一次大戦後にも、スペイン領時代のロサンジェルスを舞台にしたジョンストン・マッカレー『怪傑ゾロ』(一九二〇年)のように、騎士道精神の濃い作品があるが、これは大戦によって精神的な被害を受けなかったアメリカ作家ならではの例外かもしれない。

大戦後に書かれた、ジェームズ・ヒルトン『鎧なき騎士』(一九三三年)こそが、冒険物語における騎士道の消滅を象徴的に語っている。

これは奇妙な小説だ。主人公、A・J・フォザギルは最初から目的を失った男として登場する。ジャーナリストを失格し、自費で日露戦争に従軍するも記事は採用されず、すぐ特派員をクビ。次に英語教師や出版社の校正係となってロシアにとどまるが、発禁書の責任を押しつけられて国外追放処分。しかしイギリスに帰っても何ひとつすることがない。そこで英国情報部の嘱託(しょくたく)となり、ウラノフと名を変えて、ロシア革命運動の内情を探ることになる。ここまでで、まだ全体の六分の一。この先の展開がすごい。読者の予想をことごとく裏切っていく。

彼はさして活躍もしないうちに当局に逮捕され、シベリアに追放されてしまうのである。そして驚くべきことに、この男は北氷洋近くのさいはての町で、いたずらに時を過ごす。なんと何もしないのである。結局、八年後に革命軍の兵士が迎えに来て戻ることになるが、物語はようやくここから激しく動き出す。もっとも激しいのはストーリーの展開であって主人公ではない。主人公はまるで傍観者のように、最初から最後まで生きる気力を喪失したままだ。
　餓えた人のために食糧を食堂車まで盗みに行くのも騎士道の精神ではなく、ただの思いつきだし、それを発見されて将校を殺し、彼になりすます時も、生きのびようとする意欲はなく、その動作は緩慢なままだ。その将校は赴任途中の人民委員で、フォザギルは彼の代りにその町に赴くが、そこで出会った白軍の人質、アドラクシン公爵をモスコーに護送するはめになり、ここからは二人の逃避行。物語はまったく妙な方向へと進んでいく。

　途中から夫人と恋におち、彼女を国外に脱出させることになるが、この展開はそれほど意外でもない。驚くのは、動乱の嵐の中を逃げまわるも、夫人はチフスで死去。代りに公爵の幼児を連れて脱出し、アメリカ救護部隊に拾われる、というところで物語がまだ終らないことだ。スマトラに渡って実業家として成功し、イギリスに帰国する後日譚が付くのである。幼いまま別れた公爵の娘を探し出し、成長した彼女となんと恋におちるというとてつもない物語になってしまうのである。

　作者はロマンチックな冒険物語を書きたかった、と述べているが、大戦前の読者ならこの奇妙な物語についていけないに違いない。主人公フォザギルは、ロシアへ、シベリアへ、そして動乱の渦の中に、ただ流されていくだけだ。自ら何一つ選び取っていない。いや一回だけ、彼の意思が表出するシーンがある。クライマックス近く、公爵の娘を連れていたら脱出できないと断わる件りだ。彼は愛する夫人さえ救出できればいいのである。結局は夫人の遺言で連れ帰るのだが、ここには騎士道の教えである弱者への憐憫などかけらもない。大戦前には決して書かれることのなかったタイプの小説と言えるだろう。

主人公が次々に名前を変えていくプロットの展開にも明らかなように、『鎧なき騎士』は騎士道という行動規範を失った男のさまよえる物語である。この物語が奇妙に見えるのは、第一次大戦によって鎧を失った騎士たちのショックを現代に生きる我々が実感しにくいためかもしれない。

こうして理想を信じ、正義に燃え、勇気を持った牧歌的なヒーローは姿を消していく。代って舞台にあがるのは、鬱屈（うっくつ）したヒーローたちだ。

スパイ・ヒーロー、登場

　冒険物語における牧歌的なヒーローが第一次大戦をはさんで変質していくのは、戦争という現実が騎士道的世界を否定し、読者もまた自分たちの生活が国際政治と切り離してはあり得ないことを否応なく知らされたからに他ならない。

　かくてヒーローたちは宝探しの旅から帰国し、衣装をつけかえていく。背景は大自然から国際政治にかわり、彼らは国を守るヒーローとなって生れかわる。そういう時代においては、未知の国に宝を探しにいく無邪気な男より、自分たちの生活を、そして命を、他国の侵略から守ってくれる男のほうが共感できるというわけだろう。

　スパイが世界最古の職業と言われながらも二十世紀に入るまで彼らを主人公にしたスパイ小説が書かれなかったのは、それまでの人々にとってスパイは嘘つきであり、盗っ人であり、しょせんは裏切り者で、蔑視の対象にしかすぎなかったからだという。おまけに「泥棒や人殺しならまだ許せるが、スパイは少なくとも十九世紀においては性的倒錯者と同等とみなされたらしい」（常盤新平（ときわしんぺい）『世界スパイ小説傑作選2』解説、講談社文庫）のである。

エリック・アンブラーは「スパイ小説の発展」の中で次のように書いている。

「この手の人物を作家が無視したことは驚くにあたらない。アンチ・ヒーローの時代の幕開きはまだ遠く、スパイを悪玉に仕立てればすむかというとそうもいかなかったからだ。作中に少しでもスパイの登場を許すなら、いきおいヒーローも秘密諜報組織なり防諜組織なりの一員であらねばならず、そしてそうなれば、わがヒーローもスパイと同じ穴のむじなではないか」（吉野美恵子訳、ミステリマガジン一九七七年九月号、所載）

ところが、ドレフュース事件（一八九四〜一八九九年）によってスパイ活動に対する関心が芽生え、第一次大戦という苛酷な現実の〝政治〟を体験したヨーロッパの読者は、認識を新たにせざるを得なくなる。スパイもまたヒーローなのだ、と。こうして冒険物語のヒーローはしばらくの間、スパイ小説の中に入り込んでいく。

最初のスパイ小説は、アースキン・チルダーズ『砂洲の謎』（一九〇三年）とも、ジョゼフ・コンラッド『密偵』（一九〇七年）とも、あるいはジョン・バカン『39階段』（一九一五年）とも言われているが、ここでは「現在不当にも多くの読者から過小評価されているが、ごくありふれた日常的な風景を舞台にして冒険推理小説とスパイ小説とを復活させた」（『推理小説の歴史』）ジョン・バカンを見てみたい。

『39階段』は、南アフリカからロンドンに帰国した鉱山技師リチャード・ハネーを主人公にした巻き込まれ型の冒険小説である。ヒッチコックの映画化によって有名な小説だが、ギリシア首相暗殺計画を知ったハネーが殺人者の汚名を着せられながら、国際的陰謀をいかに阻止するか、追いつ追われつの冒険行がくりひろげられる。

南アフリカでひと財産つくって帰国した心身ともに健全な三十七歳の男が退屈をもてあましている、という冒頭に明らかなように、この小説は後年のアンブラー型スパイ小説とは違い、まだ前世紀型冒険譚の色彩が濃い。ハネーは冒険に憧れる男、という設定なのである。彼は平凡なイギリス人であり、「決して天才的閃きは見せない。取り得といったら頑固さだけ」（『推理小説論』）である。マイケル・ギルバートも書いている。「特に頭が切れるわけでもなく、平凡で、しかもがんこな男、とりえといえば健脚ぐらいのもので、われわれよりちょっと頭がよいといった程度である。彼の筋金となっているのは意地っ張りなところである。彼は敗北を認めようとしない。そしてもちろん、彼は敗北しないのだ」（「暴力の瞬間」小泉源太郎訳、中田耕治編『推理小説をどう読むか』三一書房、所載）

闘う相手が国際スパイ団というだけであり、背景はリアルな設定に代っても、その内容は限りなくロマンチックな冒険譚に近い。バカンを読むと、スパイ小説が冒険小説から分化していったことがよくわかる（余談になるが、マイケル・ギルバートは前記のエッセイの中でスリラーと冒険小説をわけ、バカンを前者に分類している。彼によれば、スリラーとは主人公をおびやかす特定の敵が一貫して以後まで立ちふさがる小説であり、冒険小説は次々と別の敵が現れて立ちふさがる小説だという。もちろん彼は〝スリラー〟を評価しているのである）。

問題は、『39階段』の中にスパイ小説と冒険小説の要素が混在していることが、スパイ小説勃興期だからこそ起こったのか、それともバカンの特質なのか、ということだ。その解答を得るためには、第一次大戦後に書かれた『三人の人質』(一九二四年)を見なければならない。

これはリチャード・ハネーを主人公とするシリーズの第四作である。ハネーは退役し、片田舎で平穏にくらしているとの設定だ。もう冒険に憧れる齢でもない。国際陰謀団に誘拐された人質を救出しにいくのも、その中に少年がいて、自分の息子のことを考えたからにすぎない。つまり冒険への憧れでも愛国心でもなく、父親の心情がハネーをスコットランドの山岳地帯に招いていく。

もっとも動機は何でもいいのだ。重要なのは、いやいや出かけたはずのハネーが敵を追うクライマックスで、スポーツの快感に似た興奮に酔う件りだろう。その瞬間、彼は自分が敗れて死ぬかもしれない結果など、どうでもいいと思ってしまう。結果が目的ではなく、燃焼できる体験を持つことが最優先されるのである。これはスパイ小説というよりも冒険小説に近い。しかし物語の展開は、ドミニック・メディナという稀代の悪党との、精神の格闘劇として進行する。射撃の名手であり、探検家であり、卓越した詩人であり、そして催眠術を駆使して人の魂を奪う謀略家メディナは、あのジョン・シルバーとくらべると魅力的な悪党とは言いがたく、図式的な人物にすぎないが、物語の大半は、ハネーが催眠術にかかったふりをして彼を探る過程に費やされる。これではとても冒険譚とは言いがたいし、精神の格闘劇としても上等ではない。

いやここでは第一次大戦をはさんでも『39階段』と『三人の人質』が、作品の出来に違いはあるにしてもその物語が本質的には変っていないことに留意すべきだろう。国際陰謀団の謀略を背景に、主人公が特異な体験のなかで燃焼する、という点ではこの二作は同じなのである。すなわち『39階段』の中にスパイ小説と冒険小説の要素が混在しているのは、この作品がスパイ小説が成立する以前、あるいは勃興期に書かれたからではない。本質的には冒険小説作家であるジョン・バカンが、スパイ小説を求めていた時代に生れたこと。それが彼の作品をあいまいなものにしたということだろう。いわばジョン・バカンは不幸な時代に生きた冒険小説作家なのである。

バカンが冒険小説作家であることは、彼の作品を一貫して流れる〝善意〟にこそ求められる。敵に手錠をかけながら「そのやりかたは下劣にしても、彼もまた愛国者なのだ」（小西宏訳）と思うシーンが『39階段』に出てくるが、象徴的なのは『三人の人質』のクライマックスだ。ハネーは崖から落ちそうなメディナに「君を安全にするまで休戦だ」（高橋千尋訳）とロープを投げるのである。敗北した敵に寄せるこの憐憫の情はバカン作品の特徴であり、ここから騎士道冒険譚の底流までは、ただの一歩である。

あるいは『緑のマント』（一九一六年）がいちばんわかりやすいかもしれない。これは『39階段』に続くハネー・シリーズ第二作で陸軍少佐時代のハネーが、回教徒の不穏な動きを探るためにドイツ占領下のトルコに潜入していく物語である。敵地に潜入していくのであるから、次々に困難が生じ、ハネーはそれをひとつずつ克服していく、というかたちになる。マイケル・ギルバートの分類を待つまでもなく、これは冒険小説である。いささか荒っぽいことは否めないが、後年のマクリーン流戦争冒険小説に通じるものがある。バカンがまぎれもなく、イギリス冒険小説の流れの中にいることは、この一冊で明らかだ。
『緑のマント』が荒っぽいというのは、リチャード・ハネーの行動に計画性がなく、行きあたりばったりだからである。アンブラーは前記のエッセイの中で「バカンの主人公たちは判で押したように狩猟とか釣の愛好者で、厳粛な、雄々しくも無邪気な態度で仕事に取り組むのだが、そういう態度が読者にはときとして愚かに感じられるのだ。おまけに彼らは情緒不安定である」と書いたあと『緑のマント』に触れ、ドイツ軍情報部に潜入する好機をハネーがヒステリックな怒りでぶちこわすシーンに言及している。

　しかし実はこれだけではない。こういう個所は他にいくつもある。特にドイツ軍情報部員に化け、コンスタンチノープルに武器を運ぶ船に同乗して途中の港を通りかかるシーンは、その典型である。武器の一部を勝手に横流ししようとするトルコ人将校に、彼は文句を言って取り戻すのだ。その武器を無事に届けたら、同胞であるイギリス軍に対して使用されるというのに！

「自分の職業的誇りが傷つけられ、不正取引きに加担するようなことは我慢がならなかった」（菊池光訳）というのだが、この男は仮りの姿であるはずの「職業」に誇りを持ち、自分の役目がスパイであることを忘れてしまうのである。なんという無邪気なヒーロー！

　第一次大戦を境に無邪気なヒーローが姿を消し、鬱屈したヒーローが舞台にあがるというのが本筋ではあるのだが、主役が完全に交代するまで、まだしばらくの時間はあったのだろう。ジョン・バカンはそういう過渡期に生まれた特異な作家だった。

バカン最後の長篇『傷心の川』（一九四一年）は、サー・エドワード・リーセンを主人公とするシリーズの一冊で、ハネーものではないが、スパイ小説家になりきれなかったバカンの貌がここにも垣間見える。死地を求めてカナダの原野に出かけていくこの老冒険家を動かすのは、男らしく立ったまま死にたい、という強い思いである。国際政治などもはや関係がなく、彼には最後にもう一度だけ燃焼したい、という願いしかない。このリーセンの姿にこそ、ジョン・バカンの本質がひそんでいるようである。

不安と疑惑の時代

ボワロー&ナルスジャックは『推理小説論』の中で、「スパイ小説は、何よりも行動の小説、事件小説、すなわち武勇譚の新聞小説である。これがこのジャンルの本質なのだ」と書いているが、これは推理小説との比較を論じているのであって、もちろんすべてのスパイ小説がアクションに重点を置いた小説であるわけではない。むしろ行動小説というよりも、心理小説の側面を濃厚に持つジャンルであることは、多くのスパイ小説が証明している。

特に「スパイ・スリラーのジャンルを高度な現代小説の一主流へと引き上げ、更新させた」(中薗英助(なかぞのえいすけ)『闇のカーニバル』時事通信社)エリック・アンブラーの諸作には、アクション場面が少ない。中薗英助は『闇のカーニバル』で「書いている場面場面で、アクション場面を挿入するところが浮かび上ってくるとき、私はそれらを避ける方法を探し始める」というアンブラーの言葉を紹介しているが、それはアンブラーが「ヒロインは常に悪人の手で椅子に縛りあげられ、救助に駆けつけたヒーローはまず電燈を叩きわってから、田舎家の鉛の枠つき窓から躍りこむ」(「スパイ小説の発展」)旧来の冒険活劇譚からスパイ小説を解き放ちたかったからだろう。

第二次大戦前夜に書いた『あるスパイの墓碑銘』（一九三八年）について、「ささやかながらリアリズムによる試みというつもりであった」と作者自身が述べているように、アンブラーがめざしたのは、政治が個人を翻弄するリアルな状況であり、その不条理な網にからめとられる現代人の悲劇であった。たとえば『あるスパイの墓碑銘』は、保養のために南仏の小さな村を訪れた主人公ジョーゼフ・ヴァダシーがスパイ容疑で逮捕されるところから幕が開く。現像に出したフィルムにツーロン軍港がうつっていたというのが逮捕の理由で、何者かが彼のカメラをすり変えたらしい。かくて身の潔白を証明するためにヴァダシーは、当局に脅迫されて謎のスパイを狩り出さなければならなくなる。物語はホテルの滞在客十二人の中にひそむ犯人さがしとして進行するが、この小説のポイントは主人公ヴァダシーが法的にどこの国の庇護も受けられない無国籍者という設定だろう。生れ故郷の町が第一次大戦後にユーゴに編入されたため、ハンガリー生れでありながらユーゴ国籍の彼は、イギリスに渡るも就労許可書を取り上げられ、さらにユーゴの市民権も剝奪され、仕方なくフランスに渡って語学教師をしているとの設定である。彼はフランスの市民権を申請し続けているが、現在のところ公けには存在しない人間なのである。フランス当局から国外追放処分をうけたら、どこへも行き場がない。この設定こそが、アンブラーの描くリアルな状況である。

ヴァダシーはそのために当局の命をうけ、他人の部屋にしのび込み、滞在客を一人ずつ調べ始める。彼は決して名探偵ではない。自分でも「頭の回転が遅すぎる」と思うほどだ。素人探偵、いや素人スパイなのだから当然だろう。ヴァダシー冒険譚が読者に与えるサスペンスは、犯人をいかに見つけるかという彼の動きにあるのではなく、国際政治と切り離すことの出来ない彼の存在そのもの、その緊張関係にこそある。その関係をいかにリアルに描くかが、アンブラーのめざした主題なのである。その意味で『あるスパイの墓碑銘』は象徴的な作品と言えるかもしれない。

アンブラーはこの『あるスパイの墓碑銘』に代表される巻き込まれ型のスパイ小説を数多く書いている。平凡な市民がある日突然国際的陰謀に巻き込まれるという構造は、作者の主題を展開するのに適していた、とも言えるようだ。『恐怖への旅』（一九四〇年）もそうした一篇で、主人公グレアムはイギリス兵器会社の技師。海軍兵器の専門家、すなわちある意味ではプロだから、純然たる巻き込まれとは言いがたいところもあるが、彼が何のために命を狙われるのか、自分ではわからない点がミソ。第一次大戦では敵だったイギリスとトルコが第二次大戦では同盟国であるという国際政治の状況が、単なる技師を陰謀の渦に巻き込む。アンブラー流スパイ小説の典型である。

そういう流れから言えば、『ディミトリオスの棺』（一九三九年）は異色作と言えるかもしれない。こちらの主人公、チャールズ・ラティマーはイギリスの探偵小説作家で、イスタンブールの死体置き場で国際的犯罪者ディミトリオスの死体を見るのが発端。ディミトリオスはユダヤ人の金貸し殺害犯人であり、麻薬密売団のボスであり、さらに政治的暗殺にも関与し、機密を盗み出す国際スパイでもある。つまり稀代の悪党なのだ。チャールズ・ラティマーはこの男に作家として関心を持ち、彼の足跡を追い始める。巻き込まれどころではない。自らが選びとって渦中に入り込んでいく。

「たんに悪党のレッテルを貼って片づけるだけでは不充分だ。私は、彼を、死体置き場の一死体としてではなく、一人の人間として、また、一個の孤立した存在、一つの現象としてではなく、崩壊過程にある社会組織の一構成分子として見た」（菊池光訳）というラティマーの動機が作中に出てくるが、フランス通信記者マルカキスの手紙に「力が正義であり、混沌と乱脈が秩序と文明を装っているかぎり、そのような（特殊な犯罪者が生れる）条件が存在する」とあるように、両大戦間のヨーロッパの激動がディミトリオスの背景にある。

「最も個人的な犯罪が最も社会的な犯罪たり得るとされるような類型的な枠に納まりきれないテーマを、すでに一世代早く先取りしていた」（中薗英助、前掲書）という評価もここから生れてくる。国際的陰謀そのものを描く後年の謀略小説とは違い、さらに個の冒険に終始する前世紀末の冒険譚とも一線を画すアンブラーのスパイ小説の一面をよく表出している作品と言えるだろう。

　第二次大戦後に書かれた『武器の道』（一九五九年）や、『真昼の翳』（一九六二年）などになると、そういう展開は影をひそめ、別種の物語になっていくが、戦前の作品には巻き込まれ型だろうと自ら渦中にとび込む型だろうと、政治状況と個の緊張関係を底流に置いたこのような作品が少なくない。

『武器の道』はアジアを舞台に、アメリカ人工場主グレッグ・ニルセンの「ありもしない冒険譚のなかを彷徨」するさまを悠々たる筆致で描く作品であり、『真昼の翳』は小悪党アーサー・シンプトンを主人公に、いつものパターンにみせながら、皮肉なパロディに仕立てる異色作。これら戦後の作品は、別な角度から論じなければならないだろう。ここでは戦前の作品にしぼって考えたい。

第一次大戦を境に、騎士道という行動規範を失ったヨーロッパのヒーローが、第二次大戦まで追いやられたのは国際政治という名の新たな舞台だった。同じ時期にアメリカではハメットやチャンドラーが登場し、西部のガンマンがハードボイルド・ヒーローとなって生れ変るが、この違いは第一次大戦が主にヨーロッパを戦場にしたことと、その後の政治状況の差に因るようだ。アメリカのハードボイルド・ヒーローについては別に語らなければならないが、とにかくヨーロッパのヒーローがこの間、〝国際的陰謀〟と無縁では存在しにくかったことを、ここでは確認しておきたい。アンブラーのスパイ小説がヒーローの変遷に意味を持つのも、そのためである。

もっともアンブラーらしい作品である『恐怖の背景』(一九三七年)を最後にみてみよう。この主人公ケントンはバクチ好きの新聞記者である。一文無しになって乗り込んだリンツ行き列車で、封筒運びを依頼されるのが発端。ところがホテルに届けるとその男は殺されていて、ケントンは犯人にされてしまう。さらに封筒を追い求める一団からも逃げなければならない。かくて逃走と追跡の物語が始まるのだが、アンブラーには珍しくアクションもたっぷりとあり、発表後半世紀を経てもなお生彩に富む作品となっている。この小説の第一の特徴は、主人公ケントンの冒険がいつもの巻き込まれでありながら、自由を阻害するものへの怒りが濃厚な意思となって表出していること。第二はソ連の幻のルーマニア侵攻計画という当時の緊迫した政治状況が背景にあること。そして第三に、黒幕サリッツァが大石油会社の依頼で陰謀をめぐらすという図式を持っていること。

この最後の特徴がもっともアンブラーらしい。すなわち、『恐怖への旅』にも、銀行家や戦争物資を作る大工場の株主たちが実は戦争を支配しているとの件り(くだ)が出てくるが、この鋭い現実認識こそアンブラーの作品を古びさせない一つの大きな要因なのである。『恐怖の背景』において、ケントンはサリッツァの一味と闘うが、その時の味方はソ連諜報部である。独伊こそが当時の英国の来たるべき大戦における敵であるから、この関係は決して奇異ではない。しかしファシズムと共産主義にはさまれていたことも、当時の英国が置かれた現実であり、その意味で言えば、ソ連諜報部と連携するというこの作品の構造はいささか大胆だ。闘うべき敵は「銀行家や戦争物資を作る大工場の株主たち」との作者の認識を置かなければ、この構造は解けない。

第一次大戦の終結から第二次大戦までのヨーロッパは不安と疑惑の時代であり、この時期に書かれた多くの冒険物語にもその影が見られる。大衆小説が常に時代の空気を敏感に反映するものだとすればそれも当然であり、ヒーロー小説も例外ではない。アンブラーのスパイ小説における男たちが裏切りと汚辱にまみれ、闇のなかを手さぐりで進まざるを得ないのも、その不安と疑惑を反映しているのだろう。

あるいは、原子爆弾開発をめぐる陰謀と冒険を描いたアンブラーの第一長篇『暗い国境』（一九三六年）において、物理学者のヘンリイ・バーストウ教授が、ホテルに置いてあった冒険小説のヒーローと同一化してしまったのは、そういう時代に対するアンブラーの皮肉だったのかもしれない。

クリスティーの冒険

アガサ・クリスティーを語るとき、エルキュール・ポアロやミス・マープルに比して、トミイとタペンスは不当に軽視されているように思われる。それは彼らの活躍した舞台が〈本格〉謎解きミステリーではなく、冒険スリラーだったからだろう。

ロバート・バーナードは『欺しの天才』（小池滋・中野康司訳、秀文インターナショナル）の中でクリスティーの冒険スリラーに一章をさき、そのなかで「イギリスでは、この種のクリスティーものはたいてい明らかな厄介ものとして無視された」と書いたあと「スリラー作家としてはクリスティーはついに二流の域は出なかった」と結んでいる。

たしかに現在から見れば、クリスティーの冒険スリラーがいささか陳腐に見えることは否めない。背景には必ず共産主義者の政治的陰謀があり、しかもその黒幕としてきまって国際的犯罪組織や秘密結社がある。そこにあるのはイデオロギーの対立ではなく、個人としての天才的な悪党が生活をおびやかし、政情不安を生むという認識であり、そのために黒幕である悪党を倒せばストーリーは一件落着することになる。このパターンが繰り返されるのだ。

だが、これら冒険スリラーの大半が書かれたのは一九二〇年代であることに留意したい。たとえば、一九二〇年『スタイルズ荘の怪事件』でデビューしたクリスティーの第二作『秘密機関』をまず見ることにしよう。

主人公は若き男女、トミイとタペンスである。背景にあるのは、第一次大戦中にイギリス政府がドイツと結ぼうとした秘密協定の草案をめぐる陰謀だ。物語は、その秘密文書を暴露してゼネストから一気に政情不安にもち込もうとする陰謀団と、阻止しようとするイギリス情報局の争いに、二人の若き失業者が巻き込まれていくかたちで進んでいく。秘密文書の鍵を握る女性ジェーンはどこにいるのか、陰謀団の黒幕ブラウン氏とは誰なのか、この二つの謎を中心に、刻限までに文書を回収しなければならないというサスペンスが、監禁あり追跡ありのめまぐるしい展開の中で最後まで緊張を保っている傑作スリラーと言える。

トミイは、何も知らないのに知っているふりをして敵に取引きをもちかける当意即妙さを持つほど機智に富む青年であり、タペンスは直観力に富む行動型の女性である。このコンビは、このあと『おしどり探偵』（一九二九年）、『NかMか』（一九四一年）、『親指のうずき』（一九六八年）、『運命の裏木戸』（一九七三年）に登場するが、作品のトーンは均一ではない。『秘密機関』では「二人の年をあわせたところで、四十五にはならなかった」のだから、後半二作、たとえば『親指のうずき』の時は七十歳前後、『運命の裏木戸』にいたっては七十五歳前後の計算になり、さすがにもはや冒険スリラーの主人公をつとめるには年をとりすぎたのかもしれない。

いや、それは彼らが年をとったからではない。もしそういうことであるなら、トミイとタペンス以外の〝冒険家〟を主人公にすればいいのだ。ところがそういう作品は一九三〇年代以降、『バグダッドの秘密』（一九五一年）、『死への旅』（一九五四年）、『フランクフルトへの乗客』（一九七〇年）と三作にすぎない。四十五年間にたった三作だ。それにくらべて一九二〇年代には、トミイとタペンスが初登場する『秘密機関』（一九二二年）をはじめとして、『茶色の服を着た男』（一九二四年）、『チムニーズ館の秘密』（一九二五年）、『ビッグ4』（一九二七年）、『七つの時計』（一九二九年）と、冒険スリラーは初期十年間に五作も書かれている。

この違いは何か。

一つは、クリスティーの冒険スリラーが『秘密機関』にみるように、謎解きを大きな要素にしていることかもしれない。たとえば『茶色の服を着た男』は殺人者と国際的犯罪組織のボスは誰かという謎をメインにし、冒険に憧れるヒロインの恋物語を味つけにしたスリラーである し、『チムニーズ館の秘密』は殺人犯人と国際ギャング団の首領ヴィクターを探り出す話である。『七つの時計』にしても殺人者は誰かという謎解きの要素が濃い。一九二〇年代に書かれたクリスティーの冒険スリラーは、このように背景の国際的陰謀を取り払ってしまえば、その本質が謎解きミステリーであることがわかる。冒険小説でありながら同時に犯人探しのミステリーでもあった後半のマクリーン作品をここで想起してもいい。マクリーンはその謎解きの要素を徐々にうすめていくが、クリスティーはちょうど逆の道をたどっていく。すなわち、謎解きが大きな要素であるなら、スリラーでなくてもいいのだ。一九三〇年に発表された『牧師館の殺人』以降、冒険スリラーが影をひそめていくのは、それらの初期スリラーに色濃くあったゆたかな物語性を、クリスティーが〈本格〉ミステリーの中に取り込んでいったからに他ならない。

もう一つは、背景に国際的陰謀を必要としたほど、クリスティーが二〇年代を意識していたこと。ロバート・バーナードは前掲書の中で次のように書いている。「これら初期のスリラーが発表された一九二〇年代は、クリスティーの階級の大多数が望んでいたかつての平和やエドワード七世時代の平穏などとは程遠い時代だった」「ロシア革命がようやく強固なものとなり、その影響は西欧諸国にまで及んだ——たとえばアイルランド紛争激化、イギリス最初の労働党内閣成立、ゼネスト突入等々。これらの事件はすべてクリスティーの初期のスリラーに反映されており、とくに最後のゼネストなどは、実際に起きる前に先取りしてくり返し扱われている」

クリスティーもまた不安と疑惑の時代の落とし子なのである。アンブラーと異なる点は、クリスティーが頑迷な保守主義者であったことだろう。最後のスリラー『フランクフルトへの乗客』のまえがきにクリスティーは「この一九七〇年という年にひとつの物語を書くためには、あなたは自分の住む社会的背景と妥協しなければなりません。もし背景が現実ばなれしたものであれば、物語もその背景を受けいれなければならないのです。従って、物語自体もまた、ファンタジー、あるいはオペラ・コミックでいう狂想劇の形式をとらざるをえません。舞台装置に日常生活の現実ばなれした諸相をとりこむ必要があるのです」（永井淳訳）と書き、小説のリアリティ獲得のために現実を背景にしているにすぎないと語っているが、問題はその現実をどう見るかであり、クリスティーが第一次大戦以前の〝古き良きイギリス〟にとらわれていた作家であることは明白である。いわば、新しい時代に対する強迫観念が、背景の政治的陰謀を生み出したのだ。

たとえば『チムニーズ館の秘密』は比較的まとまった作品だが、貴種流離譚というかくれた構造がこの作者の中流意識をあらわしている。従って現在の時点からこれらの冒険スリラーをみると、一九二〇年代に書かれた必然性は理解できても、いささか昂揚に欠くことは否めず、ジュリアン・シモンズや前記のロバート・バーナードのような評価が出てくるのもやむを得ない。

にもかかわらず、冒険スリラーのいくつかの作品が今でも十分に面白いのは、いちばん怪しくない者が犯人だという『アクロイド殺し』に代表されるクリスティーの徹底ぶりが、このスリラーにも発揮されているからだ。『秘密機関』が冒険スリラーの傑作となっているのもそのためだろう。トミイとタペンスのシリーズ第二長篇『NかMか』は、すでに中年となった二人がスパイをつかまえるために海辺の保養地に赴(おもむ)く話で、アンブラー『あるスパイの墓碑銘』に類似した作品だが、この小説が面白いのも同じ理由である。もう一つは、トミイとタペンスのようにコンビで活躍する作品も多いが、女性を主人公にして恋物語にしていること。『チムニーズ館の秘密』のヴァージニア・レヴェル。『七つの時計』のバンドル。『茶色の服を着た男』のアン・ベディングフェルド。『バグダッドの秘密』のヴィクトリア・ジョーンズ。『死への旅』のヒラリー・クレーヴン。彼女たちは冒険を終えたあと、その過程で知り合った男性と必ず結ばれることになる。このロマンスは単なる色どりで終らず、たとえば『秘密機関』のアメリカ青年ハーシェイマーをトミイが恋仇として意識する例にみられるようなミスディレクションとして、作者は効果的に使っている。こういう小説づくりはさすがにうまい。

後期の冒険スリラーでは『死への旅』が同時期に書かれた007ばりの〝頭脳を蒐集する秘密研究所〟を描いて興味深いが、クリスティーの冒険スリラー全作品の中でもっとも象徴的な作品は、『茶色の服を着た男』かもしれない。

この作品の中で、ヒロインのアンが国際的犯罪組織のボスに寄せる共感は、彼が「強烈な自衛本能の感覚」（赤冬子訳）の持ち主であるという一点で理解される。アンは彼が二度までも自分を殺そうとした相手であるにもかかわらず、そこに悪意はなかったと許してしまうのである。彼にとってそれは「快適な生活を妨げる一種の邪魔物をとり除く」行為であり、「彼自身の身の安全を守りたい気持がこうじた結果」にすぎない、と理解するのだ。彼に似たような人物としてたった一人考えられるのはジョン・シルバーだという件りがその前にある。あの『宝島』の、饒舌で狡猾で陽気な悪党である。たしかにジョン・シルバーは世界に悪意を持っていたわけではなく、「強烈な自衛本能」の持ち主にすぎなかったのかもしれない。おそらくクリスティーはヒロインに託して、そういう相手に自己の「安全かつ快適にしていたいという欲望」を見たのだ。第一次大戦後の新しい社会こそ、クリスティーにとっては「快適な生活を妨げる一種の邪魔物」であり、そのために『茶色の服を着た男』の悪党にふと共感を寄せてしまったとも解される。

残念なのはこの作品以降、二度とこういう悪党を登場させず、強迫観念だけが肥大化してしまったことで、あと一歩踏み込めば今世紀のジョン・シルバーを描く冒険作家クリスティーの新しい出発があったと思われるのだが、戦闘的な性格ではなかったのだろう、暖炉（だんろ）の前に戻ってしまったことは惜しまれる。

ジョン・カーターとターザン

1

二十世紀前半のアメリカ娯楽小説界をリードしたエドガー・ライス・バローズは、ライダー・ハガードを筆頭とする十九世紀末イギリス冒険譚の正統的後継者といっていい。

ブライアン・オールディスは『十億年の宴』（浅倉久志・酒匂真理子・小隅黎・深町眞理子訳、東京創元社）の中で、「バローズは、ロバート・ルイス・スティーヴンソンやハガード、ドイルの一族によってときたまにしかかなえられなかった都会生活からの脱出の願望を、容赦なく利用する」と書いているが、たしかにバローズの物語はSF的設定を多く導入し、アメリカSFの雄としてその名を今に残しているものの、物語の本質はヴィクトリア朝末期の伝奇物語作家たちと明らかに同じライン上にある。

したがって、スティーヴンソン、ハガード、ドイルらのロマン派一族が受けた厳しい批判をバローズがまた受けるのもやむを得ない。公平なバローズ論を書いたリチャード・A・ルポフですらも、ヴィクトリア朝伝奇文学はバローズもその一人であるアメリカ・パルプ・マガジン派に引き継がれたと書いたあとで、その特質を「彼の人物たちは等身大とはいいがたく、紋切り型の役割にぴったりとおさまるような極度の美徳と悪徳の化身であった」（『バルスーム』厚木淳訳、東京創元社）と述べているほどだ。

バローズの描いた男たちがやや類型的であることは、たしかに否めない。だが、その力強いヒーローが二十世紀初頭のアメリカ読者に熱狂的に迎えられたのも事実である。SF的設定の目新しさだけが受けたわけではないだろう。十九世紀末のイギリス読者がスティーヴンソン、ハガード、ドイルらの冒険譚に喝采を送ったように、バローズの描く舞台ではなく、そのヒーローにアメリカ読者もまた喝采を送ったのだ。では、バローズの描いたヒーローとは、どういう男であったのか。

バローズの「火星の星の下で」が『火星のプリンセス』と改題されて出版されたのは一九一七年である。数多くの職を転々としていた無名の男を一躍ベストセラー作家にしたこの作品こそ、記念すべき火星シリーズの第一作であり、バローズのデビュー作である。

火星シリーズは三十年間書き継がれ、現在は全十一巻にまとめられている。まず、第一巻『火星のプリンセス』、第二巻『火星の女神イサス』、第三巻『火星の大元帥カーター』の三作を見る。この初期三部作に火星シリーズのすべてがあると言っていい。

主人公カーターは次のように描写される。「背はゆうに一メートル八十五センチはあり、肩幅はがっしりと広く、腰はほっそりとしまっていて、身のこなしはいかにも鍛えあげた軍人らしかった。容貌は眉目秀麗で彫りが深く髪は黒く、短く刈りこんでいた。いっぽう、目は鋼鉄のような灰色で、活気と進取の気性にあふれた強い誠実な性格をうつしだしていた。礼儀作法は非の打ちどころがなく、最上流の典型的な南部紳士特有の優雅さをそなえていた」（小西宏訳）。

完全無欠のスーパーマンにも思えるが、カーターがもしそれだけの男であったなら、火星シリーズの成功はなかっただろう。バローズの周到な計算は、ジョン・カーターの次のような述懐に見ることが出来る。

「そもそも、脳味噌を使うなどというしち面倒くさい過程を経ずに、なかば無意識のうちに義務感にかりたてられて行動するように頭の構造ができているのだ」

すなわちカーターは、いささか思慮を欠いた直情径行の男として描かれているのである。この設定が火星シリーズを解く鍵だ。たとえば『火星のプリンセス』でカーターがヘリウムに援軍を呼びに行く場面。途中でサーク族とワフーン族の争いに巻き込まれ、飛行艇が墜落してしまうのは不可抗力だから仕方ないとしても、緑色人タルス・タルカスと行動をともにして、タル・ハジュスのもとに行くのは明らかな脱線だ。その瞬間、カーターの頭の中から、救出すべきデジャー・ソリスもヘリウムの援軍もきれいさっぱり姿を消してしまっている。第二巻『火星の女神イサス』にも同様の場面がある。黒色人ブラック・パイレーツとホーリー・サーン族の戦闘中に飛行艇を奪って脱出する場面だが、二人乗りの飛行艇のために、結局タルスとスビアを乗せて、カーターは残ってしまうというありさまだ。

初期三部作におけるカーターは、どの局面であっても永遠の恋人デジャー・ソリスを救出しなければならない使命を負っているのだが、このヒーローはそのことを簡単に忘れ、目の前の危機のほうを選び取ってしまうのである。『火星の女神イサス』には四人乗りの飛行艇に五人が乗り込む場面もある。一人が降りると当然のようにカーターを始め他の四人も降り、全員で危機に直面してしまう。その時の「南部ワフーン族の末代までの語り草となるような獅子奮迅の働きをしてやろうと決意した」（小西宏訳）というカーターの述懐に、バローズの意図を見ることが出来る。

その意図とは何か。火星シリーズ初期三部作におけるジョン・カーターとデジャー・ソリスの恋は、この物語の重要な縦糸に見せているものの、実は表面上の衣装にすぎず、力点はカーターの騎士道冒険譚にかかっていること。つまり、たとえソリスを救出できなくても卑怯なことはせず、自分の身を滅ぼして友人を助けることがカーターにとっては大切なテーマだ、というバローズ流の騎士道精神である。それをコナン・ドイル『ナイジェル卿』のように名誉を重んじる堅物としてではなく、愛すべき直情径行の男として描いたのが火星シリーズと言える。

カーターの息子カーソリスを主人公にした冒険譚である第四巻『火星の幻兵団』で、思念で出現する（つまり見えるものの実在しない）弓兵隊を置き去りにしようとする相棒に、この息子が「あの勇敢な兵士たちを見捨てるのか」（厚木淳訳）と怒ってしまう場面をここに重ねてもいい。親子ともに思慮を欠いたヒーローなのだ。だが、そのために物語は前に前に進み、読者は目を離すことが出来ない。なにしろ、必要のない局面で危機に陥（おち）ってしまうのだから、油断もできない。かくて手に汗を握る波瀾万丈の冒険譚が成立する。

もちろん、火星シリーズを特異なものにしている舞台設定も無視できない。緑色人は寿命千年、身長四メートル、目は頭の両側にあり、上肢と下肢の間にもう一対の腕（足）を持つ。黒ひげをはやした黄色人、地球人そっくりの白色人、そして黒色人もいれば赤色人もいる。同じ種族の中でも敵対しながらそれぞれの部族がにらみあっている。登場する怪獣はさらにすごい。スズメ蜂の化け物シスス、六本足の白毛皮怪物アプト、ライオン怪獣バンス、身の丈五メートルの大白猿、さらに植物人間まで登場する。それらの怪物たちと闘いながら、そして敵対する部族を噛み合わせたり手を結ばせたり、策略をめぐらせながら、赤色人デジャー・ソリスを求めて南極から北極まで火星狭しとカーターが暴れまわるというのが、火星シリーズ三部作の基本ストーリーだが、それを支えているのはたしかにこの舞台設定ではある。

しかし、バローズのたぐい稀な想像力が生んだそれらの火星人と怪獣たち、そしてバルスーム（火星）という世界は、亜流作家が続出したほどの衝撃力を持っていたが、それがあまりに図抜けていたために、他の作家たちはバローズの本質を見落としてしまったと思われる。バローズの火星における戦闘の大半が剣の闘いであることに注意されたい。これだけのSF的設定を用意しながらも、その上でバローズが展開したのは、かたちを変えたヴィクトリア朝末期の冒険譚なのだ。舞台設定とその描写はたしかに巧妙だが、その付随物をすべて取り払ってみるとバローズの本質が見えてくる。

火星小説三部作は、スティーヴンソン、ハガードらが描いた秘境冒険譚なのである。二十世紀前半における秘境を、アフリカでなく火星にしたことが、バローズのアイデアだったのである。

2

リチャード・A・ルポフは『バルスーム』の中で、火星シリーズを次のように区分している。「シリーズ冒頭の四冊を〈三部作プラス補遺〉と見なせば、つぎの四冊（チェス人間、交換頭脳、秘密兵器、透明人間）はいずれもバルスームの秘境探検という点で、ある程度の類似性を見せている」

しかし、第九巻『火星の合成人間』も中心はトゥーノル大湿原の旅であるし、第十巻の連作長篇『火星の古代王国』もバルスーム各地への探検行である。シリーズ最終巻『火星の巨人ジョーグ』と収録の中篇「木星の骸骨人間」も、火星と木星のそれぞれの秘境探検である。すなわち、火星シリーズ全体が秘境探検を骨子としているのだ。初期三作と（ルポフが書くように「幻兵団」を補遺として初期四作としてもいいが、後述するようにここでは三作としておきたい）、それ以降をわけるのはもっと他のなにかである。

初期三部作に見るように、火星シリーズは誘拐されたプリンセスの救出という使命を負ったヒーローがさまざまな火星人や獰猛な怪獣たちを敵にしながら幾度もの危機を乗り越えていく物語だ。このストーリーの骨格は最終巻まで変らない。バローズはこのパターンを飽きることなく繰り返す。誘拐されるプリンセスがデジャー・ソリスから他の女性に変り、救出しに行くヒーローがジョン・カーターから他の男に変り、立ちはだかる火星人種族と怪物が新しくなるだけで、この物語構造は不変である。全十一巻（中篇も一作と数えれば全十五編）はすべて同じ物語なのだ。初期三部作がシリーズ全体を集約しているとはそういうことでもある。では、初期三部作とそれ以外をわけるものは何か。

第四巻『火星の幻兵団』がヒントだ。思念で戦士が出現するアイデアを骨子としたこの物語は、明らかに初期三作とその後の作品を繋ぐ輪である。

緑色人や大白猿など地球上に存在しない生物を登場させながらも、初期三作のバルスーム冒険譚がリアルだったのは、宮廷陰謀小説、あるいは貴種流離譚、そして剣と騎士道という昔ながらの冒険物語と同じ核を持っていたからである。初期三作におけるバルスームはハガードのアフリカである。実際ここに登場する火星人はその形態こそ違うものの、地球人そっくりだ。バルスームは、ハル・クレメントのメスクリンではけっしてない。

ところが、思念で兵隊が出現するのではもはやリアリティは持ち得ない。続く第五巻『火星のチェス人間』もヒントになるだろう。ここにはなんと胴体だけのライコールと、脳だけのカルデーンが登場する。進化の極致というアイデアも面白いものの、ここまでくると上肢と下肢の間にもう一対の腕（足）を持つ緑色人どころではなくなってしまう。この二作においてバローズがなぜリアリティから遊離し始めたのかは、次の第六巻『火星の交換頭脳』で明らかになる。
『火星の交換頭脳』は地球人ユリシーズ・パクストンがカーター同様、火星に舞い込み、頭脳を交換された美貌の女奴隷を助けるために獅子奮迅の活躍をする冒険譚である。まずこの小説が初期三作と異なるのは、物語が半ばを過ぎるまで主人公が動き出さないことだ。初期三作を想起されたい。どの巻においてもカーターは冒頭からグロテスクな怪物に立ち向い、休む間もなく激しく動き続ける。次々に襲いかかる敵とあわやの危機を主人公がきわどいところでかわしていく様子がスピーディに描かれ、読者も目が離せない。このテンポの良さこそ、初期三作の特徴だった。

ところが『火星の交換頭脳』はのんびりしている。主人公パクストンはトゥーノルの城で、マッド・サイエンティスト、ラス・サヴァスの助手になり一年を過ごす。監禁同様との理由はあるが、いつものヒーローなら塔をよじ登り、さっさと飛行艇で逃げだしてしまうだろう。パクストンが逃げだすまで、なぜ一年が必要だったのか。ここにこそ、火星シリーズ前半と後半の主題をわける鍵がある。

パクストンが物語の半ばを過ぎるまで動き出さなかったのは、城内の様子を克明に描写することに物語の力点があったからである。主人公が勝手に早々と動き出してしまっては、舞台設定が説明できない。舞台設定とはすなわち、頭脳を交換するサヴァスの研究である。この小説がヒューゴー・ガーンズバックの依頼に応じて年刊アメージング・ストーリーズに書かれた作品であることを想起してもいい。バローズの意図は明らかにＳＦへの接近にあった。この作品以降、マッド・サイエンティストが続々登場し、分解光線ライフルの発明から、思念で動く飛行艇や見えない飛行艇、さらには合成人間や透明人間まで、SF的小道具、設定の導入が続くのも、この道筋を語っている。『火星の交換頭脳』以降、火星シリーズは明らかに変化しているのだ。その橋渡しが「幻兵団」と「チェス人間」だったと思う。かくて全十五編のバルスーム冒険譚は、ヴィクトリア朝末期の伝奇冒険譚である初期三編と、つなぎの二編、そして残り十編のSF冒険譚にわけられる。

火星シリーズは驚くほどの反復で書かれている。ヒロインは必ず誘拐され、奴隷の中には必ず味方がいる。さらに都合のいい偶然が恥ずかしげもなく続いたりする。第五巻『火星のチェス人間』のガハンは飛行艇から千メートル下の大地に落ちても怪我ひとつしないし、第七巻『火星の秘密兵器』で主人公タン・ハドロンが絶体絶命の危機に追い込まれて手を伸ばすと見えない飛行艇に触れるという驚くべき偶然が頻出する。このように反復と偶然に満ちた欠点の多い作品であるにもかかわらず、火星シリーズが読者の心を摑むのは、不屈の闘志を表すジョン・カーターの言葉「わたしはまだ生きている！」に象徴されるヒーローの楽天主義がシリーズの底に流れているからである。それがどれほど安っぽい台詞であろうとも、これこそがバローズの特質なのだ。

火星シリーズが活気にあふれていることは金星シリーズと比較すれば明らかである。金星シリーズは、『金星の海賊』（一九三四年）、『金星の死者の国』（一九三五年）、『金星の独裁者』

（一九三九年）、『金星の火の女神』（一九四六年）という長篇四作と、死後に発表された中篇「金星の魔法使い」の全五編から成っている。主人公は地球人カースン・ネーピア。火星めざして出発したロケットが金星に不時着し数々の冒険に遭遇するとの設定だ。この金星シリーズがプロット的に火星シリーズの焼直しであることはいい。だが、物語に生彩がない。それは『金星の独裁者』がナチス批判であり（この作品の発表年は前記したように一九三九年である）、そこに登場するソリズムが共産主義のカリカチュアライズであるように、政治的プロパガンダを背景にしているからではない。露骨な反共小説である『月のプリンセス』『月からの侵略』『レッド・ホーク』という月シリーズ三部作が金星シリーズにない活気にあふれていることがヒント。政治的プロパガンダの有無が問題なのではない。金星シリーズと月シリーズの差はおそらくはもっと別のところにある。

その前に、ペルシダー・シリーズについて触れておきたい。このシリーズも火星シリーズ同様に、都合のいい偶然とヒーローとヒロインが何度も別れ別れになるパターンの反復で書かれているが、たたみかけるプロットと波瀾万丈のストーリーで読ませる傑作シリーズである。特に、第一巻『地底世界ペルシダー』と第二巻『危機のペルシダー』は群を抜いている。ヒーローと怪獣との闘いはもちろんのこと、嵐の描写や海戦まで見せ場にあふれているのだ。

このシリーズの特色は、空洞地下世界ペルシダーの特殊性にある。太陽が空中に浮かんだまま動かないペルシダーには夜がなく、季節がない。一年中が温暖な昼だ。そして時間もない。星がないので時をはかるすべがないのである。さらに極がないので方角を示すものもない。ペルシダー人には自分の国に帰れる帰巣本能があるが地表人にはなく、そのために主人公たちは仲間から数十メートル離れただけで、元には戻れなくなる。自分がどこから来たのか、目的地がどの方向にあるのか皆目わからなくなるとの設定である。ペルシダー・シリーズはそのために起こる冒険譚の連続と言っていい。第四巻『地底世界のターザン』に登場するターザンですら、ジャングルの中で道に迷ってしまう！

そのために物語が前に進まない。カーター冒険譚は前へ前へと息つぐ暇なく進んでいくが、こちらは遠回りをする。なにしろ仲間とはぐれるともうどちらに行けばいいのかわからなくなるから、知り合ったペルシダー人にとりあえずついて行くしかないのである。その典型は第五巻『栄光のペルシダー』だろう。前作『地底世界のターザン』の冒頭でイネス救出に向うグリドリー一行からはぐれたホルスト中尉のその後の冒険行を描いた巻だが、はぐれたために彼はどちらに向っていいのか皆目わからない。結局運命に身をまかすしかないのだ。

ストーリーを追ってみると、サリ族のダンガーをまず助け、一緒に旅を始めたかと思うと、バスティ族につかまっていたヒロインのラジャを救出する。次はラジャの国ローハールまで彼女を送っていくことになるが、人喰いコルブス族につかまってしまう。そこは何とか脱出するものの、次はバスティ族の悪党スクルフにラジャを誘拐される。

ここまでのストーリーは、前に進まないまでも横にひろがりながら一応繋がっている。しかし繋がっているのもここまで。スクルフとラジャを追いかけていけばまた繋がるが、方角もわからないので追いかける方法がない。そこで話はプツンと切れてしまう。一人ぼっちになったホルストはマンモス族につかまり、そこは脱出するも今度は牛人族の囚われの身となる。ここで先に捕まっていたヒロインと再会するがこれは偶然にすぎない。結局ヒーローとヒロインはまた離れ離れになり、ホルストは次にローハール族のダホを救出して、ローハールの国に向い、恋のライバル、ガズを倒してヒロインと結ばれる。

ここにホルスト救出隊が現れて、ようやく飛行艇に戻れるが、カーターの冒険譚と比較すると、ホルストの冒険譚が前ではなく横に横にと流れていることがわかる。ホルストは何ひとつ自分で選び取っていない。移動するのは必ずペルシダー人と一緒である。そういう案内人がいなければ行動の自由が得られないのだ。ペルシダー人がいない時は、結果としてマンモス、なんと動物の力を借りたりする。カーターが自由奔放に動きまわり、目的地に向っていったのに比べ(カーターは思慮を欠いたヒーローだから不必要なまわり道もしたが、それでも確固とした目的を持ち、それに向って進んでいたとは言える)、この不自由さは特筆に価する。

結果として、こちらの主人公たちは現実主義者にならざるを得ない。ペルシダー・シリーズのヒーローたちが原住民を助ける時に「これで案内人が得られる」とリアリストにならざるを得ないのも致し方ない。物語の構造が、いや舞台設定がヒーローの性格を規定するという面白い例だろう。

3

バローズについて語る時、ターザンに触れないわけにはいかない。ターザンは古今東西の冒険小説史上、もっとも有名なヒーローである。

もっともターザンが世界中でこれだけの人気を集めているのは、映画や漫画の影響が無視できない。しかし映画におけるターザンとバローズの原作におけるターザンは著しく隔たっている。動物と会話しながら文明人にはカタコトの英語で話しかけるスクリーンのターザンは映画制作者の創作であり、バローズが落胆したほど紙上ヒーローの原型から逸脱している。というのは原作におけるターザンは、類人猿語を始めとして、英語フランス語ドイツ語をあやつる語学の天才なのである。アフリカのジャングルで野獣たちと闘うという基本構造に変りはないが、その内実にはかなり隔たりがある。

では、バローズの描いたターザンとはどのようなヒーローであったのか。順を追って見る。

まず、シリーズ第一作『類人猿ターザン』(一九一四年)で語られる誕生秘話だ。イギリス貴族グレイストーク卿の遺児としてアフリカのジャングルに生れたターザンは、類人猿カラによって育てられる。十五歳まで人間を見たことがなく、二十歳の時に初めて白人を見る。子供時代は類人猿の子らと遊び、湖面に映る自分の顔を見て仲間と違っていることに劣等感を抱く少年であり、成長するに従い、類人猿の仲間に入れなくなっていることに気づくものの、かといって他の居場所もない。つまり、ターザンは文明から隔絶され、しかしジャングルにも溶け込めないヒーローとの設定である。

この最初の設定は、ターザン・シリーズを貫く一本の線だ。ジャングルに生きる男を主人公にしたからといって、それがそのまま反文明、あるいは自然讃歌にならないところにバローズの特色がある。文明からも自然からも拒否された孤独こそ、このシリーズの底を一貫して流れるモチーフなのである。

シリーズものの第一作がすべてそうであるように、『類人猿ターザン』にもこのシリーズのすべてがある、と言っていい。すなわち、文明にも自然にも加担できない孤独と、この主人公が暴力に生きる男であること。生き残るためには敵を殺さなくてはならない。ジャングルは喰うため、あるいは喰われないための生存競争の場なのである。そのためにターザンは幾多の敵を絞め殺し、雄叫びを上げてからその肉にむしゃぶりつき、そして血だらけの指を無造作に太股で拭く男として登場する。野獣ヒーローの誕生である。

ヒロインのジェーンを保護するシーンに「いまやかれの本質を形成するあらゆる細胞に、より大きな声で呼びかけているものは、習練ではなくて遺伝だった。後天的なものでなく、生来のものだった」（高橋豊訳）と騎士道精神を垣間見せる件りがあるが、これはバローズの騎士道趣味というもので、全編を貫くターザンのイメージは敵の喉に喰らいつくジャングルの殺し屋である。そしてそれこそが、ターザンを他のヒーローから際立たせているもっとも大きな要因と言っていい。

『類人猿ターザン』は、ジャングルに迷いこんだ白人一行を助け、そこでジェーンを知ったターザンが、フランス士官ダルノーと一緒に彼女を追ってアメリカに渡る顚末(てんまつ)をも描いている。その間、ターザンはナイフとフォークの使い方を覚え、肉を焼いてから食べることをダルノーから教えられる。ターザンはジェーンのために文明人になろうとするのだ。だが、彼女はイギリス貴族と婚約し、ターザンの恋は破れる。

スクリーンのターザンのイメージが強すぎると、この間の展開は読者を驚かすだろう。しかし、このあとの展開にはもっと驚く。第二作『ターザンの復讐』(一九一五年)の舞台は三分の一がなんとパリなのである。恋に破れたターザンは終生の友ダルノーのもとに身を寄せ、彼に職を探して貰うのだ! もっともその仕事がフランス陸軍省の特務官であり、機密漏洩の疑いがあるアルジェリア騎兵隊の士官を監視するために、結局はアフリカに渡ってジャングル活劇行になっていくのだが。

『ターザンの復讐』が面白いのは、ロシアのスパイ、ニコラス・ロコフを登場させ、国際謀略小説として幕を開けるものの、物語の力点はあくまで文明人になりきれずジャングルに戻っていくターザンの孤独にあることだ。

パリにいる時も彼は殴られるだけで文明人のメッキが剝(は)がれ、類人猿の叫びを上げ、我を忘れて殴りかかってしまうのだが、ジャングルに戻ったターザンは文明に背を向けるようにますます過去に向っていく。ワジリ族の戦士と一緒に踊るシーンには、そういう地点に戻るしかない彼の絶望的な孤独感が漂っている。『ターザンの復讐』はヒロインのジェーンと結ばれ、ロンドンに向うところで終っているが、いずれアフリカに戻ってくるだろうと予感させるのも、傷ついてジャングルを放浪するターザンの姿が、この野性のヒーローの本質として底流にあるからに他ならない。

そのことは第三作『ターザンの凱歌』の次に書かれたオムニバス短篇集『ターザンの密林物語』（一九一九年）に顕著だ。これは初めて白人に会う二十歳以前の、ターザンの青春の日々を描いたスケッチ集だが、第一作『類人猿ターザン』では描かれなかった生活のディテールが描かれていて、大変に興味深い。この作品集で描かれる若き日のターザンは、文明にも自然にも身をまかすことが出来ない野性児の孤独を、冒頭二部作同様にひきずっている。ただ、こちらのほうがストーリー色を排し、スケッチに徹しているだけに、その色調がより濃い。たとえば、初恋の相手ティーカ（もちろん類人猿！）の子供ガザンを可愛がったり、黒人の子供を盗んできて育てようとするターザンの姿には、愛情に飢えた淋しさが濃厚に漂っている。これほど淋しげなターザンの姿はその後も描かれていない。この作品集の中に、敵を倒したわけでもないのに突如ターザンが雄叫びを上げるシーンがある。はっと胸をつかれるものがあるが、その絶望的な叫びこそ、ターザン・シリーズを貫く主調音なのである。

このターザン・シリーズはバローズの作品の中で最長を誇るシリーズで、作者の死後に公刊されたものを含めると全二十六作を数える。ペルシダー・シリーズ全七巻、火星シリーズ全十一巻に比べると、その長さは異例に思える。最長だから代表作というわけでもないが、他の諸作品に共通するパターンがこのシリーズの随所に見られるのはやはりその長さのためだろう。

　第四作『ターザンの逆襲』に見られる貴族趣味もそのひとつだ。この長篇はターザンの息子ジャックの冒険物語である。これは火星シリーズの第四作『火星の幻兵団』がジョン・カーターの息子カーソリスの冒険物語であったことに対応している。どちらも前三作で父親の冒険が一段落し、次の段階に進む前の小休止とも言える。『ターザンの逆襲』はジャングルの中でサバイバル技術を教えられたジャックが逞しい自然児として成長していく過程を描いているが、ヒロインの少女メリームが作品のもう一つのポイントになっている。ジャックとメリームが結ばれるラストに注意。メリームはフランス貴族ジャコー将軍の娘で、生れながらのプリンセスであったことが判明するのだ。ジャックはもちろんグレイストーク卿の孫である。かくて自然児同志の恋は貴族同志の結婚となり、めでたしめでたしとなる。バローズの諸作においてこの貴族願望は繰り返し登場する重要な主題の一つである。特に火星シリーズにはこのモチーフが幾度も登場する。

　『ターザンの逆襲』にはイギリス貴族モリソン・ベインズが登場し、この主題をより浮き彫りにしている。ベインズはメリームを愛するが、身分の違いのために愛人にしようとする。のちに改心し、償いの気持ちから死をも恐れない勇気を生み出していくが、その件りで作者は次のように書いている。

「どんな男の心の中にも、男らしさと名誉を重んじる資質の芽がちゃんとひそんでいるのだ」(長谷川甲二訳)。どんな男でも、と書いているが、正確には「貴族であるからには」と頭につけたほうがわかりやすい。

第十作『ターザンと蟻人間』（一九二四年）で、ターザンは身長〇・五メートルのミヌニ人につかまり、自身も小さくされてしまうが、なぜこのようなファンタジックな設定が突然このシリーズの中に入りこんでくるのかも、火星シリーズを一方に置けば理解しやすい。火星シリーズは前記したように、ヴィクトリア朝末期の伝奇冒険譚である初期三作と、繋ぎの二作、そして『火星の交換頭脳』から始まるSF冒険譚の三つにわけられる。ヒントは、この『ターザンと蟻人間』が、火星シリーズの第五作『火星のチェス人間』と第六作『火星の交換頭脳』の間に書かれた作品であることだ。つまり、作者がSFに接近する時期である。『ターザンと蟻人間』に見られるファンタジックな設定は、SFに接近したこの時期のバローズの変化が投影されていると言っていい。こういう執筆時期の問題は無視できない（年譜的にはバローズの作品が突出していたのは一九二〇年代、それも前半までで、三〇年代に入るとその作品から活気が消えていく。想像力が枯渇してしまったのか、三〇年代以降の作品には不思議と生彩がない。金星シリーズと月シリーズの差は、実にこの執筆時期の差なのである）。

では、一九一〇〜一九二〇年代のアメリカで、バローズの作品が読者になぜ喝采を浴びたのか。熱狂的に迎えられたことには、何らかの時代的必然があったはずだ。都合のいい偶然と同じ趣向が恥ずかしげもなく繰り返されるパターン小説が、これだけの読者をつかまえたことには、必ず何らかの理由がある。最後の問題はそこにたどりつく。

4

娯楽を目的にした大量出版物という前提を置くならば、大衆小説が成立するのは十九世紀に入ってからである。それ以前にも十七世紀のイギリスやアメリカに存在したチャップ・ブックがあるが、日用雑貨を売り歩く行商人が同時に販売していたこれらの安価な本も、量的には現在と比較にならないほど少なく、大衆小説のルーツとは言えても、大衆小説そのものとはまだ言うことが出来ない。

大衆小説の成立がなぜ十九世紀まで待たなければならなかったのか、については三つの理由があると歴史の書は教えている。

まず大衆小説が成立するためには、それを享受する読者が必要なこと。大衆小説が生れてから読者が育つのではなく、先に読者が生れる。いわば最初に潜在的な読者が生れ、彼ら向けに大衆小説が発生する。その「読者」の発生が十八世紀から十九世紀にかけてなのだ。なぜならその時期、産業革命が終結し、文明の基盤が農村から都市に移行し、産業の中心も農業から工業に移るからである。都市労働者が急増し、その副産物として余暇が発生し、それが旅行や読書の習慣に結びついていく。

もう一つは印刷技術の進歩だ。グーテンベルグに代表される十五世紀の活版印刷は、それ以前の写本から「本」のひろがりを増しはしたが、それでも初期の印刷部数は二〇〇～三〇〇部で、大量印刷に耐え得る活字はまだ生れていなかった。イギリスに活版印刷を導入したウィリアム・カクストンが「聖人伝」を印刷した時、ある貴族は生涯ずっと夏に牡鹿一頭、冬に牝鹿一頭を贈り続けると申し出たほど（出口保夫（でぐちやすお）『イギリス文芸出版史』研究社出版）当初の本は貴重なもので、大衆的な出版物が生れるには印刷技術の改良が必要だった。

最後の理由は、読み書き能力のある読者を必要としたこと。香内三郎（こううちさぶろう）『活字文化の誕生』（晶文社）には読み書き能力を持つ人は十七世紀以前、イギリスのデヴォン・ヨークシアで二〇％以下、十七世紀のフランスでも三〇％以下だったことが書かれているが、大衆的な大量出版物が成立するには、初等教育、中等教育がもっと行き届かなければならない。

これらの条件が整ったのが十八世紀末から十九世紀にかけてなのである。イギリスやヨーロッパなどそれぞれの国にはそれぞれの事情があるが、このことはほぼ似通っている。もちろん、アメリカも例外ではない。

ハーヴィ・ワッサーマンは『ワッサーマンのアメリカ史』（晶文社）の中で、次のように書いている。「工業立国のもとでは、豊富な労働力と大きな市場を手近に確保するため、人口の集中地が必要であった。不在地主や銀行家たちは、南部、西部の小農をしめあげ、高い賃貸料、高運賃、重税を払わせて農業経済を荒廃させ、都市と農村の人口のバランスをくつがえそうとした」（茂木正子（もぎまさこ）訳）

これはアメリカだけのことではなく、イギリスやフランスも同様である。工業文明の勃興時には大量の都市労働者を必要とする。ヨーロッパの国とアメリカが異なっていたのは、南北戦争から第一次大戦までの間にアメリカにやってきた三千万人の移民である。これらの人々は産業革命によって農業文明が崩れ、家や土地を失ったヨーロッパの難民で、結果としてアメリカの都市に集中することになった。南北戦争から六十年間にアメリカの都市人口は数十倍にふくれあがったと言われている。

　十八世紀末から十九世紀にかける数十年間は「金ピカ時代」と言われているほどアメリカの富が増大した時代だが、その裏にこういう安価な労働力があったことは否定できない。スコットランドからの移民で、一代で鉄鋼王となったアンドリュー・カーネギーの「この共和国では、ひとりの男や女、あるいは子供にかかる費用は、奴隷をかかえるのとおなじぐらいの安さで済む」（前掲書）という一九〇五年の発言は、この間の事情を正直に語っている。

　もう一つの印刷技術の進歩も、アメリカで一八一一年ステロ鉛板印刷が誕生し、一八一三年鋳造植字法が発明され、一八四一年電気製版法が導入される。さらに一八三〇年に一五〇社だった製紙工場も、一八八〇年には七四二社にふえている（ラッセル・ナイ『アメリカ大衆芸術物語』亀井俊介（かめいしゅんすけ）・平田純（ひらたあつし）・吉田和夫（よしだかずお）訳、研究社出版）。

　ラッセル・ナイのこの書は、アメリカの大衆小説がどのようなかたちで生れ、変遷してきたか、克明に描いていて興味深い。ざっと整理してみると、アメリカ大衆小説のルーツは「未開地での危険と冒険に満ちた生活」を新鮮な素材にした見聞記であり、特にインディアンを敵役にする一六〇〇年代の捕虜物語だったという。独立戦争後には愛国的冒険物語が読まれ、十八世紀には家庭小説や感傷的な小説が流行ったが、十九世紀初頭、「手に汗握る興奮と捨て身の勇気の物語」を描いたイギリスのウォルター・スコットの小説がアメリカに渡ってくると、「アメリカの読者たちは、自己のナショナリズムの理論的根拠とそのありようを、スコットの描く強烈なスコットランド・ナショナリズムのなかに見出した」（吉田和夫訳）という。一八六〇～七〇年代には、ダイム銀貨一枚（十セント）で売られたダイム・ノヴェルが流行り、これは冒険ものがすべてではないにしても、「幾百万という、家から離れられない田舎の少年たちや、名もない都会の事務員や店員たちに、彼らに代わって行われるスリル満点の冒険と輝かしい人生模様を売り渡す」（平田純訳）結果となった。そして今世紀初頭から、西部もの、恋愛もの、そして冒険・探偵物語を載せた通俗読物雑誌であるパルプ雑誌が盛んになり、一九三〇年代半ばの最盛期には二〇〇種一〇〇〇万部にも達する。

エドガー・ライス・バローズはこのパルプ雑誌の人気作家であった。とここまできて、ようやくバローズに戻ってくる。バローズが登場するまでのアメリカ大衆小説の変遷は以上のような推移をたどってきたが、「バローズの時代」を理解するためには、もう少し当時の社会状況のディテールを知っておく必要がある。

まず二つの事実がある。ハーバート・G・ガットマンの『金ぴか時代のアメリカ』（大下尚一(おおしもしょういち)・野村達朗(のむらたつろう)・長田豊臣(ながたとよおみ)・竹田有(たけだゆう)訳、平凡社）には前記したカーネギーの言葉が物語るように、十九世紀末のアメリカ労働者がいかに搾取の構造の中に置かれていたかが描かれている。結果としてストライキが頻発する。これが一つ。もう一つは一八八〇年に刊行されたウォーレス

『ベン・ハー』がベストセラーになり、一八九七年アンソニー・ホープ『ゼンダ城の虜』のアメリカ版が出るや二十六版を重ねたという記録だ。つまりこの世紀末に歴史小説の流行があったということ。

この二つの事実から、現実が辛いならせめて歴史の中に夢を見るしかないという読者側の希求を引っ張りだすのはあまりに短絡的すぎるかもしれない。その時代はマーク・トウェインが書いたように、産業が急激に発展し、物欲が猛威をふるい、機械文明下で風紀は頽廃し、政治は堕落し、あたかも表面だけ金めっきした時代だったかもしれないが、同時に大陸横断鉄道が完成し、人々が激しく動いている時代でもあった。価値観は変り、ファッションも変り、生活は合理化された。さまざまな社会矛盾をはらんではいたが、アメリカ社会全体がダイナミックに動いている時代だった。その世紀末に歴史小説が流行ったのも、あるいはその時代における新しい倫理や行動基準を、アメリカ大衆が無意識に模索していたのかもしれない。

最後のヒントは、F・L・アレン『オンリー・イエスタデイ』(藤久(ふじひさ)ミネ訳、筑摩書房)の中にある。これは、バローズの傑作の大半が書かれた一九二〇年代にアメリカで起こった事柄を克明に描いた書である。第一次大戦が終結する一九一八年を境に、アメリカの経済は一九三〇年の大恐慌まで繁栄の時代を迎えていくが、それによれば、一九二一〜一九二二年にラジオが出現し、一九二三年に麻雀が流行し、一九二九年にはアメリカを走る自動車が十年前の四倍になったという。

だが、最大のヒントは一九二七年に大西洋を横断したリンドバーグがなぜ国民的な英雄になったのかという件りだろう。F・L・アレンは次のように書いている。

「大衆は私生活、社会生活では安穏に暮らしているとはいえ、彼らの生活に必要な何かが欠落していた」

それはロマンスであり、自己犠牲であり、「アーサー王伝説の純潔な騎士に象徴されるもの」である。リンドバーグは立派で勇気があっただけでなく、ほどよい自制的態度の持ち主であったからヒーローになったと著者は書いているのだが、一九二〇年代のアメリカ大衆がどのようなヒーローを求めていたのかのヒントになりそうだ。

バローズの小説が火星シリーズ、ペルシダー・シリーズを始め、その大半が異郷についた主人公の波瀾万丈の冒険譚であることをここに想起すればいい。それはハガードに代表されるイギリス世紀末の秘境冒険譚とは若干異なる。彼らの赴くのは想像を絶する新世界なのだ。どういうことか。

当時のアメリカ読者にとって、バローズの火星やペルシダーは彼らの行きたいと願った幻想のアメリカではなかったのか。だからこそ、その新世界で活躍するバローズのヒーローに、彼らは自らの裡に眠り続ける夢を見たのではあるまいか。

イギリス世紀末の秘境冒険譚に欠けている自然との密着度がバローズ作品に濃いことも、この道筋に立てば理解できる。彼らの前に広がっていた荒野はなによりもまず強烈な自然だったはずだ。たとえそれが幻想であったにしても、夢をたずさえて渡ってきた開拓者＝移民の血が、いつの時代でもアメリカのヒーローには投影されている。バローズのヒーローは、そういう開拓者の血をひくアメリカの大衆が、夢破れた生活の中で、なお捨てきれない幻想の具現者だったのではないか。

すべては推測にすぎないが、バローズのヒーロー譚はそういうアメリカの血を今も教えてくれているような気がしてならない。

無人島の少年たち

冒険物語を語るときに、児童文学を欠かすことはできない。なぜなら児童文学はそもそも冒険の物語であるからだ。児童文学が子供のありのままの生活を描き、さらに子供たちの自立と成長を描くものであるならば、その物語が〈冒険物語〉のかたちをとるのも必然であるだろう。極論すれば、子供たちにとって〈冒険〉こそ自らの自立と成長を試される試練の舞台なのだ。

児童文学の成立は一般的には十八世紀とされている。十七世紀中ごろから盛んになったチャップ・ブック（行商人が売り歩いた小冊子）を子供たちも読んでいたものの、それは平易に書かれていたためで、子供たちの小説として成立していたわけではない。児童文学の成立は、大衆小説の成立が読者としての〈大衆〉を必要としたように、先に読者としての〈子供〉が存在しなければならない。すなわち、産業革命が始まり、市民階級が生れ、教育の必要が生じてこそ、児童のための小説が生れるという道筋である。

そういう児童文学というジャンルの中で、ここでは〈無人島もの〉を見てみたい。より冒険の要素が濃い、と思うからだ。周知のように〈無人島〉テーマの小説はダニエル・デフォー

『ロビンソン漂流記』（一七一九年）が著名だが、これはもともと子供のために書かれたものではない。子供用の版が広く流布したために、児童のための文学として現在まで読まれているという事情は、冒険物語が大人と子供が共有するジャンルであることを示唆しているようで興味深い。このすぐれた冒険物語を否定する気はないが、現在からみると作品の力点が冒険より教訓にあるように思えるのはいたしかたあるまい。これは『ロビンソン漂流記』の影響下に生れたウィース『スイスのロビンソン』（一八一四年）にしても同様である。

『スイスのロビンソン』は、両親と四人の兄弟がニューギニア近くの無人島に漂着し、そこで生活を営んでいく話である。ロビンソン・クルーソーが生活用具や食糧をふんだんに持って漂着したように、この一家も猟銃、斧、釣り針から牝牛、ろば、豚などの動物、さらにふとん、穀物にいたるまで、ありとあらゆるものを持って漂着する。難破した船と島を何度も往復して、さまざまなものを無人島に持ち込むが、この船はさながら宝船である。大工道具から、りんご、なしなどの幼樹、そして旅行記や博物学の本まであるのだ。「ヨーロッパ人が遠い世界のはてを開拓し移住する場合、生きて行く上に必要なものが、殆んど限りなく準備してあった」（宇多五郎訳）という設定なのである。

持ち込むものだけではない。この無人島にもあらゆるものがある。住居に適した洞窟があるかと思えば、突如にしんの大群は押し寄せるし、さらに猛獣のオン・パレード。大蛇、熊、インド狼、かば、ライオン、いのしし。長男のフリッツが自立して異性を意識し始める頃にはその時期を待っていたかのように若い娘まで漂着してくる。無人島にないのは文明だけ、という設定から明らかなように、これはユートピア小説なのである。救出されながらも両親と次男エルンスト、三男ジャックの四人が島に残るラストにこの小説のテーマが表出している。

同時に『スイスのロビンソン』は父親の視点で綴られる教育の物語である。従って、この島を脱出しようという発想はなく、つり橋をつくって外敵を防ぐことに全力が注がれる。漂流ものの傑作として、わが国には吉村昭『漂流』があるが、そこに展開する脱出のための壮絶な苦労を考えれば、『スイスのロビンソン』の牧歌的な風景は異様に思えるものの、それもこの小説が教育の書だからだろう。大蛇が山羊をのみ込むシーンや、熊やインド狼、ライオンなどの猛獣と闘う場面にみられるディテールの迫力が、この作品を名作にしているものの、本質は『ロビンソン漂流記』同様に教訓的な物語である。

その点、子供たちだけで漂着する〈無人島もの〉のほうが冒険の要素は濃い。ロバート・マイケル・バランタイン『さんご島の三少年』(一八五八年)は、十五歳のラルフの乗り込んだ船が遭難し、十八歳のジャック、十三歳のピーターキンの三人だけが無人島に漂着する物語だ。こちらはたいしたものは持っていない。さびだらけのナイフ一丁と三メートルのひも、しんの入っていないシャープペンに小型の針、火種とする〈ほくち〉に望遠鏡、あとは着ていた洋服のみ、その代りに島には、やしの実やくだもの、やまいもなどがあり、さらに豚までいるので食糧には困らないという設定である。そこに近くの島に住む黒人や海賊船が現れ、波瀾万丈の冒険にまき込まれるというのが主なストーリーで、ここに描かれる少年たちは「ほとんどが元気はつらつと明るく、苦難にあたってくじけない意志をもち、かしこく機敏で、しかも信仰があつい。程度の差はあるが、本質は、世界一の国力を背景に世界に雄飛するイギリス青年の大衆的理想像」（神宮輝夫「イギリス児童文学史」）である。

この路線の作品には、ジュール・ヴェルヌに『二年間のバカンス』（一八八八年）がある。こちらはいきなり緊迫した嵐の場面から始まる。一〇〇トンのヨット〈スルーギ号〉が荒れ狂う海に翻弄されているシーンだ。乗っているのは八歳から十四歳までの少年十五人のみ。見習い水夫の黒人少年はいるが、なぜ大人の乗組員が一人もいないのか、まったく説明されない。ジュール・ヴェルヌらしい巧みな導入部である。オークランドのチェアマン寄宿学校の生徒たちが夏休みの旅行で乗り込んだものの、出航前夜、乗組員が全員酒を呑みに行っている間になぜか舫索がほどけて漂流し始める、という経過がすぐに明らかになるが、この「なぜ」が最後まで一つの謎となっているのもヴェルヌらしい。持ち込むものと島に揃っているものは『さんご島の三少年』より充実しているが、『スイスのロビンソン』ほど完璧ではなく、つまりはほどほどだが、『二年間のバカンス』のポイントはフランスの少年ブリアンとイギリスの少年ドニファンの反目だろう。

ストーリーとしては、七人の犯罪者が乗っ取った〈セヴァーン号〉が火事と嵐で遭難し、無人島に漂着してきて少年たちと闘ったり、砂浜にうちあげられた婦人ケートが彼らの母親代りになったり、ヴェルヌの小説らしくいろいろと錯綜していくが、小説の骨格は、三人の仲間を連れて出ていったドニファンが紆余曲折の結果キャンプに戻って和解していく、少年たちの友情の物語である。たとえばラストは「秩序と、熱意と、勇気があれば、たとえどんなに危険な状況でも、きりぬけられないものはない」（横塚光雄訳）という作者の言葉で終っている。このように、冒険物語のディテールは揃っているものの、ヴェルヌが書いた他の冒険譚に比較すれば、教育の書という要素が濃い。神宮輝夫は前記の「イギリス児童文学史」の中で、「子どものための冒険小説は、いわゆる教訓主義的な作品の累積のなかからも生まれてきた。というより、悪い子どもを描くことによりよい子と善行をきわだたせるパターンによって、逆に徐々に真の子どもを発見してきた教訓物語の系統に、大人の冒険物語が刺激を与え、少年のための物語のジャンルを生んだというほうが正しいであろう」と書いているが、『二年間のバカンス』もそういう歴史的な流れの中で見るべきかもしれない。

フレデリック・マリアットに『小さな野蛮人』（一八四八～四九年）という特異な作品がある。科学的にあやまりが多いと『スイスのロビンソン』に腹を立てた作者だけあって、この作品は異彩を放っている。この主人公フランクは無人島で生れたとの設定である。島にいるのは、なぜかフランクを憎んでいるジャクスン老人のみ。食糧も年に一度島にやってくる鳥をつかまえて大量に乾燥させた鳥の肉と魚だけ。衣類もなく、ナイフすら途中でなくしてしまう。盲目となった老人にフランクが仕返しをする場面があるが、彼には老人に教えられた憎悪の概念はあるものの、善行という概念がないというのも特異。なぜ老人が少年を憎んでいるのかは徐々に明らかになる。少年の両親とジャクスンはこの無人島に漂着した仲間だったが、ジャクスンはフランクの父親をねたんでいて、ある日のこと殺害してしまう。夫に先立たれた妻はフランクを生んだものの、失意のあまり衰弱死。かくて無人島にはジャクスンと少年のみが残されることになる。つまり『小さな野蛮人』は漂着物語の後日譚なのである。ジャクスン老人は死ぬ前に改心して、フランクにことばや文字を教えていくが、残された博物学の本を読んで一人ぼっちになったフランクが知識を得ていく場面には哀切感が漂っている（エドガー・ライス・バローズの短篇連作『ターザンの密林物語』（一九一九年）に同じようなシーンがあるが、換骨奪胎の巧みなバローズのことであるから、あるいはこの『小さな野蛮人』を下敷きにしたのかもしれない）。

途中から漂着してくるライハルト夫人が母親代りとなってフランクに知識を与え、最後にはやはり少年も文明社会に帰っていくが、プロットの展開を考えると『小さな野蛮人』は特異な作品であると言えるだろう。

と見てきたように、これらの〈無人島〉冒険物語には、個々の作家や作品の違いはあるにせよ、どこかしら教訓主義的な匂いがつきまとっている。その匂いを完全に払拭するには、アーサー・ランサムを待たねばならなかった。

『ツバメ号とアマゾン号』（一九三〇年）はイングランド北部の湖沼地帯を舞台にした冒険物語で、主人公の四人兄弟は湖に浮かぶ無人島にキャンプに出かけていく。対岸の農場に牛乳を貰いに行ったり、母親が何度もキャンプを訪れたりするように、これは庭先きキャンプであり、無人島ごっこである。次子のティティがロビンソン・クルーソーのまねをして航海日誌をつけようと思っても、何も起こらないので書くことがないという件り（くだり）は象徴的だ。もちろん、島には飢えた野獣もいない。しかし、子供たちのありのままの生活と行動を描くアーサー・ランサムは、そういう日常のなかにも胸おどる冒険があることを、あざやかにいきいきと描き出した。

地理上の空白がなくなったためにハガードに代表される秘境冒険譚が成立しなくなったり、明確な敵を持ち得ず、迷路に入り込んだ七〇年代の壁など、現代冒険小説がぶつかってきたいくつかの問題に対して、児童文学の側からアーサー・ランサムが半世紀以上前に出したこの提案は、一つの明快な答えになっているように思われる。

海の男ホーンブロワー

セシル・スコット・フォレスターは『ホーンブロワーの誕生』の中で、この傑作シリーズのヒントが古本屋で見つけた〈海軍編年史〉という雑誌であったことを記述している。

孤独な男を描きたい、というのがそもそもの動機だったようだ。「独力で決断しなければならない人間の状況」に潜在意識を刺激されたフォレスターは、無線電信が発明される以前の軍艦の艦長ほど孤独な男はいない、との結論に達する。となると、舞台は十九世紀の初めであり、主人公は艦隊を組む戦列艦ではなく、単独で行動するフリゲート艦の艦長でなければならない。年齢は、先任艦長になって三〜十年、つまり三十代半ば、次に、レディ・バーバラとの容易ならぬ恋を設定するために、主人公が貴族の出ではなく、勲功によって昇進した艦長の方がよし、さらに平民出の妻を用意し、幸福な結婚でないほうがいい。

フォレスターは『ホーンブロワーの誕生』（高橋泰邦・菊池光訳、早川書房）で、一つの物語がどのように生れていくか、このように克明に説明していて大変興味深いが（ホーンブロワーがスペイン語に達者であることも、シリーズ第一作『パナマの死闘』において、エル・スプレモとの交渉で通訳の長たらしい手数を省くためで、そのために彼は一時スペインで捕虜になったことがあるとのエピソードが必要になる！）、注目したいのは「彼には定められた任務、重大な任務がある。それは、わたしが意図する小説の展開の中で果たされるべきものだ。だがそれは、さらに大きな全体の任務の中のほんの一部にすぎない」と作者が書いていることだろう。「さらに大きな全体の任務」とは何か。ホーンブロワーは祖国のために、ナポレオンの大陸蹂躙と戦っているが、戦争はいつかは終る。それよりも「もっと長い期間にわたる、そして、彼にとっても、わたしにとっても、ずっと重大な意味を持つ務め」があるというのだ。それはホーンブロワーが生きている限り続く「自分自身との戦い」である。フォレスターは書いている。「〝どんな人もその召使いには英雄に見えない〟諺と同じように、ホーンブロワーも、自分自身にとっては英雄ではあり得ない。彼は自分自身の心の動きを冷笑するあまり、自分の弱さを知るあまり、満足を味わったことがない。同時に、彼は自分との闘いに耐え、自己満足や自己卑下にのめり込まないでいられるような——たとえ絶望感や孤立感の中でも——そんなしたたかな性格の男でなくてはならない」（高橋泰邦訳）

孤独な男という設定は、状況だけの問題でなく、内面の問題でもあるのだ。

かくてホーンブロワーは『パナマの死闘』（一九三七年）において、フリゲート艦の艦長として登場する。そのリディヤ号は二千マイル以内に英国海軍の軍艦は一隻もいない単独艦であり、七カ月間も無寄港の状態で、太平洋の只中にいる。水も食糧もすでに充分な量はない。ホーンブロワー三十七歳。二十年間の海上生活を送ってきたとの設定で、髪の生え際がいくらか後退しはじめ、額がだんだん禿げあがっていくのと、下腹が突き出てきたことをひそかに悩んでいる。生来のおしゃべり癖で、口の軽さをいつもあとで後悔するために、この七カ月間は意識して無口につとめ、威厳をつけて咳払いするようにしている。

ホーンブロワーはいきなりこういう男として登場する。どう見てもヒーローではない。レディ・バーバラと出会うシーンでも「ウェズリー家の厚意をうければ、苦労なくずっと現役でいることができ、やがては将官級になること請合いだ。ここはひとつ腹の虫をぐっと押えて、この窮状から外交官手腕で有利な条件をしぼりとり、そんな好意を稼ぎとるために全力を尽くす以外に道はない」（高橋泰邦訳）と考えるほど、功利的な男である。さらに船上の会食場面では、ハンサムな部下をレディ・バーバラに近づかせたくないと思うほど、嫉妬心の強い男でもある。

『燃える戦列艦』では、戦闘においてさして重要でない犠牲者を出しても仕方ないと自分が考えていることに気付いて愕然とするほど〝弱い男〟でありながら、艦長名簿の序列をいつも気にしているし、片足を失った副長ブッシュと部下ブラウンを連れて敵中を横断する波瀾万丈の脱出行『勇者の帰還』では、捕虜になったことに対し、艦隊内の評価と世間の評判を気にする男であり、「かなうことなら雄々しく死に立ち向かい、堂々と死にたいものだが、この自分の意気地ない肉体に自信がもてない。もしや顔面蒼白となって、歯がガチガチと鳴るのではあるまいか」（高橋泰邦訳）と正直に恐怖を告白する〝ヒーロー〟でもある。

後年に書かれたホーンブロワー十七歳の冒険譚『海軍士官候補生』（一九五〇年）で、彼は決闘を申し込むほどの気概はあるものの、船に酔う男（！）として設定されているほど（「どうやら君は先輩たちの邪魔をしに来たようだな」と言われ、さらに「国王陛下近来のまずい買い物」と酷評されたりするのだ）、だらしのない男なのだ。すなわち、「彼自身、不安を口に出さないだけで、大同小異の臆病者だ――人が何と思うだろうかと恐れて口に出さないだけ」（高橋泰邦訳）で、決して完全無欠のスーパーマンではない。我々と同じように猜疑心が強く、欲と見栄を持ち、さらに恐怖にふるえる弱い男である。

　この設定こそが〝孤独な男〟を浮き彫りにするためのフォレスターの意図であり、ホーンブロワー・シリーズのポイントであるのだが、その第一作（シリーズでは第五巻にあたっているが、発表順でいえば第一巻になる）『パナマの死闘』が、アンブラー『あるスパイの墓碑銘』の前年に書かれたことに留意したい。前述したように、第一次大戦によって〝騎士道〟の幻想が崩壊し、ヒーローたちが国際政治の緊張関係の中に追いやられた一九二〇～三〇年代を〝不安と疑惑の時代〟として鋭く描いたのがアンブラーであった。一九二〇年代のクリスティー冒険譚もこの流れの中にある。こういう一方の流れからみれば、同時代に書かれたホーンブロワー・シリーズはいささか奇異に映る。牧歌的な冒険譚に見えるからだ。

　だが小説構造は一見そうであっても、それがフォレスターの周到な計算であることは、たとえば『パナマの死闘』の百年前に書かれたフレデリック・マリアット『ピーター・シンプル』と読みくらべれば明らかだろう。実はこの二作、ほぼ同じ時代を背景にしている。『ピーター・シンプル』がピーターの父と伯父の爵位争いを縦糸とし、さらにチャックスの挿話にみられる貴族信仰を底流としていることは以前書いた。『パナマの死闘』においても、有力な上流階級の庇護をうければ出世も早い、という記述はある。だがピーターとホーンブロワーが明らかに異なるのは、ホーンブロワーが自分自身の弱さと闘うという〝さらに大きな全体の任務〟を負っていることで、この一線こそが百年の差である。ホーンブロワー・シリーズは十七歳の青年が海軍提督にまでのぼりつめる一大成長小説ではあるけれど、それが『ピーター・シンプル』のように貴族出世譚となっていないところに、時代の差がある。シリーズ最終巻『海軍提督ホーンブロワー』（一九五八年）のラストが象徴的である。なんとこの長大なシリーズは出世譚の結末ではなく、愛の物語として終っているのだ。

クリスティーがスパイ・スリラーを書き、アンブラーがリアルな国際政治の状況を書いた第一次大戦後の新時代に、『ピーター・シンプル』のようなロマンチック騎士道冒険譚はたとえばジェームズ・ヒルトン『鎧なき騎士』のように行動規範を失ったヒーローのさまよえる物語とならざるを得ない。もはや第一次大戦前と同じ物語は綴れないのである。フォレスターはそこに〝自己と闘う〟という新しい主題を持ち込むことによって、不安と疑惑の時代にも冒険譚が成立することを証明したのだ。さすがに舞台は〝現代〟ではなく、十九世紀初頭に設定せざるを得なかったが、それは仕方あるまい。

あるいは、ホーンブロワーのこの設定は、作者の意図した計算ではなく、フォレスターの資質から自然に生れたものかもしれない。そうであるとも考えられる。第二次大戦を舞台にした『巡洋艦アルテミス』『ビスマルク号を撃沈せよ』『駆逐艦キーリング』を除けば、ホーンブロワー・シリーズの前に書かれた第一次大戦もの二篇、『たった一人の海戦』（一九二九年）、『アフリカの女王』（一九三五年）に、フォレスターのロマンチックな貌を見ることができるからだ。孤独な男を描きたい、という発想そのものが、たとえ意識下であったにせよ、すでに騎士道の幻想が崩壊し、ストレートなロマンチック冒険譚が成立しない時代をフォレスターが認識していたからに他ならない、ということも言えそうである。

ホーンブロワー・シリーズは臨場感にみちた海洋小説である。志願兵を募集しても集まらず、巡回裁判法廷から手錠、足枷つきの犯罪者（羊泥棒や窃盗犯など）を連れてきたり、下部砲列甲板には半裸の女性まで乗り込んで、さらに牛や豚まで同乗している十九世紀初頭の軍艦の猥雑さが全篇にあふれている。嵐の描写や戦闘描写がディテールゆたかに描かれているのはもちろんだが、ホーンブロワー・シリーズの良さは、たとえば戦闘後の最下甲板に、鼻をつくいやな臭気が充満し、負傷者がうなったり、泣いたり、金切り声をあげたりする背後から「船材のギーギーゴロゴロという音、チェーンから下に送られてくる横静索の振動音、外の波音、下の汚水溜の水が躍る音、それに船材が共鳴板になって強められた艦首部のポンプのガッタン、ガッタンという音」などが聞えてくることだ。〝海〟がロマンにみちた綺麗事の世界ではなく、時には狂暴に荒れまくり、時には愚かな人間の猥雑な営みが行なわれる世界であることをあざやかに描き出している。だからこそ、一見牧歌的な出世冒険譚、海の男の成長小説が、不安と疑惑の時代を突き抜けて、今なお読むに耐える作品となっているのだ。ホーンブロワー・シリーズが時代と隔絶した幸福な作品となっているのは偶然ではなく、そういうリアルなディテールの克明さと、フォレスターの濃い意思のためだ、という気がしてならない。

マクリーンの戦後

　第二次大戦後の英国冒険小説の歴史は、アリステア・マクリーンの三十年に象徴されている。一九五〇年代に第二次大戦を背景にした海洋冒険小説で登場しながら、六〇年代に入るや〝現代〟のエージェント・ヒーローを主人公にしたスパイ冒険小説に転身し（一九五八年『シンガポール脱出』以降、一九六七年『荒鷲の要塞』まで十年間、第二次大戦ものを書いていない）、その結果壁にぶつかって七〇年代をアメリカふうアクション小説で過ごさざるを得なかったマクリーン三十年の軌跡は、そのまま戦後英国冒険小説の変遷と重なり合う。

　一九五五年に書かれたマクリーンの第一作『女王陛下のユリシーズ号』をまず見てみよう。第二次大戦末期の北大西洋を舞台にしたこの小説は、絶望的な極限状況に置かれた男たちの孤独と悲しみ、そして誇りを力強く描ききった作品である。死に向って刻一刻と進むユリシーズ号に乗り合わせた男たちは、時には反抗したり、粗野であったり、臆病な男であったりするが、マクリーンは彼らを避けようのない死に直面させて、ドラマチックに再生させる。マクリーン唯一の短篇集『孤独の海』に「シティ・オブ・ベナレス号の悲劇」という作品が収録されているが、こちらにも第二次大戦下の北大西洋を舞台にUボートに攻撃されて沈んでいく客船と、一人でも多くの人間を救出しようと悪戦苦闘する無名の男たちの凛とした姿が活写されている。

このように選ばれた特別の男ではなく、弱さをかかえたどこにでもいるような男が、極限状況の中で一瞬神々しい存在になるというドラマを描いたことが、戦後の英国冒険小説をリードするアリステア・マクリーンの画期的な新しさだった、と言えるかもしれない。ハガードに代表される第一次大戦前の英国冒険小説の多くが、貴族を主人公にする上流階級の冒険であったことを想起されたい。マクリーン冒険譚の主人公の大半は選ばれた階級の男ではなく、無名の〝平民〟である。冒険は金と暇にあかせた特別のものではなく、そういう庶民の日常にもあり得ることを力強く描いたのがマクリーンの新しさだった。

そしてデビュー二年後の一九五七年に『ナヴァロンの要塞』が書かれる。あるいはこの作品こそ、マクリーンを英国冒険小説界の戦後のエースに押し上げた決定作だったかもしれない。というのは、この長篇がその後のマクリーン諸作品の原型になっているからだ。

『ナヴァロンの要塞』は、エーゲ海にそびえ立つ難攻不落のナチスの要塞に潜入し、これを爆破する命を受けた連合軍兵士たちの活劇行を描いた長篇で、アクシデントにつぐアクシデントを次々に乗り越えていくテンポの良さと全篇にみなぎる緊迫したスリルから目を離せない傑作冒険小説である。しかしこの作品のもっとも大きな特徴は、これが謎解き小説であることだ。物語は、目的を無事なしとげることができるかどうかとの興味以外に、潜入行のメンバーの中にいる裏切者は誰かという謎をめぐって進展するのである。主人公のヒーローは探偵役でもある。念の入ったことに、クラシックな探偵小説の大団円で容疑者を一堂に集め、それまでの事件を解説しながら理詰めで犯人を名指しするようなシーンまで、きちんとあるのだ。その主人公の謎解きが痛快だったのは、ストーリーが起伏に富み、プロットが実に巧みに錯綜していたからであることは言うまでもない。

いわば読者の共感を呼ぶ庶民の冒険譚であると同時に、知的興奮を誘う強烈な謎解きの要素の濃いことが、マクリーン作品の特色なのである。第三作『シンガポール脱出』（一九五八年）にもそのパターンが見られる。これは第二次大戦初期、陥落前夜のシンガポールを脱出する一行の冒険譚だが、船からジャングル、また船とめまぐるしく変転するストーリーの底に、内部にひそむ通報者は誰か、という謎が太い流れとして通っている。ここでもヒーローは探偵である。この探偵ヒーローはこの後も『北極戦線』『北極基地／潜航作戦』『北海の墓場』と活躍し、『麻薬運河』『黄金のランデヴー』と謎狩りに精を出す。マクリーン冒険譚の主人公は、闘いだけでなく、謎解きの知力にもすぐれていなければヒーローたり得ないのである。

マクリーンの描くヒーローは、愚直で、ストイックで、弱さをかかえた無名の男たちである。キザでもなければ、肉体の化け物でもなく、しゃれてもいない。ただし、もう一つの特色はその大半がエージェント・ヒーローであることだろう。そして、このことこそ最大の問題であるかもしれない。戦後民主主義を象徴する愚直な男が探偵役を兼ねることはいいとしても、〝平民〟出のエージェント・ヒーローを多く主人公としたことに、その後の時代の変化についていけなかったマクリーンの実直さと不幸がある、とも言えそうである。どういうことか。

スパイ小説が席巻した六〇年代には、エージェントであることがそれなりのリアリティを持ち得たが、ヒーローがそういうふうに国や組織の使命を帯びた存在であること自体に疑いの目を持たなければならなくなった七〇年代になってなお屈託のないエージェントであることは、いささか無邪気であることも否めない。

マクリーンの衰退は『ナヴァロンの要塞』映画化（一九六一年）以降であるということが、現在では半ば定説になっているが、しかし六〇年代に書かれたマクリーンの作品をみると、必ずしもそうでないことが判明する。たとえば一九六一年の『恐怖の関門』（マクリーンには復讐ものが数作あるが、これはそのジャンルの傑作といっていい）が執筆時期を考えれば映画化以前の別格作品であったとしても、一九六〇年『八点鐘が鳴る時』（この冒頭シーンは日活映画の名作「紅の拳銃」を想起させて愉しい）、一九六二年『黄金のランデヴー』と佳作が書かれている。たしかに、一九六一年『黒い十字軍』、一九六二年『悪魔の兵器』のような作品もあるが、これらはイアン・スチュアート名義であるし、十年ぶりに書かれた第二次大戦もの『荒鷲の要塞』（一九六七年）や、『ナヴァロンの嵐』（一九六八年）などを含めれば、マクリーンの六〇年代はあとに続いた七〇年代の諸作品にくらべればまだまだすぐれていた、とも言えるのである。

それは『荒鷲の要塞』『ナヴァロンの嵐』を例外として、六〇年代に書かれた作品の多くが現代を舞台にしていても、エージェントであることがリアリティを持ち得る冷戦の時代だったからだろう。背景の意味を考えれば、ナチスという絶対悪の存在をもっていた第二次大戦と、それは同じなのである。

ところが米ソの対立が緩和され、明確な敵を持ち得なくなった七〇年代、さらにCIAスキャンダルによってエージェントであることにダーティなイメージが付与され、己れの闘いに疑問を感じざるを得なくなった七〇年代後半になると、六〇年代ヒーローは自らの出自を問われるようになる。巧妙なジャック・ヒギンズは、ヒーローたちが闘いのリアリティを見失っていたこの七〇年代の壁を、明確な敵があり得た第二次大戦を背景にすることで切り抜けていくが、なんとマクリーンはまったく逆の道をたどっていく。一九六八年『ナヴァロンの嵐』以降、一九八二年『パルチザン』まで第二次大戦ものから離れていくのである。七〇年代にただの一作も、第二次大戦ものを書いていないのだ。個の闘いがリアリティを持ち得ないのなら謀略の構図そのものを描くほうがいいとする国際謀略小説が席巻した七〇年代にあって、それでもなお個の闘いに執着したところにマクリーンの意固地な素顔をみることが出来るが、六〇年代ヒーローと同様にエージェントである設定を変えようとしなかったので（この愚直な態度！）、それが空まわりに終始したことはやむを得ない。

このマクリーンの不幸は、英国冒険小説がぶつかった壁そのものであるのだが、ディック・フランシスの例（後述）にみるように、他の作家たちは設定を変え、アプローチを変え、なんとか乗り越えていく（当然、克服できなかった作家もいる）。だが、マクリーンはついにその壁を乗り越えられなかった。

たとえば、『ナヴァロンの嵐』の十四年後、一九八二年に書かれた久々の第二次大戦もの

『パルチザン』だ。これは四半世紀後に書かれた〈ナヴァロン〉である。目的地に向う一行に裏切者がいる。ヒーローはその〝真犯人〟を突きとめる探偵である。マクリーンが八〇年代に入って選んだ設定とアプローチは、もう一度五〇年代の自分に戻る道だった、と言っていい。だが背景を同じにしても、起伏に富んだストーリーと錯綜したプロットがなければ、緊密度は得られない。老いたマクリーンに、これは酷な注文というものだろう。

一九八四年に書かれた最後の第二次大戦もの『サン・アンドレアス号の脱出』は象徴的だ。この長篇の舞台となる船は、三十年前のデビュー作でユリシーズ号が進んだ航路を逆にたどっていくのである。マクリーンは、まるで過去の自分を探す旅に出たかのようだ。だがこれも、普通の男を主人公に謎解き小説の構造をもつマクリーン流の冒険小説ではあっても、もはや昔の緊密度はどこにもなく、平凡な作品となっている。

このようにマクリーンの歩んだ三十年のなかに、戦後の英国冒険小説の変遷が映し出されている。戦前から活躍していたフォレスターを例外とすれば（ハモンド・イネスも正確には戦後作家に分類すべきだろう）、英国冒険小説界の戦後作家の大半は、マクリーンがかぶった波と同じ体験を味わっている。個々の作家がそういうなかでどのように悪戦苦闘し、時代に合ったヒーローを生み出していくか、アメリカ、フランスのヒーローたちはどう異なるのか、しばらく戦後ヒーローのかたちを追いかけていきたい。

イギリス海洋小説補遺

戦後ヒーローの変遷に稿を移す前に、これまで触れることの出来なかったイギリス海洋小説のいくつかの作品を紹介しておきたい。イギリスにはまったく海洋冒険小説が多いのである。それらをもう一度確認してから戦後ヒーローに移ることにしたい。

十五世紀までヨーロッパの辺境国にすぎなかったイギリスの〈近代〉が始まるのは、一五八八年スペインの無敵艦隊を破った瞬間からである。それまでスペインとポルトガルが独占していた世界の海に強引に割り込んで勝者となったイギリスの、その後の国家的基盤である〈外洋〉への関心は、これ以降盛んになったと歴史の本は教えている。

別枝達夫は『海事史の舞台』（みすず書房）の中で「海洋国民として後に巨大な海洋・植民帝国を建設したイギリス国民は、海洋への進出の先駆者として、特に強大なカトリック・スペイン帝国を相手に闘って、イギリスの独立を護ったこれらの海の男たちに対して、今なお限りない敬愛の気持を持っている」と書いているが、こういう歴史を頭に置かなければ、イギリス海洋小説の成立と成長も解けない。

別枝達夫は前掲書で、イギリスの私掠船長ウィリアム・ダンピアを紹介しているが、一六九七年に彼が自身の経験をもとに著わした「世界周航記」はベストセラーになったという。このダンピアが一七〇八年から一七一一年にかけて行なった最後の世界周航で、南アメリカ南端のファン・フェルナンデス島から救出したのが、スコットランド人船員のアレクサンダー・セルカーク。このセルカークの漂流実話をモデルにしたのが、デフォー『ロビンソン漂流記』（一七一九年）であるのは有名な話だ。

「こうした航海者たちの経験を記した実話・記録類のパンフレットや本のたぐいがイギリスには昔から数多く出されて」（井村君江「英国海洋冒険譚の水脈」）いたのも、海への関心が色濃いイギリスならではだろう。ここで言う「昔」とはもちろん一五八八年以降、すなわち十七世紀からであり、それらの一部は十八世紀に黄金期を迎えるチャップ・ブックとして流布され、広く庶民に読まれていたにちがいない。

それらが物語の体裁を整えるのは、十九世紀に入ってからだ。ジャン・レイモン「十九世紀イギリス小説の発展」（臼田昭（うすだあきら）訳『十九世紀のイギリス小説』南雲堂、所載）によれば、十九世紀前半の歴史小説流行に乗って、この時期に数多くの海洋小説が書かれている。フレデリック・マリアット「ピーター・シンプル」（一八三四年）、「少尉候補生イージー」（一八三六年）を筆頭に、マイケル・スコット「トム・クリングルの航海日誌」（一八三三年）、「ミッジ号の巡航」（一八三五年）、エドワード・ジョージ・グレヴィル・ハワード「海賊サー・ヘンリー・

モーガン」（一八四二年）、フレデリック・シェイミャー「船乗りの生活」（一八三四年）、「ネルソン指揮アガメムノン号のベン・ブレイス」（一八三五年）、「ソーシ・アレトゥーザ号」（一八三六年）、「ジャック・アダムズ」（一八三八年）、「トム・ボウリング」（一八三九年）などの書名がそこにあげられている。

そして魅力的な悪党ジョン・シルバーを創造したスティーヴンソン『宝島』（一八八三年）にたどりつく、というのがイギリス海洋小説の概観だが、最初のかたちが実録であったことに留意。そこには、海の向うにある、まだ見ぬ遠い異国の地への夢と憧れが脈うっている。これこそがイギリス海洋冒険小説の底流である。だとするならば、地理上の空白がなくなった現代において、それはどういうかたちを取るのか。すでに未知の大陸はなく、海の向うに冒険がないことも読者が熟知している二十世紀に、イギリス海洋冒険譚はどういう貌でよみがえってくるのか。

一つは海そのものが冒険であるという自然の強調であり、一つは海が冒険の対象だった過去を舞台にすることだろう。前者は、コナン・ドイル「ジェ・ハバカク・ジェフスンの遺書」を好例とする海洋奇譚であろうし、後者はフォレスターの〈ホーンブロワー・シリーズ〉に代表される帆船小説である。どちらかと言えば、〈実録〉の中に見るような、海への新鮮な驚きを核としている点で、前者のほうがイギリス海洋小説の原型に近い。

ジェイムズ・モーリス・スコット『人魚とビスケット』（一九五五年）は、その海洋奇譚の流れをくむ作品である。

「人魚に告ぐ。とうとう帰ってきた。連絡を待っている。〝ビスケット〟より」

という謎めいた通信がロンドンの新聞に載る冒頭から、作家志望の青年が語り手となってこの漂流物語を聞き出すというのが、全体の構成だ。ゴムボートで漂流する四人を襲うのは、嵐であり、餓えであり、渇きである。狭いボートに乗り合わせた人間たちの不信やいさかい、そして希望と絶望が、漂流の克明なディテールとともに、あざやかに描かれている。漂流したのは四人だが生還したのは三人という謎が、平板になりがちな海上ドラマを救い、最後までサスペンスあふれる物語となっているのも見逃がせない。

彼らの乗っていた船が遭難したのは日本軍の魚雷にやられたからで、その船はシンガポールを脱出したばかりだったことを、ここで想起されたい。

時に一九四二年、ちょうど同じ頃、日本軍のせまるシンガポールからケリー・ダンサー号に乗って脱出したニコルソン一等航海士の冒険行を描いたのが、アリステア・マクリーン『シンガポール脱出』（一九五八年）である。これが「船からジャングル、また船とめまぐるしく変転するストーリーの底に、内部にひそむ通報者は誰か、という謎が太い流れとして通っている」作品であることは、すでに書いた。こちらも嵐にあい、敵に追われるが、前へ前へと進んでいく男たちの冒険そのものに力点が置かれていることに留意したい。

同じような状況の中で、片方は遭難そのものを描き、もう片方はそこから生還してくるドラマを中心に描いているのだ。前記したように、構成から言えば『人魚とビスケット』のほうが、イギリス海洋小説の原型に近い。（語り手の青年を登場させたのは、この作品を実話に仕立てるための作者の計算だろう)。しかし逆に言えば、伝統的な海洋奇譚から物語を引き離したところに、戦後作家マクリーンの新しさがあったとも言えるのである。

ところで『人魚とビスケット』が海洋小説として成功しているのは、その〈実録〉仕立てにあるのではなく、強烈な謎が一本の芯として通っているからだ、ということにも注意したい。ドッド・オズボーン『七つの海の狼』(一九四九年)、『冒険はわが宿命』(一九五五年)は、どれほど波瀾万丈の生涯を送ろうとも、小説的効果を考えないで書かれた実録が、現代では残念ながら無味乾燥のものであることを教えている。

あるいは、ニコラス・モンサラットの次の二作が好例かもしれない。すなわち『三隻の護送艦』と『非情の海』である。前者は護送船団に乗り組んでいる任務の合間に書かれた覚え書きであり、後者はそれをもとにして一九五一年に書かれた海洋戦記小説である。『非情の海』に出てくるエピソードの原型が『三隻の護送艦』では生のかたちで書かれているが、これを読むとモンサラットがいかに作家としてすぐれているかを実感できる。

『非情の海』には、航海が終って次の出航までの休暇シーンがひんぱんに出てくる。海上に出れば一体となって闘う船乗りたちも陸にあがれば、妻の不貞に悩んだり、恐怖と怯懦(きょうだ)を克服できずに我が子をおびえさせたりするなど、それぞれの生活が待っている。護送艦〈コンパット・ローズ〉に乗り込んだ八十八人の男たちには、その数だけの愛と憎しみと生活がある。モンサラットはそういう男たちの生活を克明に描いている。そのために戦争が特殊な舞台ではなく、日常生活のつながりであるかのようにも見えてくる。『三隻の護送艦』を読むかぎりでは、

『非情の海』の副長ロックハートが作者の分身だろう。実生活では妻帯者であり、艦長にまでなっているのに、モンサラットは作中でロックハートを副長のままとどめ、さらに独身男の設定にして、後半に美しいロマンスまで用意している。このように実体験にもとづいてはいても丸ごと事実の記録なのではない。この作品がありのままに見えるのは、これが〈実録〉だからではなく、作者が戦争を男たちの日常としてあざやかに描いているからで、決してその逆ではない。

ドッド・オズボーンの実録小説（世界中の海を航海した冒険者の記録で、なにしろ年齢をいつわって十四歳の時に海軍に入り、第一次大戦に参加したのを皮切りに、インドで人喰い虎を退治したり、第二次大戦ではイギリス情報部の依頼でスパイとの連絡係をつとめるという波瀾万丈ぶり！）が現代の読者にはいささか退屈であることを一方に置けば、モンサラットの作家としての特異性も見えてくる。このことは、我々がもはや新奇な体験談を読むだけでは胸おどらなくなったことを意味しているのだろうか。もしそうであるなら、十八世紀の読者にくらべて我々はさほど幸福ではない、とも言えそうだ。

最後に帆船小説が残されている。

〈ホーンブロワー・シリーズ〉の成功によって我が国にもこのジャンルの作品が次々に紹介されているが、六〇年代のダドリ・ポープ〈ラミジ艦長物語〉、アレグザンダー・ケント〈ボライソー・シリーズ〉が名門生れの主人公であるのにくらべ、七〇年代のアダム・ハーディ〈海の風雲児ＦＯＸシリーズ〉、Ｃ・Ｎ・パーキンソン〈海軍将校リチャード・デランシー物語〉

は平民主人公であり（FOXはそれ以上に型破りだが）、八〇年代に入ると、東インド会社のコマンド艦長であったり（ポーター・ヒル〈艦長アダム・ホーン・シリーズ〉）、据え膳はためらうことなくいただく暴れ者であったり（ロバート・チャロナー〈オークショット・シリーズ〉）、乗組員の同性愛まで描いたり（リチャード・ウッドマン〈海の荒鷲ドリンクウォーター物語〉）、それぞれがかなり個性的な展開を示していることを指摘しておけばいいだろう。

　そのどれもが十八世紀から十九世紀初頭を舞台とし、つまりはイギリスがもっとも激しく燃え、夢のあった時代であり、これらの物語が競って読まれるのも、現代に生きる我々がそういう夢を失っていることを、逆に語っているようにも思う。

不信のヒーロー

ジェイムズ・ボンドが冷戦下のヒーローとして生れたことは、シリーズ第一作『カジノ・ロワイヤル』が一九五三年に発表されたことや、その時の相手がソ連秘密組織スメルシュの資金係ル・シッフルであることなどから明らかである。だがもしこの男が最後までそういう存在であったなら、おそらく〝戦後最大のヒーロー〟（スクリーンの影響が多分にあるが、人口に膾炙するという点でボンドに匹敵するヒーローはいない）とはならなかったにちがいない。

始まりは一九五七年に書かれたシリーズ第五作『ロシアから愛をこめて』である。このラストシーンはソ連国家保安省ローザ・クレッブ大佐の靴先から細いナイフがとび出て、ボンドのふくらはぎを傷つける場面だ。ボンドが床にくずれ落ちていくシーンで、この物語は唐突に終っている。途中の章の終りではない。それがこの物語の末尾である。あるいはシリーズものであるから、次の作品に読者の興味をつなぐためのテクニックだ、と言えるかもしれない。しかしこの不吉な場面は、結果としてその後のジェイムズ・ボンドの幕開けとなった。ではこの作品をきっかけにボンドはどう変ったのか。この物語の途中には、相棒に殺された敵の死体を見て「こんなことばかり見てなければならない人生」にボンドが一瞬恨みを覚えるシーンがある。このようなシーンは、それ以前にない。これは何を意味するのだろう。

たとえば、シリーズ第六作『ドクター・ノオ』（一九五八年）は、英国秘密情報部長Mが神経学者のジェイムズ・モロニー卿に電話をかけるシーンから幕が開く。ローザ・クレッブ大佐のナイフに中枢神経を麻痺させるフグの毒が塗ってあり、ボンドはしばらく入院することになるのだが、「あの男は仕事に使えるかな」と尋ねるMに、肉体的には大丈夫だが、ひどい緊張状態が続いているので精神的に疲れている、とモロニー卿が答えるシーンである。つまり、第一作『カジノ・ロワイヤル』から第四作『ダイヤモンドは永遠に』（一九五六年）までの屈託のないヒーローは『ロシアから愛をこめて』の中で死に、『ドクター・ノオ』で蘇生したのは病んだヒーローなのだ。

この一作だけのことではない。第七作『ゴールドフィンガー』（一九五九年）の幕開きも、「外科医のような冷たい心で死と対決するのは義務である」とわかっていながら、悪党を殺したことにこだわっているシーンであるし、第八作『サンダーボール作戦』（一九六一年）でも、モロニー卿がボンドの健康状態はよくないとMに再び進言するのが冒頭である。酒と煙草の摂取量が多すぎて高血圧気味であるし、本人も後頭部の頭痛を訴え、しかもそれらが明らかに悪化している徴候がある、というのだ。第六作『ドクター・ノオ』以降、冒頭に必ずこういう設定を入れるようになったのはなぜか。

第十作『女王陛下の007号』（一九六三年）の冒頭はなんとボンドが辞表の文章を考える

シーンである。この辞表には退屈な任務についていることの不満というニュアンスもあるが、病んだヒーローの側面がこれだけ強調されたあとでは、そう素直にも受け取れない。第十一作『007は二度死ぬ』（一九六四年）の冒頭に、ボンドがあらゆる情熱をなくした理由は、前作のラストで新妻を殺されたことのショックに起因する、と説明されてはいるが、はたしてそれだけなのか。『ロシアから愛をこめて』以降に浮上したボンドのこういう変化が意味するのは、情報部員であることの拒否という一点だろう。そう考えなければ、このしつこさは解けない。

　シリーズ第一作『カジノ・ロワイヤル』の中に、ボンドがこの作品の相棒マチスに辞意をもらす件りがある。悪党ル・シッフルがスメルシュの処刑人に殺されたあとのシーンだ。ボンドは言う。「現在われわれは、共産主義と戦っている。それはいい。しかし、もう五十年前に生きてたら、いまわれわれが保守主義ときめつける連中も、共産主義に近いものと見られていて、われわれはそいつらと戦えといわれたかもしれないんだ。近ごろでは歴史の動きはとても早くて、英雄と悪ものもたえず立場を変えているよ」（井上一夫訳）

　まだ終ったわけではない、スメルシュは今後も自分たちの政治組織に反対する人間を殺しまくるだろう、あいつらをどうするのだ、とマチスに言われたボンドはなおも答える。

「私的な復讐ということを別にして考えると、何か高級な道徳的理由とか、祖国のためという理由からでは、そういう具合にやれるかどうか自信はない」

　ボンドはなんと最初から女王陛下や国家のために闘うヒーローではなかったのだ。もちろん、この作品では結局マチスの言う通りだと考え直し、ボンドが新たなる闘いの決意を固めていくのだが、ジェイムズ・ボンドというヒーローの原型が、国家のために闘うエージェント・ヒーローを否定するところから出発したことに留意したい。『ロシアから愛をこめて』を契機に徐々に変身するボンドの核は、ここにこそあるようだ。イァン・フレミングの007シリーズは、美女と拷問と観光地という典型的な道具立てを駆使した冒険小説だが、大ダコやサソリなどの道具立てに目を奪われていると、この作品群の本質が読みとりにくい。

作者であるイァン・フレミングはその「スリラー小説作法」の中で、『カジノ・ロワイヤル』のボンド暗殺未遂事件や賭博の場面が現実のエピソードに基づいていることを明らかにしているが、その他でも車や銃の描写など、リアリティ獲得のために細部にまで神経を使っていることがうかがえる（フレミングの小説は往々にしてそういう描写のあやまりを指摘されるが、だからといって作者がその描写に無神経であるとは限らない）。アクション場面についてもイァン・フレミングはさりげなく挿入する。『女王陛下の007号』は明らかに視覚メディアを意識した大型アクション活劇だが、初期作品にみられるアクションはアイデアを核にしたものが多く、それが物語の中に自然に溶け込んでいる。さらに、キングズリイ・エイミスも指摘しているが、『カジノ・ロワイヤル』や『ムーンレイカー』のカードゲーム場面の緊迫感も見逃せない。フレミングはこういう細部の描写が実にうまい。

そのために背景の陳腐さ（あるいは空想的すぎるプロット）を読者はつい忘れてしまう。第五作『ロシアから愛をこめて』までの相手がソ連の秘密組織スメルシュであったのにくらべ、第六作『ドクター・ノオ』以降、ゴールドフィンガー、ブロフェルドなど個性的な悪党を相手にしていくのは、おそらく冷戦からデタントに移行した時代の変化が背景にあるのだろうが（フレミングの遺作『黄金の銃をもつ男』は再びソ連保安部の手先と闘うとの設定だが）、資金係とかダイヤモンド密輸犯などスメルシュを相手にするといっても、初期作品でボンドが実際に闘う相手は、ちゃちな悪党が多い。例外はロンドンをロケットで抹殺しようとする誇大妄想狂のドラックスが登場する『ムーンレイカー』のみ。後半、このドラックスの系譜につながるドクター・ノオ、ゴールドフィンガー、ブロフェルドなどの〝狂人〟を相手にするようになる。と、陳腐さがなくなる代りに今度は途端にファンタスチックになる。つまり、どちらにしてもこのシリーズの背景はやや説得力に欠けるのである（唯一、背景にリアリティのある作品は、スメルシュの復讐計画を描く『ロシアから愛をこめて』だろう）。ところが、登場人物の設定や具体的な行動の描写が巧みなので、そのことに気付く前に大半の物語は終っている。フレミングの勝利だ。

しかし現代エンターテインメントとしてのボンド冒険譚の長所を、こういうふうに物語の表層から列記するだけでは、このシリーズの本質は解けそうもない。もう少し違う角度からこのシリーズに近づいたほうがいい。ボンドに友人が少ないのはどうしてなのか、というように。相棒的な存在は各作品に登場する。『ロシアから愛をこめて』のダーコ・ケリム。『ドクター・ノオ』のクォール。『女王陛下の００７号』のマルク・アンジュ。シリーズ共通のキャラクターも、冷酷非情なＭの他に、断続的に登場するフランス参謀本部のマチスや、ＣＩＡの局員でのちにピンカートン探偵社につとめるフェリックス・レイターなどがいる。これらの中で唯一友人扱いされているのはレイターだろうが、特異なのは『ドクター・ノオ』でクォールが射殺された時にボンドが「すまない」とつぶやくだけの件りだ。ラストで彼のことを思い出すシーンはあるが、どうもこの男には友人に対するこまやかな情というものが根本的に欠けているように見受けられる。それは十一歳の時に両親をなくして天涯孤独の身の上であり、そもそも愛情の交流を知らずに育ったというボンドの設定も関係しているのかもしれない。

こういう主人公の性格はたとえば女性関係にも現れている。ボンドは必ず美女と恋におちるが、その大半はその場かぎりの欲望の表出にすぎない。その中でも『カジノ・ロワイヤル』でヴェスパー・リンドを許さなかった偏狭さと、『ロシアから愛をこめて』のタチアナ・ロマノーヴァをあっさり忘れてしまう身勝手さが、彼の性格を浮き彫りしている。『女王陛下の007号』でトレーシーと結婚するが、これはボンドが自信喪失していたからで、トレーシーとヴェスパー（ボンドは彼女に結婚を申し込んでいる）の差はほとんどない。前述したように『007は二度死ぬ』において、彼が死んだように生きているのは愛妻トレーシーを失ったからではなく、諜報部員であることの鬱屈（うっくつ）が彼を押しつぶしたからだ。トレーシーの死は、そのきっかけにすぎない。

ここでジェイムズ・ボンドが戦後最大のヒーローになったのはなぜか、という最初の設問に戻ることが出来る。

ボンドは国家やイデオロギーを信じないヒーローであるばかりでなく、友や恋人すら信じることの出来ないヒーローなのだ。彼は信じるものを何ひとつ持たない不信のヒーローである。

騎士道という規範をまず失い、次に国家という基盤すらも失いながら、それでも生き続けなければならない戦後の読者大衆にとって、ジェイムズ・ボンドは自らを映す鏡だった、とも言えるのではないか。

　そういう不信の旋律が００７シリーズの底流として色濃く流れているからこそ、ボンドは我々の意識下の共感と喝采を浴びたのである。

フランスのスパイ活劇

ボリス・ヴィアン『醜いやつらは皆殺し』はロサンジェルスを舞台にしたハードボイルド・アクションである。

主人公は二十歳まで童貞を守ると決意している青年で、新聞記者やコラムニストなどの仲間がたむろしているナイトクラブにある夜出かけていくのが発端。この青春小説ふうの幕開けから、失踪した若い娘たちの追跡調査が始まり、やがて世界征覇のために人工人間を造り出す博士との闘いに突入していく。カーチェイス、孤島潜入、とたたみかけるアクションもいいし、さらに途中から絡んでくるＦＢＩ局員やボクサー犬ヌーヌーなどの脇役もよく、特に失敗した人工人間ジェフの登場がおかしい（ラストが唐突に終っているのは新聞連載のためらしいが、それを割引いてもこの物語は今なお生彩に富んでいる）。

ボリス・ヴィアンがヴァーノン・サリヴァン名義で書いた作品は、他に『墓に唾をかけろ』『死の色はみな同じ』『彼女たちには判らない』とあるが（フランス作家であるのにその舞台がすべてアメリカであるのは、アメリカの新進黒人作家サリヴァンの翻訳というかたちでヴィアンが発表したからだ)、『醜いやつらは皆殺し』一作でも明らかなように、この作家にはエンターテインメント作家としての才能がかくされていたようで、そのことを本人が気付かなかったことが惜しまれる。

というのは、この作品が一九四八年に書かれているからだ。フレミングがボンド・シリーズの第一作『カジノ・ロワイヤル』を発表したのが一九五三年、『醜いやつらは皆殺し』同様に、世界征覇をもくろむ博士との闘いを描いた『ドクター・ノオ』が一九五八年に書かれたことを考えると、ヴィアンの着想の独創性も明らかになる。

フランス・スパイ小説の祖はピエール・ノールとされている。それ以前にも、デュマの伝統を継ぐピエール・ブノアに、第一次大戦を背景にした『ケーニクスマルクの謎』や、中国大陸を舞台に宗教結社と闘うガイ・ブースビイ『魔法医師ニコラ』などの作品があるが、それらは古典的な活劇譚でもあり、近代フランス・スパイ小説はピエール・ノールの登場を待たなければならなかった。一九五一年に書かれたノールの代表作『マジノ線の二重犯罪』はわが国に翻訳されていないので、ここでは一九五八年度のフランス冒険小説大賞受賞作『抵抗の街』を見てみよう。

この作品は、第一次大戦で占領されたフランスの田舎町を舞台に、ドイツ軍司令部に潜入したスパイを、ドイツ軍士官コンパルスが追いつめていくスパイ小説である。アクションではなく、推理を核にしているのがミソ。いわば、「スパイ小説を推理小説として書くことができることをよく理解していた」（ボワロー＆ナルスジャック『推理小説論』）のが、ピエール・ノールだったのである。

それが結果として退屈な作品を生むことになったのは、スパイ小説と推理小説が謎と捜査という点では類似していても本質的に異なることをノールが見落としていたからだ、とボワロー＆ナルスジャックは指摘している。また、ノールの作品が三十年もたずに色あせてしまったのは、その作品が、軍人だった作者の濃厚な危機意識にあふれた軍事スパイ小説にすぎなかったからだ、との見方もある。

かわって舞台にあがるのは、政治スパイ小説で、その始まりはジャン・ブリュースのＯＳＳ１１７シリーズである。こちらの主人公ユベール・ボンスールは肉体的にも精神的にもタフな男で、少々のことでは音をあげない。目の前で女性が拷問されても平然としている男だ。何よりもまず、共産主義の〝脅威〟から国を守る使命感に燃えているのが特徴だが、それだけのエージェント・ヒーローならこれほどのヒット・シリーズになりはしない。ストーリー展開が早く、アクション・シーンにあふれ、通俗読み物としては出来のいいシリーズなのである。冷戦下に生れた典型的なフランス・ヒーロー・シリーズと言えるだろう。

しかし、ここにアントアーヌ・ドミニックのゴリラ・シリーズを並べると、その推移もあやしくなる。これはフランスの秘密情報員ジェオ（通称ゴリラ）を主人公とするシリーズで、一九五二年にスタートしたシリーズである。松村喜雄はこのシリーズに触れ、軍事プロパガンダ小説として分類しているが、タフな大男であるジェオが妻子を愛し、さらに鉄道模型に熱中する男でもあるとの設定の中に、個人主義者の貌を見ることが出来る。すなわち、時代の枠組みは、ピエール・ノールやジャン・ブリュースの作品にみるように、背景にその時々の戦争や政治のホットな現実を常に必要とするけれど、それは表面的な変化にすぎず、フランス独自のものはどれほど時代が変ろうと、スパイ小説の骨格として綿々と流れているとも考えられるのである。

その「フランス独自」のものがデュマからルパンに流れるフィユトンの系譜であることは言うまでもない。フランスに、イギリス流のシリアスなスパイ小説が育たなかった理由について、松村喜雄は『怪盗対名探偵』の中で次のように書いている。

「理由のひとつとして、スパイに対する危機意識の違いが指摘し得る。外国の脅威よりも国内の政争にあけくれていたし、フランス革命以後の個人の自意識の確立が、眼を外に向ける意識を妨げた。ナポレオンに象徴されるフランス中心のヒロイズムに安易にあぐらをかいていたからであろう。また、外国からの脅威は一部の為政者以外には国民に知らされていなかったし、王政による貴族たちの国境を超えた姻戚関係も国際関係の軋轢に鈍感であった理由のひとつにあげられよう」

すなわち、軍事スパイ小説や冷戦下の政治スパイ小説は、フランスにおいてむしろ例外であり、個人主義的な冒険譚として展開した作品の流れこそ、フランス・スパイ小説の本流なのである。

ジェラール・ド・ヴィリエのプリンス・マルコ・シリーズは、おそらくその流れの中に位置している。

一九六五年にスタートしたこのシリーズは、主人公マルコ・リンゲをオーストリアに城を持つ貴族の末裔に設定し、先祖伝来の城を維持修復するために莫大な費用が必要になる、という条件をつけて始まった。この用意周到な設定は、CIA特務諜報員の主人公を使命感から隔絶し、さらに復讐などの私的動機すらも踏み込ませない作者の卓抜した計算に他ならない（長大なシリーズなので、フィアンセ救出という私的動機でルーマニアに潜入する『伯爵夫人の舞踏会』などの例外もあるが）。

一作ごとに舞台を変え、特殊工作のために世界各地に飛んでいくこの物語は、観光小説の側面を持ち、さらに濃厚なエロティシズムと歯切れのいいアクション・シーンに満ちているが、その本質は快楽主義者マルコ・リンゲの個人的な冒険譚である。最後まで現代の寓話に徹したフレミングのボンド・シリーズとは違い、マルコ・リンゲ・シリーズには現実の世界情勢が背景として色濃く登場してくるが、これもスパイを主人公として現代の冒険譚を書こうとするヴィリエの計算であり、実は世界がどうなろうともマルコには何の関係もないのである。しかし、使命感がなく、個人的動機すらないといっても、現実の国際情勢を背景にしているところが（それがただの背景であっても）、フランス・スパイ小説を代表するとなると、いささか弱い。

そこで登場するのが、フランシス・リックだ。たとえば『危険な道づれ』（一九七三年）は最後の最後までスパイ小説にならない。看守を殺して逃げて来た男が山奥に住む夫婦のもとに転がり込んでくるのが発端で、彼は秘密を握っているために巨大組織に追われていると言うのだが、それがはたして本当なのか、彼の被害妄想なのか、夫婦にはわからない。影におびえる脱走者と夫婦との奇妙な共同生活を、リックは丹念な心理描写とともに描いていく。かくて衝撃的なラストまで、読者はこれがスパイ小説であることを意識せずに読むことになる。

あるいは『奇妙なピストル』（一九六九年）もある。組織を裏切った男ヤコの逃亡の旅を描くこの小説は、まず犬、次に愛すべきアル中男、最後に若い娘、と次々に同行者がふえていく目的のない道中小説でもある。十年後に再読するまでこれがスパイ小説であることを忘れていたのは、逃亡の中でヤコが昔の自分を取り戻していくサバイバル小説の側面が濃厚なことと、犬やアル中男や若い娘を疑いながらも捨て切れない彼の孤独が哀切なひびきとなって残り続けること、それらの印象が強かったためだろう。

ヤコが裏切ったのはKGBで、その代償にイギリス情報局からパスポートと金とピストルを受け取り、追ってくるKGBの特別チームをかわしながらフランス国内を逃げまわる、というのがこの物語の本筋である。しかし、ただそれだけの話を緊度あるサスペンス小説としてまとめあげたところに、フランシス・リックの芸がある。発信機はどこに仕掛けられていたのかとの謎が太い芯として通っているのがよく、道づれとなる友や犬との交情もよく、さらに静から動に転換するアクションもいい。限りなく暗黒小説に近いスパイ小説とも言えるだろう。その意味では、いかにもフランシス・リックらしい独特の香りを持つスパイ小説なのである。

そのフランシス・リックに『パリを見て死ね！』という作品がある。これはパリを舞台に、フランス諜報局員ロックがテロリスト・グループに潜入し、その黒幕を探索していく物語で、五月革命が生んだ若きテロリストたちの描写に、マンシェットやA・D・Gなど〈セリ・ノワール〉の若き狼と呼ばれる作家たちの先輩格としてのリックを見ることが出来るが、興味深いのは黒幕として登場する細菌学者だ。彼は、一九九〇年に地球は人口過剰になり、大危機に直面すると言う。そのために現時点で無作為の人口排除が必要だという、このマッド・サイエンティストは、ヴィアン『醜いやつらは皆殺し』に登場した博士の生れ変りであるかのようだ。またもや〝ドクター・ノオ〟なのである。

フレミングの生んだボンド冒険譚が、ルパンからファントマに流れるフランス・フィユトンの系譜上にあるというよりも（物語の構造だけでそう言ってしまっては、アメリカのドック・サヴェジもフィユトンの流れにあるということになってしまう）、アンブラーに代表されるイギリスのシリアス・スパイ小説とは別の流れであるフランスのスパイ活劇は、常にこのような〝個の悪魔〟を根底に必要とするのかもしれない。すなわち、個対個のメロドラマこそがフランス活劇の本質であり、ヴィアンはそれを鋭く見抜いていたのではなかったか。

ジョバンニと暗黒小説

マルセル・デュアメル監修のセリ・ノワールは、ハドリー・チェイス、ピーター・チェイニイ、レイモンド・チャンドラーなど英米作家の翻訳で始まったが、アルベール・シモナン『現金に手を出すな』（一九五三年）あたりからフランス独自のハードボイルド小説を生み出していく。

戦後のフランスにこのセリ・ノワール叢書が与えた影響は大きい、というのが定説である。それが実感しにくいのは、英米の小説にくらべて、わが国に紹介されるフランスの小説が少なく、判断の基準を持ちにくいからだ。たとえば、シモナンは前記の一作だけで、『男の争い』で知られるオーギュスト・ル・ブルトンは映画化された『シシリアン』のみ。暗黒街の隠語がひんぱんに出てくるので翻訳しにくい、との事情があるようだが、主にスクリーンでフランス暗黒小説の香りを嗅ぐしかない、というのは淋しい（しかもその映画ですら、フィルム・ノワールは日本で流行らないらしく、数年前に久々の佳作「愛しきは、女 ラ・バランス」が公開されたと思ったら監督はアメリカ人で、純フランス産ではない）。

アルベール・シモナン『現金に手を出すな』は五十歳のやくざ、マックスが主人公。五千万フランの大仕事を終えて、彼はそろそろ引退を考えている。ところが、その金を狙ってフレド一家が絡んでくるのが発端。かくてマックスは相棒リトンと血なまぐさい暴力の現場に舞い戻っていくことになる。

発表当時はそれまでの作品にない俗語をたくさん使った画期的な作品だったらしいが、現在読むと、ジャン・ギャバン主演の映画の印象が強いので、その印象にくらべれば普通のやくざ小説に見える。

ボワロー&ナルスジャックが「黒い叢書が提供するものは本質的に、テンポの速い、暴力ざたにみちた、一つの支柱にすぎない捜査を中心に構成された、風俗小説である」と書いているように、『現金に手を出すな』にはユージェヌ・シューの風俗小説『パリの秘密』と通底するものがある。暗黒街という特殊な世界を舞台にしているが、ロマン・ノワールにはそういう風俗小説の側面がたしかにあり、その意味ではフィユトンの流れをくむフランス独特の小説ジャンルである、とも言えそうである。

ポイントの二は、男と男の友情物語という暗黒小説の基本的な構造がこの『現金に手を出すな』に色濃いこと。マックスは相棒リトンの不注意のために抗争に巻き込まれていくが、しかしそのことをうらみもしない。二十五年にわたる友情が二人の間に強く結ばれているからだ。最後のポイントは、主人公の行動が「コケにされてたまるか」という思いに支えられていること。この自尊心の保持こそが暗黒小説の底を流れる、もっとも大きなテーマだろう。

シモナン『現金に手を出すな』のなかに、こういうフランス暗黒小説の原型を見ることが出来るが、この世界を一望する評論をまとめたJ－P・シュヴェイアウゼール『ロマン・ノワール』（平岡敦訳、白水社）によれば、ロマン・ノワールを書いたのはもちろんこの二人だけではない。多数の作家がいて、さまざまな作品を残している。だが、その大半は日本に未紹介で、日本の読者にはその実態を実感しにくい。ここでは日本に数多くの作品が紹介されているジョゼ・ジョバンニを通して、ロマン・ノワールを見ることにしたい。

ジョゼ・ジョバンニの作品にも、男と男の友情と、「コケにされてたまるか」という強い一念が流れている。だがジョバンニの小説を普遍的なものにしたのは、暗黒小説を風俗小説から解き放ち、そこに別のものを付与したからに他ならない。

それはたとえば、処女作『穴』（一九五八年）に象徴的に描かれている。この脱獄小説が強い印象を残すのは、クライマックス近く、鉄格子の隙間から腕を突き出すシーンに、何ものにも束縛されない自由を求める主人公マニュの切々たる思いがあざやかに描かれているからだ。自由を求めるからこそ法の外に生きるというアイロニーは、いろいろなものがくっついて身動きの取れなくなっている現代人に、忘れていたものを想い起こさせる。ジョバンニの小説が、我々の体の奥深くに眠っているなにものかを呼び起こす強い力に満ちているのは、そこに登場する男たちがまっすぐに生きているからで、彼らをそういうまぶしい存在としてストレートに描き出したのが、ジョバンニの新鮮さだった。

彼の描く男たちは、友のためにはすべてを捨てて救出し、自尊心を守るために不利な闘いも買って出る、そういう男たちだが、その底にはジョバンニ物語の名脇役、パリ警視庁ブロット警部の「あいつらはいつも自由を欲しがっている。勝手に動けるということが、あいつらにとっちゃ命から二番目に大切なんだ」（岡村孝一訳）という自由への強い渇望が息づいている。

『おとしまえをつけろ』（一九五八年）、『墓場なき野郎ども』（同）、『ひとり狼』（同）、『気ちがいピエロ』（一九五九年）、『生き残った者の掟』（一九六〇年）、『オー！』（一九六四年）と六〇年前後に書かれた作品には、そのジョバンニの良さが十分に発揮されている。特に『おとしまえをつけろ』『墓場なき野郎ども』の二作には、新興ギャングに踏みつけにされた時代遅れの男たちがあざやかに描かれている。

周知のように一九六四年を最後に、ジョバンニはしばらく小説を書かなくなる。その間に撮った映画が八本、書いた脚本が五本。映画界に転身したのは、六六年にロベール・アンリコによって映画化された「冒険者たち」（原作『生き残った者の掟』）が気に入らず、自ら監督をして同じ原作を撮り直したことがきっかけらしい。

六九年の『流れ者』も含め、執筆再開後の『わが友、裏切り者』（一九七七年）、『犬橇』（一九七八年）は、スパイ小説だったり冒険小説だったりして、残念なことに暗黒小説は二度と書かれることはなかった。八〇年代に入ると、『狼たちの標的』（一九八二年）、『復讐の狼』（同）と、国際謀略小説を書き始めるのだから、もはやロマン・ノワールどころではない。

なぜジョバンニが暗黒小説から離れてしまったか、については彼の多くの作品が時代遅れの男たちを主人公にしていたことを想起すれば十分だろう。過渡期だったからこそ、新興ギャング対旧やくざとの図式が成り立つが、時代が進んでずるがしこい新興ギャングどもが暗黒街を牛耳ってしまえば、もはや義理と人情に生きる古いやくざの出番などない。

いや、そのジョバンニの変化は、シュヴェイアウゼールが書いたように、ロマン・ノワールの限界ではなく、ジョバンニの描く「男の友情」が紋切り型だったからだ、という考え方もある。ジョバンニの熱狂的愛読者である私には承服しがたい説だが、そういう意見があることも一応頭に入れておこう。

とにかくその間、代って舞台に上がるのは、セリ・ノワールの若き旗手たち、すなわちA・D・Gと、J・P・マンシェットである。七〇年代初頭に書かれた彼らの作品は、狭義の暗黒小説とはやや様相を異にしている。まず、A・D・Gの『おれは暗黒小説だ』はアクションたっぷりのフレンチ・ハードボイルドで、主人公の酔いどれ作家が奇妙な事件に巻き込まれるのが発端。やくざも登場するが、どちらかと言えば政治的陰謀を背景にしている。『病める巨犬たちの夜』は一転して田園を舞台にした異色小説で、ここまでくると、どこが暗黒小説なのかわからなくなる。読み取れるのは、警察＝国家への根強い不信であり、その点が「マンシェットや私のような作家が、フランス側からセリ・ノワールを新しくして行く」(日影丈吉訳)というA・D・Gの背景なのかもしれない。

そのJ・P・マンシェットはA・D・Gほど屈折しておらず、『地下組織ナーダ』に冷酷非情な警察官を登場させたり、一九七三年度のフランス推理小説大賞受賞作の『狼が来た、城へている。

『逃げろ』で狂気と暴力をストレートに描くなど、新・暴力小説としての側面を色濃く表出させている。

『病める巨犬たちの夜』の訳者・日影丈吉はあとがきで、この二人の共通点にふれ、「チャンドラーやシモナンをかれらは読み、六八年五月の市街戦も知っているはずだ。そして、自分たちが狂った社会に生きている、という共通の自覚を持っている」と書いているが、社会が狂っているからこそ、なるようになればいいとの虚無のひびきが底にあることも、共通しているような気がする。

ブルトン、シモナンに始まり、ジョバンニに実を結んだフランス暗黒小説は（あるいはボリス・ヴィアンもその根っこにいるのかもしれない）、A・D・Gやマンシェットまで、風俗小説の殻を捨て、自由の渇望も置き去って、虚無小説に至るが、この系譜の中で特異な位置を保っている作品を最後に紹介しておきたい。

アンリ・シャリエール『パピヨン』（一九六九年）だ。十三年間にわたるこの脱獄記が異彩を放つのは、自伝的要素が濃いだけに小説的なストーリーの起伏にとぼしいものの、逆に言えばそのために脱獄の克明なディテールをはじめ、ストーリー性の強い物語では見えにくい犯罪者のリアルな生活が浮き彫りにされているからだろう。さらに特筆すべきはシーン描写にすぐれていること。特に悪魔島からココ椰子の実をつめた袋で脱出する件（くだ）りは、その後の海上漂流の迫真的な描写も合わせて、すぐれた冒険譚となっている。

このアンリ・シャリエールがジョバンニ同様に元ギャングであること、さらにブルトンと

Ａ・Ｄ・Ｇが不良あがりであることは、このジャンル（暗黒小説）が、ヴィドックの系譜を継ぐヒーロー物語であることを示唆している。ヴィドックは十八世紀から十九世紀にかけて実在した盗賊にして密偵というフランスの神話的ヒーローだが、その神話を受け継いだのがロマン・ノワールだった（もっとも、フランソワ・ヴィドック『ヴィドック回想録』（作品社）の訳者三宅一郎のあとがきによると、ヴィドックは無実の罪で投獄され、のちに警視庁に勤めたことは事実でも、その実態は怪盗でもペテン師でもなく、警視庁の局長や警視総監になったこともないという。伝説というのはすべてそういうものかもしれないが、本国フランスでもその事実は無視されて、脱獄王、変装の名人、色事師、盗賊あがりの刑事というイメージが流布し、ヴィドックを主人公にした面白おかしい物語やテレビドラマが作られているという。まさしく神話的ヒーローなのである）。

マウンテン・マンに始まるアメリカ初期のヒーローが法の外に生きたように、無法者の系譜は各国にみられるヒーローの原型でもある。ギャング（無法者）がその発生の初期において、国家と対立し、ある意味では下層階級の側にあった歴史を想起すればいい。国の搾取に対抗する術を持たない下層階級の唯一の武器が〝暴力〟であり、ギャングがその象徴であったからこそ、大衆にとっての無法者ヒーローが神話として成立したのだ。

国家が体制を整えていくにつれ、ギャングは滅ぼされ、あるいは国に取り込まれて、大衆の側から離れていく。残るのは神話だけだ。ヴィドックが神話的ヒーローとして残ったように。

フランス暗黒小説はこの文脈の中で初めて理解される。であるなら、六〇年前後を境にジョバンニが暗黒小説から離れ、八〇年代に入って国際謀略小説に転進して行ったのは、その時期を最後に神話すらも滅んだからではなかったのか。

前記したように、フランスの大衆小説が翻訳されることの少ない日本にあっては、ロマン・ノワールの変化やジョバンニの衰退が見えにくく、したがってまったくの当て推量にすぎないが、六〇年代以降のジョバンニの衰退は、読者大衆の夢の崩壊を物語っているような気がしてならない。あるいは七〇年代のA・D・Gやマンシェットは、神話的ヒーローと訣別することで現代の新しい物語を作り始めているのかもしれないが、ここでは六〇年前後のフランスにジョバンニが描いた時代遅れの無法者ヒーロー物語の傑作の数々があったことだけを確認しておきたい。

スピレインの亡霊

ミッキー・スピレイン『ガールハンター』（一九六二年）は奇妙な小説だ。何しろ主人公のハマーが酔っぱらってどぶの中に体を突っ込んでいるシーンから幕が開くのだ。このだらしのないマイク・ハマーの姿に、まず驚く。しかも奇妙なのは、『ガールハンター』が失意と悔恨にうちふるえるハマーの内省の物語として終始することだ。

これは失った恋人ヴェルダを求めるハマーの〝心〟の旅の物語である。背景にファンタジックなスパイ戦を置くなどして作品としても上出来な小説とは言いがたいが、興味深いのはマイク・ハマーのそういう描き方だろう。衝撃的なデビュー作『裁くのは俺だ』（一九四七年）のラストで射ち殺したシャーロットの幻影におびえたり、親友パットにくってかかったり、ここにいるハマーは尋常のハマーではない。何がマイク・ハマーをかくも変えてしまったのか。

マイク・ハマー・シリーズ第六作『燃える接吻』（一九五二年）から、この第七作『ガールハンター』までには十年の歳月がある。いわば十年ぶりのハマー復活であるのに、この変わりようなのだ。その十年間に何があったのか。まず、このあたりを入口にしたい。

『裁くのは俺だ』（一九四七年）、『俺の拳銃は素早い』、『復讐は俺の手に』（一九五〇年）、『寂しい夜の出来事』（一九五一年）、『大いなる殺人』（一九五一年）、『燃える接吻』（一九五二年）という初期六作に共通しているのは、主人公の行動を支配するのが復讐などの個人的な動機であることだろう。マイク・ハマーには共産主義と闘う闘士という側面もあり、その種の発言も少なくはないが、スピレインの好悪という問題を除けば、それはむしろ時代による衣装にすぎない。初期六作の根底に色濃くあるのは、個人が自由であること、その〝徹底した個〟という考え方＝精神である。そしてこれこそが、マイク・ハマーが喝采を浴びた最大の因だろう。

ハマーの行動を支えているのは、ハマー自身の無責任な感情であるとの悪口も聞こえないではないが、他人にとってたとえやつあたり気味の、迷惑な感情の爆発であったにしても、本人にしてみればそれは己れの自由を守るための闘いであるはずだ。自由を阻害するものを殴り、平然と銃で射ち殺していくハマーの存在意義はこの一点にしかない。

スピレインの小説に暴力があふれていても、意外にセックスが描かれていないのも、この道筋を示唆しているように思う。マイク・ハマーは女性とベッドをともにするけれどその行動は巷間（こうかん）伝えられるほど派手ではなく、むしろ控え目である。それはハマーにとって性が、自由を守るための闘いと違う次元に属することだからだ。象徴的なのは、幾度も機会がありながら恋人ヴェルダとプラトニックな関係を保ち続けることだろう。ハマーが禁欲的な男なのではない。ヴェルダが性の対象ではないのだ。

一つの問題はここにある。ではハマーにとってヴェルダは何であったのか。

片岡義男(かたおかよしお)の秀逸な評論「予言するアメリカ一九五〇年代」(『十セントの意識革命』晶文社、所載)の中に「私立探偵はいかに廃業したか?」という一章がある。俺は自由だ、との観念で支えられて成立したマイク・ハマー・シリーズが一九五〇年代に崩壊した例証として、当時のテレビ探偵劇や西部劇にみられる主人公のグループ化をあげ、その底流に、世の中は結局個人ではどうすることも出来ないとの無力感と、個人よりは全体のチームワークをとるべきだとの戦後アメリカ社会の価値観の変化がある、と片岡義男はその中で洞察している。

つまり、マイク・ハマーが〝徹底した個〟という精神を堅持しようとした男だったからこそ、そういう〝個〟を許さない社会になった時に生きのびれなかった、ということだ。ハマーが登場しなかった十年間は、この道筋で理解できる。十年後に復活した時、失意と悔恨と未練の酔いどれ男として登場せざるを得なかったのも、もはやハマーが生きる時代ではなかったからだ。

しかし、ヴェルダは何であったのか。

ヒントは、たとえば『銃弾の日』(一九六四年)にある。これは秘密組織員タイガー・マン・シリーズの第一作で、スパイ小説の衣装を借りてはいるが、とんでもないラブ・ロマンスで驚かされる。かつて愛して裏切られたナチのスパイ、ロンディーンと再会したタイガー・マンは、彼女を殺すという私的復讐のために陰謀に首を突っ込んでいくが、それは同時に見失ってしまった恋人を再度探す彼の旅でもある。この構造は限りなく『ガールハンター』に近い。

この『銃弾の日』のラストがすごい。ロンディーンが結局は別人だったことが判明するにもかかわらず、誘惑してくる彼女に「あとのことはどうでもいい」と彼はふらふら近寄って行くのである。目の前の女性に昔の恋人の幻影を重ねていくのである。

おそろしくロマンチックな設定だが、ここから、タイガー・マンにとってロンディーンは現実の女性である必要はなく、観念であることがわかる。そしておそらくは、『銃弾の日』と『ガールハンター』が構造的に類似していることから明らかなように、ロンディーンはマイク・ハマーにとってのヴェルダと同じ意味なのである。では、この観念は何を象徴しているのか。

マイク・ハマーは個の自由を求めて闘う都会の戦士だが、同時にそういう自己を、その闘いの正当性を認めてくれる理解者を求めていたのではないか。ハマーがヴェルダから幾度も誘われながら、プラトニックな関係を保ったのは、理解者が現実の女性に転化してしまうことをおそれたからに他ならない。いわば、マイク・ハマーの悲劇は、その精神の同伴者を最初から必要としたことにある。それをスピレインのロマンチシズムと言ってもいいが。個の自由を志向しながらも、徹底した個についになれなかったところに、ハメットとスピレインをわける線があるような気がする。

ミッキー・スピレインの作家としての資質は、ハマー空白の十年間に書かれた中短篇によくあらわれている。

ラブ・ロマンス「殺しは二人で」や、〝恋愛冒険小説〟「狙われた男」「死ぬのは明日だ」には、この作家のおそらくは素顔であるロマンチシズムがよく表出しているし（E・R・バローズ顔負けの「ヴェールをつけた女」は形容に困るが）、なんといっても隔離された山間地の闘いを描いた〝純〟冒険小説「立ちあがって死ね！」が特に光っている。これは「茂みの中にあお向けに横たわって、尾根の上空を円を描いて舞う三羽の禿鷹を見つめた」（小鷹信光訳）という印象深いシーンから幕が開き、なぜこの極限状況で主人公が闘わなければならないのか徐々に明らかになるという見事な中篇である。都会ではなく大自然を舞台にしているのが異色であるし、主人公が自己の信じることに直進する野放図なハマーと違って懐疑的である点が目を引く。その点では三十年前の作品とは思えないほど現代的ですらある。

これらの中短篇には、スピレインに対して血と暴力とサディズムの作家と決めつけることを拒否するものがある。ハマー・シリーズでは見えにくいスピレインの〝素顔〟を示す多様なひろがりがあるのだ。一九七九年に書かれた少年冒険小説『大いなる冒険』は、ある日突然海が干上がってしまうというファンタジックな設定で始まる〝宝探し〟小説だが、この作品でもそういうスピレインの器用さを知ることが出来る。もし多作を強いられれば、もっといろいろな傾向の作品を書いたのではないかと思われ、惜しまれてならない。

最後の問題は、マイク・ハマーは本当に滅んだのか、ということだ。

自己の自由を犯すものには法の外に生きても闘うというハマーの〝暴力〟は、ファシズムとののしられ、時代錯誤の精神とみられている。しかし一九五〇年代のアメリカでスピレインが熱狂的に読まれたのは、個人の力ではどうすることも出来ない巨大な力が社会を支配しはじめた時に、それでも個の力を信じたいと願う読者の暗い夢と直結したからに他ならなかったはずだ。鏡明は「マイク・ザ・ハードボイルド・ハマー」（『名探偵読本6　ハードボイルドの探偵たち』パシフィカ、所載）の中で次のように書いている。「彼らの知的な方法に対して、マイク・ハマーのもちいることのできるのが拳銃であり、こぶしであったとしても、誰が責めることができようか」

読者が現実には決して持つことのない拳銃やこぶしを心の中に抱いていたからこそ、マイク・ハマーの闘いに喝采を送ったのである。であるなら、ハマーの消滅とは我々の心の中の拳銃やこぶしの消滅でなくてはならない。たとえその拳銃やこぶしが幻想であったとしても、もはやその幻想ですらも持たなくなったというのだろうか。

マイク・ハマーはたしかに還ってはこなかった。しかし綿々と亜流作品が生れている現実は、それが亜流であればあるほど、その原型たるスピレインの精神に対応する読者側の暗い夢が決してなくなってはいないことを直截に示しているように思う。

一九六〇年代末にマック・ボランが喝采を浴びたのも、アメリカ社会がベトナム戦争という巨大な現実に直面したためにそういう水面下の〝スピレインの亡霊〟がよみがえったからではなかったか。ロバート・B・パーカーのスペンサー・シリーズもこの文脈の中で考えたい。あのシリーズはさまざまな新しい衣装をつけているように見えるものの、本質はスピレインである。ハマーと違ってスペンサーが屈折しているのは時代の差であり、その屈折の仕方が時に嫌味に見えるのは作者の資質の違いにすぎないように思える。どちらも、自己がなにものかであることを守るために、官憲と取引きしながら拳銃とこぶしで個の闘いを繰りひろげることでは共通している。

イギリスやフランスのヒーロー小説とは違って、アメリカのヒーロー小説が野蛮で直接的なのは、たとえ都会を舞台にしようともアメリカン・ヒーローの原型が苛酷な自然と闘った西部のヒーローだからだということは以前書いた。そういう男でなければ荒野で生き残れなかった。この道筋に立てば、スピレインの描いたマイク・ハマーがアメリカン・ヒーローの正統的な嫡子であることも見えてくる。嫡子だからこそ時代の衣装にあわせて〝亡霊〟は幾度もよみがえる。ちょうどスペンサーのように。ただハマー自身が生き残るには、彼はあまりにロマンチストすぎたのだ。

自警団ヒーロー、ボラン

一九六〇年代はスパイ小説が世界中を席巻した時代で、きっかけはイァン・フレミングのジェイムズ・ボンド第六作『ドクター・ノオ』（一九五八年）の映画化（邦題「007は殺しの番号」）とその世界的大ヒットだった。

もちろん、スパイ小説の伝統が長い英国には六〇年代に入ってもボンドの影響を受けないリアルな作家たち、たとえばル・カレやレン・デイトンがいたし、どちらかといえばスパイ小説後進国のアメリカにもボンド以前にスパイ小説がなかったわけではない。しかし、ボンドの成功がスパイ小説の世界をがらりと変えてしまったのも事実である。

小鷹信光の「アメリカのスパイ小説」（『小鷹信光・ミステリー読本』講談社、所載）には、この前後に生れたアメリカのペイパーバック・スパイ小説がずらり紹介されているが、そのすごい数に驚かされる。六〇年代を席巻したスパイ・ヒーローの洪水がいかにすさまじいものであったかは、この時代におけるわが国の〝報告書〟二冊、小林信彦（こばやしのぶひこ）『地獄の読書録』と、石川（いしかわ）喬司（たかし）『極楽の鬼』を一読しても明らかだろう。

従って本来ならば、五〇年代のスピレインに続いて六〇年代を闊歩したこれらのスパイ・ヒーローたちをとりあげるべきなのだが、順序をとばしてアメリカ七〇年代に入りたい。まず最初に〝スピレインの糸〟をたどりたいのである。アメリカ通俗小説の中に〝スピレインの亡霊〟がいかに見えかくれしているか、一本の線として明らかにしておきたいのだ。

アメリカ七〇年代の冒頭を飾るのは、マック・ボランだ。一九六九年にドン・ペンドルトンが発表した『マフィアへの挑戦』第一作こそ、スパイ・ヒーローに代わる新しいペイパーバック・ヒーローの口火だった。続いて、スチュアート・ジェイスンの〈屠殺人〉ビューカー、ジョゼフ・ローゼンバーガーの〈死の商人〉カメリオン、サピア＆マーフィの〈殺人機械デストロイヤー〉レモ、と後続部隊が登場して七〇年代はその別名の通り、暴力あふれるスーパー・ヒーローの時代となった。これらのスーパー・ヒーローが六〇年代のスーパー・ヒーローにもましてすさまじい勢いでふえ、いかに一大ジャンルを形成していったかは、八〇年代に入ってなお亜流作品を生んでいることからもわかる（前記の四大ヒーロー以後のスーパー・ヒーローについては、鏡明監修の創元文庫〝ペイパーバック・ヒーローズ〟でその一部がわが国にも紹介されている）。

あとに続いた作品になると少し異なってくるが、七〇年代最初のスーパー・ヒーローたちを解く鍵は、ベトナムとマフィアだ。ベトナム帰りの主人公が限りない暴力を行使して国内の敵＝マフィアと闘うのが、これらのヒーローたちの共通項である。なぜ、こういうヒーローが喝采を浴びたのかについては、口火役となったマック・ボランを見るべきだろう。

ドン・ペンドルトンの生んだマック・ボランは、ベトナム従軍中に家族をマフィアに殺されたという設定で幕を開ける。あとは延々、アメリカ中のマフィア支部を壊滅して歩くボランの殺戮行が綴られていく。別名が、死刑執行人。特色は大量の兵器を使い、ベトナム帰りのテクニックを駆使すること、官憲のなかに味方あるいは同調者がいること。そして主人公はすさまじい殺戮をくりひろげるわりには女性に対してストイックであること。これだけだ。

アメリカでは数十巻書かれたらしいが、わが国に翻訳された二十巻を読むかぎりでは巻によっての変化はない。徹底して同じことが繰り返される。なぜこのヒーローが新たなペイパーバック・ヒーローを続々と生み出すほどの衝撃力を持ち、読者大衆の喝采を浴びたのか。

以前私は、七〇年代は女の時代だった、という主旨の文章をスクリーン上のダスティン・ホフマンに託して書いたことがある。それは一九六九年の「卒業」から一九七九年の「クレイマー、クレイマー」までの十余年、自信を喪失したアメリカ男をスクリーンで演じたのがダスティンなのだ、という強引な展開で、その十年が女性の時代であったのは、教室の外で女を待ち、追いかけ、ついに教会にまで乗り込んでかっさらう「卒業」の寓意（スクエアな人生も選べずドロップアウトも出来ない中途半端な男は、最後のよりどころである女の体に逃げ込むしかない、つまり自信を失った男はスケコマシとして生きるしかないという寓意）に象徴されていた、というのがその主旨である。

トマス・チャステインのマックス・カウフマン・シリーズを始めとする警察小説や当時のハードボイルド、はては冒険小説にいたるまで、七〇年代のエンターテインメントに大流行しでいたしょぼくれ男の意味は、このダスティンを持ってこなければ解けなかった。自信を喪失していたからやさしい男となり、淋しさに耐えられないから異性を求めるというこの間の傾向を〝ラブ・コールの時代〟と呼んだのもそのためだ（カウフマンが署長室の私設電話から愛人にたびたびラブ・コールを入れるのはその象徴だったと思う）。

それが七〇年代アメリカの現実の写し絵ならば、その反動として生れてきたのがスーパー・ヒーローたちだったのではないかと私は考えた。ここまではいい。問題はこの先だ。『マフィアへの挑戦17』の解説で私は次のように書いている。

「ヴェトナム戦争で身につけた戦闘技術と最新の兵器を使い、たった一人で巨大な組織に立ち向かうヒーローなど、いかに楽天的なヒーローといえども、リアルな存在のはずがない。ただでさえ、自信を喪失していた時期である。それはほとんど夢の存在だ」

「だからこそ、マック・ボランの登場が喝采を浴びたのだ。たった一人でマフィアに立ち向かい、敵を皆殺しにしていくヒーローの物語は、夢だからこそ競って読まれたのである。殺された家族の復讐、というマック・ボランの私的理由に喝采を送ったわけではないだろう。およそ現実離れした殺戮と暴力そのものを読者は歓迎したのである」

「七〇年代のスクリーンに見るダスティンが彼らの現実であったように、この間に生まれたスーパー・ヒーローの物語は、彼らのやり場のない苛立ちを解消する夢であった。夢ならば現実から遊離しなければならない。かくしてスケコマシのダスティンと正反対の位置を占めるために、ヒーローたちはストイックにならざるを得なくなる。暴力とストイシズムは、七〇年代のヒーローが夢であるための必要条件なのだ」

　これは読み違いだ。暴力とストイシズムだけがマック・ボラン・シリーズのポイントであるなら、その後パワー・ダウンしていった理由が解けない。一九八一年ピナクル社からゴールド・イーグル・ブックスに移るにつれて、マック・ボランは私的戦争をやめてエージェントと化し、世界中のテロリストを相手に不毛の闘いを繰りひろげていく（この新しいボランは二十一巻、チームを組んだフェニックス、フォースは二巻、国内戦闘チーム、エイブル・シリーズは三巻、それぞれ邦訳されている）。この八〇年代のエージェント・ボランが七〇年代のボランに比較してパワーを失っているのは明白である。それは何かが欠落したからだ。しかし、それは決して暴力とストイシズムではない。では、何か。考えてみるまでもないことだ。失ってしまったのは、闘うことの私的理由に他ならないではないか。

　ドン・ペンドルトンが七〇年代をリードした理由として、マフィアという〝すぐれた敵〟を設定したアイデアの意味はたしかにある。それは第二次大戦を背景にした小説の〝ナチ〟と同様に説得力のある〝悪〟ではある。しかし、それだけで喝采を浴びるかどうか。むしろマック・ボラン・シリーズのベトナムとマフィアを結ぶ線は、間に私的復讐という核を置いて成立したのではないか。つまり、国のために闘うという理由がいけなかったのだ。そういうまぎれの多い理由ではなく、自分のために、家族のために、友人のために、闘うのがヒーローであり、その明確な理由を見失わないかぎりヒーローたり得るのだ、と力強く宣言したのがボランの意味だったのだと思う。その理由を失い、暴力とストイシズムという表面上の貌だけをたずさえてエージェントと化したからこそ、ボランは八〇年代に不毛の闘いを繰りひろげなければならなくなったのである。それがドン・ペンドルトンの誤解であったことは言うまでもない。

泥沼化したベトナム戦争のなかで、国のために闘うことの不毛さを否応なく味わわざるを得なかった、だからこそ、個に徹したボランにヒーロー復活の喝采を送ったのである。こう考えたほうがわかりやすい。そして、この道筋に立てば、マック・ボランがスピレイン直系のヒーローであることも見えてくる。

たとえば、前記の〝ペイパーバック・ヒーローズ〟で、マック・ボラン直系のヒーローとして第一作（邦題『復讐者の怒り』）が紹介されている八〇年代のジョン・カッター〝スペシャリスト〟シリーズもヒントになるだろう。主人公はジャック・サリヴァン。殺しのプロだ。彼は依頼されて敵を倒していくが、報酬を受けとるものの、金のためだけでは決して動かない。依頼者の〝怒り〟を共有できるかどうかがポイントになっている。他人の復讐を自分のものにするというこのシリーズの構造は、殺された家族の復讐を核にしたマック・ボラン・シリーズの見事なバリエーションと言える。

アリス・K・ターナーは「ペイパーバック・ヒーロー」（『ミステリー雑学読本』集英社、所載）の中で、これらのスーパー・ヒーローについて「こうした本の精神――あるいは肉体――を成す者は自警団員意識を持ったヒーローであり、彼を衝き動かす動機はただ一つ、復讐心である」（長谷川次郎訳）と書いているが、マット・ヘルムや悪党パーカーまで一緒にくるという矛盾はあるものの、この〝自警団員意識を持ったヒーロー〟との観点は大変興味深い。というのは、マイク・ハマー、マック・ボラン、スペンサーを貫く一本の線は、その〝自警団員意識〟にこそ求められるからだ。

　彼らにとっては、世界がどうなろうと、極論すれば、たとえ破滅しようとも関係がない。関心があるのは自分と恋人や友人たちだけだ。それらを守るためなら官憲と取引きもするし、暴力も辞さない。そういう身のまわりの手の届く範囲だけを守ろうという〝自警団員意識〟こそ、彼らの共通項である。マック・ボラン・シリーズにはすさまじい暴力の風が吹き荒れているので、ついそちらのほうに目がいってしまうが、その本質はそういうことである。他人の怒りを自分のものにしなければ行動に移れないという〝スペシャリスト〟シリーズは、この系譜の本質を示唆しているように思う。

　西部が法の外にあったからこそ無法者ヒーローが成立し、あるいは家族を自分の力で守るしかないというヒーロー・イメージが初期アメリカで形成されたことはここに確認するまでもない。このことこそアメリカン・ヒーローの特色であり、噴出する暴力はその強調にすぎない。こういうヒーローを熱狂的に歓迎したアメリカ七〇年代がはたして幸福な時代だったのかどうかということになると、疑問がないわけではないが、五〇年代前半のミッキー・スピレインと七〇年代後半のロバート・B・パーカー、そして両者をつなぐドン・ペンドルトン、彼らが生んだ自警団ヒーローはアメリカン・ヒーローの水面下にある一つの原型であることだけはたしかだろう。

スペンサーの饒舌

さて、ロバート・B・パーカーだ。一九五〇年代前半のミッキー・スピレインと七〇年代のドン・ペンドルトンを結ぶ糸は、七〇年代後半を席巻するパーカーまで、色濃く伝わっている。この一本の線をここでも浮き彫りしておきたい。

ロバート・B・パーカーの生んだ私立探偵スペンサーが初めて登場したのは、一九七三年『ゴッドウルフの行方』からだが、この第一作はオーソドックスなハードボイルド小説であり、真の〝スペンサー物語〟が始まるには第三作『失投』（一九七五年）を待たねばならなかった。第二作『誘拐』（一九七四年）にもこのシリーズのさまざまなテーマの萌芽がみられるが、まだ例のディスカッション・ドラマは始まっていない。

ロバート・B・パーカーがスピレインの直系ながらも、スペンサーがマイク・ハマーともマック・ボランとも異なるのは、彼の議論好きというこの性癖である。スペンサーと恋人スーザンが延々繰りひろげるディスカッションは、ハマー物語にもボラン物語にもないこのシリーズの特色であり、このことこそがスペンサーを際立たせている。時にはプロットの展開を無視してまで彼らは議論するのだ。このディスカッションへの執着は一体何なのか。

スペンサーとスーザンの議論が、主にスペンサーの生き方についてのみ展開することに留意したい。映画や文学や料理についてディスカッションするわけではないのだ。たとえば『失投』のラスト、ギャングを射殺したスペンサーは、その方法が自分のルールに抵触したことをスーザンに告白する。かくて男の倫理、名誉についての議論が繰りひろげられる。スペンサー物語はこの繰り返しだ。困難なシチュエーションを用意し、それに対するスペンサーの現実的解決法を、スーザンと議論する、というのがこのシリーズの基本構造なのである。ポイントは、シチュエーションにもその解決法にもなく、はたしてそれでよかったのかどうかというディスカッションのほうにある。従って、シチュエーションも解決法も、時に単純にもなり、乱暴にもなる。『失投』のプロットがいささか単調で性急すぎるのも、この文脈で考えれば理解しやすい。これ以降の作品もおおむねこの傾向にある。

スペンサー・シリーズの第一の特徴はこのようにディスカッション・ドラマであることだが、以前このシリーズを分析して私は主人公の五つの特色をあげたことがある。第一はディスカッションの繰り返しにみられる饒舌（じょうぜつ）である点だが、残りの四つは以下の通り。

第二は、世をすねた観察者でなく、健康な生活者であること。彼はジョギングやウェイトリフティングで汗を流し、自分で食事をつくり、詩を読む。主人公のスポーツへの偏愛と飲食場面における細部へのこだわりは、他の私立探偵たちに並べると奇異に映るほど異彩を放っている。

第三は、男性誇示主義者であること。私立探偵を主人公にした小説が最後の騎士物語である点はパーカー以外の私立探偵小説にも見られるが、スペンサー・シリーズではその側面が著しく強調されている。スペンサーにとって大切なのは事件の解決ではなく、ましてや依頼者の幸福でもなく、現実と対しながら自己の名誉をどこまでも保ち続けられるかということである。そのためであるなら暴力をふるうことに何のためらいもない。現代の騎士物語として、この暴力、肉体の強調はいささか特異だ。

第四は、恋人スーザンへの執着が過剰であること。なにしろ恋人の顔をプリントしたTシャツを着てジョギングするのである。肉体派の私立探偵としては想像を絶している。

第五は、現実主義者であること。少女売春婦を救出した後に高級コールガール組織を紹介したり、自閉症気味の少年にまず肉体の鍛錬から教えたりするように、常に現実派である。相手を倒すためには警察と協力し、相棒ホークの暴力を借り、時にはギャングとも取引きする。そこには何の屈託もない。

ハードボイルドの文脈で考えれば、このような特色を持つスペンサーは旧来の私立探偵のイメージからあまりにかけ離れている。なぜ主人公をこのように描いているのかは「どちらかというと、冒険小説と呼んでほしい。スペンサーは探偵だが、シャーロック・ホームズとか、エラリイ・クイーンみたいな探偵じゃない。複雑な謎を解けないんだからな。チャンドラーがかつて〝隠れた事実を探る一人の男の物語〟と言ったことがある。同感だね。男、心情、名誉の行動についての本なんだ。西部小説と同じ伝統だ」（木村二郎『尋問・自供』、早川書房）とパーカー自身が語っているように、スペンサー物語がヒーロー小説だからだろう。

しかし、ヒーロー小説がディスカッション小説である必要はない。むしろ議論を延々繰りひろげることによってヒーロー物語が本来与えてくれるはずの昂揚から遠去かってしまう。なぜ議論が必要なのか。

その前に、このシリーズの推移をしばらく見てみよう。第三作『失投』で幕を開けるこのシリーズのディスカッション・ドラマは、第四作『約束の地』（一九七六年）、第五作『ユダの山羊』（一九七八年）でついに暴力が噴出する。ギャングと闘い、テロリストと凄絶な格闘を繰りひろげるスペンサーは、あの暴力の戦士マック・ボランであるかのようだ。もちろん、スペンサーはボランではない。『ユダの山羊』において、女テロリストを拷問しようとするホークをとめたスペンサーは次のように言う。「おれにとって、彼女がどんな人間であるかは、問題じゃないんだ。自分がどんな人間であるかが、問題なんだ」（菊池光訳）

ボランならこんなことを言いはしないだろう。このダンディズムこそがスペンサーを際立たせている。

『約束の地』と『ユダの山羊』において暴力を噴出させた真意は、次に書かれたノン・スペンサーもの『銃撃の森』（一九七九年）にいたって判明する。これはギャングの脅迫に屈した作家が屈辱の中から這い上がっていく物語だが、ポイントは暴力を得意とする友人クリスの描写の中にある。なんと彼はいとも簡単に殺されてしまうのである。この寓意を考えたい。主人公ニューマンは彼についてこう考える。「クリスはよい夫でもよい父親でもなかった。彼は、了供が病気になったり、金に困ったり、配管に故障が生じた時に、それに対処することができなかった。彼にできるのは、戦うことだけなのだ。彼が得意とするのは暴力だけだ」(菊池光訳)。そして次のように言う。「タフであることには、いろんな種類があるんだ」

暴力を得意とするはずのクリスがあっけなく殺され、冷静に事態を分析し、サバイバルの知識を身につけた主人公ニューマンが闘いを生き抜いていく寓意は、肉体的に秀でていることは自慢すべきものではないし、それほど役に立つことでもない、ということだろう。この観点に立てば、殺人者であることに震えていた『失投』から、平然としている『ユダの山羊』までの変化が、スペンサーにとりあえず肉体的タフネスを与えてみようというパーカーの意図に他ならないことも見えてくる。自分の立っている地点を確認するかのように、スーザンとその度ごとに議論させながら、一歩ずつスペンサーを先に進めていくこの間の展開は、直接的行動にひた走るマック・ボランとは明らかに異なっている。

与えてみた、ということは、『銃撃の森』で明らかなように、その限界を想定していることでもあり、かくて第六作『レイチェル・ウォレスを捜せ』(一九八〇年)から、暴力を得意とする、肉体的に秀でた男はそれだけでヒーローたり得るのかというきわめて稀なヒーロー自省物語が始まることになる。

この『レイチェル・ウォレスを捜せ』から、第七作『初秋』(一九八一年)、第八作『残酷な土地』(一九八一年)、第九作『儀式』(一九八二年)、第十作『拡がる環』(一九八三年)までの展開こそ、スペンサー・シリーズの読みどころといえる。ロバート・B・パーカーは第十一作

『告別』（一九八四年）において、『残酷な土地』でボディガードを依頼されたにもかかわらず美人記者が殺されてしまった失敗が、その後の鬱屈を生んだとスペンサーに語らせているが、「おれは、自分が完全でないことに怯え始めた」という主人公の内省は、『レイチェル・ウォレスを捜せ』で肉体的に秀でているだけではたしてヒーローたり得るのかと突きつけられた疑問から始まった、と解したい。そうでなければ仕事に失敗した『残酷な土地』以前の『レイチェル・ウォレスを捜せ』において、その前作の『ユダの山羊』とは別人のようにスペンサーがうろたえていた理由が解けない。

『拡がる環』のラストで「自分から遠く離れたどこかの霊的世界で夢をみている彼女を見守っていた。彼女の一部は常に自分から遠く離れて、知ることができず、つかまえることができず、絶対に自分のものになることはない、という確信を深めながら、眺めていた。彼女を見てそのようなことを考えながら、それでいいのだという信念を抱いた」（菊池光訳）と、スーザンを見るスペンサーの姿は、ヒーローが内省の果てにたどりついた孤独を象徴しているかのようだ。現代のヒーローをこの地点まで持ってくることがパーカーの目的だった、との気がしないでもない。

この『拡がる環』を頂点として、スペンサー・シリーズはとりあえず小休止する。『告別』ではスペンサーに泣き事を言わせているが、第十二作『キャッツキルの鷲』、第十三作『海馬を馴らす』、第十四作『蒼ざめた王たち』には、『レイチェル・ウォレスを捜せ』から『拡がる環』までのスペンサーが嘘のように無邪気な暴力男が復活している。まだ書き続けられているシリーズなので性急な判断は控えるが、今後新しい展開がないならば『拡がる環』でこのシリーズは事実上の終幕を迎えたと言っていいだろう。

『失投』から『拡がる環』までの流れをこのように読めば、スペンサー物語におけるディスカッションの過剰もまた自ずから明らかになる。これは現代にヒーローは存在し得るのかというテーマを追い続けている実験小説なのだ。すなわち、名誉を守り続けながらこの猥雑で迷路のような現代を生きることがはたして男に可能なのか、ということだ。八〇年代のヒーロー小説がこのようなかたちでしか存在し得ないというのは時代の皮肉だが、スペンサーを取り巻く環境が、ハマーの生きた五〇年代とも、ボランの生きた七〇年代とも違うのだから、それもまたやむを得ない。

むしろここでは彼らの相違よりも共通項を見ておきたい。前記したスペンサーの五つの特徴のラスト、身近な人間を守るためには法をおかすことも辞さないという〝自警団員意識〟の強調が、このシリーズに色濃く流れていること――これこそが太い共通項だ。己れの生き方をディスカッションするスペンサー・シリーズの構造は、こう言ってよければ八〇年代の衣装であり、それを取り払ってしまうと、スペンサーが〝自警団員意識を持ったヒーロー〟マイク・ハマーの直系である素顔が見えてくる。スピレインの亡霊はそう簡単にはくたばらないのである。

悪党パーカーの栄光

リチャード・スタークの生んだ悪党パーカーは、タフで、非情な男、とされている。アメリカ五〇年代を席巻したマイク・ハマーから、六〇年代末のマック・ボラン、七〇年代後半のスペンサーまで続く〝自警団ヒーロー〟たちとくらべれば、悪党パーカーの非情さはたしかに際立つ。

〝自警団ヒーロー〟たちには、世界を救うつもりはなくても、身近な友を救う感情があった。ところが、この特異なシリーズの主人公パーカーには、その感情すらもない。たとえば、将来は食堂を経営したいという泥棒仲間のハンディ・マッケイが、第三作『犯罪組織』（一九六三年）で、パーカーとは長い付き合いだから金にならなくても仕事をすると言い出した時、「ものを持ちはじめ、友情を口に出すようになったら、プロとしては危険信号だ」（片岡義男訳）とこの男は考えるのである。さらに、第四作『弔いの像』（一九六四年）でそのハンディが正体不明の敵に連れ去られても「ハンディの生死は、さほどの問題ではない」（片岡義男訳）と思うだけで、救出する考えをまったく持たない。この文字通りの非情さはマイク・ハマーにはないものだ。仲間の生死すら関心外なのだから、ヒーロー小説においてたしかにこれ以上冷酷なキャラクターは存在しないと言っていい。

だがシリーズ全体を通して見た場合、そういうふうに断言しきれないような気もしてくる。というのは、この悪党パーカー・シリーズが前半と後半でまったく異なっているからだ。前半とは『人狩り』（一九六二年）から『カジノ島壊滅作戦』（一九六六年）までの八作、後半とは『裏切りのコイン』（一九六七年）から『殺戮の月』（一九七四年）までの八作だ。前半八作で終ったならば、これは〝自警団ヒーロー〟と対立する特異なヒーロー物語であっただろう。しかし、後半八作をつなげたことで、その印象は曖昧になっている。

まず、前半八作を見る。

第一作『人狩り』で、主人公パーカーの感情の起伏が激しいことにまず注目したい。自分を裏切った妻リンに対する憎しみが全篇を貫いている。シリーズ第一作におけるこのパーカーの姿は、冷酷非情で無感動な男、というイメージからかけはなれている。もちろん、妻リンの裏切りによって自分の気ままな生活のリズムがこわされた、ということはある。年に一度か二度、強盗を働いて、あとはマイアミあたりで優雅に暮らす、というのがパーカーの守るべきたったひとつの〝理想〟であり（この男はそれ以外のことを考えていないからすごい）、その生活をこわされたことの怒り、との側面はたしかにある。しかし、裏切りの仲間マルに対する報復（これだって生活のリズムがこわされたことの怒りだ）が決して憎しみの感情から発していないことを考えれば（要するにこちらは落とし前である）、妻リンへの激しい憎しみはやはり異彩を放っていると言うべきだろう。「誰も愛さず、憎まず」という信条を自分が破ってしまったことの主人公の反省を出発点にしたと解さなければ、この激しい憎悪は解けない。つまり、この第一作の構造は、徹底した個の原点に還ろうという作者の強調、その宣言である。

『人狩り』が鮮烈なのは、犯罪者を主人公にして、しかも彼が生きのびていくという新しいヒーローを創造したことがもちろん大きいが、主人公パーカーが最初から冷酷非情な男ではなく、そうしようと努めても出来なかった失敗の地点から、もう一度〝自警団ヒーロー〟と訣別する姿を、主人公の揺れ動く感情とともにあざやかに描いたことも見逃がせない。これは「人間はスーパーマンに憧れをいだくが、それが欠点をもったスーパーマンなら、文句なしにこちらのほうを愛す」（コリン・ウィルソン）という〝法則〟に従ってこの物語が書かれたことを意味している。そのほうが共感するではないか。何しろ、このヒーローは犯罪者なのだ。パーカーは社会に対立するヒーローとして最初から完全無欠な犯罪者＝冷酷非情なタフ男だったのではない。このことこそ、このシリーズ前半のポイントである。

リチャード・スタークの卓越した点は、第二作『逃亡の顔』で、わが身よりも金よりも大切だったとリンをなつかしく思い出させるなどして、パーカーの〝不完全な非情〟を読者に意識させながら、決して主人公の内面の〝成長〟を描かず、ハンデを主人公の外側に次々と置くことでストーリーを動かしていくことだろう。すなわち、行きがかりでシンジケートに立ち向うことになり、逃げるために整形したら、その整形医が殺されてパーカーの秘密が明らかにされる。かくて彼は仕方なく、新たな敵と次々に闘わざるを得なくなる。第三作『犯罪組織』までは、金のための仕事ではなく、そういう〝個人的な理由〟でパーカーは闘い続ける。

そして、第四作『弔いの像』（一九六四年）、第五作『襲撃』（一九六五年）と本格的な強奪行を展開したのちに、前半のクライマックス、第六作『死者の遺産』（一九六五年）にたどりつく。この作品まで連絡係をつとめたジョー・シアーの死によって、パーカーは隠し財産を含めて何もかも失ってしまうのである。圧巻は、自分の秘密を握る少年を殺すシーンだ。


「よし」とパーカーはいって、少年を二度殴った。

パーカーは少年を地下室の穴の中に埋めた。少年が自分で掘った穴だった。（笹村光史訳）

例によって、作者はパーカーの心象風景を何も書かない。『人狩り』にあった激しい感情の起伏は、もはやどこにもない。冷静に事態を分析し、行動する男がいるだけだ。仲間の裏切りや状況の急変、次々にそういう〝危機〟をパーカーに与えることで『人狩り』の地点から『死者の遺産』まで、このように主人公を変えてしまったことこそ、このシリーズ前半の見せ場であると思う。ここまできて初めて「誰も愛さず、憎まない」パーカー像が完成する。

前半の最後の二篇、第七作『汚れた7人』と第八作『カジノ島壊滅作戦』は、従って付け足しだ。仲間を変え、舞台を変え、計画を変えれば、このままいくらでも続けることが出来る。ではどうしてそのまま冷酷非情な男の物語を続けなかったのか、ということについては、解答がない。第八作を最後に版元が変更したことが理由として推察されるが、それもどうなのか、実はわからない。だが、とにかくパーカー物語は変ってしまった。

このシリーズを変えてしまったのは、第九作『裏切りのコイン』(一九六七年)に登場するヒロイン、クレアだ。彼女がすべてを変えた。

さすがに知り合ったばかりの『裏切りのコイン』では、いざとなったら彼女を始末することも考えて迷っているが、それでもパーカーはクレアのためにしばしば自分の考えをまげるのである。それまでのパーカーとは別人であるかのようだ。目の前の仕事も彼女を手に入れるためのもので、まったく自分らしくないと本人も自覚しているのだから、始末が悪い。仕事中に女を寄せつけず、禁欲的になるのもパーカーの特色だったが、第十作『標的はイーグル』では、なんと強奪当日にクレアのことを考える変りようで、パーカー本人も自分の変化に最初はとまどっている。

第十二作『怒りの追跡』で裏切者ジョージ・アールに慈悲をかけて殺さないのも、以前なら考えられなかったことで、これもクレアの影響だろう(もっとも、第十五作『掠奪軍団』でアールが再登場すると、さすがに慈悲をかけたことを後悔するが)。この後半八作の白眉は、第十三作『死神が見ている』(一九七一年)だ。なんとクレアが家をかまえることをパーカーは許してしまう。当然それはパーカーの弱味になり、クレアを人質にとられたりするが、それでも家にこだわる彼女を、驚くべきことにパーカーは理解してしまう。これでは食堂を持ちたいというハンディ・マッケイを嘲笑う資格は、パーカーにない。

ここまで変化すれば、第十六作『殺戮の月』（一九七四年）に行きつくのも時間の問題だった。このパーカーは尋常ではない。襲撃プランを作ったうえで昔の仲間を集めたというのに、分け前はいらないと言うのだ。パーカーはとらわれた相棒のグロフィールドを救出し、ギャングたちをみな殺しにすることだけが目的なのである。友情と復讐、である。この行動原理は、シリーズ前半のそれとはまったく異なっている。あのハンディ・マッケイに「あんたらしくもないぜ」と言われたりするのだ。

　このシリーズ全体の読みどころは、緻密な犯罪計画とその実行作戦の緊迫感であり、さらに裏切りのドラマとテンポのいい語り口であり、そして何よりも感情を排した乾いた文体にあるが、構造的にはリチャード・スタークの悪党パーカー・シリーズはこのように明確に二分されている。これはまったく異なる物語といっていい。前半八作が、あえてヒーローの内面を描かず、行動のみを積み重ねて冷酷非情な男の地点（つまりは根源的な〝個〟）までたどりついたのにくらべ、後半八作は、同伴者を持ちながら生きるヒーローの物語である。第十五作『掠奪軍団』に、パーカーが世間話をして相手に話をあわせるシーンが出てくるが、「他人と組むことになりそうな時は、いちいち理由を説明してやれ。必要以上にぶっきらぼうに構えてはだめだ」（汀一弘《みぎわいっこう》訳）と自分に言いきかせるパーカーの姿には驚かされる。ぶっきらぼうに生きる姿こそ、前半のパーカーだったのだ。

　第十六作『殺戮の月』でこのシリーズが中断したままであるのは、あるいは正解なのかもしれない。前半八作の構造であるなら、『カジノ島壊滅作戦』以後も延々と同種の物語で続けられるが、後半の展開では『殺戮の月』以降、クレアの影響をうけたパーカーの内面の変化を、一作ずつ掘り進んでいかなければならなくなる。その方向を選んだのが、あるいはロバート・B・パーカーのスペンサー物語だったのかもしれないが、リチャード・スタークは『殺戮の月』以後のパーカーを描かないことで、〝自警団員意識〟を持つヒーローと危ういところで訣別し、この特異なヒーローの孤高の栄光を守り続けているのである。

ライアルの場合

ギャビン・ライアルの長篇第一作『ちがった空』（一九六一年）は、エンジンが磨滅した機齢十七年の愛機ダコタを操縦するジャック・クレイがアテネの空港に降り立つところから幕が開く。手続きをすませ、関係者と無駄口を叩き、空港を出るまでの間に、主人公がどういう男であるのか、その背景を含めて冒頭に手際よく説明してしまうのが、ライアル航空冒険小説のいつもの手順で、このデビュー長篇も例外ではない。

スマートな双発機ピアッジオが目の前で見事な着陸をすると、操縦しているのは昔の戦友ケン・キトソン。十年ぶりに再会した彼は元インド土侯ナワーブ殿下のお抱えパイロットをしている。ナワーブ殿下はインド分割の際に盗まれた一五〇万ポンド相当の宝石を取り返す旅の途中である。ケン・キトソンはアル中に近く、同行の女性カメラマン、シャーリーは何とか酒をやめさせようとしている。大男の私設秘書ヘルターとも何やら物騒な雰囲気だ。一方のジャック・クレイは、危険すぎるとリビアへの武器輸送を断わったばかり。しかし、以前にはそういうこともやったことのある男らしい。そしてプロローグのラストは、アテネの安ホテルの一室。

べとべとする暑さのなかでベッドに横たわって天井を見上げ、ジャック・クレイが大金持ちになる夢を見るシーンだ。ここまでで、たったの二十四ページ。実にうまい導入部である。登場人物と背景を、簡潔に過不足なく説明し、はみ出し者の冒険の世界に、ここから読者を一気にひきずり込んでいく。

『ちがった空』は、エーゲ海と北アフリカを舞台に、元インド土侯の宝石をめぐる人間たちの争いを描いた冒険小説である。デビュー長篇だけにギャビン・ライアルの特徴がよく出ている作品とも言える。まず、伏線があり、謎解きの要素が濃いことが一つ。この点ではアリステア・マクリーンの初期作品に匹敵している。冒険小説というよりもミステリ・アクションの趣きが強いのはこのためだ。次に、作品の雰囲気づくりに巧みなこと。たとえばこの作品では、古びたダコタとスマートなピアッジオの対比がうまい。そして最後に、主人公が現実主義者であること。この小説の主人公ジャック・クレイがミス・ブラウンの誘惑を拒むのは彼がストイックな男であるからではなく、キラ島の谷間を連想することに明らかなように、自分の欲望に負けた男の末路を思い浮かべるからだ。クレイの夢は南アメリカに渡って大型機を動かすことで、いつまでもエアカーゴ稼業ではなく、まともな航空会社をいつかは始めたいと思っているのだが、そのために訓練を受ける二万ポンドがまずあればいい、と考える男である。一獲千金を夢みる戦友のケンと、ここが異なっている。使えない大金よりは、自由に使うことの出来る小金のほうがいいという現実主義者なのである。

主人公がこういうふうにリアリストであることこそ、あるいはギャビン・ライアルの最大特徴かもしれない。アリステア・マクリーンのヒーローたちが愚直な男であったことを、ここに想起すればいい。マクリーンの新しさは冒険物語を選ばれた階級のものから無名の庶民のものへ解放したことにあるが、それでも、いやそれだからこそ、〝正しい愚直さ〟というニュアンスがその作品の底にあることは否めない。ギャビン・ライアルの描く男たちにくらべれば、その点でやや平板であるとも言えるだろう。『ちがった空』のジャック・クレイをはじめとするライアルのヒーローたちは、挫折した過去を持ち、満たされない日々にいる。法すれすれ、あるいは法を犯す仕事をしながら自己のモラルを持ち続けている男たちだ。苦渋に満ちたヒーローとも言える。マクリーンの男たちがどこかで〝正義〟を信じているのにくらべ、ライアルの男たちはその〝正義〟を失ったところから始めている、と言えばいいか。だからこそリアリストにならざるを得ない。『ちがった空』に、ミス・ブラウンから「きびしいのね」と言われたクレイが、きびしいわけじゃない、気むずかしいだけだ、と思う件（くだ）りがあるが、この違いこそマクリーンとライアルを分ける一本の線であるように思う。

　長篇第二作『もっとも危険なゲーム』（一九六三年）は、そういうライアルの特徴がよく顕われている傑作である。これは、にせ金貨をめぐる陰謀と財宝探しという二つのストーリーが錯綜する小説で、そこに主人公のパイロット、ビル・ケアリが巻き込まれていく冒険小説だ。さまざまな謎をつなぐ巧みなプロットの展開があざやかであること、これがこの小説を傑作にしている最大の理由だが、しかしラストの決闘シーンが何よりも白眉。「正しいことだと思って人を殺す人間の方が、必要だからという人間よりはよっぽどこのましいんだ」（菊池光訳）。

このビル・ケアリの言葉はイギリスの諜報機関ＳＩＳの男に向って決闘が終ったあとに言うセリフだが、これはスパイ戦に対する痛烈な皮肉であり、この観点が底にあるからこそ、一対一の決闘シーンがまぶしく輝いている。ビル・ケアリもまたスパイ戦の只中にいた男で虚々実々の世界を十分に知っているのである。だからこそ、そういう現実と無縁なところで子供じみた決闘を仕掛けてくる男に共感を覚えるのだ。スパイ小説の時代を反映して、『もっとも危険なゲーム』の背景には大国の謀略と思惑が色濃くあるが、危ういところでこの作品が冒険小説たり得ているのは、この決闘シーンに表出している〝皮肉〟のためである。このシーンがなければプロットの展開から考える限り、『もっとも危険なゲーム』はスパイ小説に分類されるだろう。いわば、まったく無意味な闘いを核に据えることで、スパイ小説と分かれているのだ。そしてこれこそ、リアリスト・ヒーローが直面する現実であり、そのヒーローの苦渋を巧みなストーリーの中にあざやかに描いたからこそ『もっとも危険なゲーム』がライアルの最高傑作たり得ているのだ、と思う。

従って、長篇第三作『深夜プラス１』（一九六五年）は、やや平板な作品と言わざるを得ない。昔のレジスタンスの仲間からリヒテンシュタインまで人間を送り届けることを依頼されたルイス・ケインを主人公にしたこの小説は、同行のガンマン、ハーヴェイがアル中であるなど〝道中もの〟冒険小説にふさわしいパターンを持つが、意外に単調な小説である。それは、いくら合法でも道義に外れたくないという主人公ケインの設定が、いささか直線的すぎるためだ。たとえ法を犯しても自己のモラルを持ち続ける『ちがった空』のクレイや『もっとも危険なゲーム』のケアリとさして違いはないようにも思えるが、クレイやケアリの法の外にいることの鬱屈がケインにはない。この男にはまだ〝正義〟を信じている風情がある。こう言ってよければ、このルイス・ケインはアリステア・マクリーンの主人公にこそふさわしい。戦後の道中もの冒険小説の最高傑作はマクリーン『ナヴァロンの要塞』だが、ケインがマロリーの部下であってても不思議ではない。もちろん、ライアルなりの屈折はあり、『深夜プラス1』は同じ道中ものとはいっても（目的地に向う動機は『ナヴァロンの要塞』にくらべていささか弱い）、その持ち味が『ナヴァロンの要塞』と同じでは決してない。しかし、『もっとも危険なゲーム』を書いた作家にしては深みに欠ける点で物足りないことも事実で、『深夜プラス1』は道中もののパターンや登場人物の設定など、スタイルが先行した小説とも言えるのである。

あるいは、『もっとも危険なゲーム』は早すぎた代表作だったのかもしれない。一九六〇年代に書かれた残り二作も、結局この作品を超えることは出来なかった。長篇第四作『本番台本』（一九六六年）はカリブ海を舞台にフリーのパイロットが活躍する航空冒険小説で、ライアルお得意の世界だが、屈託なく楽しめる作品ではあるものの、やや荒っぽい点は否めない。長篇第五作『拳銃を持つヴィーナス』（一九六九年）は、骨董品銃商でありながら美術品の密輸をうけおうせこい悪党を主人公にして、こちらもライアルらしいディテールで読ませるが、やはり平板である。しかしそれだけなら実はどうでもいい。六〇年代初めにすぐれたヒーロー小説があった、というだけのことだ。

問題は、一九七〇年代に書かれた二篇、『死者を鞭打て』（一九七二年）、『裏切りの国』（一九七五年）をはさんで、『影の護衛』（一九八〇年）、『マクシム少佐の指揮』（一九八二年）、『クロッカスの反乱』（一九八五年）と、八〇年代に入ると、ギャビン・ライアルがスパイ小説に転進したことだろう。あとから考えれば七〇年代の二篇に、その後の変化を示す兆候はすでにあった。保安コンサルタントを主人公にした『死者を鞭打て』は、もともとその傾向はあったにしろ、ハードボイルドへの傾斜をより深めた作品であるし、武器輸送のパイロットを主人公にした、いかにもライアルらしい『裏切りの国』にしても、謎解きの要素を濃くすることで、六〇年代冒険小説と明確な一線を引いていた、とも言える。

しかしなぜ、八〇年代にギャビン・ライアルの選んだものがスパイ小説であったのか。「私は自分の作風の変化は、年齢によるものであると同時に、政治と権力に対する関心が深まったためだ、と考えている」（菊池光訳）と作者自身は語っているが、〝政治と権力に対する関心〟のない作家に『もっとも危険なゲーム』のような作品を書くことがそもそも可能だったのか、どうも納得しがたい。ヒーロー小説の側から考えれば、マクシム少佐を主人公とする八〇年代スパイ小説はライアルの後退であるような気がしてならないのだ。たしかにハリイ・マクシムは首相官邸の保安担当でありながら、しばしば暴走し、いわばエージェント・ヒーローの枠をはみ出す男ではあるけれど、それまでのライアルが描いてきたヒーローと決定的に異なるのは、彼が屈折しながらも〝正義〟を信じていることで、ジャック・クレイやビル・ケアリ、キース・カー（『本番台本』）などのはみ出し者ヒーローを愛してきた読者としては複雑な気持にならざるを得ない。

冒険小説が書きづらかった七〇年代にライアルの作品の数が少ないのは、まだいいとしよう。しかし、八〇年代のイギリスに冒険小説がまったく成立しなかったわけではない。であるのに、ギャビン・ライアルのはみ出しヒーローはなぜスパイ・ヒーローへと変質していったのか。

ライアルの小説が徐々に謎解きの要素を深めていったのがヒント。すなわち、リアリストが謎解きに夢中になるともはやヒーロー小説よりもスパイ小説のほうが衣裳としてはふさわしくなる、ということだろう。ライアルのスパイ小説は実は謎解き小説なのである。

イギリス冒険小説がぶつかった七〇年代の壁に、ライアルもまたぶつかったのだ。謎解きへの傾斜はその副産物にすぎない。六〇年代で終ることが出来ず、そういうふうにヒーローを生かし続けなければならなかったのが、ギャビン・ライアルのおそらくは不幸なのではなかったか。

七〇年代の壁

それにしても『スノー・タイガー』は不思議な小説だ。これはニュージーランドを舞台に、鉱山町で起きた雪崩の惨事とその謎をめぐる作品で、聴聞会を中心に、さまざまな人間ドラマを描き出していく。物語は、雪崩はなぜ起きたのかという一点に集中し、最後までそこから離れない。なぜこれが不思議な小説なのか。作者が、デズモンド・バグリイだからだ。

バグリイは『スノー・タイガー』（一九七五年）まで、『ゴールデン・キール』（一九六二年）、『高い砦』（一九六五年）、『ハリケーン』（一九六六年）、『原生林の追撃』（一九六七年）、『黄金の手紙』（一九六八年）、『砂漠の略奪者』（一九六九年）、『裏切りの氷河』（一九七〇年）、『マッキントッシュの男』（一九七一年）、『タイトロープ・マン』（一九七三年）と九作発表している。これらの作品は、大国の謀略や復讐話、自然との闘いなど、表層に展開する物語は異なっても、核となっているのは男の冒険である。

中でも第一長篇『ゴールデン・キール』のみずみずしさは、今もなお鮮度を失っていない。第二次大戦中に消えた四トンの金塊を探す男たちの航海は、臨場感あふれる海の描写もさることなから、冒険への憧れを核に置いて、若々しい息吹きを伝えてくる。宝探し物語のポイントは、人間の欲望ではなく、まだ見ぬ冒険への憧れにこそあり、だからこそ読者の胸をはずませるのだが、このデビュー長篇もそういう宝探し冒険小説の基本に忠実に書かれている。この作者の長所が存分に発揮されている傑作といえるだろう。

『ゴールデン・キール』と並ぶ傑作が、長篇第二作の『高い砦』である。こちらは飲んだくれのダコタ機パイロットが主人公。南米小国の内紛に巻き込まれ、アンデス山中に不時着した乗客の一行とともに生存をかけて闘う冒険小説である。舞台を海から一転して山岳に移すところが、新人作家らしい意欲のあらわれで、しかもアイデアをたっぷり入れて（これが傑作！）、小気味いいアクション小説となっている。

この二作にくらべれば、カリブの島を舞台にして、政府軍と革命軍の対立を背景に大暴風雨との闘いを描いた『ハリケーン』、兄を殺された会計士の復讐話『黄金の手紙』、娘を失った大富豪がプロ軍団を雇って麻薬ルートを撲滅させる『砂漠の略奪者』などは、やや平板と言わざるを得ない。それでも、記憶を失った男の自己復権物語『原生林の追撃』、一夜明けたら顔も名前も別人になっていたという巻き込まれ型の極致『タイトロープ・マン』、快調なスパイ小説『裏切りの氷河』などを発表して、デズモンド・バグリイはアリステア・マクリーンと並ぶイギリス冒険小説界の大御所となった。

そのバグリイが、雪崩がなぜ起きたのかという謎をめぐる強いサスペンスはあるものの、さらに人間ドラマとしてよく出来た作品ではあるけれど、『スノー・タイガー』というヒーロー不在の一般小説をなぜ書かなければならなかったのか。ヒントは、この『スノー・タイガー』がなぜ雪崩が起きたのかという謎の解明に終始する作品構造そのものと、この作品が一九七五年に書かれたということにある。

以前、私は次のように書いたことがある。

一九七〇年代後半以降、冒険小説の主人公たちが闘うべき敵を見失っていたことをここに想起すればいい。理由はいくつも考えられるだろう。七〇年代前半のCIAスキャンダルによって諜報員たちの現実の仕事がジェイムズ・ボンドのようにロマンティックなものではなく醜悪なものであることが一般に流布したことが一つ。いわば〝007幻想〟の崩壊。ベトナム終戦によって男たちが自信をなくしたことが一つ。正義の闘いはもはや存在せず、そういう自分勝手な正義の希求こそが世界の泥沼化を招いたという反省。より強固な管理社会の到来もその一つにあげられるかもしれない。協調こそが求められ、一匹狼のヒーローは生きづらい時代になったのである。こういう時代にヒーローは何を信じてどんな相手と闘えばいいのか。かくて七〇年代後半以降の冒険小説は、何が正しいのかわからないという行動の規範を失った冒険者たちの記録と化していく。

これこそが、繰り返し書いている〝七〇年代の壁〟というやつで、バグリイの『スノー・タイガー』もこの文脈に立って初めて理解される。

もっとも例外もあって、その中の一人、ジェフリイ・ジェンキンズにここで少し触れておきたい。一九五〇年代から執筆しているジェンキンズは、これまで翻訳された大半の作品がアフリカとその近海を舞台にしているという異色作家で（南ア生れということが作品舞台への愛着に影響しているのかもしれない）、海や洪水や嵐など自然描写のうまい作家でもある。たとえ平板な物語でも、そういう自然描写になると途端にいきいきしてくるほど、そのあたりはうまい。

これまでの邦訳作品では南西アフリカを舞台に、灼熱の砂漠と荒れ狂う海、そして不吉な予感をはらんだ暗礁（あんしょう）と砂洲（さす）という壮大な自然を存分にいきいきと描き出した『砂の渦』（一九五八年）がベストだろう。ジェンキンズ作品の特徴は、主人公が寡黙でストイックで誇り高い、というマクリーンに代表されるイギリス冒険小説の描く男像とは微妙にズレていることだ。どちらかと言うと、すぐ弱音を吐くダメ男に分類できる。すなわち、強靭な精神力をもつタフ男ではなく、人間的な弱さを持った男たちで、『砂の渦』の主人公ジェフリー・ピースも例外ではない。弱さと純粋さをあわせ持っているので、頼りない印象を与え、マイナー冒険小説として受け取られやすいがそのために物語にロマンチックな香りが漂うのも特色だろう（六〇年代冒険小説のヒーローには、マクリーンの硬骨漢タイプとライアルの人間味あふれるタイプがいるが、どちらにしても頼りないという印象はない。その点でもジェンキンズの主人公は異色である）。

ところが、このジェンキンズ、八〇年代に入って書いた作品でも、マクリーンやライアルやバグリイにみられる変化（つまりは七〇年代の壁にぶつかることで生じた変化）がないのだ。たとえば、一九八一年『電子帆船ジェットウインド』と、一九八三年『謀略山脈』は、海と山という舞台は異なるものの、主人公は相変らず謀略の渦中にとび込んで活劇行を繰り返している。そこには、ライアルやバグリイ作品にみられる屈託がまったくといっていいほど、ない。主人公のキャラクター設定から前記の頼りなさが消え、物語るスピードが緩慢になり、得意なはずの自然描写もやや色あせているとの変化はあるが（それは『砂の渦』にあったゆたかな色彩感がなくなったということであり、冒険小説が書きづらい時代に作品を書くことの困難さをあらわしているのかもしれないが）、ライアルやバグリイにくらべれば、七〇年代を経過した変化がそれほど明確ではなく、見えにくいのは事実だろう。このジェンキンズの例を一方に置くと、六〇年代にすぐれた冒険小説を書いていた作家ほど、七〇年代の壁にはげしくぶつかったとも言えるような気がする。

バグリイに話を戻せば、『スノー・タイガー』が謎の解明に終始するヒーロー不在小説であることの意味は、ライアルが八〇年代にスパイ小説に転身していったことを思い浮かべれば、理解しやすい。ライアルの項で「謎解きへの傾斜は七〇年代の壁にぶつかったことの副産物にすぎない」と書いたが、これでは説明として不十分だといま考え直している。ライアル、バグリイともに、七〇年代後半から八〇年代にかけて、謎解きを核にした小説へ接近していったのは、行動者が規範を見失い、生きづらくなったからで、そのために観察者として主人公を規定する必要と選択が、その接近を生み出したのではないか。そう考えたほうがわかりやすい。

たとえば、バグリイの例で言えば、『スノー・タイガー』の次に書かれた『敵』（一九七七年）が象徴的だろう。この主人公マルコムはイギリス諜報部員で、表面上はエージェントものに分類されるが、アイスランドを舞台にしたエージェント冒険小説の佳作『裏切りの氷河』に比較すると、あまりの違いに驚かされる。『裏切りの氷河』が典型的なエージェントものであるのにくらべ、『敵』は主人公の職業こそ諜報員であるものの、行動のきっかけは任務ではなく、私的理由なのである。さらに、『裏切りの氷河』が、主人公がとにかく前に進んでいく（次々にアクシデントが起きて、一つずつ克服していく典型的なパターン）であるのにくらべ、『敵』は陰謀の渦中にとび込んでいくことは同じでも、こちらは謎を解く〝観察者〟の趣きが強い。物語はゆったりと進行していくのだ。このキャラクター設定と物語構造こそ、七〇年代の壁を乗り越えるためにバグリイが選んだ八〇年代の方法論なのだと思う。警備保障会社を経営するマックス・スタフォードを主人公にした二作、『サハラの翼』（一九七八年）と『ヘンドリックスの遺産』（一九八二年）にしても、この道筋はかわらない。仕事上の必要はあったにせよ、これらの作品で、休暇中の冒険行というかたちをとらざるを得なかったのは、同じ事情に他ならない。

と、ここまで考えれば、『スノー・タイガー』が、六〇年代の軽快なアクション小説と、八〇年代の静かな謎解き冒険小説を結ぶミッシング・リンクであることが見えてくる。この作品には、新たな冒険物語をつくり出そうとするバグリイの七〇年代の苦渋がこめられているように思える。

現代の秘境

「六〇年代にすぐれた冒険小説を書いていた作家ほど、七〇年代の壁にはげしくぶつかった」とバグリイの稿に書いたが、はたして本当にそうであったのか、少しばかり気になっている。たしかに、マクリーン、ライアル、バグリイの章で見てきたように、そういう例は、イギリス作家ほど顕著であるだろう。七〇年代の波をかぶらずにくぐり抜けたジェンキンズのケースもあるが、やはりそれらはマイナー作家の場合であり、すぐれた冒険小説であればあるほど、闘いのリアリティをめぐって、それ以前の〝幸福な物語〟の変質を余儀なくされたのは、否定できない事実である。冒険小説の伝統を誇るイギリスほど、この変質のドラマは、濃い。

しかし、何ごとにも例外はあるもので、イギリス冒険小説界の最大の例外は、ハモンド・イネスだ。彼の作品を読んでいると、〝七〇年代の壁〟など、どこにあったのかわからなくなってくる。ハモンド・イネスは一九三〇年代から執筆を開始しているイギリス作家で、マクリーンより古い戦前作家である。

『海底のUボート基地』は一九四〇年の作品で、大戦中にドイツの秘密基地にまぎれ込む新聞記者の冒険行を描いているが、いくらでもスパイ小説にできるところを（この作品がアンブラー『恐怖への旅』と同年に書かれていることに注意）冒険譚としてまとめていることに、この作者の資質がよくあらわれている。全体を三部構成にわけ、第二部に書簡形式の別視点を挿入しなければならなかったのが疵で、決して上出来の作品とは言いかねるものの、コーンウォール半島の古びた鉱坑の描写などに、後年の特徴が見られる作品である。しかし、どちらかといえば、これはイギリス海洋奇譚の伝統を受け継ぐ作品で、イネスの本領はやはり戦後を待たねばならなかった。

『銀塊の海』（一九四八年）、『蒼い氷壁』（一九四八年）、『大氷原の嵐』（一九四九年）、『怒りの山』（一九五〇年）と、戦後すぐに書かれた作品群にイネスの真価は発揮されている。嵐の北海、ノルウェーの大氷河地帯、苛酷な南極、イタリアの火山噴火と、大自然を背景に人間のドラマを描くイネス諸作品の原型は、この間につくられている。『怒りの山』はやや平板だが、他の三作は初期作品の傑作と言っていいだろう。

ハモンド・イネスは綿密な取材をしてから執筆することに定評があるが、その取材先もカナダのロッキー山脈、アラビア砂漠、インド洋、エーゲ海、オーストラリア、ソロモン諸島、ペルシャ湾と多岐にわたっている。それらを舞台に、克明な自然描写を迫力満点に積み重ねるのがイネス作品の特徴である。彼の作品が一種の旅行譚になっているのはそのためだ。これが一つのポイント。

これらの初期作品と、六〇年代の諸作品、『呪われたオアシス』（一九六〇年）、『報復の海』

（一九六二年）、『失われた火山島』（一九六五年）、さらに七〇年代の『レフカスの原人』（一九七一年）、『幻の金鉱』（一九七三年）、『北海の星』（一九七五年）、そして八〇年代の『ソロモンの怒濤』（一九八〇年）、『黒い海流』（一九八二年）の間に、他の作家ほど明確な違いがないのは、それにしてもなぜなのか。

まず、共通しているのは主人公の設定である。多くの場合、イネス作品の主人公は挫折した男たちである。あるいは、鬱屈をかかえた男たちだ。『銀塊の海』のバーディーは婚約者のすすめで陸軍士官に志願したことを後悔しているし、『大氷原の嵐』のクレイグと、『失われた火山島』のベイリーは失業中で、失うものは何もないという設定である。『怒りの山』のファレルは戦争で妻子を失い、自らも片脚をなくしている、との設定だ。まだまだある。『キャンベル渓谷の激闘』のウェゼラルと、『呪われたオアシス』のグラントは、人生に何の目的もなく、鬱屈した日々の中にいるし、『幻の金鉱』のフォールズは事業に失敗し、妻にも逃げられてオーストラリアに旅立っていく。さらにこのパターンは延々と続く。『ソロモンの怒濤』のスリリングズビーは同棲中の女に逃げられ、しかも四十歳だというのに失業の危機にあるし、『黒い海流』のローダンは妻を殺されるという失意の只中にいる、といった具合。

挫折、鬱屈、絶望のオンパレードである。冒険物語がヒーローの復権のドラマである側面を考えれば、深い失速感から幕を開けるのも当然であり、このような設定もわからないわけではない。しかし、このしつこさは何か。これが二つめのポイント。

もうひとつ、それらの主人公がごく普通の男たちであることも共通している。強い男ではなく、弱さをかかえた男たちだ。五〇年代の『キャンベル渓谷の激闘』から六〇年代『呪われたオアシス』、七〇年代『幻の金鉱』、八〇年代『ソロモンの怒濤』などの作品に時代の変化を越えて特に顕著だが、このパターンは一貫して流れている。どちらかといえば、頼りない男と言っていい。そういう男が冒険を通して、何かを学び、精神的な強さを身につけていく、という筋立てが多いのである。

主人公の設定、冒頭の失速感、その克服。戦後のイギリス冒険小説の原型は、このようにイネス作品の中にすべてであると言っていい。驚異であるのは、四〇年代から八〇年代まで、その構造に変化が見られないことだ。これはいったい何なのか。マクリーン、ライアル、バグリイが変化し、クレイグ・トーマス、ジャック・ヒギンズ、ディック・フランシスが悪戦苦闘せざるを得なかった〝七〇年代の壁〟を、イネスはなぜ越えることが出来たのか。

ヒントは、イネス冒険譚に、大国や巨大組織の謀略の影が、薄いことにある。『レフカスの原人』や『黒い海流』など例外がないこともないが、イネス作品の大半は、個人の欲望、憎悪を核にして、エージェント・ヒーローものがほとんどない。つまり、組織の論理が比較的うすい。このように個の闘いに徹しきったことが第一。従って、風化しにくい。

主人公の設定のしつこさを、ここに想起すれば、イネスがオーソドックスな冒険物語にいかにこだわっているかがわかる。挫折‐克服のパターンに忠実であり、奇をてらわないことからも彼の態度は明らかだ。脇目もふらずに一直線なのである。従って物語がぐらつかない。すなわち、こだわりのケタが違うことが第二。

しかし、もっとも大きな理由は、克明な自然描写だろう。これがなければ、挫折‐克服の個のドラマも盛りあがらない。オーソドックスな冒険物語がリアリティを失ったことこそ〝七〇年代の壁〟なのである。挫折‐克服の個のドラマでありさえすればいいのなら、多くの作家が悪戦苦闘する必要はない。そこに何かがなければならなかった。そういう冒険物語の原型を、どう料理するか、アプローチや切り口を変え、新たなプロットをつくり、現代のリアリティをいかに持たせるかが七〇年代の課題だったのだ。イネスが提示したのは、実はもう一度〝自然〟を提示することだった。

イネスの描いた舞台は決して未知の地ではない。南極、ノルウェーの氷河地帯、アラビアやオーストラリアの砂漠、ロッキー山脈、インド洋やソロモン諸島、北海や地中海など、二十世紀後半の情報化社会にいる読者にとっては熟知したつもりの世界であり、すでにそれらは空白の地ではない。ところが、実際の取材旅行と綿密な資料を積み重ねて、イネスは嵐の海や熱砂、荒涼とした氷河など、迫真的な風景を描き出す。それは異様な臨場感にあふれた世界である。イネスの筆にかかると、我々が情報として知っているそれらの地が、まったく見知らぬ風景に一変してしまう。そこに現出するのは、現代の〝秘境〟だ。

マクリーン、ライアル、バグリイ、さらにトーマス、ヒギンズ、フランシスら、他のイギリス作家とイネスをわけるのは、この一線である。他の作家たちが主人公の設計を変え、背景に凝り、新たなプロットづくりに腐心するのにくらべ、イネスは徹底して〝現代の秘境〟を描き続けているのである。このことこそ、イネスが〝七〇年代の壁〟を越えてしまった最大の原因であるような気がする。

見知らぬ地に旅立っていく冒険者に対する憧れは、我々の中に日常脱出の願望があるからで、すぐれた冒険物語はそういう夢に直結する。ヴェルヌやハガードの秘境冒険譚が今もなお読まれるのは、そのためだろう。科学の〝進歩〟によってその秘境が失われたところに現代冒険小説の不幸があるが、ハモンド・イネスは新たな秘境をつくることによって冒険物語の原型を力強く提示している。

しかし、ハモンド・イネスは〝七〇年代の壁〟と本当に無縁に生きたのか、と最後にまた考える。八〇年代に入って、イネスもさすがに物語の緊密度は落ちているが、興味深いのは六〇年代から七〇年代にかける作品にみられる特徴である。テキストは、『呪われたオアシス』『失われた火山島』『レフカスの原人』『北海の星』。これらの作品に共通しているのは、主人公がすべて父親を失っていること。彼らの旅は内なる父を探す旅でもあるのだ。同時期のディック・フランシス作品の多くが〝父親喪失〟の物語であることを考えると、これは大変興味深い。

ヒーローは何のために闘うのか、という根本的な問題がある。強靭な自己を発見するため、というのはその場合のひとつの答えだ。だとするならば、ヒーローにとって〝父親〟は強靭な自己を発見するために克服すべき対象であり、まだ見ぬ自己を映す鏡であるとも言えるだろう。つまり〝父親不在〟は深い失速に他ならず、その強調である。迫真的なディテールを積み重ね、自然を克明に描くことで現代の秘境をつくりあげたハモンド・イネスにも、フランシスと同様にそういう強調が必要な時期があったことが、象徴的に思える。イネスですら、〝七〇年代の壁〟とまったく無縁に過ごせたわけではないのかもしれない。

キャリスンとカイル

ダンカン・カイル『氷原の檻』（一九七〇年）はオーソドックスな冒険小説だ。北極にソ連のジェット機が墜落するプロローグから一転して舞台はニューヨーク。主人公はイギリス人の外科医。郵便物が間違って配達されるところから彼は何者かに命を狙われ始める。この冒頭はすこぶる快調だ。物語は、やがてソ連の陰謀が明らかになり、極地の要塞に監禁されている科学者の救出へと発展していく。後半はその極地冒険行である。大都会のサスペンスから極地冒険への転換、定石通りとはいえ、このバランスが、まずいい。

救出隊のメンバーは、北極を知りつくしたアメリカの職業軍人をリーダーに、メカの天才、極地サバイバルのプロ、力持ちの大男にアルピニスト、そして主人公を加える六人編成で、こういう混成部隊もパターン通り。そりゃそうでしょう。規律正しい組織よりも一癖ありそうな連中の寄せ集め部隊のほうが、マクリーン『ナヴァロンの要塞』のように生彩に富むドラマになりやすい。かくて苛酷な冒険行が開始されるが、極地の描写はあざやかで、いくつもの困難とその克服、そういうディテールもいい。この巻き込まれ型冒険小説の佳作があまりにパターン通りであることを気にする読者がいるかもしれないが、だからこそ面白い、というところもある。

『氷原の檻』はカイルのデビュー作だが、第二作『標的の空』(一九七二年)は極地から一転して航空冒険小説。こちらも巻き込まれ型で、大空の臨場感を巧みに描いてはいるものの、オーソドックスな『氷原の檻』にくらべると不思議に生彩を欠いている。これなら、たとえパターンを踏襲しすぎるきらいはあるにせよ、『氷原の檻』のほうが上位だろう。しかし、ダンカン・カイルが『氷原の檻』だけの作者だったならば、パターン通りの冒険小説を書くイギリス作家、という引き出しにしまっておける。

急いで付けくわえるが、〝パターン通りの冒険小説〟が悪いわけではない。ハモンド・イネスを想起すればいい。イネスの作品は大半がオーソドックスな冒険小説のパターーンを踏襲したもので、新奇さはほとんどない。しかしイネス作品を成立させたものは時代がどれほど変化してもぐらつかない頑固さ(頼りない男が冒険を通して何か学び、精神的な強さを身につけていく、そういう成長そのものを信じる作者の信念)であるのも事実だ。あれほど徹底されれば、パターンも生きる。ところがカイルの場合、『氷原の檻』にそういう頑固さは感じられない。自然描写を含めてどこか小器用なところがある。テキスト通りに書かれた冒険小説、との趣きがあるのだ。『標的の空』よりも『氷原の檻』のほうが完成度が高いのは、第一長篇の熱気があふれているからだろう。

問題は『叛逆の密書』(一九七八年)だ。これは第二次大戦末期のヨーロッパを舞台に、ナチス秘密文書をめぐる争奪戦を描く完成度の高い戦争謀略小説である。連合軍の分断を画策するドイツの謀略を軸に、複雑なプロットを快調なテンポで描いている。潜入行もいいし、皮肉なラストもいい。パターン通りの『氷原の檻』を書いた作者が、わずか八年後にこういう傑作を書くとは思ってもいなかった。

それ以前の作品とあまりにも違いがありすぎるのである。この変化は一体何なのか。たしかに『氷原の檻』や『標的の空』のような作品では、その後の七〇年代後半の壁を乗り越えられなかったにちがいない。しかし、それにしてもなぜ『叛逆の密書』だったのか。結果的にみると、どうやらこの『叛逆の密書』がダンカン・カイルの分岐点だったようだ。

『叛逆の密書』の以前のカイル作品にはエージェント・ヒーローもの『海底の剣』を除くと、『氷原の檻』『標的の空』『恐怖の揺籃』と巻き込まれ型の冒険小説が多く、どちらかというと主人公も平凡な男が多い。このキャラクター設定もパターンの枠内である。ところが『叛逆の密書』の次に書かれた『緑の地に眠れ』（一九七九年）になるとこれが変化して、勇気はあるが分別に欠けるという異色ヒーローが主人公。さらに密林冒険行に主人公と一緒に出かけるのが、しっかりものの老嬢とくる。

『叛逆の密書』をはさんで、カイル作品はオリジナルな展開を示し、色彩感ゆたかなドラマが始まるのである。ロシア革命秘史を描く『革命の夜に来た男』（一九八三年）、大統領候補の家系調査員が背後の陰謀に巻き込まれる『踊らされた男たち』（一九八五年）と、八〇年代の作品は特にそういう印象が強い（一九八一年『謀略ポイントへ飛べ』のような平板な作品の例外もあるが）。

では問題とは何か。作家が成熟したならいいではないか。何に対して、ひっかかるのか。実は、結果的にダンカン・カイルの分岐点になった『叛逆の密書』が、冒険小説ではなく、謀略小説であることに不満があるのである。

この作品がドイツ軍ラッシュ大尉を主人公とする冒険小説とはどうしても読むことが出来ない。プロットの展開から読むかぎり、ラッシュ大尉は複雑に入りくんだ謀略に巻き込まれる駒にすぎないのである。第三作『海底の剣』（一九七八年）がやはり謀略スパイ小説であったことを考えれば、カイル自身がもともとそういう資質を秘めた作家だったとも言えるのだが、はたしてそういうことなのか。

カイルと同年の一九七〇年にデビューしたブライアン・キャリスンをヒントとして考える。キャリスンのデビュー作『幽霊船団』は秘密文書を運ぶ輸送船団とドイツUボートの闘いを描く戦争冒険小説である。裏切者は誰かという謎、海上戦闘シーンの迫力など緊密度の高い海洋冒険小説で、キャリスンはこの一作でフォレスター、マクリーンにつぐイギリスの海の作家として位置づけられる。

現代の中東を舞台にした第二作『ゲリラ海戦』（一九七一年）も出来はいい。キャリスンの特徴は、この主人公ケイブル一等航海士のように頼りない男がヒーローをつとめること。マクリーンやライアルの主人公のように強い男では決してない。この点ではジェフリイ・ジェンキンズの主人公像に似ている。もっとも、粗野で短気でケチで、しかも憎めない悪党『無頼船長トラップ』（一九七四年）の例外はある（これはシリーズになっているので作者も気に入っているキャラクターなのだろう）。とにかく海を描かせたらうまい作家で、『早すぎた救難信号』（一九七三年）、『十四分の海難』（一九七六年）、『海の豹を撃沈せよ』（一九七八年）と、物語自体に新味はなくても海の克明な描写だけでそれなりに読ませてしまう。すごいのは八〇年代に入っても、その緊密度が変らないことで、『地獄の輸送船団』（一九八四年）は第二次大戦下の大西洋を舞台に、Uボートに狙われる輸送船団の老朽救助船を主役にした戦争冒険小説だが、頑固一徹、作風もまったく変えず、ある水準を保っている。その意味では、ハモンド・イネスと似ているといっていい。

八〇年代に入っても主人公が相変らず謀略の渦中にとび込んで活劇行を繰り返すジェンキンズの作品が緊密度を失っていったことを一方に考えれば、キャリスンの時代の変化を越える奮闘ぶりはイネスと同様に自然描写に徹したことにあると言えそうだ。逆に言えば、ストーリー以外のなにものかがなければ、〝七〇年代の壁〟は越えられなかったのである。マクリーンやジェンキンズがそうであったように（イネスやキャリスンの場合は、越えるというよりも、その克明な自然描写のために壁にぶつからなかった、というニュアンスのほうが大きいが）。

ダンカン・カイルの場合に話をもどそう。カイル第一作『氷原の檻』とキャリスン第一作『幽霊船団』の自然描写をくらべると、後者の緊密度に対し前者がやや小手先の芸であることは否めない。そういう作家がオーソドックスな冒険小説を書き続けられる幸福な時代であったら、何の問題もない。しかし、カイルのデビューした七〇年代はそういう冒険物語の枠組み自体が基盤を失いつつあった時代であり、かくてカイルは方法論を他に探さざるを得なくなる。キャリスンのような自然に対するこだわりもないならばそういうことになる。つまり、謀略小説として書かれた『叛逆の密書』はカイルの見つけた新たな方法論に他ならない。それは謀略小説への丸ごとの接近に見えるけれど、方法論だけを学び取る模索であったことは、その後の作品に明らかだ。

方法論とは何か。ヒーローを固定された物語のパターンから一度解き放つことによって（すなわち、出ずっぱりの主人公を退場させて）、歴史あるいは秘史という視点を導入し、そこから現代の冒険物語を再度つくり直すことだ。そうやって生れたのが、おそらくは『革命の夜に来た男』『踊らされた男たち』という八〇年代の作品である。ここには旧来の冒険物語のイメージはどこにもない。

もちろん、それが新しい冒険小説のすべてのかたちなのではない。あくまでもカイルのたどりついた冒険物語にすぎない。しかし、そういう地点にいたったのは、『叛逆の密書』という謀略小説を書いたからではなかったか。つまり、七〇年代の壁にぶつからなかったイネスやキャリスンはある意味で幸福な作家だったのかもしれないが、ぶつかって乗り越えた作家のほうが新たな冒険物語をつくりあげる可能性が高いことを、カイルの再生は示唆しているのである。

いろいろなかたちがある。壁にぶつからなかった作家、ぶつかって乗り越えられなかった作家、それを克服した作家。七〇年代を生きた、そういうさまざまな作家の中で、カイルの変遷は危うい綱渡りだったにせよ、典型的な克服の例といえる。謀略小説に走ったまま冒険物語に還ってこなかった作家もいるのだ。

ブライアン・キャリスンとダンカン・カイル。一九七〇年にデビューしたこの二人の作家の軌跡は、戦後冒険小説の最大の壁、謀略小説が席巻した七〇年代を考えるうえでは大変興味深いが、その壁に対して悪戦苦闘したのは実はカイルだけではない。トーマス、ヒギンズ、フランシスと、イギリス冒険小説界の大物がその後も続出していくのである。

ヒギンズの陥穽

『鷲は舞い降りた』（一九七五年）の成功は、チャーチル首相誘拐作戦という題材の面白さと、それまでの戦争冒険小説で敵役だったドイツ軍将校を主人公に据えたこと、この二点につきるだろう。もちろん、アイルランド人のリーアム・デヴリンがそのチームに一枚加わるとの味つけもあるが、題材の面白さと発想の転換こそがこの作品のミソだ。『鷲は舞い降りた』は、マクリーン『ナヴァロンの要塞』と並ぶ戦争冒険小説の二大名作となっているが、『ナヴァロンの要塞』が謎解きの要素をもつ小説であったのにくらべ、こちらはそういうストーリーの展開よりもドイツ軍将校の騎士道精神を力強い核にしている。誘拐作戦の指揮をとるドイツ落下傘部隊のシュタイナー中佐を人間味あふれる将校として彫り深く活写したこと。これがこの作品を何よりも際立たせているのだ。

しかし、ジャック・ヒギンズ自身はその成功の本質を誤解していたようで、結果的にはこの小説以降、泥沼に入り込んでいく。翌一九七六年に書かれた『脱出航路』はまだ『鷲は舞い降りた』の余韻で救われているが、ハリー・パタースン名義で書かれた『ヴァルハラ最終指令』

（一九七七年）、『ウィンザー公掠奪』（一九七九年）を含め、『ルチアノの幸運』（一九八一年）と、無味乾燥な物語を書き続ける。

これらヒギンズ作品の共通項は、すべて第二次大戦秘話であること。これ自体はいい。戦争冒険小説は『ナヴァロンの要塞』をはじめ、大半が〝歴史秘話〟だ。しかし、〝秘話〟を書けばそれだけで戦争冒険小説になるというものでもない。マクリーンの場合は、秘話を軸に謎解きの要素を色濃く入れているし、イネスの場合は克明な自然描写がそれを支えていた。そういう他のなにものかがなければ、〝秘話〟だけで戦争冒険小説は成立しない。ならば、ヒギンズの場合も同様だろう。彼はキャラクターの造型にこそ作品の力点を置かなければならなかった。それがそもそも『鷲は舞い降りた』成功の因なのだから。ところが、アメリカの老将軍が「きみは、こんな奇妙な話を聞いたことがあるかね。こんな途方もない信じがたい話を」と語り出す『ヴァルハラ最終指令』の〝新奇さの強調〟にみられるように、七〇年代後半のヒギンズはキャラクターの造型を忘れて題材の面白さだけに寄りかかっていくのである。これでは物語が無味乾燥なものになるのもやむを得ない。

六〇年代のヒギンズ作品にみるべきものは少ない。ハリー・パタースン名義の『地獄の群衆』（一九六二年）、『獅子の怒り』（一九六四年）、マーティン・ファロン名義の『地獄の鍵』（一九六五年）、ヒュー・マーロウ名義の『闇の航路』（一九六四年）などは、キャラクター造型がなおざりで、ストーリーを追うだけの作品群といっていい。一九六六年に書かれた『鋼の虎』（ハリー・パタースン名義）と『雨の襲撃者』（ヒュー・マーロウ名義）が辛うじて後年のヒギンズを予感させるぐらいである。

ジャック・ヒギンズが作家として確立したのは、やはりヒギンズ名義の第一作『廃墟の東』（一九六八年）からだろう。これはグリーンランドを舞台にくりひろげられる墜落機捜索行で、地味な話ではあるものの、元アル中のパイロット、ジョウ・マーティンをはじめとして登場人物が活写されている。このように、ストーリーからキャラクターへの転換、が〝ヒギンズ〟誕生の源である。

『地獄島の要塞』（一九七〇年）、『神の最後の土地』（一九七一年）、『非情の日』（一九七二年）、『死にゆく者への祈り』（一九七三年）と続く七〇年代前半の作品は、明らかにストーリーよりもキャラクターに力点を置いて書かれている。六〇年代の作品とのもっとも大きなちがいはここに求められる。この間、ジェイムズ・グレアム名義で書かれた『勇者たちの島』（一九七〇年）、『サンタマリア特命隊』（一九七〇年）、『ラス・カナイの要塞』（一九七四年）は、ヒギンズ名義の作品よりもストーリー色が濃く、そのぶんだけキャラクター造型に物足りなさが残るが、それでも六〇年代の作品にくらべるとはるかにうまくなっている。このこともヒギンズの変化をさし示している。

この七〇年代前半のヒギンズ作品の特徴を一言で言えば、ストーリーが地味であること。その静かな舞台でキャラクターを掘り下げて描いていること。たとえば『神の最後の土地』は第二次大戦前のアマゾンを舞台にした航空冒険小説で、密林の闘いを描いているが派手さはなく、男と男の友情物語である。こう言ってよければ、せこい話だ。

『死にゆく者への祈り』はその典型。これはなんと元ＩＲＡ将校のファロンがけちなギャングと闘うというだけの話である。派手なアクションもなく、ストーリーにそれほどの起伏もない。しかし、六〇年代の作品（どれでもいいが）、たとえば同じように派手なアクションもストーリーの起伏もない作品、霧のロンドンを舞台にした『地獄の群衆』とは明らかに異なっている。『死にゆく者への祈り』がたとえようもなくいいのは、主人公ファロンをはじめ、ダコスタ神父、盲目の娘アンナ、小悪党ミーハンなど、実にいきいきと描かれているからで、さらに降り続く雨が滅んでいく男の哀しみを効果的に浮き彫りにしている。これこそが作家として確立した七〇年代前半のヒギンズの成長なのである。

しかし、別の観点からみれば、これらの作品が男の誇りや哀しみなど、それまでの冒険物語が描いてきたヒーロー像のパターンを踏襲しすぎる傾向を秘めていたことも否めない。もともとヒギンズの小説には似たようなエピソードが多い。『雨の襲撃者』と『地獄の群衆』の刑務所脱獄の手順や、『非情の日』と『裁きの日』の主人公像の類似など、数えあげていくときりがない。ヒギンズにはそういうパターン作家の側面も濃い。

従って七〇年代前半にヒギンズが変貌をとげたといっても、そのまま書き続ければ、パターンの弊害の只中に埋没していったかもしれない。『神の最後の土地』のマロリーや、『死にゆく者への祈り』のファロンなどが活写されているとはいうものの、それは六〇年代ヒギンズのヒーロー像との比較であり、こう言ってよければ『鷲は舞い降りた』のシュタイナーほどの斬新さはない。時あたかも明確な敵を持ち得ずに冒険物語が書きにくくなりつつあった時代である。

その程度のキャラクター造型では〝七〇年代の壁〟を乗り越えることは不可能だったろう。『死にゆく者への祈り』が今でも名作たり得ているのは、降り続く雨、というシーンがすぐれているからで、ファロンのキャラクターそのものはそれほど新しいわけではない。

ダンカン・カイルが『叛逆の密書』という第二次大戦〝秘話〟を書くことで、それまでのパターン通りの冒険物語から一歩脱け出ていったことを想起されたい。

本来ならばジャック・ヒギンズも『鷲は舞い降りた』一作で、そうあるべきだった。だがヒギンズは面白いストーリーを探して逆に〝秘話〟にからめとられていく。それは『鷲は舞い降りた』が予想外の成功をおさめすぎたからだったのかどうか、判然とはしないが、かくてヒギンズは七〇年代の後半を悪戦苦闘しながら過ごしていくことになる。六〇年代にすぐれたヒーロー物語を書いたギャビン・ライアルが八〇年代に入ってからスパイ小説に転進していったように、あるいはアリステア・マクリーンがついに新しい切り口を見つけられず、作品から緊張度を失っていったように、ジャック・ヒギンズも〝途方もない信じがたい話〟を求めるだけで、名ばかりの英国冒険小説作家になっていくのだ。そのままいけば、ヒギンズはパターン作家という範疇(はんちゅう)にくくられ、実質的には見るべきものもなく忘れ去られたかもしれない。

しかし、ヒギンズは一九八二年『テロリストに薔薇を』で復活する。これは巧妙な小説だ。まず、物語が『非情の日』の後日譚との体裁をとっていること。国際的テロリスト、バリイがふたたびよみがえり、イギリス情報部ファーガスン准将がまた誰かを送り込まなければならなくなるとの筋立てなのだ。しかもその使者がリーアム・デヴリン。『鷲は舞い降りた』でシュタイナーとともにチャーチル誘拐作戦に参加した元ＩＲＡ闘士だ。おなじみの男の再登場である。こういう構造であるために、登場人物が過去に向き合っている。物語に奥行きを感じるのはそのためだろう。もちろん、標的の人物にバラを一輪残して去るブロスナンのダンディズムが際立っていることが第一。

この方法論は、一九八五年『黒の狙撃者』でも繰り返される。ファーガスン准将に、みたびリーアム・デヴリンが登場してテロリストを追うというもので、こちらは仇役ミハイル・ケリイの造型が際立っている（この事件と同時期に起きたのが一九八三年『エグゾセを狙え』で、登場人物がかなりだぶっている）。すなわち、ヒギンズ八〇年代の作品は、まず第二次大戦秘話から物語を離し、さらに旧知の人物を登場させ脇をかためたうえで、メイン・キャラクター（ブロスナンやミハイル・ケリイ）を浮き彫りにするのだ。これは巧妙な方法論といっていい。

一九八六年『狐たちの夜』は、そういう八〇年代の模索を経たのちに書かれた佳作である。なんとこれは第二次大戦秘話なのだ。しかし『ヴァルハラ最終指令』『ウィンザー公掠奪』『ルチアノの幸運』と七七年から八一年にかけて書かれた秘話ものとは一線を画している。その三作が〝面白い秘話〟そのものを描いていたのにくらべ、『狐たちの夜』は第二次大戦秘話の向うにひろがる人間たちのさまざまな想い、ドラマをくっきりとあざやかに描いている。

ジャック・ヒギンズの描くヒーロー像は、六〇年代の安手な冒険小説から、七〇年代前半の静かな物語、後半の派手な歴史活劇、さらに八〇年代のリーアム・デヴリン復活劇にいたるまで、実はそれほどの大差はない。彼は一貫して騎士道精神に富む男像を描いている。にもかかわらず、物語のほうが変っていかざるを得なかったところに、七〇年代の色濃い影響をみることが出来る。ヒーローのリアリティをめぐって、ヒギンズもまたはげしく壁にぶつかった作家だったのである。

工作員の冒険

それにしても、クレイグ・トーマス『狼殺し』はすごい。再読して、また唸(うな)っている。冒頭は、第二次大戦末期のフランスが舞台。レジスタンス・グループのリーダーであるリチャード・ガードナーが仲間に裏切られ、密告されるのが発端。ここまでが翻訳書で約二十ページ、緊迫したプロローグだ。一転して舞台は二十年後、陽光きらめく浜辺でそのガードナーが海を見ているシーンに変る。彼は生活者として成功しているが、しかし浮気する妻にうんざりする日々にいる。長い年月の中で復讐心も忘れ、ただけだるい静かな夏の午後だ。ところが、その保養地で昔の仲間と出会い、忘れていた過去が悪夢のように蘇ってくる。

物語はもちろん、ここから再度激しく動き始める。この動から静への転換、そしてまた動というリズムが、まずいい。次にいいのは、NATO内の機密漏洩源をつきとめるというスパイ小説の太い骨格を持ちながら、軸はあくまでもガードナーの個人的な復讐譚からずらさないことだ。そのふたつを異なる話にせず、巧みに絡めているのがミソ。最後まで目が離せないスパイ冒険小説の傑作といっていいだろう。

クレイグ・トーマスは一九七六年『ラット・トラップ』でデビューしたイギリスの冒険小説作家で、本邦初紹介は第二作の『ファイアフォックス』(一九七七年)。これも傑作といっていい。なにしろソ連の奥地に潜入して最新鋭の戦闘機を盗んでくるという奇想天外な話なのだ。しかも前半でその目的を達成してしまう。では後半はどうなるのか、というのがミソで(この展開は予想がつかない)、トーマスの実力が如何なく発揮されている。この『ファイアフォックス』がわが国に紹介されたとき、そのストーリーの斬新さと全篇を貫く緊迫感に驚き、ヒギンズよりトーマスが上、と意味のない比較をしたことがある。それはオリジナリティあふれる世界ということを頭に置いていたからで、オーソドックスな冒険小説(それがヒギンズだ)が悪いわけではない。

デビュー作こそ平板であるものの(それでもアクションのディテールは読ませる)、第二作『ファイアフォックス』、第三作『狼殺し』と続いたトーマスは確かに新しい冒険小説作家だった。トーマスのどこが新しいかを語る前に、戦後のイギリス冒険小説作家をここでもう一度、整理しておこう。

最初のグループは自然と闘う男を描く古典的冒険小説作家だ。イネス、ジェンキンズ、キャリスンがここに入る。彼らの物語はどちらかといえば、新味はない。もちろん現代ふうの味つけはあり、もはやハガードの時代における冒険譚ではないが、それでも物語の軸は厳然として〝大自然〟である。そして、どこまでその自然描写に徹底するかで完成度がわかれる。

二番目のグループはマクリーンとヒギンズ。その代表作『ナヴァロンの要塞』『鷲は舞い降りた』にもちろん自然描写はあるが、彼らはそれよりもストーリーやキャラクターを優先する。それこそが自然にとどまらない戦後イギリス冒険小説の新しさであり、彼らの方法論だった。

三番目は、六〇年代組のライアル、バグリイ、七〇年代組のカイルと続く作家たち。それぞれのデビュー作、ライアル『ちがった空』、バグリイ『ゴールデン・キール』、カイル『氷原の檻』を並べてみると、その共通項が明確になる。古典的冒険小説の〝大自然〟を受け継ぎ、そこに現代ふうのストーリーをはめこんでいく、という特徴である。二番目のグループとの違いは、マクリーンやヒギンズほど斬新なストーリーや特異なキャラクターを強調していないことだろう。

大ざっぱではあるが、ほぼこの三つのグループに分類できる。そして最初のグループだけが七〇年代の壁に無縁でいられたことは、繰り返すまでもない。では、この戦後イギリス冒険小説地図のどこに、クレイグ・トーマスは入るのか。

実はどこにも入らないのである。だからこそ新しい。

どういうことか。クレイグ・トーマスの作品が、のちにSIS長官にまでなるケネス・オーブリーを通しキャラクターとして、彼が率いるスパイたちの物語であることを考えればいい。第二作『ファイアフォックス』のミッチェル・ガント、第四作『モスクワを占領せよ』のアラン・フォーリー、第五作『レパードを取り戻せ』のパトリック・ハイド、第六作『ジェイド・タイガーの影』のデヴィッド・リュウ。彼らはすべてオーブリーの指令にもとづいて冒険の渦中に飛び込んでいく工作員である。第三作『狼殺し』のリチャード・ガードナーがやや異色だが、これはオーブリーが率いた工作員の後日譚という側面がある。第一作『ラット・トラップ』のみ例外。しかし、これもオーブリー初期の副官ヒラリー・ラティマー（戦時中から六〇年代までを描いた『狼殺し』にも登場。七〇年代を背景とする『ファイアフォックス』以降は副官がピーター・シェリーに変る）の窮地を描くサスペンスと読めないこともない。

クレイグ・トーマスの書き続けている物語は、このようにオーブリー率いるスパイたちの物語である。したがってスパイ小説の要素が、濃い。というよりも、衣装は明らかにスパイ小説だ。トーマスが前記の冒険小説地図のどこにも入らないのは、そもそもこのように出自が異なるためである。では、トーマスの作品はスパイ小説であって、冒険小説ではないのだろうか。次はそういう問題になる。

しかし、第二作『ファイアフォックス』、第三作『狼殺し』が工作員の視点から書かれた力強い現代冒険譚となっていることはいうまでもない。それは謀略を物語の背景にとどめ、小説の力点をヒーローの冒険行から決してずらしていないからである。この逆の構造を選べば、スパイ小説になる。もちろん方法論が正しくても、それだけで力強い冒険譚が生れるものではない。七〇年代が、エージェント・ヒーローが風化した時代であったことを想起すればいい。その時代にあえて諜報員を主人公にするからには、イネスが自然描写に徹することで時代の風化に耐えたように、他のなにものかがなければ現代冒険譚として成立しない。トーマスの場合、それは人物造型の鮮やかさとアクション・シーンのうまさ、そして群を抜くサスペンスだった。トーマスは冒険小説作家として三拍子揃った作家なのである。

スパイ小説の側から冒険小説を描くというトーマスの方法は、実は危うい綱渡りでもある。冒険譚のリアリティを求めてスパイ小説に接近した七〇年代イギリス冒険小説が、結果としてヒーロー不在の無味乾燥な国際謀略小説と化していったことはフォーサイスの例で明らかだ。同じ道筋を進んだはずなのに、トーマスがイギリス冒険小説地図に第四の足跡を記すことが出来たのは、前記の三拍子のためで、フォーサイスとはそもそも筆力が違うのである。トーマスの新しさは、このようにハガード以来の伝統的なイギリス冒険小説と切り離された地点から、さらに謀略小説に堕ちることなく現代冒険小説を書いたことで、まさに八〇年代の作家といっていい。

ところが、その出自のためか、第四作『モスクワを占領せよ』からトーマス作品はおかしくなる。

『ファイアフォックス』『狼殺し』という力強いヒーロー物語のあとに書かれた『モスクワを占領せよ』は、工作員フォーリーが早々と退場して、なんとKGB少佐ワロンツォフの冒険行となってしまう。続く『レパードを取り戻せ』はハイドとは別にアメリカ海軍大佐クラークの冒険行が綴られるし、『ジェイド・タイガーの影』もリュウの活劇だけに終らず、前作のハイドがまたもや登場して錯綜した冒険譚となる。つまり、第四作以降、ヒーローの視点が分断されるのである。

この間の作品が退屈なわけではない。三作ともに人物造型、ディテールがよく、緊迫したスパイ冒険小説といえるだろう。しかし、ヒーロー小説として見た場合、視点が分断されたぶんだけ物語の昂揚がそがれるのも事実である。この三作は冒険小説というよりも、明らかにスパイ小説に接近しているのだ。この時期に書かれたデイヴィッド・グラント名義の『モスクワ5000』（一九七九年）も、テロリスト対KGB、スパイ救出をめぐるCIA対KGB、さらにオリンピック五〇〇〇メートル競走にしのぎをけずる選手たちの虚々実々の争い、という三つの話を多角的に描いたスパイ・スリラーで（ディテールがうまいので、それなりに読ませる）、この作者の出自をうかがわせるが、ここにも明確なヒーローは存在せず、残念ながら冒険小説とはなっていない。これは、トーマスの新しさはぎりぎりのもので、一歩間違えるとすぐスパイ小説に後戻りするものであることを示唆している。

このままいけば、トーマスはフォーサイス同様に、謀略型の冒険小説を書いたそれだけの作家として忘れ去られたかもしれない。ところが、『ファイアフォックス』の続篇『ファイアフォックス・ダウン』をはさんで、クレイグ・トーマスは一九八五年『闇の奥へ』で復活する。

これは『レパードを取り戻せ』『ジェイド・タイガーの影』に続く三部作最終篇とも読める作品だが、主人公は前二作で単独冒険行をそがれてきたハイド。今度は彼の独壇場だ。オーブリーを救うため、アフガニスタンに、チェコに、ハイドは獅子奮迅の活躍をみせる。相変らずスパイ小説の衣装をつけてはいるが、これはまぎれもなく冒険小説である。卓越したプロットと人物造型、巧みなアクション・シーン。物語は最後まで緊度をゆるめず、クライマックスになだれ込んでいく。現代冒険小説の見本のような作品である。

一九七〇年代後半にデビューしたトーマスは、マクリーン、ライアル、バグリイ、ヒギンズという先行した作家ほど、七〇年代の影響を受けてはいない。前記した戦後イギリス冒険小説地図の三つのパートのうち、②と③は伝統的冒険小説の核たるべき〝大自然〟の影をどこかに引きずっているが（新たな物語をめざしても、その背景に自然の匂いがあるのがこのグループの特徴だ）、その伝統を最初から切り落としたところに、あるいは七〇年代の影響を受けないトーマスの新しさがあるのかもしれない。

謀略小説の時代

さて、フォーサイスだ。

一九七〇年の第一長篇『ジャッカルの日』は、ドゴール暗殺を狙う謎の狙撃手ジャッカルと、それを阻止せんとするパリ警視庁ルベル警視の暗闘を描くスリラーである。この小説のポイントは二つ。

まず一つは、狙撃手を阻止する側が情報部の人間ではなく、犯罪捜査のプロであること。これは、ジャッカルの正体がわからず、その名前を割り出すことが先決で、そのためにはそういう捜査のプロである刑事が必要との設定からだ。したがって、極悪非道のテロリストと闘う謀略小説というよりも、犯人を追う警察小説、その知恵くらべ、という展開を示す。

もう一つは、ジャッカルの正体が徐々に判明するように見せかけて、実は最後までわからないこと。〝敵〟にもそれなりの理屈と正義がある、というこの手の小説につきものの〝弁解〟を、したがって作者は用意しない。彼はなぜ狙撃手になったのか、そういうドラマは最後まで伏せられて、読者の謎として残り続ける。

ドゴールの暗殺を狙う狙撃手と、阻止する側の虚々実々の闘いというのは、それだけでは実はストレートな話にすぎない。もちろん、背景にはアルジェリア問題に対するドゴールの解決に怒るOASや、ECをめぐるフランスとイギリスの対立など、一九六三年のヨーロッパ情勢があり、決して単調な〝犯人探し〟ではないが、そういう付随物を取り払ってしまえば、もともとそれほど起伏のあるストーリーではない。にもかかわらず、この長篇がドゴール暗殺というクライマックスまで張りつめた緊度を失わず、飽きずに読ませるのは、前記の仕掛けがうまいからだろう。

『ジャッカルの日』がイギリス冒険小説に意味を持つのは、この小説が敵対しながらも敬意を払うジャッカルとルベルの〝好敵手物語〟として成立しているからである。この構造は、フォーサイスの意図が謀略小説よりも冒険小説にあることを示唆している。

こういうフレデリック・フォーサイスの姿勢は第二作『オデッサ・ファイル』(一九七二年)でより明確になる。これは、エジプトとイスラエルの対立という一九六三年の中東情勢を背景に、ナチの救助組織オデッサを追うルポライターの冒険行を描いた長篇である。『ジャッカルの日』も、事実とフィクションが渾然一体となっていたが、その方法がこの長篇ではより進められ、その意味ではもっともフォーサイスらしい作品といえるかもしれない。ジャーナリスト出身作家らしい情報小説の側面はたしかにあるものの、ルポライターの冒険行という軸をずらさずにまとめあげたところに、フォーサイスがまぎれもなくイギリス冒険小説の流れの中にいる作家であることを見ることが出来る。

問題は長篇第三作『戦争の犬たち』（一九七四年）だ。これはアフリカの傭兵を描く長篇である。フォーサイスには『ビアフラ物語』という著作があるが、そのノンフィクションで描いたアフリカの現実がこの長篇の背景にある。白人傭兵が仇役ではなく、悲惨な現実にひそむさまざまな矛盾を映す鏡であるというフォーサイスの視点は、ジャーナリスト作家らしい切り口で、たしかに新鮮だった。問題は、この長篇がプロットを無視していることだろう。傭兵たちが依頼された〝国盗り〟に向けていかに準備をするか、という過程を作者は延々描くのである。銃をどうやって買い入れるか、支払いはどうするか、輸送はどうするか、フォーサイスはその具体的なやりとりのひとつひとつを読者に提示して見せる。それがこの長篇の眼目であるかのようだ。そのために、物語のテンポやストーリーの面白さは犠牲にされ、読者は作者の集めた情報と知識を延々読まされることになる。つまり第一作や第二作よりも明らかに情報小説に寄っているのだ。この第三作で小説家としては引退するとフォーサイスは当初言明したらしいが、もしその通りになっていたら、フォーサイスは事実とフィクションが渾然一体となった傑作スリラーを何作か書いたジャーナリスト作家というだけで、忘れられていっただろう。

ところが、一九七九年『悪魔の選択』でフォーサイスは再登場する。『戦争の犬たち』に引き続く問題は、この再登場後の展開なのだ。

『悪魔の選択』は、ソ連の穀物不足、巨大タンカー・ジャック、ソ連内の民族問題、という三つの素材を軸にした近未来スリラーで、フォーサイスらしい〝事実とフィクションの渾然一体型小説〟に見える。しかし、『ジャッカルの日』や『オデッサ・ファイル』と違って、こちらはあくまでも情報を主とした国際謀略小説だ。この長篇が第一作、第二作と表面上は似ているようでも異なるのは『ジャッカルの日』のルベル、『オデッサ・ファイル』のミラーのような主人公がこの小説に不在であることでも明らかである。ヒーローの冒険物語はもはやどうでもいいのだ。情報こそが売り物なのである。一九七〇年代後半は、この『悪魔の選択』に象徴される。

七〇年代に冒険小説が書きづらかった理由は以前書いた。その時期に席巻していたのが、こういう情報主体の謀略小説で、フォーサイスはその代表である。クレイグ・トーマスがスパイ小説からスタートして冒険小説に接近したのに較べ、冒険小説を出自とするフォーサイスが謀略小説にからめとられていったのは皮肉だが、情報小説への接近が見られる『戦争の犬たち』にその萌芽はすでにあったというべきだろう。続く第五作、核をめぐる近未来スリラー『第四の核』（一九八四年）も、同様にヒーロー不在の謀略小説で、第三作『戦争の犬たち』が結果的には分岐点であったようだ。

ヒーロー不在の国際謀略小説はたとえアクション・シーンにあふれていたとしても、断じて冒険小説ではない。冒険小説は時代とともに形を変えるとはいえ、つまり物語の衣装や主人公の性格はリアリティをめぐって変化していくが、そもそもヒーロー不在ではどんな冒険小説でもあり得ない。良質の情報小説ではあり得るかもしれないが、それ以上でもそれ以下でもない。なぜこのような物語が七〇年代後半を席巻したのかといえば、闘うべき相手もわからず、しかも基盤とする倫理すらなく、つまり正義と悪という公式を失った懐疑と躊躇（ちゅうちょ）の時代だったからだろう。そういう時代に一人勝手に暴れまわるヒーローは存在しにくい。下手をすればそういうヒーローは時代錯誤の怪物にすぎなくなる。同時期にマクリーンを始め、バグリイ、ヒギンズ、ライアル、カイルなどイギリス冒険小説作家が悪戦苦闘していたのは、そのためだ。その時期もとめられていたのは、まずこの時代がどういう状態かを説明してくれる物語だった。そのために、フレデリック・フォーサイスは伝統的な冒険小説ヒーローを舞台から退場させ、国際謀略小説の型を借りて、読者の求める情報を提供することに徹したのである。たとえそれが〝真実の世界〟の写し絵ではなかったとしても、その方法はたしかに時代の要求にあっていたのだろう。

フォーサイスは人物描写や心理描写がうまい作家ではない。時には類型的ですらある。イギリス冒険小説作家でそのあたりがいちばんうまいのはおそらくギャビン・ライアルだろう。ライアルに較べれば、フォーサイスは不器用だ。もっともマクリーン、ヒギンズにしてもそのあたりは類型的だから、フォーサイス一人が格下というわけではない。小説のうまさに関しては、イネス、バグリイ、ライアル、トーマスという達者なラインと、マクリーン、ヒギンズ、フォーサイスという不器用ラインがあるようだ。ただし、フォーサイスの短篇を読むと、意外にきれのいい短篇であることに驚く。わが国では『シェパード』『帝王』という二冊にまとめられているが、どれも皮肉なオチですっきりと仕立て上げられている。中でも「帝王」が秀逸。下腹の突き出た初老のサラリーマンが自然との闘いを通して男の逞しさを取り戻していく姿が、くっきりと描かれている。七〇年代後半以降の謀略小説ではうかがうことの出来ないフォーサイスの素顔がここにある。たとえ情報主体の謀略小説を書いていたとしても、フォーサイスはやはりイギリス冒険小説作家なのだ、と力強い気持ちになる。『悪魔の選択』『第四の核』からはとてもイギリス冒険小説の匂いを感じることは出来ないが、それでもフォーサイスはイギリス冒険小説作家なのである。それは『ジャッカルの日』や『オデッサ・ファイル』を書いたからというだけではない。「帝王」に見られる男の誇り、矜持（きょうじ）がその作品の底に見え隠れしながらも常にあるからだ。

したがって、『ネゴシエイター』が一九八九年に書かれたのも、それほど驚くことではない。これは何と誘拐犯を追うヒーローの物語だ。『悪魔の選択』や『第四の核』のような展開になっても不思議ではない話を（背景にこみいった謀略は当然ある）、フォーサイスは久々、主人公クインの冒険行としてまとめあげる。いわば『オデッサ・ファイル』の復活である。相変らず、人物描写に進歩は見られないが、現代の冒険小説を書こうとするフォーサイスの意図はこの小説構造から十分に伝わってくる。国際謀略小説の本家本元がこういう小説を書くところをみると、情報小説が席巻した長い冬の時代の終りを痛感するが、フォーサイス自身が書いたところにイギリス冒険小説の伝統を感じることが出来る。

フォーサイスが回り道をしながらも『ネゴシエイター』に戻ってきたのは、もともとフォーサイスに冒険小説作家としての資質があったからで、時代が変ったから小説も変化した、ということではないはずだ。というのは、資質がなければこうはならないという見本がアメリカにはあるからである。ラドラムとカッスラーに見るアメリカ謀略小説がその場合のテキストになるだろう。

ラドラムとカッスラー

ロバート・ラドラムの作品はいくつかの例外はあるにせよ、その大半が巻き込まれ型スリラーである。主人公が大がかりな謀略の渦に巻き込まれる姿を、複雑なプロットで描くのがラドラムの特徴である。

問題は背景となる謀略が大がかりすぎたり、独走したりして、いつもわかりにくいことだろう。一九七一年のデビュー長篇『スカーラッチ家の遺産』がその典型。これは十九世紀末から第二次大戦までの半世紀を背景に、アメリカ大財閥とナチスの奇妙な関係を描く壮大な長篇である。ところが、その仕掛けのわりにはすごさが伝わってこない。スカーラッチ家の当主がヨーロッパに金融大恐慌を引き起こすという決意が壮大なドラマのクライマックスに合っていないと言えばいいか。

第二作の『オスターマンの週末』（一九七二年）は、ソ連の潜入スパイをめぐる巻き込まれ型スリラーだが、こちらは一転して地味なスパイ小説。舞台も高級住宅地から動かない。友人たちの中にスパイがいるとＣＩＡ職員から告げられた主人公が囮（おとり）になることを承諾して、謀略に巻き込まれていくというものだ。壮大な歴史ドラマから地味なスパイ狩りに一転したところに、作家ラドラムの意欲を見ることができるが、これもこの程度の〝作戦〟でスパイ狩りが成り立つのかという疑問が最後に残ってしまう。そういう疑問を読者に与えてしまうのは、その後の作品にくらべてまだディテールが弱いからだ。第一作と第二作がまったく異なる物語であることからわかるように、この時期ラドラムは物語の方法論を模索していたのだと思う。

ラドラムの方向がある程度定まったのは第三作『マトロック・ペーパー』（一九七三年）からではなかったか。この長篇は学園町を牛耳る犯罪組織壊滅作戦の囮となった教授が、得体のしれない陰謀に巻き込まれていくスリラーである。これも背景となる謀略に嘘くさい匂いがつきまとっているが、アクションの緊迫感をはじめ、ディテールがいいので結果として日常の恐怖をあざやかに炙り出している。初期作品の中では出来のいい長篇だろう。

この作品で明らかになったラドラムの方向とは、複雑で実体のしれない勢力が我々の社会を陰で支配しているという恐怖だ。そういう陰謀を背景に置くこと、ラドラムの本線がここでようやく浮上したと言っていい。

ラドラムの変遷を追う前に、フォーサイスとの違いを一点だけ確認しておきたい。フォーサイスの謀略小説は〝世界の読み方〟に焦点が合っていたが、ラドラムの謀略小説は〝おそろしい陰謀〟そのものに焦点が合わされている。したがって、小説に世界の読み方を求めない読者にフォーサイスが退屈であるように、陰謀そのものに興味を感じない読者にラドラムは退屈だろう。次はどういう陰謀なのかという興味がラドラムを支えるのだ。さらにフォーサイスの作品は〝世界の読み方〟が中心であるかぎり、次々にそれを披露していかなければならず、必然的に情報小説と化していくが、ラドラムの作品はそのラインで書き続けるかぎり陰謀そのものを次々にエスカレートしていかざるを得ない。つまりラドラムの作品には情報が求められるのではなく、脅かしのテクニックが要求され、物語は次第に大ぼら話と化していく。謀略小説というジャンルは同じでも、フォーサイスとラドラムの作品はかくも異なる。

『悪魔の取引』（一九七四年）、『砕かれた双子座』（一九七六年）、『囁く声』（一九七七年）と、陰謀の外見だけがエスカレートしていったのも、ラドラムがまだ未熟だったにせよ、この方法論を選んだことの必然的な帰結だったような気がする。その陰謀を除くと物語は単調であったり、わかりにくかったりして、この間に書かれた小説は決して上出来の作品ではない。『マトロック・ペーパー』で陰謀のテーマを発見したラドラムは早くもその外枠に絡め取られていった、と言ってもいいのだ。

一九七七年『ホルクロフトの盟約』がなければ、ラドラムはぎくしゃくするスリラーを何作か書いた作家として記憶されるにとどまっただろう。この『ホルクロフトの盟約』も実は陰謀小説である。しかも大戦末期にナチが残した遺産をめぐる謀略劇、というよくある話だ。新味があるわけではない。しかしラドラムは背景となる陰謀そのものには深入りせず、主人公ホルクロフトが謀略にいかに巻き込まれていくか、そのディテールを書き込むことで、外見だけがエスカレートしてそのわりに中身のないハッタリ陰謀小説とは一線を画する。要するに、それまで中心としてきた陰謀は味つけにとどめ、謎とアクションの重視という新たなる方向を見つけるのだ。『マトロック・ペーパー』にもこの方向を示唆する部分があったが、そのあざやかな深化と解するべきだろう。

しかしこの『ホルクロフトの盟約』も主人公の動機づけが曖昧で、それが唯一の疵となっている。となると、その疵を補う作品が次に出てくるのも当然。すなわち、一九七九年の『マタレーズ暗殺集団』だ。これはラドラムがたどりついた最高傑作である。米ソ両国の敵対する諜報員が協力して謎の組織壊滅に立ち上がるというもので、背景にあるのはほら話すれすれの大陰謀だ。いかにもラドラムらしいが、しかしここではその壮大な陰謀よりも、主人公の気の遠くなるような冒険行、その孤軍奮闘ぶりに焦点が合わせられている。背景の陰謀よりも物語の重視という『ホルクロフトの盟約』の特徴がここでも見られるが、『マタレーズ暗殺集団』の謎とアクションへの傾斜は前作よりも明らかに深まっている。米ソ両国に敵の手が伸びているとの設定なので、主人公には頼るものが何ひとつない。すべて敵ばかり。かくて絶体絶命のピンチが次々に襲いかかる。動きの激しいアクション、深まる謎。複雑なプロットを駆使してラドラムは息づまるような現代冒険譚をあざやかに描き出す。さらに主人公の動機づけも自然で、文句のつけようがない。ただひとつ疵があるとするなら、主人公のスコフィールドの視点だけでなく、KGB諜報員タラニエコフの視点が入ることで冒険行が分断され、昂揚が削がれることだが、そこまでは酷な注文というものだろう。

と思っていると、次に出てきたのが『暗殺者』（一九八〇年）。記憶喪失の男が過去を取り戻す旅に出て、次第に陰謀に巻き込まれていくというもので、何の前ぶれもなく殺し屋が襲ってくる冒頭から物語は激しく動き、最後まで休まることがない。作品を貫く緊度は『マタレーズ暗殺集団』に負けず劣らない。さらになんと、こちらは単独冒険行だ。背景となる陰謀が『マタレーズ暗殺集団』ほど大ぼらしていないので、好みではこちらをベストとするが、とにかくラドラムは完全にひと皮むけたなというのがこのあたりの実感だった。『ホルクロフトの盟約』『マタレーズ暗殺集団』『暗殺者』と続いた三作はラドラムの長所がよく出ている作品群で、アメリカ謀略小説の存在を誇示し得るだけの完成度を持っている。したがって、ここで終われば話は簡単だが、そうならないので複雑になる。

つまり、一九八二年『狂気のモザイク』からラドラムはまたおかしくなるのだ。この長篇はまだ『暗殺者』の余韻で読ませるものの、ラドラム得意の陰謀が復活し、その傾向が一九八四年『戻ってきた将軍たち』、一九八六年『殺戮のオデッセイ』(これは何と『暗殺者』の続編であることが信じられないほど空虚なアクション小説だ)と、また外見だけの陰謀がエスカレートして逆戻り。ラドラムは虚しい空転を見せ始める。一九八八年『血ぬられた救世主』にいたっては、下院議員がアラブに潜入するという途方もないアクション小説を第一部にし、二部はアメリカを舞台にしたいつもの陰謀小説、それを強引につなげる大長篇で、ラドラムの特徴である〝陰謀と大ぼら話〟だけの作品と言ってもいい。

ラドラムがなぜ後退してしまったのか、クライブ・カッスラーの例をヒントとして考える。カッスラーは衆知のようにダーク・ピットというヒーローを主人公に、『海中密輸ルートを探れ』(一九七二年)

『氷山を狙え』(一九七五年)
『タイタニックを引き揚げろ』(一九七六年)
『QD弾頭を回収せよ』(一九七八年)
『マンハッタン特急を探せ』(一九八一年)
『大統領誘拐の謎を追え』(一九八四年)
『ラドラダの秘宝を探せ』(一九八六年)
『古代ローマ船の航跡をたどれ』(一九八八年)

と謀略小説を書き続けている。このシリーズの特徴はプロット至上主義で貫かれていることで、背景となる謀略のリアリティよりも、ヒーローの存在感よりも、プロットの展開が最優先される。象徴的な例が『マンハッタン特急を探せ』のクライマックスである。この場面にピット・シリーズのすべてが集約されていると言ってもいい。その問題の場合は、水没した洞窟の中を主人公ピットが泳いでいくシーンだ。エアボンベの空気が切れ、ピットの肺は限界に達しているとの設定である。さて、どうするか。いろいろな方向がこの先に考えられるが、なんと作者はこの先のディテールを描かない。違う場面に話を移すのである。このシリーズがどんな意味でも冒険小説であり得ないのは、カッスラーのこういう小説作法のためだ。ヒーローの苦闘を描かない冒険小説は絶対にあり得ない。このようにヒーローの昂揚を平然と犠牲にするのは、カッスラーが面白い話を綴ることをめざしているからだろう。つまり冒険小説を書く意思はないのだ。念のために付け加えると、フォーサイスもラドラムも面白い話をめざしてはいる。

あくまでも順序の話だ。フォーサイスはヒーローの冒険譚がおそらくはいちばん先にあるし、ラドラムは陰謀のこわさを描くのが最初だろう。カッスラーはなによりも面白い話なのだ。だから謀略もそこそこで、冒険譚も表層を撫でる。

ヒーローがいて、冒険があって、形態はかぎりなく冒険小説に近くても、このように本質的には冒険小説でない作品群がある。そういう作品がたまたま血沸き肉躍る冒険譚に近づくことはあるが、それは偶然にすぎず、やがてその本質を露呈しはじめる。フォーサイスが情報小説から冒険小説に戻ってきたのは、その逆の矢印のためだ。もともと冒険小説の本質を備えた作家だったからこそ、還ってくる。カッスラーは還りようがない。

もうひとつ、七〇年代後半にフォーサイスが謀略小説に接近したのは、ヒーローの冒険譚がストレートに書きにくかったからで、それはフォーサイスなりの悪戦苦闘だったのかもしれない。だが、カッスラーとラドラムのアメリカ謀略小説は結果として冒険小説に近いだけで、それが目的でないだけに悪戦苦闘の産物ではない。すなわち出自と資質が異なるのである。

ラドラムの作品が八〇年『暗殺者』を最後に冒険小説として空転し始めるのは、もともと彼が陰謀そのものを描く作家だったからで、つまり元に戻っただけとも言える。冒険小説にかぎりなく近づいた七〇年代末の三作は幸福な偶然にすぎなかったのである。

フランシスの復活

情報小説が席巻していた一九七〇年代に敢然と終わりを告げたのは、イギリスのディック・フランシスだった。

ディック・フランシスは一貫して競馬に材を得た作品を書き続けている。主人公は騎手だったり、牧場主だったり、競馬記者だったりするが、物語はいつも競馬界に何らかの関わりを持っている。フランシスは騎手出身作家なので、熟知した世界を描いたのだろうが、それがフランシスの作品に競馬小説という枠組みを与え、結果として特殊なジャンルであるとの先入観をもたらしている。しかし、フランシスの作品がイギリス冒険小説であることは一読すれば明らかだ。

クレイグ・トーマスの章で、戦後のイギリス冒険小説作家を、①自然と闘う男を描く古典派、②ストーリーやキャラクターを優先する物語派、③その折衷派、の三タイプに分けたが、実はトーマス同様にディック・フランシスもこの便宜上の分類に入らない。トーマスの場合は出自が異なるためだが、ではフランシスの場合はなぜか。この分類は戦後イギリス冒険小説を物語の形態で分けたものだが、そういう基準で分けるとフランシスはどこにも入らない。なぜなら、フランシスの作品は物語の衣装ではなく、冒険小説の核そのものにこだわることで、見事な冒険小説になっているからだ。核とはすなわち、男の誇りと勇気とストイシズムである。これこそがフランシスの決定的な新しさなのだが、同時にフランシスの限界でもあったことをまず銘記しておきたい。

注目すべきはフランシスの小説に自然が舞台として登場することがほとんどないことだろう。マクリーン、ヒギンズ、ライアルたちの戦後イギリス冒険小説はたしかに新しかった。しかし彼らも古典的なイギリス型冒険小説の舞台である〝自然〟を作品のどこかに引きずっている。ところがフランシスは大半の作品において、その自然を完全に断ち切っている。さらに、フランシスの書く小説は戦争ものでもなければ、現代の諜報戦でもないのだ（一九六六年『飛越』、一九六七年『血統』という例外はあるが、これは当時がスパイ小説の時代だったからだろう）。その意味ではフランシスの登場を待って現代冒険小説は開幕した、といえるのかもしれない。

ではフランシスの冒険小説はどういう構造なのか。デビュー作『本命』（一九六二年）よりも、第二作『度胸』（一九六四年）のほうに、フランシスの特徴がよく出ているのでまずこれをテキストにしたい。この小説の主人公は騎手。新米騎手がレースを勝つことの充実感、騎手仲間を襲うアクシデントをめぐる謎、そしてラブ・ロマンス。どれをとっても描写がみずみずしく、その躍動感は初期作品の中でも群を抜いている。しかし、この小説がフランシスの原型であるのは、主人公の設定だろう。彼は音楽家の家に生れながら、一族の中で彼だけ音楽的才能がなく、騎手になったとの設定なのである。すなわち家庭から疎外されているのだ。この疎外感、特に〝父親不在〟はフランシス作品を貫く重要なキーワードである。

父親と対立していたり、愛情の交流がなかったり、天涯孤独の身であったり、とフランシスの作品には父親喪失のドラマが多く、例外のほうが数えられるほど少ない。フランシスはしつこいほどこのパターンを守り続けている。これは一体何なのか。

それは、フランシスが作品の主人公に与えた深い失速感だろう。冒険小説は男の復権の物語という側面を持っている。挫折し、何かを失った地点から男が立ち上がってくる姿を、冒険小説はヒーロー再生物語として描く。物語の形態ではなく、核としてそういう要素を持つことが多い。自然や戦争や、そして諜報戦が背景になった冒険小説ならば、その核がやや見えにくくても、衣装がそのままヒーローの活躍する舞台となるので問題はないが、そういう衣装を持たないフランシスの場合は、ヒーロー物語である基盤を何らかの形で主人公に与えざるを得ない。失速感の強調はその意味で理解される。もちろん『度胸』において女友達に去られるというように、他の喪失感も付随物としていろいろ付けるが、繰り返し登場する〝父親不在〟こそ、フランシスが用意した最大の趣向である。

そして『度胸』がフランシスの原型であるのはもうひとつ、闘うべき敵は脆弱な自己であるとの視点がすでにこの作品にあることだ。すなわち、度胸喪失の苦悩から主人公がいかに這い上がるか、という過程が物語の重要なポイントになっている。

この深化が第四作『大穴』(一九六五年)だ。『度胸』が肉体的危機はあるものの、どちらかといえば誇りや勇気、そういう精神の闘いであるのに比べ、こちらは肉体が核となっている。元チャンピオン・ジョッキーが過去を引きずって死んだように生きているとの設定で幕を開けるこの小説は、二週間の冒険を通して主人公シッド・ハレーが自己を解放するまでの力強い物語である。それは幾多の冒険小説がそうであるように、心の鬱屈（うっくつ）を抜け出る闘いではある。だが、クライマックスの拷問シーンに見るように、『度胸』より肉体の色調がはるかに濃い。この『大穴』の主人公シッド・ハレーが『利腕』で復活した最大の理由はここにこそある。

　問題はこの『大穴』を最後にフランシスの作品から緊張感が失われていったことだろう。第五作『飛越』、第六作『血統』はまだ読めるものの、第七作『罰金』（一九六八年）から空回りしはじめる。このあたりからフランシスの小説はストーリー色の濃い物語になっていくのだ。たとえば第十作『骨折』（一九七一年）は構造的には『度胸』に酷似している。主人公も敵対する相手もともに不肖の息子であり、敵対しながらも理解しあえるという関係である。だが、第八作『査問』（一九六九年）、第九作『混戦』（一九七〇年）、第十一作『煙幕』（一九七一年）、第十二作『暴走』（一九七三年）がそうであるように、図式化だけが先走り、せっかくの趣向も活きていない。そこに展開するのは虚しい物語だ。一九七〇年代がアンチ・ヒーローの時代であったことを想起すれば、この間のフランシスの悪戦苦闘も理解できる。ヒーローが生きにくい時代だったのである。『罰金』以降のフランシスの空転はアンチ・ヒーローの闊歩する時代にヒーロー小説を書く困難さを伝えている。

　しかし、その空転の真の原因は、冒険小説を〝男の誇りと勇気とストイシズム〟という核そのもので書こうとしたフランシスの方法論にあったのではないか。たしかに、自然を離れ、戦争を背景とせず、しかも諜報戦とも無縁な物語は新鮮だった。イギリス冒険小説の新しい波ということでいえば、五〇年代のマクリーンがいるが、冒険者を貴族から解き放ち、庶民の冒険譚を書いたマクリーン作品は戦後冒険小説の開幕を告げたものの、まだ特異な状況設定を必要とした。それは死と向い合わせの極限であったり、酷寒の地であったりした。だが、六〇年代のフランシスは普通の日常の中にも冒険があることを鮮やかに描いたのだ。この発想の転換は驚くほど新鮮だったといっていい。しかし、特殊な状況設定を必要としないぶんだけ、男の誇りと勇気とストイシズムを行間から伝えるために、ストーリーに凝らざるを得なくなる。それは当然だろう。衣装に凝らず、核そのものにこだわる作家なのだ。酷寒の地や凶暴な海、さらには極限の戦地など、特殊な舞台を用意せずに、その核を伝えるからにはそうせざるを得ない。そうでなければ、ただのメッセージにすぎない。父親喪失の背景に主人公の鬱屈を重ね合わせ、そこから立ち上がってくるドラマをいかにストーリーに溶け込ませるか。それが最初からフランシスの課題であった。すなわち、ストーリー色が濃い物語になっていく危惧は最初からあったのである。

かくて七〇年代のフランシスは意図だけが先走る空虚な物語を書き続けることになる。第十三作『転倒』(一九七四年)、第十四作『重賞』(一九七五年)、第十六作『障害』(一九七七年)と、惜しい作品もあるが、総じてこの間のフランシスは空回りしているといっていい。しかし、この間、悪戦苦闘していたからこそ、第十八作『利腕』(一九七九年)にたどりつく。これはフランシス復活を告げる作品である。『大穴』の主人公シッド・ハレーが再登場する小説だが、テーマはなんと〝男の恐怖心〟。闘うべき敵は脆弱な自己であるとの視点は『度胸』にすでにあったが、その線を一歩進めて、敵は自分の体の裡にひそむ恐怖心であるという発想は実に新鮮だった。この時期、闘うべき敵を見失っていた冒険小説（だからこそ情報小説が席巻していた）にとっても、これは有効な答えであり、コロンブスの卵である。フランシスはこのあと、『名門』（一九八二年）という『利腕』の裏返し作品を書き（逆の矢印は成り立たないからこれは勘違いである）、あるいは自分の作品について理解していないのではないかと思わせたが、その後『奪回』（一九八三年）、『証拠』（一九八四年）という〝恐怖心三部作〟を書き、肉体の恐怖を精神がいかに克服するか、そのドラマを見事に描き出した。

もっとも、八〇年代後半の『侵入』『連闘』『黄金』『横断』を読むと、作者の興味は徐々に冒険から離れ、謎解きに向っているようで、もはや昔日のフランシスではないが、一九七九年に『利腕』を書いたということだけで、ディック・フランシスはイギリス冒険小説史上に残り続けている。

『利腕』が七〇年代の末に書かれたことは、象徴的であるように思える。それは来たるべき八〇年代への見事な予感だった。冒険者の闘う敵は巨大な諜報組織ではなく、悪意に満ちた自然でもなく、実は弱音を吐く自己の肉体であるとの視点は八〇年代の新たな冒険小説の行くべきひとつの道を示唆していた。それは決して現代冒険小説のゴールではないが、七〇年代の袋小路を打破する記念すべき作品ではあった。『利腕』は敵の明確な輪郭が見えず、ヒーローが闘うべき相手を見失っていた七〇年代に颯爽と別れを告げる作品だったといっていいのである。

Ⅱ

『水滸伝』の世界

日本編に移る前に、中国が生んだ大伝奇小説について簡単に触れておきたい。ご存じの『水滸伝』だ。日本の小説に多大な影響を与えたこのヒーロー物語がどういうものであったのか、その原型を確認しておくのはけっして無駄ではあるまい。

まず『水滸伝』で違和感を覚えるのは宋江だ。梁山泊に集結した豪傑たちのリーダーであるこの男がなぜこれほどまでに人望を集めるのかがよくわからない。そもそもこの男は、梁山泊に逃がした晁蓋の使い、劉唐に会う場面で、手紙と金を受け取らずに劉唐と別れたあと、「捕り手に見つからずにすんでよかった。すんでのところで大事をひきおこすところだった」（駒田信二訳）と考える小心者なのだ。

さらに、梁山泊の一員となってからも、この男が考え出す策略は、秦明を仲間に引き入れる計画を始め、どれも乱暴きわまりなく、戦闘ではそのために何度も作戦が失敗したりする。つまり策師でもない。

おまけに自分勝手でもある。山賊たちを引き連れて梁山泊に向かう途中では父親の死の報せを受け取ると仲間を置いて故郷に帰ってしまうし（贋の報せではあったけれど）、そこで特赦が出て罪が軽くなったと聞くだけで自ら捕まってしまう。これは忠義という観念がこの男にあるからで、天子に背(そむ)きたくないという考えだろうが、このような男が反逆者の集団である梁山泊のリーダーになるということ自体が皮肉である。

宋江は下級役人の出身で、知り合いの晁蓋を逃がしたことをきっかけに梁山泊に入ることになるが、彼は生涯天子に背く気はなく、仕方なく世をはみ出していくにすぎない。護送される途中に仲間が救出にきても、自分が逃げては故郷の父親に迷惑がかかると断ってしまう常識人なのである。深く考えもせずに謀叛(むほん)の詩を書く粗忽(そこつ)者であり、老父と合流したいと言い出すわがまま人間であり、ようするに凡庸な人物である。

不思議なのは、この宋江に対して「あなたさまが、欲得をはなれて義に篤く、もっぱら困苦に喘いでいる人たちを助けておられるというかずかずの噂は、久しく聞きおよんでいるところでございます」と山賊たちが全面的な信頼を寄せていることで、宋江と知らずに捕まえた山賊たちはその正体が判明すると誰一人の例外もなく、必ずハハーッと平伏してしまう。これが理解しにくい。

宋江が何をしたかというと、困っている人間に気前よく金を分け与えたにすぎず、魯智深(ろちしん)のような人間的魅力もなく、呉用(ごよう)の策略もなく、公孫勝(こうそんしょう)のように特殊な術を持っているわけでもない。世が乱れているのは大臣たちが悪いのであって皇帝に罪はないという考えの持ち主で、徹底して反逆の志はない。ひたすら帰順を願うのだ。そして帰順してからも横暴な官吏に当然の怒りをぶつけた部下を、今は耐え忍ばなければならないのだと首をはねてしまう男である。リーダーたる資格もない男に見えてしかたがない。

なぜこの男が人望を集め、晁蓋に継ぐ二代目とはいえ（王倫から数えれば三代目だが）、梁山泊のリーダーになったのか。これが『水滸伝』最大の謎である。

宮崎市定『水滸伝　虚構のなかの史実』（中央公論社）には、「その点、宋江はこれほど無能な人間は外にないくらい無能なのである。もしも、歴史上の実在人物に譬えをとるなら、漢の高祖、劉邦と似たところがある。そして中国は特にこのような種類の人間を好んで高く評価するのである。また実際に世知辛い世の中において、こうした無能で、しかも自己の無能を自覚して決して威張ったりせぬ人間が必要な場合ができてくるのである」とあるが、現代に生きる我々には実感しにくい。

『水滸伝』が現在の形にまとめられたのは十六世紀の中頃と言われている。十二世紀の始めに三十六人の賊が反乱を起こした史実が語り継がれているうちに百八人の豪傑たちの話になり、その説話を基に明代の末頃、長篇小説として書き下ろされたという。最初に出たのが百回本で、のちに田虎・王慶討伐のエピソードを挿入した百二十回本が出る。十七世紀に入って七十回本をまとめた金聖嘆によれば、第七十回までは施耐庵の作で、それ以後の続編は羅貫中の作であると言うが、真偽のほどはわからない。

『水滸伝』には各種のテキストがあるが、大別すれば、この三種、百回本、百二十回本、七十回本にわけられる。七十回本が百八人の豪傑たちが梁山泊に集結するまでを描くのに対して、百回本は帰順して官軍となった梁山泊軍が賊軍と戦う姿までを描いている。百二十回本は前記したように、この百回本に田虎・王慶討伐のエピソードを挿入したもの。

『水滸伝』全体を考えれば、百二十回本が正統ではあるだろう。『水滸伝』は第七十五回から招安（大赦を告示して賊を帰順させること）の問題が浮上してきて、第八十二回でついに帰順。第八十三回から梁山泊軍は官軍となって賊軍を討つ遠征に旅立っていく。戦闘の日々の中で豪傑たちは次々に死んでいき、最後には二十七人が生き残るのみ。それでも彼らは中央政府に正当に評価されないという淋しい末路を迎えていく。ここまでの姿を描かなくては、たしかに『水滸伝』全体の結構はそなわらない。

だが『水滸伝』が説話として、あるいは物語として、長く広く支持されたのは、官憲に刃向かって義に生きた好漢たちの物語が何よりも痛快であったからだろう。政治家・宋江や軍師・呉用の物語が中心であったなら、これほど長い間、読者の喝采は浴び得ない。

その意味で、好漢たちが次々に集結してきて、第七十一回で百八人の豪傑が勢ぞろいするまでが『水滸伝』の醍醐味と言える。あとは付け足しである。

その七十一回までは銘々伝だ。九紋竜の史進、魯智深、林冲、楊志、武松、花栄、李逵、というメンバーの逸話、その武勇伝が次々に紹介される（この中では、涙もろく酒に弱い魯智深、虎退治の武松、斧を振りまわす李逵などの乱暴者の系譜が特にいい）。

彼らがどうやって社会からはみ出し、梁山泊に集まることになったのか。その痛快な逸話が第七十一回までの読みどころである。その前半の痛快さこそが『水滸伝』が長く読み続けられている理由にほかならない。彼らが集結したあと、どうなろうとそんなことはどうでもいいのだ。後半、官軍となってからの梁山泊軍に生彩がないのは、魯智深や武松や李逵の活躍の場がないからで、宋江や呉用のリーダーたちが主役となってからの退屈さが『水滸伝』人気の本質を示唆している。

とはいうものの、『水滸伝』はかなり不思議な小説である。前半の銘々伝にしても、魯智深や武松や李逵などの乱暴者の挿話の間に、真面目な林冲を襲う悲劇が語られるし、のちに『金瓶梅』という違う話として独立する武松の兄嫁・潘金蓮（はんきんれん）と西門慶（せいもんけい）の姦通の挿話がバランスを無視して長々と挿入される。全体が不統一なのだ。

物語の冒頭で少華山の山賊とやりあう九紋龍の史進はその後さしたる活躍の舞台を与えられないし、百八人の豪傑たちが全部紹介されるというのでもない。それどころか主要の三十六人ですら、扱い方に違いがある。印象の薄い盗賊が結構いたりする。

前出の宮崎市定『水滸伝　虚構のなかの史実』によると、『水滸伝』には史実を基にした逸話が多いらしいので、それらが語り継がれている間にごっちゃになったということなのかもしれない。全体の不自然さは（数多くの逸話を繋ぎ合わせたという印象は否めない）、そこからきているのだろう。

不自然といえば、『水滸伝』には策略をめぐらして敵の将軍を仲間に引き入れる挿話が何度も繰り返される。晁蓋、宋江、呉用という梁山泊のリーダーたちは、自分たちに必要な人材を仲間にするためなら、どんな手段も辞さない。時には人間とは思えないほどのひどい仕打ちをしたりする。盧俊儀を仲間に引き入れるくだりはその典型で、いくら義のためとはいえ、宋江たちのこの策略には共感しにくい。現代の読者に理解しにくいのは、騙されたほうが「それほどまでにそれがしのことを」と感激して結局は仲間になることだ。しかし、人肉を食うエピソードや子殺しの場面に見られる残酷さ同様に、これもこの時代の大陸に生きた人間の行動と心理を念頭に置かなければならないのかもしれない。

『水滸伝』には幻想的シーンも頻出する。冒頭からして穴に封じ込められていた百八の魔王が飛び出すシーンである。馬琴『南総里見八犬伝』がこの『水滸伝』を発想の基にしたのは有名だが、冒頭の類似シーンにたしかにその痕跡がある。『水滸伝』においては妖術使いの高廉との闘いが白眉。呪文ひとつで風は吹き、大地は揺れ、猛獣たちが飛び出してくる。おかげで梁山泊軍はさんざんな目にあい、対決するために道者・公孫勝を探すことになる。その公孫勝の行方を追う戴宗も道術に秀でていて、一日に何百里も駆けることができるというくだりは面白い。特に、旅の道連れとなった李逵が戴宗にからかわれる挿話は、『水滸伝』に珍しくユーモラスな雰囲気を与えている。

この挿話に出てくる黒旋風の李逵は殺人鬼すれすれの男で、相手かまわず斧を振りまわす希代の乱暴者だが、数ある登場人物の中でも特に異彩を放っている。乱暴者は李逵だけではないというのに、この李逵が強い印象を与えるのはなぜか。これが最後の問題になる。

たとえば、苦しんでいる親子に同情し、悪人を懲らしめるつもりが力あまって殺してしまい、下級役人の職をうしなって坊主になる魯智深がいる。酒を我慢できずに飲んで大暴れ、結局は寺からも追放されて梁山泊に合流する大男だ。この魯智深は陽気な乱暴者である（武松もこのタイプ）。一方、黒旋風の李逵は陰惨な行為も辞さないタイプで、野性のままに生きる男。この二人は同じ乱暴者でも対照的な男として登場する。キャラクターとしては、陽性のヒーロー魯智深のほうがあるいは読者の支持を集めるかもしれない。

だが、この李逵の造形が『水滸伝』の中で強い印象を残すのは、おそらく宋江が関係している。第七十一回で豪傑たちが梁山泊に集結したあと、宋江が「望むらくは天王詔を降して早く招安せば、心方に足りなん」と楽和に歌わせるくだりで（つまり宋江に反逆の意思はなく、天子のために役立ちたいのだ）、この李逵が、「きょうも招安、あすも招安と待っているばかりで、まったくおもしろくない！」と叫ぶ場面がある。これがヒント。つまり李逵は宋江を映す鏡なのだ。帰順してから中央政府に邪険にされることに悩む宋江に対して、「また梁山泊に戻ればいいんだ」と言う李逵は、反逆の徒になりたくないために毒を飲む宋江に殉じて、最後は暴れることなく死についてしまう男でもある。この二人は、現実を考える政治家と斧を振りまわす乱暴者という逆の矢印を持っているようでも、実は表裏一体である。この構造を持っているからこそ、李逵の姿が悲しい。

『水滸伝』がこれほど長い間、読者の支持を集めたのはたしかに第七十一回までの、陽気な乱暴者たちの武勇伝が理由だろうし、その後の『水滸伝』は退屈な話にすぎないが、しかし、両端に宋江と李逵を配置して、現実と野性を見据えたからこそ、大伝奇小説『水滸伝』が深い物語になったのではなかったか。

ふたつの『水滸伝』

　では、その大伝奇小説、ヒーロー物語は日本の小説にどのような影響を与えたのか。わが国における『水滸伝』移入の歴史をまとめた高島俊男（たかしまとしお）『水滸伝と日本人』（大修館書店）によると、『水滸伝』が海を渡って日本に入ってきたのは江戸の初めで、つまり中国の新刊ベストセラーがすぐさま海を渡って入ってきたことになる。『水滸伝』は話し言葉で書かれた白話小説で、この『水滸伝』に代表される白話小説が日本人に歓迎され、愛されたのは、「個性的な人物を登場させ、おもしろいストーリー、意外な成り行きと結末を設計し、あるいは、人情の機微や心理の動きを仔細に写して、徹頭徹尾読者をたのしませるためにのみ工夫された読みもの、というのが、それまでの日本にはなかった」（前掲書）からだという。なぜなかったか、ということについては「多分、そうした純然たる娯楽商品というのは都市の産物なのであって、江戸以前の日本ではまだ都市が成熟していなかったからだろう」と高島氏は書いている。ということは『水滸伝』はちょうどいい時期に日本に入ってきた、ということになる。高島俊男『水滸伝と日本人』は、原書、和刻、翻訳、翻案という四つの段階を経て、わが国に浸透した『水滸伝』日本移入史を克明にまとめたもので、これを読むと夥しい『水滸伝』本（翻訳、翻案、ダイジェストなど）が日本で出版されたことがわかる。

ここでは翻訳というよりも、「著者本人の小説という性格の強いもの」（前掲書）の代表として、吉川英治『新・水滸伝』と柴田錬三郎『われら梁山泊の好漢』を取り上げたい。両者ともに百二十回本をテキストにしたと思われるが、前者は月刊「日本」に創刊昭和三十三年一月号から昭和三十六年十二月号まで、後者は月刊「潮」に昭和四十四年九月号から四十九年十二月号まで「巷説水滸伝」の題名で連載されたものである。

まず吉川英治版は、封じ込められていた百八の魔王が穴から飛び出す冒頭から原典に忠実に始められている。対して柴錬版は大胆だ。

「大地にそそぐ朝陽が、截られて、悲鳴をあげている。そういってもいいくらいの鋭い音が、唸っている」

という原典にない文章から始めている。九紋竜の史進が素振りしている場面からいきなり始めているのだ。自由奔放な翻案と言えるだろう。

柴錬版は「九紋竜史進の巻」「魯智深の巻」「林冲の巻」「楊志の巻」と、その大半を列伝体で進めているところからも明らかなように、豪傑たちのキャラクターに作者の興味があったようだ。となると梁山泊軍が官軍となって賊軍と闘う後半には関心がないのも当然で、梁山泊軍が妖術使いの高廉を破る第五十四回でストンと終わっている。なんと百八人の豪傑が集結する第七十一回までにも至らない。吉川版は百二十回本の第七十四回で絶筆となってしまったので、どこまで原典を追う予定であったのかわからないが、吉川英治のことであるから最後まで筋を追うつもりだったと思われる。もっとも吉川版にしても原典にまったく忠実というわけでもなく、後半の曾（そう）一族との長い闘いをたった十数行で処理するなど、かなり大胆な省略が見られる。

　細かな異同は両者に無数だ。たとえば、冒頭近く、少華山の山賊が史進の家を襲うくだりは、吉川版では山賊たちが最初から襲撃の計画を立てることになっていて、史進はそれを迎え討つ形を取るが、柴錬版では暇を持て余した史進が山賊に隙を見せてわざと襲わせることになっている。実は原典ではどちらでもない。山賊の目的は別にあり、その地に向かうために史進の村を通りかかるだけで、帰りにはお礼をするから無事に通してくれと乱暴者の史進に頼むというのが原典の筋である。ところが史進がそれを許さず、闘いになるというものだ。このように、細かな部分には両者ともに夥しい異同がある。王進が高俅（こうきゅう）から恨まれる冒頭の理由からして両者とも原典とは異なっているのだ。それでも大ざっぱに言えば、筋を追うことでは吉川版のほうが原典に忠実で、物語精神では柴錬版のほうが忠実、ということは言えるかもしれない。

　そのことは人肉茶屋の場面に顕著だろう。武松が孟州の刑地まで旅する途中で、追い剝ぎ渡世の夫婦者（張青（ちょうせい）と母夜叉（ぼやしゃ）の孫二娘（そんじじょう））が経営する居酒屋でしびれ薬を飲まされる場面である。この夫婦者は旅人にしびれ薬を飲ませて殺し、その人肉を牛肉と称して町に売り、こまぎれのはした肉は饅頭に入れるのだが、そのくだりを柴錬版は忠実に訳している（さらに居酒屋の調理場の「壁には、人間の皮が、幾枚も貼りつけてあったし、梁からは、腕や脚が、七八本、ぶら下げられていた」と柴錬版では克明に描写される）。

これに対し、吉川版では「しかも、その凶行が残虐だった。ひとたび毒酒に酔わされると、生きてその屋の軒を出た者はない」と書くだけで、そのディテールは描かれない。こういうところは柴錬版のほうが原典に忠実なのである。『水滸伝』には残忍な描写が多いが、吉川版はそういう陰惨なシーンをことごとく省いている。黄文炳を捕まえる場面でも、吉川版では「一寸試し五分試しのすえ、江へ投げ込まれたのはぜひもない」とされるだけだが、柴錬版では原典通りに、李逵が黄文炳の太腿の肉を切り取り、炭火で焼いて食べてしまう場面が克明に描かれる。母親を訪ねる旅の途中で追い剝ぎにあった李逵がその追い剝ぎの亭主を殺す場面も同様だ。吉川版では、「李逵は、大きな魔の息に変っている。家の中へ入って、二つの行李をひっくり返し、目ぼしい物をふところへねじ込んだあげく、ちょうど炊きあがった釜の飯までたいらげて悠々とそこを立ち去って出たのである」とあるだけなので、これでは「大きな魔の息」とは何なのかがよくわからない。実は、殺した男の太腿を李逵が切り取って飯のおかずにしたのである。

柴錬版ではそこまで書いたあとに、

「人肉をくらう、ということは、この宋代あたりまでは、さしたる悪徳行為ではなかった。猿や犬の肉を喰べるのと、あまりかわりがなかった。人間も死体となれば、牛馬のそれと同じ獲物とみなされるのであった」

と原典にはない弁護を付けくわえている。たしかにこの説明通りに史実はそうであったのかもしれないが、梁中書が岳父に送る十万貫の金銀を強奪する劉唐の計画に晁蓋が乗る理由についても、「内緒は窮迫してしまっていた。晁蓋が、あまりに気前よく、財を散らしたのと、群盗が出没して、米穀を片っぱしから掠奪するので、村民の逃散があいつぎ、田畑が荒れ放題になっていたからである」と原典にはない説明を付けたのと同様に、これは原典の残酷さ、不自然さを説明するための柴錬版の苦肉の策と言えなくもない。吉川版が残酷な場面を省いたように、柴錬版も『水滸伝』の残酷さや不自然さを随所でカバーしているのである。

しかし、さすがに二人の作家とも弁護できなかったと思えるのが、『水滸伝』の中でももっとも陰惨な子殺しの場面だ。知府の子供を預かった朱仝のもとに呉用が訪ねてきて、梁山泊に誘う場面である。呉用が朱仝を口説いている最中に黒旋風の李逵が子供を殺してしまうのだが、吉川版では李逵が泣いて逃げ回る子供を追いかけている間に子供が池に落ちて死ぬことになっている。李逵が平然としているのはこの男の性格から理解できたとしても、しかしこれはなんだか不自然だ。原典を読まずに吉川版のこの場面を読むと、おやっと思うだろう。

では、柴錬版では同じ場面をどう描くか。こちらは朱仝を仲間に誘う手段として、李逵が子供を一時隠すことになっている。つまり誘拐である。ところが泣いて暴れる子供を李逵が拳固で殴ると死んでしまったという。

「……子供を殺したのは、たしかにわるかったが、あんまり、ぎゃあぎゃあ泣きわめいて、おれの左手の小指に噛みつきやがったから、つい、こつんとやったまでよ」

と李逵に、皮が破れ、肉がはみ出している小指を突き出させるのが柴錬版だ。ここまで説明すれば、たしかにこちらのほうが自然に思える。いや、こうでもしなければとても弁護できなかったのかもしれない。原典ではもっとひどいのである。最初から殺すつもりだったのだ。柴進の言葉によると、梁山泊への誘いを朱仝が断ったので、子供を殺して帰れなくさせる計画であった。李逵は「晁・宋ふたりの兄貴の命令でやったんだ」と言い、呉用は「いずれも宋公明の兄貴があのように命令されたのでした」と言う。宋公明自身は軍師がめぐらした手段だと言っているが、どちらにしてもリーダーが考えた残酷な子殺し計画である。さすがにこのままでは陰惨すぎて日本の現代読者に説得力を欠くことになると判断したのか、吉川版、柴錬版ともに、このくだりは書き変えている。『水滸伝』にはこのように後味の悪い箇所が幾つもある。吉川版、柴錬版ともに、その後味の悪さを軽減するための作為をいたるところに凝らしているのである。

それでも、策略をめぐらして仲間に引き入れる後味の悪い挿話をそのままにしているのは、直しようがないからだろう。『水滸伝』の醍醐味は、騙して仲間を集めるエピソードではなく、官軍になって賊軍と闘う挿話でもなく、社会からはみ出した好漢たちが義に集結してくる前半にあるといっていいが、李応や盧俊義を騙す挿話自体は直しようがない。そこで柴錬版では前半の痛快な物語の印象を残すために第五十四回で切ってしまった。読後感が爽快という点ではこの処置は正しい。大胆な省略だが、このくらい思い切らないと『水滸伝』は自分のものにならない。吉川版が、百八人が梁山泊に集結する第七十一回直後で終わっているのも、偶然であるにせよ、その後の官軍と化して賊軍と闘う後半を見なくていいので、結果として怪我の功名になっている。

『水滸伝』は男の物語であり、女性が登場しても武松の兄嫁・潘金蓮を始め、宋江の悪妻・婆惜、楊雄の妻・巧雲と、妖女ばかりである。つまり毒婦伝のおもむきがあるが、こういう希代の妖女の描写は吉川版が生々しく、巧みである。対して柴錬版は、妖婦巧雲を楊雄が切る場面の――舌を引きずり出して切取り、鳩尾から下腹部、そして陰部まで切り、さらにはらわたまでつかみ出して、地べたに叩きつける――という描写に見られるように、原典よりも女性に対しては残酷だ。柴田錬三郎の関心は、毒婦たちより希代の悪党・李逵にあったようで、このアナーキーな人物に惹きつけられるところが、無頼侍・眠狂四郎を描いた作者らしいと言えるかもしれない。

Ⅲ

『南総里見八犬伝』の世界

ここからは日本の冒険小説を読み始める。

イギリスの冒険小説を十九世紀末のスティーヴンソンから始めたように、日本の冒険小説も同時期から始めるべきかもしれないが、日本の場合はもうすこし遡(さかのぼ)る。十九世紀初頭だ。江戸時代後期の読本(よみほん)である。

享保期における子供向けの赤本(イギリスのチャップ・ブックに相当する)は別にしても、延享期の黒本青本、安永期の黄表紙、さらに合巻(長編の黄表紙を何巻も合冊にしたもの)にいたる草双紙をなぜ外すのか。

さいわいにして河出書房新社から江戸戯作文庫と題して黄表紙や合巻など江戸時代の草双紙が翻刻されている。その江戸戯作文庫『傾城水滸伝』(曲亭(きょくてい)馬琴作・歌川豊国(うたがわとよくに)絵・林美一(はやしよしかず)校訂)の解説(林美一)によれば、この合巻は正月二日に売り出した初編が(当時は一年に一度の刊行)松の内の間に数千部を売りつくすベストセラーになり、さらに好評の余り、再板三板まで彫ったという。

いわば草双紙は大衆小説のルーツともいうべきなのだ。ならば、日本の活劇小説はここから始めるべきか。しかし、これらの草双紙は文よりも絵が主体という日本独特の娯楽本であり、文章は絵の余白にびっしりと書き込まれ、さらには人物の横にセリフまで入っている。つまり絵と文が不可分であり、しかも絵が中心なのである。この形態から考えると、大衆娯楽本のルーツではあっても、それは小説というよりもどちらかと言えば劇画のルーツに近い。

やはり、文章主体（といっても挿絵は入る）の読本からはじめるべきだろう。ところが、そういう読本は草双紙と違って、値段も高価で部数が少なく、さらには武士や教養ある層、そういう特定の読者を相手にしたものである。つまりは一部の特権階級を相手にしたものだ。こういう小説を日本編のトップバッターに指名して果たしていいものかどうか。

だが、値段が高価といっても、黄表紙と同様に貸本屋から借りれば、まずその問題はなくなる。長友千代治（ながともちよはる）『近世貸本屋の研究』（東京堂出版）には、寺門静軒（てらかどせいけん）『江戸繁昌記』から天保三年に貸本屋が八百軒も江戸で営業していたという数字が引用され、次のように書かれている。

「これらの貸本屋の隆盛は、元禄・享保以後、当世の風俗を描きたくさんの挿画を入れてとみに娯楽、庶民化した出版物の氾濫と、一方では寺子屋や丁稚奉公で次第に識字能力を身につけた大衆が娯楽読物の読者に織り込まれて、これに貸本屋が加わって相乗作用を起こしながら招来したものである」

その貸本屋も最初は行商であったという。ついで注文を取って歩いた（これを継本制度といい、読者が自動的に続編を受け取るこの制度が長編の読本の続刊を可能にしたらしい）が一応店を構え、そして江戸中期になると出版にまで乗り出すようにもなった。馬琴の『南総里見八犬伝』を八輯から刊行した丁子屋も江戸の貸本屋である。『近世貸本屋の研究』には、本を担いで売り歩く姿（行商本屋が貸本屋を兼ねていた）が当時の挿画を引用して紹介されている。

もうひとつ、文章主体であるために絵入りの草双紙よりも特定の読者に限定されていたということについては、前田愛（まえだあい）『近代読者の成立』（『前田愛著作集2』筑摩書房）という興味深い論考がある。すなわち、江戸時代では音読が普通だったというのだ。音読から黙読へ移行することで読書が孤独な営為になり、近代の読者が生まれたというのだが、読み聞かすことが広く行われていたならば、読本はその部数以上に庶民の間で読まれていたことも充分あり得る。すなわち、「読本の発行部数は普通数千部であるが、貸本屋を通じて読む読者の数は合巻の読者の数に匹敵」したのだ。

前述の『近世貸本屋の研究』に江戸時代の貸本屋の芯となる本として『南総里見八犬伝』があげられているのもそういう事情を語っているようだ。

やはり江戸時代の読本を祖とするべきだろう。だがなぜ江戸時代初期ではなく、後期の読本なのか。

水谷不倒（みずたにふとう）『草雙紙と讀本の研究』（『水谷不倒著作集2』中央公論社）の「過渡期の讀本」の項には、その特徴として「談議もの」「寓意小説」「滑稽本」「支那小説の翻訳系統」「奇談小説」「実録小説」の六つがあげられている。そして、その中の「支那小説の翻訳系統」が後のいわゆる読本につながっていったことを著者は記している。

ここでいう過渡期とは正徳から寛政までのことで、諏訪春雄『出版事始』（毎日新聞社）によればこの時期に書かれた読本のことを初期読本、または上方読本とも言い、これに対して享和元年（一八〇一年）に続編が刊行された山東京伝『忠臣水滸伝』以下、江戸で出版された長編の浪漫主義的伝奇小説を後期読本、または江戸読本と呼ぶとのこと。すなわち、江戸時代後期の読本をテキストにするのは、それが浪漫主義的伝奇小説だからである。そして日本のヒーロー小説を曲亭馬琴『南総里見八犬伝』から始めるのは、これがそういう伝奇小説の代表作だからである。

　曲亭馬琴は黄表紙も約百種書いているが、『草雙紙と讀本の研究』の著者・水谷不倒は、馬琴の黄表紙は「趣向の面白いものなど殆どない」とまで言いきっている。山東京伝が読本に向かなかったように、馬琴は黄表紙には向いていない作家だったのかもしれない。馬琴の本領は読本に発揮される。水谷不倒は前掲書で文化元年（一八〇四年）から同八年（一八一一年）までの八年間に出版された読本総数二一九編のうち約二割が馬琴の作であったことを明らかにして、彼が十九世紀初頭の江戸読本界のエースだった事実を浮き彫りにしている。『南総里見八犬伝』はその読本作家が文化十一年（一八一四年）から天保十三年（一八四二年）まで、なんと二十八年を費やして書き継いだ大作である。最後は失明しながらも息子の嫁に筆記させて完成するという壮絶な逸話も残っている。

　では、この長編伝奇小説はどういう物語なのか。坪内逍遥（子供の頃は「八犬伝」を愛読したという）が批判した馬琴の「勧善懲悪思想」が江戸時代の読本に対する近代の代表的な批判だろうが、たしかに儒教的な忠孝のすすめという色合いがないわけではない。と言うよりもその色彩がたしかに濃い。『水滸伝』を絶妙に換骨奪胎したものとして知られている『南総里見八犬伝』は、だが果たして、そういう儒教思想の遺物にすぎないのか。

実はファンタスティックな物語だ。

伏姫の数珠が飛び散って、八犬士が誕生するという発端がすでにそうであるし、さらに竜や猫、絵の中からは虎まで飛び出してくる。どんな怪我をしても玉を握るだけでむっくと直ってしまい、時には毒を盛られても玉のおかげで死に到らないというファンタスティックな設定が、芯となってまずこの長編を貫いている。

たしかに、膨大な登場人物（四百数十人！）の「善因善果、悪因悪果」のケリをすべてつけるという馬琴の生真面目な完全主義がこの大長編の根幹を成していることは事実である。おまけに説教が付く。現代の読者にはそのあたりがいささかうるさい。正義が悪に勝つ、という馬琴の考え（それが彼の創作原動力だ）が時にはストーリーやプロットの展開を犠牲にしてまで貫かれてもいる。

しかし、物語は時に作者の思惑を越えて動き出すから面白い。この『南総里見八犬伝』は、馬琴の平板な勧善懲悪主義にもかかわらず、実は色彩感に富む物語で、みずみずしい躍動感にあふれている。

それは、ファンタスティックな設定もさることながら、細部がいいからだ。楼上の決闘場面から川への墜落、という本書のハイライト・シーンが中ほどにあるが、そういうテンポの良さは他にも随所に見られるし、少年剣士・犬江親兵衛の登場の仕方に見られるプロットのうまさも群を抜いている。そして、何よりも脇役の存在感がいい。特に希代の悪女・船虫の造型が際立っている。円地文子（えんちふみこ）は「馬琴雑記」（『江戸文学問わず語り』講談社、所載）のなかで「馬琴の女を描いている筆は意外に艶やかで情の濃いなまめきを見せています。一見、貞操堅固で思う男のほかには一指も触れさせない気魄を見せている癖に、その容姿や心情を写した描写には北斎の美人画のような趣きがあります」と書いているが、これも馬琴の作家としての筆力を表している。

『南総里見八犬伝』が儒教的思想を読者に伝えるために書かれた物語であったにしても、馬琴はそのためにストーリーをこしらえ、肉付けをしなければならず（膨大な資料を読んだらしく、その博学ぶりは有名）、そしてそれが結果として作者の思惑を越え、見事な世界を作り上げた、と言えるのかもしれない。

前田愛の前掲書の中に、明治十年代の末に馬琴の読本が翻刻されたことが載っているが、東京稗史出版社の『南総里見八犬伝』は七千部を売り切り、その成功を見て『八犬伝』はその後なんと七社から競うように翻刻が出たという。完結から四十年後にまだ競って読まれるというのは、すごいではないか。退屈な作品ならそれほど広く読まれなかっただろう。まず、その内容があざやかなディテールに富む血沸き肉躍る物語だったのだ。

『南総里見八犬伝』の前に書かれた『椿説弓張月』（文化三〜七年）も、この時代のテキストに上げておこう。この長編は源為朝（みなもとのためとも）を主人公とする波瀾万丈の歴史外伝である。鎮西八郎為朝が保元の乱に敗れ、伊豆大島に流されて島の英主となり、伊豆諸島を次々に徳化していく、という展開は乱暴であるものの、そのディテールには粗野な武人の魅力があふれている。しかし、この物語はそんなものでは終わらない。そこからなんと為朝は琉球に流れていき、内乱を収めて王となってしまうのである。この破天荒な展開には驚く。海を渡る壮大なロマンだ。これも膨大な資料を駆使したらしいが、『南総里見八犬伝』ほどのファンタスティックな設定は見られないものの、この作家の自由奔放な物語づくり、その想像力のすごさを示している。

こういう血沸き肉躍る物語がその後、日本の大衆小説の中でどういうふうに形を変えていくのか。現代の「夢枕獏（ゆめまくらばく）」まで、しばらく追い続けてみたい。

政治小説の時代

高木健夫『新聞小説史　明治篇』（国書刊行会）に、新聞記者の入社試験第一号は朝日新聞が明治十四年五月に「探訪掛」を募集した時ではないかという件りがある。その時一位で採用された青年の志望動機が自らの政治小説を出版するためだった、というところに、この時代の影響を見ることができる。今や忘れ去られているが、政治小説が一世を風靡した時代があったのである。

それは自由民権思想が時代の潮流としてあった頃で、次の有名な挿話がこの時代の空気をいちばんよく伝えている。渡欧した自由党総理・自由新聞社長、板垣退助がヴィクトル・ユーゴーに、庶民を政治思想的に進歩成長させるにはどうしたらいいかとの質問をしてユーゴー自身の小説を勧められ、なるほどと数篇の政治小説を持ち帰り自由党系の新聞に翻訳連載したという挿話である。柳田泉によれば、明治十二〜十三年頃から二十年代の始めまでの十年間がその政治小説の第一次ブームである。

その政治小説がなぜこちらの領域に入ってくるのか。これらの政治小説の大半が新聞連載小説であったことが第一。啓蒙教育のためであったにしても、結果としてロマンの香り高い物語が多かったことが第二。

まず、明治に入って活版印刷技術が進み、そのために定価の高い木版印刷の合巻がすたれ、大量生産による廉価版の普及が可能になる。この動きがひとつ。明治十年代後半の馬琴をはじめとする江戸戯作の翻刻がその代表だが、この新しい時代の波はもうひとつ、新聞小説を庶民の娯楽として浮上させた。当時は「大新聞」と「小新聞」があり、前者はインテリ向き、後者は庶民向きという区分けだったが、後者の定価は貸本の見料に等しい廉価であったという。

前田愛は「明治初期戯作出版の動向」(『近代読者の成立』所載)で次のように書いている。

「上野・浅草の盛り場には茶店を兼ねた新聞縦覧所が開業して人気をあつめ、人力車は傍訓新聞を備えつけて車上の客に読ませた。新聞は戸外でものを読む習慣を普及させたのである。維新以来戯作の新版が激減したために、一時は民衆に「読みもの」を供給する回路を独占していた貸本屋は、程なく小新聞の「つづき物」にその読者を奪われることになる。毎朝配達される新聞の「つづき物」は貸本の継本に馴らされてきた読者にも消化しやすい「読みもの」の形式であった」

こういう民衆娯楽の回路を新聞側が見逃すはずがない。事件ものや毒婦伝などの実録続きものとは別に、新聞は啓蒙教育のための政治小説発表の場ともなっていく。

しかし、前記した板垣退助の例にも明らかだが、そういう啓蒙教育という目的を持った小説が、本来の小説から逸脱しているのも自明のことで、政治的プロパガンダ小説として現在省みられないのもいたしかたあるまい。戸田欽堂『民権演義　情海波瀾』（明治十三年）が我が国政治小説の嚆矢とされているが、櫻田百衛『西の洋血潮の暴風』（明治十五年）、宮崎夢柳『自由の凱歌』（同）などフランス革命に材を得た翻案小説が初めの頃は多く、この二作も小説というよりやはり自由党の思想伝達との趣きがある。この時期の作家が東海散士、矢野龍溪、末廣鐵腸など、政治家やジャーナリストなどであったことが、これらの政治小説の枠組みを教えている、といってもいいだろう。特に矢野龍溪は改進党の花形政治家であり、口述筆記で小説を書いたという現代の流行作家顔負けの逸話も残っている。

　たとえば、東海散士『佳人之奇遇』（明治十八年〜三十年）は、スペイン、アイルランド、中国、ポーランド、エジプト、ハンガリーなど世界各国の亡国史を語りながら、イギリスやロシアなど大国の侵略に対して警鐘を鳴らし、間接的には単純な欧化政策を取る当時の日本政府に対する批判をこめ、ナショナリズムの奮起を促したもので、「何としても吐露せずにはやまれぬ国士の熱情というものがあった」（柳田泉、明治文学全集『明治政治小説集㈡』解題、筑摩書房）との評価はあるが、小説としては意図が先走っていたことは否定できない。

　政治家としてではなく、小説家としての比較なら東海散士より矢野龍溪のほうがまだ上位であったのではないか。『斉武名士　経国美談』（明治十六〜十七年）をまずテキストにする（矢野龍溪が郵便報知新聞の社主でありながら、これを新聞に連載しなかったのは「郵便報知新聞」が「大新聞」のため、まだ続きものを掲載しなかったからで、やがて「大新聞」も読者の要求に応えて続きものを掲載するようになる）。

こちらはギリシアのテーベ興亡史だ。『佳人之奇遇』と同様に漢文読み下し体で、現代の読者にはいささか読みづらいものの、細部がいいのでひきこまれてしまう。

明治政治小説研究の第一人者・柳田泉はこの『経国美談』に触れ、「材料といい、結構といい、描写、思想、文章、何一つとっても第一流である」(「政治小説の一般」、『明治政治小説集㈠』所載)とまで書いているが、民族の存亡を賭けた愛と義のドラマである。河に溺れて流された主人公が漁師に助けられるサスペンスから、お調子ものの男がとんでもない失敗をして計画が危うくなるユーモア、そして戦闘シーンまで、小説的な趣向が張りめぐらされているので、演説の連続と陳腐な筋立てというこの手の小説にありがちな退屈を救っている。

見逃されがちなことがひとつ。『経国美談』はギリシアのテーベ興亡史を描きながらも『水滸伝』、あるいは馬琴の作品に雰囲気が近く、その意味では江戸読本の流れを汲むロマン小説と言っていい。登場人物がやや類型化されているとはいえ、講談として演じられ、当時の読者に圧倒的に支持された人気読み物であったのも(庶民だけでなく、明治期に育った作家たちもこの『経国美談』に熱中したことを語っている)、読本の系譜を正統的に受け継ぐ小説であったからだ。

『報知異聞　浮城物語』(郵便報知新聞、明治二十三年一月~三月)も物語作家・矢野龍溪の特質がよく表れている小説だが、こちらは政治的な意図がやや露骨に出ているのでどうか。

これは海洋冒険小説である。作良義文という金持ちが海外雄飛を夢見る百数十名とともに船で東南アジアに向かうのが発端。貿易で利益を上げて、やがてはマダガスカル島を占拠、はてはアフリカ大陸に侵攻するという遠大な計画のわりにはオランダやイギリスの艦隊と闘うアジアの戦闘で終わってしまったが、これは続編が書かれなかったためで、それは集中砲火のようにこの小説が批判を浴びたためであったのかもしれない。たしかに龍溪のアジア連帯主義が侵略主義の側面を持っていたことは否定できない。マダガスカル島に上陸するのも現地人百名を鍛練して近衛兵とするためで、彼らを引き連れてパリの町を闊歩し「鈍重なる英人と高慢なる仏人」を驚かしてやろうというのだから、弁護のしようがない。さらにアルメニアに歩を進め、美女百人を購入し「日本人種の子孫は世界第一の容姿端正なる者なりとの評を後世に残さん」というのだ。

しかし、海洋戦闘場面を始め、特に軽気球の遭難シーン(ヴェルヌからのいただきだろうが、その換骨奪胎ぶりは見事)などに見られるディテールのうまさが群を抜いていて、さらに語り手がリーダーではなく第三者であるとの小説的な結構もよく、そのナショナリズムのくさみを除けば現在も充分に読むに耐える。矢野龍溪の作家的な才能が細部の構築にうかがえるのである。これも講釈化されて人気を博したというが、それもわかるような気がする。

この時期、南進論に支えられた海洋冒険小説は多く、末廣鐵腸『南洋の大波瀾』(國會新聞明治二十四年六月)はフィリッピン独立譚である(主人公は多加山という名だが、日本人ではなくフィリッピン青年である。高山右近の名前が作中に見られるので、あるいはそこから付けた名前なのだろう)。監獄からの脱獄シーンや嵐の海に翻弄される場面など細部がよく、舞台もフィリッピンだけでなく、イギリス、フランスとめまぐるしく変え、これもたしかに血沸き肉躍る物語ではある。しかし末廣鐵腸が武力侵略主義者でなかったにしても（日本の南方進出のためにフィリッピンの独立を日本が助けるべきだという考えがここにはあるが）、現在読むとその素朴な国権伸長論が引っかかることは否定できない。

これらの小説が伝えるのは、明治の政治小説が自由民権、ナショナリズム、そして国権という潮流を底に勃興した特殊な小説であるということと、わが国における冒険小説が一時期そこに同居していたこと。矢野龍溪を始めとして、この時代の政治冒険小説には例外なくナショナリズムの奮起を促す箇所があり、現在読むと空虚な印象を与えるが、ほぼ同時代のコナン・ドイルの歴史小説も同様にナショナリズムに彩られていたことを考えれば、日本冒険小説だけが遅れていたわけではない。時代の枠組みから逃れることができないというこのジャンルの宿命を見るべきなのかもしれない。明治の政治冒険小説におけるヒーロー像が国を憂える海外飛躍型ヒーローであることだけ、ここでは確認しておきたい。

では、この時代の政治小説に留保なしに今も通用する冒険小説はないのだろうか。

一作選ぶなら、小宮山天香（こみやまてんこう）『聯島大王』（改進新聞、明治二十年十一月〜二十一年三月）だろう。これも南進論に支えられた海洋冒険小説だが、そういう政治思想を越えた躍動感が全編にみなぎっている。海軍の下士官・大東一郎が主人公。新造軍艦受取りのためにイギリスに渡るも、現地の婦人と恋仲になり、別れを惜しんで出航に遅れ、あげくのはてに海軍を放免されるのが発端。つまり、とんでもない男なのだ。主人公の豪放磊落（ごうほうらいらく）な性格を伝えるこの冒険が、『聯島大王』を象徴している。というのは、無一文の身ながら懸賞付きの競泳に勝ち、その賞金で沈没船を購入するところから主人公の冒険譚が始まるのだが、この男、敵を敵とせず、少々のことには目をつむり、どんどん味方にしてしまうのである。裏切られてもあまり気にしないという主人公のこの太さが物語にも雄大な色調を与えている。結局オーストラリアとの貿易で利益を上げたあと、世界中に航路を設けて本格的な貿易事業に乗り出すという展開になるが、主人公の経済的な策略を始め、随所にアイディアを盛り込み、さらに千島群島の格闘場面に見られる細部のうまさなどがこの小説をいきいきとしたものにしている。武力侵略でないにしてもこれが南進論を基調にしていることは間違いないが、何よりも全編を覆う飄々とした雰囲気がこの作品を悠々たる海の冒険譚にし、結果として経済侵略小説に堕ちることを免れている。

　この小説は系譜的には矢野龍溪と押川春浪をつなぐ輪の中に位置しているが、その悠々たる物語は別の系譜であるような気がしてならない。こういう作品があとに続かなかったことが日本冒険小説の不幸ではなかったのか。

黒岩涙香の翻案小説

政治小説が一世を風靡(ふうび)した明治十年代は、同時に翻訳小説の夜明けでもあった。

わが国の翻訳の歴史は足利時代まで遡(さかのぼ)れるらしいが、ムーブメントとして定着したのは明治に入ってからで、その典型を明治十年代のヴェルヌ翻訳ブームに見ることもできる。富田仁『ジュール・ヴェルヌと日本』巻末の表によると、明治十一年から明治二十一年までの十一年間にジュール・ヴェルヌの作品が二十九篇も翻訳されている。これは訳者や版元が違うだけの同原作本も含んだ数字なので、厳密にはもっと少ない作品になるが、ヴェルヌ作品がその時期わが国で競うように読まれたことは事実だろう。この理由については以前書いたので、繰り返さない（要するにヴェルヌ作品の持つ科学万能思想と功利思想が明治の潮流と合致したのだ）。ここでは明治期にそういう翻訳小説のブームがあったことを確認しておきたい。

富田仁は『フランス小説移入考』の中で、次のように書いている。「ヴェルヌものはその空想的冒険小説の性格から大衆読者にアピールする翻訳小説を輩出させ、ヴィクトル・ユーゴーの『レ・ミゼラブル』『ノートル・ダム・ド・パリ』、フォルチュネ・ド・ボアゴベの『鐵假面』、デュマ・ペールの『モンテ・クリスト伯』、デュマ・フィス『椿姫』などが読書界を湧かせることになった。ちなみに、これらの翻訳小説は大正期に興る大衆文学に繋がるのである」つまり、ここで取り上げるのは、明治期の「大衆読者にアピールする翻訳小説」だ。

明治十年代は政治小説の季節であるから、当初は翻訳小説もフランス革命に材を得た『西の洋血潮の暴風』や『自由の凱歌』など、政治思想伝達を中心にした作品が主体だったが（同時期にヴェルヌ・ブームがあることを再度銘記しておきたい。このことはあとでまた出てくる）、二十年代に入ると「さまざまな意味での啓蒙的色彩が薄れて、文学を文学として受けとめるという傾向がみえて」（富田仁、前掲書）くる。そういう時代のスター作家が、黒岩涙香である。

明治期の異色新聞「萬朝報」の創設者としても知られる黒岩涙香については、伊藤秀雄（いとうひでお）の労作『黒岩涙香』（三一書房）に詳しいが（最近出版された高橋康雄（たかはしやすお）『物語・萬朝報』（日本経済新聞社）は、異色メディアとしての「萬朝報」に着目したもので、明治のジャーナリズムを考えるうえではこちらも興味深い）、それによると明治二十五年に創刊した「萬朝報」は三十一年には全国第一位の新聞になっている。それは権威におもねらない反骨の新聞であったことが第一だが、涙香の新聞連載小説がはたした役割りも見逃せない。

涙香もこの時期の大衆小説作家の例にもれず、作品を新聞に発表した作家なのである。自分の作品の上演権や単行本化について無関心だったのも、宣伝になればいいという考えで、つまり新聞の売上げを第一に考えていたからだというが、その本は「当時の都下の貸本屋では村上浪六の撥鬢（ばちびん）小説や三遊亭円朝口演の速記本を凌駕して涙香本が貸本屋の米櫃となっていたと言われる」（伊藤秀雄、前掲書）ほど人気を博したという。

それでは「西洋の大衆小説とわが新聞とを不可分離の密接な関係においた一大功績者」（木村毅『大衆文学案内』八紘社）とまで言われている黒岩涙香の小説とはどんな小説であったのか。涙香の翻訳態度について、伊藤秀雄は前記書の中で次のように紹介している。

「彼は訳すべき小説を選定すると、ぶっつけ直訳はしなかった。さらに再読して、文中抄訳すべきところと逐字訳にするところを区別して、新聞発表向けに回数を割りつけた。そして払暁に、その日訳す部分を精読して頭の中に入れておいて、原本を離れて筆をとるといった苦労をつづけていた」

すなわち、翻訳というよりも、翻案に近いもので、涙香は原作のストーリーの換骨奪胎を始めとして、その自由奔放な翻案能力に秀でた作家であったのだ。

となると、その翻案の実体とはどういうものであったのか、ということになる。ここでは木村毅が筑摩書房・明治文学全集『黒岩涙香集』の解題で「七十幾冊もある涙香小説を、みんな一冊のこらず耽読して、どれが一ばん面白かったかと云われると、私は一点の迷うところもなく」これを上げるという『正史實歴　鐵假面』（萬朝報、明治二十五年十二月～二十六年六月）をテキストにする。

黒岩涙香の『鐵假面』は戦後まで原作がわからず、昭和初期の改造社「世界大衆文学全集」の中に大佛次郎が『鐵假面』を訳そうとした時その原本をついに探せず、デュマの『ダルタニヤン物語』第三部「ブラジュロンヌ子爵」の後半を訳したという有名なエピソードが残っている。後年『怪盗対名探偵』で知られる松村喜雄によって、ボアゴベの『サン・マール氏の二羽のツグミ』がその原作であることが判明した。

折りよく一九八四年に、その『サン・マール氏の二羽のツグミ』が長島良三(ながしまりょうぞう)の完訳『鉄仮面』として刊行されたので、現在では黒岩涙香の翻案と比較することができる。そして、その比較の中から黒岩涙香の特質が浮かび上がる。

ボアゴベ『鉄仮面』は十七世紀末のフランスが舞台だ。ルイ十四世の権勢はようやくかげりを見せ、この強大な君主に対してひそかな陰謀が張り巡らされていた時代である。青年騎士モリス・デザルモアーズはその陰謀の首謀者で、恋人ヴァンダ、勇敢な部下ブリガンディエールとともにルイ王への闘いを決意していた。ここに絡んでくるのが国王の寵愛(ちょうあい)が醒めて捨てられたソワソン伯爵夫人。彼女は国王への復讐という動機から若き愛人フィリップと独自の謀叛(むほん)を計画している。ところが、すべての陰謀をつぶそうとする国務大臣ルーヴォアの画策で、若き愛人フィリップは夫人を裏切り、国王の陣営にまわってモリス一派を罠にかける。かくて国王の軍隊が待ち受けるソンム川の銃撃戦という前半のクライマックスを迎えることになる。

ここまでで全体の四分の一。ソンム川の銃撃戦でただひとり生き残り、仮面を付けてピニュロル要塞に幽閉されたのは誰か、という謎がこの先の展開を支えていく。ヴァンダとブリガンディエールは、その謎の男をモリスだと思い、ソワソン伯爵夫人はフィリップだと思い、それぞれ気の遠くなるような三十年間に渡る奪回計画を張り巡らせていく。というのが、ボアゴベ『サン・マール氏の二羽のツグミ』のストーリーである。

青年モリスの悲劇を一本の芯として、傲慢なソワソン夫人と清楚なヴァンダという比較を置きながら、しかし愛の深さは共通という皮肉がこの物語を単純さから救っている。これが第一。ソワソン夫人とてただ傲慢な人物ではないのだ。そういうふうに登場人物を活写するボアゴベの筆は見事。さらに冷酷無比な国務大臣ルーヴォアと要塞のやり手典獄サン・マールを始めとして、パリの夜盗や女占い師など脇役を巧みに配しているのも、うまい。松村喜雄によれば、ボアゴベはフランス本国では忘れ去られた作家らしいが、この小説はロマン・フィユトンの良さを充分に持つ作品といえるだろう。

この物語を涙香はどのように換骨奪胎したのか。

こまかな改竄（かいざん）箇所は数多く、ほとんど手を入れていない川辺の銃撃戦までにかぎっても既の火事場面を簡潔にするなど工夫が見られる。しかし、そういう抄訳は原作の冗長さを救ったとしても（ユーゴー『レ・ミゼラブル』のパリ下水道の歴史を削った『噫無情』がその典型）、物語そのものに変化を与えるわけではない。原作のビロードの布仮面を鉄にしたことも目につくが、これも趣向の段階で、創意工夫というべきものではない。翻案という名の創作であるなら、抄訳や小手先の趣向以外に作家としての工夫がなければならない。そこにこそ翻案作家の立地点がある。

涙香の場合、それはソワソン夫人を後半退場させたことに見られる。原作ではこの貴婦人が最後まで恋人を追い、幽閉されている鉄仮面の正体をめぐってヴァンダと別に獅子奮迅の活躍をするが、涙香『鐵假面』ではその役を原作では謀叛の罪に問われ、途中で火刑に遇う女占い師カトリーヌ・ヴォアザン（涙香の小説では梅真女）にふるのだ。この変化は大きい。この一点だけで、涙香『鐵假面』はボアゴベ『鉄仮面』とまったく別の物語になってしまった。なぜなら、毒薬を扱うヴォアザン（梅真女）が生き残り、貴婦人ソワソン（織部夫人）の代役となったために、毒薬で囚人を助け、再度覚醒させるという涙香流のドラマが生まれてくるし、そしてこれがいちばん大きいが、全篇を貫く怪奇趣味の根がそこから派生してくる。鉄仮面の正体を知るために姈陀（ヴァンダ）が養武（ルーヴォア）に色仕掛けで迫るようなストーリーの変化よりも、この怪奇趣味とラストの改竄こそが涙香の仕掛けなのである。ラストの改竄とは、原作では鉄仮面の男＝モリスと死後ようやく対面するのに対し、涙香作ではそれが鳥居立夫（フィリップ）に変わり、有藻守雄（モリス）と姈陀が劇的な再会をすることを指す。これは涙香の勧善懲悪思想の現れだろう。このように涙香『鐵假面』の後半はボアゴベの原作を離れた黒岩涙香の自由な創作といっていい。

ところが、ヴォアザンの娘とその恋人ピエールの挿話を始め、パリの夜盗やそのライバルの宝石商など原作に出てきた登場人物を大幅に削ったのは抄訳の妙で、たしかに原作よりも読みやすくなったものの、現在読むとこの物語がご都合主義的な展開になったことも否めない。悲劇だからこそ、ボアゴベの『鉄仮面』が胸に残るロマン小説であったことも事実なのだ。それをハッピーエンドに変えてしまうのは、当時の読者に対する涙香流の創作であったにしても、いささか作りすぎた感は免れない。黒岩涙香の翻案小説には、その両面がある。

涙香は「少年時代の夢であった政治に直接携わらなかった代りに、新聞を活用する経世家となった人物なので、済民救世といった大志を小説の中にひそませていた」（伊藤秀雄、前掲書）というが、それはヴェルヌ・ブームに見られる大衆ロマン小説のただ中にありながら（涙香の代表作とされる翻案小説の大半がフランス・フィユトンである）、この時期の他の小説家同様に、明治という特殊な政治の季節に絡め取られていた、ということなのか。翻案小説という特殊なジャンルがこの時期のロマン小説を席巻していたことを、ここでは確認しておくにとどめる。

巖谷小波の少年小説

政治小説や翻案小説が席巻していた明治初期に、当時の子供たちはいったい何を読んでいたのか。

矢野龍溪『浮城物語』、末廣鐵腸『南洋の大波瀾』などの政治小説や、黒岩涙香の翻案小説は大人向けに書かれたものだが（涙香の作品はしかし万人向けと言うべきかもしれない）、これに幼少の読者も多く加わっていたことがひとつ。もうひとつは、明治五年に学制が発布されてから主に児童教育に則して発刊された雑誌群があげられる。それらは、児童の美談を集めた「新聞小学」（明治八年）を除けば、「学庭拾芳録」（同七年）、「頴才新誌」（同十年）、「小学教文雑誌」（同十二年）、「小学作文新報」（同十八年）と、児童の投書作文を載せる雑誌だったことが特徴といえる。これらが明治二十一年創刊の「少年園」や、二十二年創刊の「日本之少年」「こども」「小国民」などの本格的な少年雑誌につながっていく。この中の「頴才新誌」は、漢詩、漢文、和歌などの投稿を掲載する雑誌で、田山花袋（たやまかたい）『東京の三十年』（岩波文庫）に次のようにあるのも当時の雰囲気を伝えている。

「私は兄に就いて漢詩や和歌を学んだ。依然として、『頴才新誌』の投書家であったが、一週間ごとに出る一枚二銭の雑誌が買うことが出来ないので、その毎週の発行日の土曜日の夜には、いつもきまって遠い路を四谷の大通の錦絵双紙店に行った。ところが、それが旨く店頭に並べられてある時は、自分の作が出たか出ないかを見るために手早くそれを翻すのはわけはなかったが、運わるく錦絵と交ぜて挿んである時には、それが出来ないでしたたか困った。一度取って貰ったのを買わずに帰って亭主に睨められたことも一再ではなかった」

これは明治十年代末の回想で、本格的な少年雑誌が登場する以前の風景である。ここに出てくる錦絵については、木村小舟『少年文学史 明治篇』（童話春秋社）にこうある。

――明治十年代末の都会における人気の中心は依然として錦絵に依って占められ、市内各所の錦双紙屋の店頭には、商家の丁稚も小学校往復の児童も通りすがりの青年も、あるいは地方より上京した見物客も、各階層の人々が必ずここに足を停め頭を揃えて目を奪われ、容易にその場を去ろうとはしない有り様だった。これらの絵双紙屋は店内くまなく、さながら満艦飾のごとくに新版旧版とりまぜて陳列され、現在の子供たちが店頭で漫画本をみるかのように立ち尽くして目を奪われていた――というのだ。

すなわち、明治期の児童読み物は、江戸時代から引き継がれた絵草紙、大人向けに書かれたロマンあふれる政治小説や翻案小説、そして子供を対象とした投稿雑誌、この三つに集約される。

わが国の児童文学の嚆矢は巖谷小波『こがね丸』（明治二十四年）というのが定説になって

いる。その前年に出た三輪弘忠『少年之玉』や、幸田露伴が「少年園」（明治二十三年一月三日号）に書いた「鉄之鍛」を嚆矢とする説もあるが、児童文学史を書くのがこの稿の目的ではないのでここではその詳細に立ち入らない。しかし、幸田露伴の児童文学に教訓主義的な匂いが強いのは事実で、二宮尊徳や伊能忠敬などの伝記や史伝に力を注いだことからも明らかなように、「荒唐無稽な小説」を嫌ったところに露伴の児童文学者としての本質がある。従って、幸田露伴「鉄之鍛」がわが国児童文学の嚆矢ではあり得ても、こちらの範疇ではない。馬琴から綿々と続く日本の浪漫主義的伝奇小説の流れを、この時期の児童読み物に見るならば、やはり巖谷小波が中心になる。

　というのは、巖谷小波『こがね丸』はまさしく馬琴調の小説だからだ。これは、大虎に父を殺された犬が仇を討つために諸国を修行し、苦労の末に首尾よく本懐を遂げるまでの物語で、悪賢い狐や猿や黒猫、大虎の部下として羆に猪、〝善人側〟は養父の大牛に、義に厚い山犬、そして医者の兎に忠義に生きる鼠など、擬人化された動物が総動員する読み物だ。場面転換のテンポよく、少年読者の興味をひく面白さがある。

　問題は小波が言文一致論者でありながら、この小説を文語体で書いたことだろう。当時批判を受けた小波は、少年読者に聞き慣れた馬琴調を用いたと答えているが、この点が気になったとみえて大正十年六月に言文一致に直した『三十年目書き直し　こがね丸』を刊行している。その〝はしがき〟に、文体を直すことについて「当時の批評の中にも最も難のあった所で、自分にも非と悟った節だけを、全く削り去った」と書いているが、これは首尾一貫しなかったようだ。
というのは、小波の「お伽唱歌」に着目した桑原三郎(くわばらさぶろう)の「巖谷小波論」に、「お伽話を文語体で書くことは『こがね丸』の後、間もなくやめてしまいますが、お伽唱歌に於いては、明治末年まで、小波は文語体をかなり頻繁に使うのであります」(『明治の児童文学』慶応通信)とあるからだ。つまり、文語体を適切なものとそうでないものに使いわけるという姿勢があるならば、『こがね丸』の場合は文語体のままでよかったのではないか。『三十年目書き直し こがね丸』を読めば一目瞭然だが、文語体であることの力強さ、調子の良さが言文一致に書き直したために無くなってしまっている。

しかし、小波の『こがね丸』は教訓主義的な匂いが付きまとう児童読み物の中で異彩を放ったことも否定することはできない。なにしろ、大虎が牝鹿を妾にしているのだ。児童読み物としては自由奔放である。

桑原三郎は前出の「巖谷小波論」の中で、『こがね丸』の面白さについて次のように書いている。

「仇討ちだから面白いのでもない。勧善懲悪だから可いというのでもない。まして、家庭教育の助けになるなどという、『少年文学』叢書の宣伝文にあるようなことで、好いというのでは無論ない。要するに、洒落あり、機知のある戯作の面白さであり、言葉の運び、語りの巧みさであり、子供と共に遊ぶ空想の面白さである」

小波はこの後、「少年世界」の主筆を務めながら、同時に「幼年世界」「少女世界」「幼年画報」という博文館の子供向け雑誌すべての統括をまかされ、その各雑誌に創作お伽話を書くという超人ぶりを発揮する。さらに「日本昔噺」二十四編、「日本お伽噺」二十四編、「世界お伽噺」百編、「世界お伽文庫」五十編、という再話の叢書を執筆。再話といっても、それらは小波なりの創作の趣きもあり、前述の唱歌を含めて、まさにこの方面の巨人と言われているのも当然だろう。

しかし、ここでは「小波のお伽噺は、「桃太郎」を最も理想的としているように向日的で明朗で、屈託がなかった。彼は狭義の教育主義を排斥したが一面、硯友社風な軽妙洒脱、それが過ぎて駄洒落、落語風な落ちのある遊戯性のあるものもないではなかった」（福田清人「巖谷小波と児童文學」『明治文学全集・川上眉山、巖谷小波集』所載）ということだけ触れておくにとどめる。むしろ、巖谷小波の作品の底を流れるロマンティックな面を見たい。テキストは『新八犬伝』（「少年世界」明治三十一年一月〜同十一月）だ。

これは総理大臣の息子、犬宮初麿を主人公に、犬の字を姓に持つ八人の少年が集まり、狂犬が支配する無人島に乗り込んで退治するという話である。

なんといっても張子の犬という設定が群を抜いている。八人の少年はそれぞれ張子の犬を持っていて、それが縦横無尽に動きまわるのである。雪の精が登場したり、張子の犬が大犬に変身して天に駆け登ったりする幻想味に満ちているのが、この作品を何よりも際立たせている。さらに、猿橋の場面に見られる物語のうまさも見逃せない。八犬士が一堂に集まるまでが中心で、しかも全体が大長編というわけでもないので（それでも小波の作品にしては長いほうだが）、いささか物足りないが、馬琴『八犬伝』を巧みに換骨奪胎している。明治期の様々な少年の姿を描いた『當世少年氣質』（明治二十五年）にもこの作者のうまさを見ることができるが、この『新八犬伝』は文体も平易で、天衣無縫な雄大さと明るさが全編を覆っているのがいい。

この作品に、日清戦争後の富国強兵策を背景として、イギリスやロシアに負けないために日本の領土を広げるとの発想があることを指摘することは容易だろう。しかし、同時期に書かれた尾上新兵衛（久留島武彦）『近衛新兵』（「少年世界」明治二十八年七月一日号〜十月一日号）と比較すれば、巖谷小波の特異性も明らかになる。こちらは当時の少年読者に絶大な支持を受けたらしいが、軍隊生活の知識を与えるためだけの作品といっていい。小波もまた、そういう時代の枠の中にいたことは事実だが、幻想とロマンにあふれ、かつ雄大な明るさに満ちた物語に惹かれる資質を裡に持つために、自身の作品にはそれが滲み出てしまう、ということかもしれない。

明治期に書かれた少年向けの冒険小説、たとえば増本河南『空中旅行』（明治四十二年）や、滝沢素水『怪洞の奇蹟』（明治四十五年）など、あるいは翻訳物の櫻井鷗村『初航海』（明治三十二年）と比較してもなお、小波の特異性は光り輝く。『空中旅行』は青年の火星における冒険譚で、今日読むと新奇さがなく、『怪洞の奇蹟』は少年の冒険譚としてよく出来ているものの、やはり現在では色褪せていることは否めない（現在の時点から「オーソドックスすぎる」と言ってしまっては酷かもしれないが）。翻訳小説『初航海』はいかにもイギリスふうな海洋冒険小説で、アフリカを舞台にした波瀾万丈の冒険譚として、これはそれなりに読める。しかし、巖谷小波の作品にあるのは、そういう少年向け冒険小説の形ではなく、日本の浪漫主義的伝奇小説に綿々と流れる心そのものである。地球から火星まで空中旅行するという〝リアルな設定〟ではなく、八匹の犬が集まって一匹の大犬に変身し、さらに天に駆け登るという壮大なファンタジーだ。その意味で、小波は馬琴の正統的な嫡子（ちゃくし）といっていい。

小波が、森田思軒（もりたしけん）『十五少年』、櫻井鷗村『初航海』、そして押川春浪『海底軍艦』などを世に紹介する労を取ったのも、それらの作品の底を流れるロマンに、彼が惹かれたからに他ならない。お伽噺の創作と再話に生涯をささげた作家の体の奥深くには、雄大な冒険譚を求める心が眠っていたのである。

武俠の冒険

木村毅『私の文學回顧録』(青蛙房)の中に、十四歳の正月に押川春浪『新日本島』を読み始めたら面白くてやめられず徹夜してしまったという件り(くだり)がある。「読みに読んで、読みまくって、最後の頁をひるがえして気がついて見ると、雨戸のすき間からは朝の光りがさしこんで障子にうつっている」「これが私がうまれてから最初の徹夜経験である」というのだ。『新日本島』が博文館の孫会社文武堂から出版されたのは明治三十九年六月であるから、これは明治四十年の正月のことだろう。押川春浪の小説を興奮して読んだこういう少年は木村毅だけではない。明治期の《愛国気運》に乗って、押川春浪の《冒険小説》は当時の少年たちに熱狂的に読まれたという。

矢野龍溪『経国美談』などの政治小説、黒岩涙香の翻案小説、巖谷小波の少年小説に続いて明治期ロマン小説の最後を飾るのは、その押川春浪だ。

押川春浪、本名・方存(まさあり)。数多くの冒険小説を書く一方、「日露戦争写真画報」の主筆を経て、「冒険世界」「武俠世界」などを編集。国を愛し、野球を愛し、大正三年、三十八歳の若さで逝った明治期の大作家である。日本SFの祖とも言われている作家で、その生涯については横田順彌（よこたじゅんや）と會津信吾（あいづしんご）の共著『快男児　押川春浪』（徳間書店）に詳しい。

『海島冒険奇譚　海底軍艦』から始まる《武俠小説》六部作をここではテキストにする。

順に記すと、

『海島冒険奇譚　海底軍艦』明治三十三年十一月
『英雄小説　武俠の日本』同三十五年十二月
『海国冒険奇譚　新造軍艦』同三十七年一月
『戦時英雄小説　武俠艦隊』同三十七年九月
『英雄小説　新日本島』同三十九年六月
『英雄小説　東洋武俠団』同四十年十二月

の六作だ。版元はすべて文武堂。

『海底軍艦』が巖谷小波の推挙を受けて出版されたことはすでに書いた。小波が「波」の一字をあげ、方存がそれを力強い「浪」に変えて筆名を「春浪」としたのは有名なエピソードである。巖谷小波に春浪を紹介したのは櫻井鷗村で、彼はその前年、文武堂から『初航海』を刊行し、それが一年で五版を重ね（前出『快男児　押川春浪』）、続いて個人訳「世界冒険譚」全十二巻を刊行していた。当時、博文館の社員であり、創作おとぎ話などで児童文学界のリーダーであった巖谷小波の推薦とはいえ、冒険小説が売れると踏んだ版元の計算もあったのだろう。

では、この六部作はどういう小説であったのか。まず押川春浪の第一長編『海底軍艦』をみる。主人公は冒険家・柳川龍太郎。世界漫遊の途中、イタリアで旧友の貿易商・浜島武文と会い、春枝夫人と日出雄少年を託されて日本へ帰る、というのが発端。ところが一行が乗り込んだ船が海賊船に襲撃されて沈没。春枝夫人は行方不明、柳川龍太郎と日出雄少年は大海に放り出される。ここまでのテンポはすこぶるいいが、物語はここから激しく動き出していく。

漂流して着いたのがインド洋上の無人島。ホッとする間もなくゴリラに襲われ、あわやという時に桜木海軍大佐の一行に救助される。帝国海軍はこの島で秘密の海底戦闘艇を開発していたとの設定なのだ。怪しげな設定だが、これは少年読者を夢想に誘う典型的な展開とも言えるだろう。

『海底軍艦』にはサブ・ストーリーが実に巧みに配されている。朝日島と名付けたその島を大日本帝国の領土であると明示するために、柳川龍太郎が猛獣毒蛇のいる深山の真ん中まで堅固な記念碑を建てに行く挿話はその筆頭である。深山に入っていくのは冒険鉄車。文字通り鉄檻の車でその製作に三年。猛獣毒蛇と闘いながら無事に記念塔を建てるまでは意外にあっさりしているが、その帰途、砂すべりの谷に落ちて危機一髪のところを気球に乗った桜木大佐に救出されるというおまけつき。波瀾万丈のエピソードだ。

物語は、島が大津波に襲われて海底軍艦の動力源である十二種の薬液が流されてしまうところからクライマックスに向かっていく。大気球に乗って柳川龍太郎がインドのコロンボまで薬液を買い付けに行くのだ。その途中、鳥に襲われて海上に落ちると大日本帝国の軍艦「日の出」に救出され、そこに同乗していたのが春枝夫人。かくて薬液を買い付けた一行は桜木大佐と合流し、海賊船を撃沈して祖国日本に向かうという物語である。

インド洋上の海賊が欧州の某強国と結託しているとの設定に、日露戦争直前の対ロシア意識を見ることができるものの、矢野龍溪『浮城物語』ほど政治的意図は露出していない。これがひとつのポイント。甲板上の徒歩競争や相撲、拳闘などで外国人と闘ったり、朝日島でボート・レースや野球に興じる主人公の姿に、欧米列強に対抗しようとするナショナリズムを見ることも可能だが、のちの一部の作品に見られるほどその軍国主義思想は露骨ではない。前出『快男児　押川春浪』の中で、「『浮城物語』が理想を描く政治冒険小説なら、『海底軍艦』は空想を飛躍させる科学冒険小説なのだ」、と評されているように、主人公や主要な登場人物の心理や行動は、硬直した軍国主義には遠く、日本男児の心意気という微笑ましい枠内にとどまっている。むしろ、そういうおだやかな場面から海賊船の襲撃や大津波の襲来に一転するプロットの妙があざやかと言うべきだろう。

沈没、漂流、秘密の造船所、自動鉄車、猛獣、津波、軽気球、とたたみかける物語の展開は少々乱暴ながらも息つぐ暇なく読者を洋上の冒険譚に引きずり込み、ヴェルヌ流の見事な冒険小説となっている。日出雄少年と猛犬稲妻の交情という味つけまであるのだ。第二作以降の展開に比較すると、この『海底軍艦』のストーリー・テリングは際立っている。

というのは第二作『武俠の日本』が不思議な物語だからだ。これは第一作で日本に凱旋(がいせん)したはずの軍艦「日の出」が沈没し、海底軍艦が行方不明になったというところから幕があく小説である（始まってすぐ『海底軍艦』の梗概が四百字詰め原稿用紙に換算して約五十枚も挿入されるのは前作から二年を経ているためかもしれない）。軍艦「日の出」が沈没したのはロシア艦隊に襲撃されたからで、その海戦の模様がすぐ続くのだが、ここからこの物語は妙にねじれてくる。

復讐を誓った一行はフィリピン群島のセント・エリミヤ島を根拠地にして、ここに登場するのが、フィリピン独立の志士アギナルド将軍。となるとフィリピン独立を助けるサブ・ストーリーが始まるのかと思うが、なんとこの物語はその方向も選ばない。鍵を握る人物として『空中大飛行艇・正続』（同年三月と六月に刊行ずみ）の一条武文（ここでは武雄）が再登場。彼を呼びに欧州に飛ぶエピソードが始まり、ロシア士官の謀略を打ち破って空中軍艦が一行に無事合流するという話になる。ロシア艦隊への復讐はいつの間にか忘れ去られるのだ。フィリピン独立の黒幕としてロシアに幽閉されている西郷隆盛（さいごうたかもり）と、彼を救出に向かった段原剣東次は名のみ登場するだけ。つまり、雄大な構想はあるのだろうが、ここでは背景がせわしなく語られるだけなのである。《武俠の精神》というメッセージ色が異様に濃い特異な作品といえるだろう。

これでは『海底軍艦』だけが傑出した作品で、あとは政治的意図が露骨なシリーズかと思いがちだが、実はそうでもない。第三作『新造軍艦』は、貿易船「海光丸」の船長・稲村巖太郎とその家族を襲った事件を描く海洋小説で、地味ながらも読ませるシリーズ中の異色作。この作品自体がシリーズ全体のサブ・ストーリーとなっている。軍艦「うねび」消失をめぐる驚くべき謎、と冒頭の惹句にあるが、おそらく書いているうちに稲村巖太郎の海難にどんどん筆が進んでしまったのだろう。結局「うねび」については何も語られないままに終わっている。しかし、一家族の海難を限定された舞台で描く押川春浪の筆致は見事。この作家の本質的な筆力をうかがうことができる。

ところが第四作『武俠艦隊』は、一転して説明小説だからわからなくなる。第二作『武俠の日本』ほどにも、いやそれよりも物語はまったく動かない。満州馬賊の黒幕・李進が西郷救出に向かった段原剣東次を救うために黒龍江沿岸に急行していること。稲村巖太郎がアフリカに「海光国」をつくり、その大頭領となって「うねび艦隊」を率いていること。そういうことがすべて説明として語られるだけなので、小説というよりも粗筋を読んでいるような錯覚に陥（おちい）ってしまう。日露戦争開始直後なのでやや露骨な反ロシア観が横溢しているのも特徴だろう。冒頭に出てくるロシア士官のエピソードが典型。

しかし、驚くのは早すぎる。このシリーズはこんなものではない。説明の極致ともいうべき作品まである。第五作『新日本島』はなんと対話小説なのだ。シベリアに幽閉されている西郷隆盛と稲村巖太郎の義子・桃井男爵の対話で全編が綴（つづ）られる。軍艦「うねび」消失の謎がここではじめて明かされ、稲村巖太郎が「海光国」の大頭領になったいきさつ、桃井男爵が捕らわれるまでの経過、そういう新事実を含めてこれまでの物語が二人の対話によってすべて説明される。段原剣東次が救出に駆けつけるところで終わっているが、こうなると第六作『東洋武俠団』は段原剣東次がどうやってシベリアまで来たのか、その冒険譚になるのは当然だろう。このシリーズはこのように錯綜して進行する構造を持っている。

その最終編『東洋武俠団』は、段原剣東次の波瀾万丈の冒険譚である。マニラ港外でアメリカの帆船を奪うものの嵐にあって無人島に漂着。今度はイギリス海賊船を奪ってベトナム沿岸に上陸。ここからなんとモスクワ、ウラジオストックと大陸を横断！　敵将から西郷隆盛が幽閉されている場所を聞き出し、空中軍艦と協力して救出するという大冒険活劇だ（獅子とともに無人島に漂着する件りでは黒豹の皮を褌にして、密林のターザンを想起させるが、この小説はバローズの「ターザン」より七年前に書かれている）。

このように押川春浪の《武侠小説》六部作は雄大な構想のもとに書かれたシリーズだが、途中説明に落ちる作品もあって疵も多い。この時期の政治小説作家と同様に彼もまた小説の愉しさよりもその効用、つまり《啓蒙》を先に考えていた作家で、その頑迷なナショナリズムはこのシリーズの随所に顔を出している。

しかし、海底軍艦や空中軍艦などの克明な描写に見られるように押川春浪がジュール・ヴェルヌ流の科学冒険譚を好んでいたのも事実で、その部分は見事といっていいほど換骨奪胎している。日本SFの祖とされているのはそういうことだ。さらにデュマ流の伝奇小説への興味もうかがえる、怪奇、探検趣味も濃い。したがって《武侠》の側面だけを見ると押川春浪の実像を見失ってしまいがちだ。

《武侠》は押川春浪に与えられた時代の枠組であり、その枠の中でしか彼はそのロマンを発揮できなかった、と言えるのかもしれない。

立川文庫と講談

人間形成の過程を談話形式でまとめた記録『現代の作家』（岩波新書）の中で、高見順は「私どもの世代の常で、子供の頃には、立川文庫などやはりよく読んだもので、講談本の『天保水滸伝』など大いに愛読した」と語っている。子供の頃に立川文庫を読んで育ったと、この『現代の作家』の中で告げているのは、他にも中野重治、丹羽文雄、石川達三、椎名麟三、川端康成、大岡昇平といる。高見順が言う「私どもの世代」とは大正時代に少年期を送った世代のことだろう。編者の中野好夫はこのことに触れ、志賀直哉や正宗白鳥の少年時代を「八犬伝の世代」とすれば、次の「立川文庫の世代」が現れたことを注意してよいと思う、と書いている。では、大正時代の少年たちを魅了した、その立川文庫とは何であったのか。

それを探るためには、まず講談の歴史を遡らなくてはならない。佐野孝『講談五百年』（鶴書房、昭和十八年刊）によると、講談の歴史は「太平記」などを読む軍談講釈を起源としているものの、寄席芸術としての始まりは江戸時代で、公式の講釈場が江戸に出来た元禄十三年だという。軍談の他に記録、騒動物、高僧物、そして世話物と内容も豊富になり「明治二十四、五年代は講談の全盛期で、市内の講談席が八十軒、講談師八百人。席は何れも満員の盛況だった」という。明治四十二年生まれの二代目神田山陽の自伝『桂馬の高跳び』（光文社）には関東大震災前の東京に定席がまだ数十軒、講釈師も百人以上活躍していた時代の講釈場の様子がいきいきと描かれている。「日露戦争の影響で目減りしたものの」、まだ「大衆演芸として娯楽の中心だった」というのだ。震災前でそうなのだから明治中期の全盛時代は庶民の代表的な娯楽だったのだろう。

明治の講談を語る時に必ず登場するのが二代目松林伯円で、鼠小僧などの義賊の話をよくやったので泥棒伯円ともいわれたらしいが、実際の泥棒が動機として伯円の講談をあげたために警視庁に呼び出され、それに懲りて新聞講談に転じた、というのは伊藤痴遊の話にも前記の『講談五百年』にも出てくる有名なエピソードである。本当かどうかはわからないが、これもそれほど講談が庶民の間に浸透していたことを物語っている。

その講談が本に結びついたのは明治十七年。田鎖綱紀が考案した日本速記術が講談に用いられ、三遊亭円朝『怪談牡丹灯籠』が単行本の嚆矢。同年の『塩原多助一代記』は前出『講談五百年』によると十二万部を刷ったがたちまちにして売りつくしたという。速記講談の始まりである。かくて速記講談を主にした雑誌が輩出し、「明治二十五、六年から四十年ぐらい迄の間は、連載講談のない新聞はむしろ異例に属するといった速記講談の全盛時代を現出したのである」。単行本も大阪の速記者・丸山平次郎の手になるだけでも、明治四十四年までの間に四七四冊にのぼったという（前掲書）。

こういう講談本が明治中期に巷を席巻していたことは今や忘れ去られているが、政治小説や翻案小説の裏側で速記講談本が庶民の小説として読まれていたことは大衆小説の歴史を考えるとき無視できない。足立巻一（あだちけんいち）は『立川文庫の英雄たち』（中公文庫）のなかで次のように書いている。「この速記講談が明治文学の口語文体の母体となったことは、おおよその文学史がしるすとおりである。すでに明治初期から政治講談があり、ついで硯友社の作家たちの文芸講談、社会主義者たちの社会講談・新講談があり、また文士が書いた大衆読みものもかなり出版されてはいたが、速記講談の盛行の前ではそれらもまだ大衆出版文化の主流とはなり得なかった。大川屋・駸々堂がこれを講談小説と呼んだように、当時の大衆にとっては講談がすなわち小説であった」

ここに出てくる大川屋は浅草の貸本屋で、明治に入ってから毒々しい装いをこらした講談本や実録本を大量生産するようになった東京の貸本問屋である。「明治末年、立川文庫や講談社の雑誌が登場するまで、あるいは都会の片隅で、あるいは地方の小都市、農村で、莫大な数量の大川屋本が消費されていた」（前田愛『近代読者の成立』）ともいう。これらの速記講談本は『講談五百年』によれば、武勇物、仇討ち物がもっとも多く、売行きにおいても圧倒的だったらしい。ここにこの時代の読者の好みを見ることも可能だろう。

立川文庫は、江戸の講談から明治の速記講談というこの流れの中で成立した。立川文庫の成立と考証については、前述した足立巻一の研究『立川文庫の英雄たち』という労作があるが、それによると明治三十七年に創業した立川文明堂の初期発行書目には「日本法律全書」などの実用書が多く、速記講談を出し始めたのは明治四十二年頃から。そして立川文庫の創刊は明治四十四年の春。興味深いのはそれが集団執筆、しかもある家族の手になるものだったことだ。その書き手側の事情については、グループ代表山田敬（やまだけい）の孫である池田蘭子（いけだらんこ）の書いた伝記『女紋』（河出書房）がある。山田敬と二代目玉田玉秀斎（たまだぎょくしゅうさい）が知り合って駆け落ちしたのが明治二十九年。大阪に逃げた山田敬が速記講談に目を付け、速記者・山田都一郎（やまだといちろう）と組んで玉秀斎を売れっ子にするものの、都一郎と訣別したために止むなく書き講談に転じるあたりが、象徴的でもあり、なかなか面白い。

当時の講談本は速記者の創意や個性によってまとめられていたので、速記者の権勢も想像以上にあったようだが、大阪の速記界で丸山平次郎と並んで実力のあった山田都一郎と訣別したために、敬と玉秀斎はたちまち困ってしまう。その時、自分らで書いてしまえばいいと言い出したのが敬の長男・阿鉄（おてつ）で、やがて三男・顕、四男・唯夫、長女・寧、その娘（池田蘭子）と家族総出で書き始める。

『女紋』によれば、朝七時から夜九時まで全員机に向かったら脇見もせずにひたすら書き続ける。一日五十枚から六十枚、日によっては七十枚も書き飛ばさなければならないこともあったという。玉秀斎はみんなが書いたものに朱を入れるだけ。完全な作家工房だ。すごいのは、そうやって書いた講談を立川文明堂以外にも各社に売りまくったことである。

東京の「袖珍文庫」にヒントを得て、講談を文庫に入れることを思いついたのは一族のプロデューサー的存在だった長男・阿鉄で、その企画に乗ったのが立川文明堂、というのが立川文庫発足の裏事情である。廉価であることと、大阪の少年店員が配達に出た時などにも携帯に便利であったことなどが爆発的な人気を博した原因であったという。

昭和四十九年に講談社から「復刻傑作選」と題して立川文庫が二十巻刊行されているので、現在でもその内容を一部知ることができる。その中から第五編『真田幸村』、第四十編『猿飛佐助』、第五十五編『霧隠才蔵』、第六十編『三好清海入道』をここではテキストにする。

第五編『真田幸村』は大坂冬、夏の陣を描いたオーソドックスな軍記もので猿飛佐助や霧隠才蔵が登場するものの、後年の奔放さはまだない。立川文庫がその名を全国にとどろかせるのは第四十編『猿飛佐助』からである。これは大正期の忍術ブームを巻き起こしたものとして知られているが、信州の郷士の子として生まれた佐助が戸沢白雲斎から忍術を学び、のちに真田(さなだ)幸村(ゆきむら)の家来となって隣国の城を破り、さらには諸国を漫遊する話である。「忍術といっても子どものいたずら、空想を拡大したようなもので、至って他愛ない。しかし、そのナンセンスが佐助の忍術の骨頂である」(足立巻一、前掲書)とあるように、佐助が縦横無尽に消えたり現れたり、どんな大男もやっつけてしまう超人的な存在であることが特徴。「猿飛佐助や霧隠才蔵など立川文庫の忍術名人は、いずれも明朗型で人間味を備えており、庶民のアイドルとなるにふさわしいタイプだった」(尾崎秀樹(おざきほつき)『大衆文学の歴史』講談社)にせよ、現在読むとそのあまりの荒唐無稽さに驚く。

第五十五編『霧隠才蔵』もデタラメといっていいほど自由奔放で、大事な合戦だというのに猿飛佐助が漫遊中(!)で不在なのは、この巻で霧隠才蔵を主人公にしたかったからだろう。

佐助がここにいたら才蔵が主人公になれないという都合のいい設定なのである。さらに、この第五十五編『霧隠才蔵』では霧隠才蔵が浅井備前守長政の侍大将・霧隠弾正左衛門の嫡子になっているが、その前の『猿飛佐助』ではただの山賊の頭目で登場しているのも想像を絶している。同じ作者グループが書いたとは思えないほどの不統一ぶりだ。もっとも幾分かの工夫は当然あり、『猿飛佐助』と『霧隠才蔵』が諸国漫遊譚の体裁を取っているのに比べ、第六十編『三好清海入道』は矢島の城主・新左衛門清海が家来となるために幸村を訪ねるまでの道中記になっている。

足立巻一は前出『立川文庫の英雄たち』の中で、立川文庫の特徴を、権力に反抗する人物、勇者が多く、人情話はなく、物語は漫遊によって展開される、と分析している。荒唐無稽ではあっても、読者の共感を呼んだのはそういう構造であったからだろう。たしかに痛快無比な物語ではあるのだ。

しかし、立川文庫の今日的意味は別のところにある。立川文庫発足と同年に創刊された「講談倶楽部」が大正二年浪花節特集をきっかけに速記者・今村次郎を筆頭とする講談師グループともめて、講談社側が速記講談から書き講談に推移していくことは木村毅『講談社の歩んだ五十年』（講談社）に詳しいが、その書き講談から新講談へ、そして大衆小説へと続く道を東京より一足早く体現したのが大阪の立川文庫だったのである。

「講談や人情噺には満足できなくなり、何か新しい大衆的な読物を求める気運は醸成され、それが書き講談の誕生をうながしたわけだが、〝立川文庫〟などの成功は、関東の出版界にも影響をおよぼし、類似のポケット本を輩出させるとともに、〝新講談〟登場の誘因となる」（尾崎秀樹、前掲書）そういう時代の先駆けともなったのである。

前出『立川文庫の英雄たち』によると、立川文庫は忍術名人を乱造するあまり、後年（関東大震災を境に）タネもつき、マンネリズムがあらわれて読者に飽きられていった、という。あるいは一族執筆という特殊性の限界だったのかもしれない。速記講談から書き講談という同じ道を歩みながら、かくて立川文庫はその次に控えていた大衆小説への道を、書き講談の企業化に成功した講談社の「講談倶楽部」、そして「少年倶楽部」というメディアに譲っていく。

大正期のベストセラーを輩出した立川文庫は、明治の戯作が凋落（ちょうらく）し、昭和の大衆小説がまだ現れない時代に突然咲いた徒花とも言えるが、その後に果たした役割を考えれば、今では忘れ去られているものの、明治と昭和の《大衆小説》を繋ぐ重要な懸け橋だった、とやはり記憶するべきだろう。

「新講談」の時代

『講談社の歩んだ五十年』によると、大正二年の講談師問題は「講談倶楽部」の臨時増刊号として刊行された「浪花節十八番」に対して、講談と浪花節を同列に扱うとは何事かと講談界が抗議したのがきっかけだったという。木村毅がまとめた同書には、講談界を代表した当時の速記界のドン今村次郎の言い分も公平に収録されていて、それを読むと「浪花節十八番」のことよりも、「講談倶楽部」に載った速記講談を講談社が他社に転売したことへの抗議が根底だとされている。その問題について前掲書の編者は、講談社が通信社の原稿二重売りにひっかかったのではないかと推理しているが、ともかく以後「講談倶楽部」に一切協力しないという速記界のドン今村次郎の通告は講談社側にとって大変な問題であったようだ。

当時の新聞に読み物として講談が競って掲載されていたように、娯楽読み物の王座を講談が占めていた時代である。紙面を飾るその講談は、速記者が講談師の語りを起こしたもので（演じられる講談に対してそれらは速記講談と言われた）、そのために速記者が想像以上の権勢を誇っていたという事情がある。明治四十四年の十一月に創刊した「講談倶楽部」も速記者今村次郎に頼るところが多く、そのドンから拒否されるということは大きな痛手であった。そこで講談社側は方針の変更を余儀なくされる。

「そこで、我々は、これら在来の講談の代わりに、文学に堪能な小説家や伝記作者が、講談の様式と題材を工夫よく採り入れて、講談と同様な興味ある面白い物語を書き得ない筈はないと思いついた。蘊蓄ある歴史家や、文芸家で、講談師の語り得る種類の物語を、それ以上に面白く書き得る人は沢山ある筈である。この人達によって、在来のものよりもっと面白い、そして品のいい、新鮮味のある新講談、新落語が出来たならば、これは必ず天下の歓迎を受けるに違いない、行く行くは、これが意義ある新たなる文学となるに違いない」（野間清治『私の半生』講談社）。

すなわち、講談師の語りを速記で起こす方法から、作家に依頼する方法への転換である。「講談と同様な興味ある面白い物語」を依頼するという点では内容の革新とは言いがたいものの、この〈速記講談〉から〈書き講談＝新講談〉への転換は、日本の大衆小説誕生に向けた画期的な転換だったようだ。いわば新講談は、講談読み物から大衆小説へ移行する過渡期に生まれたジャンルである。その通俗的な内容が飽きられ、やがて現代的な大衆小説に取って代わられて今や忘れ去られているが、大正期に一世を風靡したジャンルであることは間違いない。

では、その新講談の物語とはどんな世界だったのか。ここでは当時の新聞小説に新風を吹き込んだトリオの中から、前田曙山の作品を見てみたい（後の二人は本田美禅と行友李風）。

前田曙山はもともと硯友社出身の作家で、「彼の諷刺小説は、ヒューマニズムや理想主義精神に発するものではなく、単に社会裏面の暴露的題材に緑雨ばりのうがち、皮肉の色づけを加えた程度にすぎなかった。本質的には硯友社小説の一変形であり、三十年代の過渡期を埋める異色作として、その時代的役割を認めれば足りよう」（伊狩章「後期硯友社の作家たち」、『明治文学全集・硯友社文学集』筑摩書房、所載）と、そちらのほうでは手厳しい評価をされているが、大正十二年に大阪朝日の夕刊に起用されて一躍脚光を浴びる。その間の事情は『朝日新聞七十年小史』（朝日新聞社）に次のようにある。

「大正の初期に大阪朝日が夕刊を発行した際、編集上特に注意したのは記事、読物すべて肩のこらぬ面白いものを選ぶということで、小説も時代物に限られ、最初は渡辺霞亭の史伝小説を掲載していたが、数年後には霞亭も老いて自然と創作から遠ざかるようになった。しかるに霞亭に代るべき創作家は容易にえがたく、やむをえず朝日新聞年来の主義を捨てて、講談を掲載することになったが、講談は文芸作品でないから、永年上品な創作に親しんだ朝日新聞の読者には不向であった。荒唐無稽なるは忍ぶべきも、低調なるはいかにしても忍ぶべからず社内においても講談は中止せよとの声が高まった。わが社ではその頃盛んに通俗雑誌に、新講談と銘打って掲載された小説の執筆者の中から、老巧の作家前田曙山に依頼して長編の時代小説を寄稿せしめた」

それが『燃ゆる渦巻』である。この作品は「いわば幕末勤皇ものの先駆的な作品であり、大衆時代小説のひとつのパターンをしめしたものであった。『燃ゆる渦巻』の成功によって、各紙の夕刊はきそって大衆時代小説を掲載するようになり、いわゆる大衆小説の黄金時代をうみ出すことになった」（尾崎秀樹『大衆文学の歴史』）というのが定説になっている。この作品が圧倒的な好評を博したことについて「大衆文学大系」（講談社）の月報に木村毅が書いている挿話が興味深い。谷崎潤一郎（たにざきじゅんいちろう）が大阪朝日本社を訪れた時、朝日の社長を始め幹部総出で一人の人物を丁重に送り出す光景に出会い、そこにいた社員にあれは誰だいと尋ねると、「前田曙山先生です」という返事が返ってきたという挿話だ。

　では、それほど受けた『燃ゆる渦巻』の内容は、はたしてどんなものだったのか。冒頭は、老中の安藤対馬守の上屋敷から女が書付を盗んで逃げ出す場面である。その密書には勤皇の公家殿上人を一掃する公儀の密計が書かれている。女は勤皇方の隠密、綾。その密計を知らせるために密書を持って綾が京に向かうのが次の展開。旅の途中で知り合うのが長州脱藩の浪人・林清之助。彼は駒井相模守を名乗って大胆不敵に行動する。追ってくるのが勤皇方を兄の仇と狙う希代の悪女お蓮と、新徴組の近藤勇（こんどういさみ）、土方歳三（ひじかたとしぞう）、芹沢鴨（せりざわかも）の四人組。つまりこれは道中もの伝奇小説である。

　当然パターン通りに、主人公は次々に危機に襲われる。まず綾は川越えの場面で人足の乱暴にあい、次に山賊に捕まり、一方の清之助は駒井相模守の贋物であることがバレて山中の立木に縛られると狼に襲われる。なんとか危機を脱出して二人が再会し、沼に筏（いかだ）で漕ぎ出すと滝壺に向かう絶体絶命の危機。こういうアクシデントが次々に彼らを襲うが、もちろん彼らが倒れたら物語は続かないので、いかにしてその危機を彼らが乗り越えていくかという波瀾万丈の展開になる。

旅の途中では希代の悪女お蓮が贋物の相模守に夢中になったかと思うと、本物の駒井相模守が登場して、さらには綾の許嫁・才兵衛も絡んでくる。敵味方が入り乱れての道中冒険行は、パターン通りとはいえ、なかなか読ませる。ところが全体の四分の一のところで、この二人は近衛家に無事に密書を届けてしまうのである。いったい、この先をどうするつもりなのか。

新たな登場人物は、近衛の後室の姫・阿小夜と、彼女に邪（よこしま）な欲望を抱く光達上人。上人はおのれの欲望のために阿小夜姫が持っている黄金の瓔珞（えいらく）を盗み出し、駒井相模守は姫のために名工に依頼してその宝物の贋物を作って対抗するというドラマが始まっていく。つまり物語の軸は密書から、この宝物に移ってしまう。その間も綾が、光達上人の手先となった才兵衛に捕まって監禁されたりするが、これは完全に違う物語だ。しかしこの宝物争奪戦も決着がついて法要が無事に終了する。いくらなんでも話はもうないはずだが、なんとまだ全体の半分。今度はどうするか。

この先はわけのわからない話が続いていく。光達上人が綾を捕まえて監禁し、その行方を清之助が探す話になるのだが、清之助と綾はなんとラストになるまで再会せず、関係ない挿話が延々と続いていくのだ。その間に挿入される話が理解しにくいのは、登場人物の行動に一貫性がないことだろう。たとえば清之助が上人に化けてお蓮の部屋に忍び込む挿話が途中に出てくるが、彼女をからかうだけでこれはストーリー上まったく必要がない。無意味な挿話である。長州征伐に清之助が同行するのも同様。この間、坂本龍馬（さかもとりょうま）を登場させて彼とお龍（りょう）の挿話を入れるなど、小説を無理にのばしている感は否めない。

いちばん理解しにくいのは、清之助、綾を始めとして脇役に至るまで登場人物の性格が曖昧であることだ。たとえば清之助はお蓮に対して、勤皇方から見れば悪魔とも夜叉とも見えるが、徳川方から見れば、稀(まれ)なる烈婦。味方にすれば頼もしい女で、無残な刃をあてるのは不憫(ふびん)だと言ったりする。この態度は他の登場人物にも共通していて、駒井相模守はお蓮を改心させようとするし、綾もお蓮を許そうとする。敵方の光達上人ですら清之助を理解しようとする。といっても、そういうヒューマニズムをテーマにした小説でもないのだ。立派なのは皮肉にも毒婦お蓮のみ。誰が改心などするものかと死んでいくお蓮がいなければ、これはまったく理解を越えた小説と言えるだろう。

物語がどんどん違う方向にズレていくのは国枝史郎(くにえだしろう)『蔦葛木曾棧』を始めとして伝奇小説に珍しいわけではないが、『燃ゆる渦巻』には作者の奔放な想像力がひろがるだけひろがって収拾がつかなくなった、というニュアンスはない。後半のデタラメな展開は、話が続かなくなった苦しさの現れにすぎないように見える。

『燃ゆる渦巻』に続いて、東京朝日に連載された『落花の舞』（大正十三年十一月〜十四年十月）は、これに比べて比較的まとまった長篇である。幕府方の密書をめぐって高野新少将と神出鬼没の謎の粂三髷(くめさんまげ)の女、夫を殺された旗本の妻磯江に御用聞き佐兵衛などが入り乱れる物語で、密書争奪戦という太い芯が物語の底に一本しっかりと流れている点が、まとまっている原因だろう。しかしこちらも町芸妓お絹を始めとして性格の曖昧な登場人物が頻出し、さらには好都合すぎる無理な展開も多用され、けっして傑作とは言いがたい。現在読むと結構辛いものがあるのは否定しえない。「連載が終らないうちに映画化の話がもちあがり、日活京都、東亜キネマの等持院などで競作が行われ」（尾崎秀樹・前掲書）たということが現在では信じにくい。

前田曙山の作品は、デュマやルブラン、ボアゴベにオルツィー夫人などの原作を下敷きにすることが多く、オリジナルな構想に乏しい作家だったと指摘されている。しかし黒岩涙香の例に見るように、初期の大衆小説は翻案と不可分であったという側面もあるので、その事実だけでこの作家を否定することはできないだろう。問題は、『燃ゆる渦巻』『落花の舞』ともに、近藤勇、桂小五郎、坂本龍馬、清水の次郎長に山岡鉄太郎など、お馴染みの人物を登場させ、彼らに活躍の舞台を与えて講談の雰囲気を伝えてはいるものの、小説としての完成度が低いことだ。下敷きがありながらも自分の世界を作った黒岩涙香の作品を想起すればいい。『燃ゆる渦巻』の清之助、『落花の舞』の少将が、〈新講談〉のヒーローとして残り得なかったこともその事情を語っている。

こうして、巷のヒーローは白井喬二、国枝史郎、吉川英治など、次に登場を控えていた大衆小説に舞台を移していく。

「少年倶楽部」の時代

速記講談から書き講談、そして新講談へという日本大衆小説の流れは、面白いことにそのまま児童読み物の変遷にもあてはまる。大正から昭和にかける大衆小説の確立とほぼ同様のことが、同時期に児童の世界でも行われるのだ。

大衆児童雑誌の変遷は、巖谷小波が主筆を務めた明治の「少年世界」（博文館）から、大正の「日本少年」（実業之日本社）をはさんで、今回とりあげる昭和の「少年倶楽部」（講談社）まで、その代表雑誌を変えていくが、問題は大正の「日本少年」からその昭和の「少年倶楽部」への転換だ。

「少年倶楽部」の創刊は大正三年十月。創刊号三万部。競合誌にまだ「少年世界」あり、さらに時事新報社の「少年」や、実業之日本社の「日本少年」があった。特に「日本少年」は、『講談社の歩んだ五十年』によると、「少年倶楽部」第二号の書店調査で「日本少年」十部に対して「少年倶楽部」二部という結果だったという。これではまったく勝負にならない。

大正十年から昭和七年まで「少年倶楽部」の編集長を務めた加藤謙一（かとうけんいち）の回顧録『少年倶楽部

時代』（講談社）に「数ある雑誌はともかく、日本少年の部数二十万誌界第一というのがどうも気になる。二万や三万の小勢で二十万の大軍を意識するのは、駆け出しの分際で生意気すぎた話だが、若さの血気というものか、せめてその半分の十万でいいから早く追いつきたいものだと思ったりした」とあるように、「日本少年」は「少年倶楽部」創刊当時の最大のライバルであった。

では、その「日本少年」はどういう雑誌であったのか。大正八年七月から約二年間、その「日本少年」の編集長であった渋沢青花（しぶさわせいか）は回顧録『大正の「日本少年」と「少女の友」』（千人社発行・構想社発売）に次のように書いている。

「わたしは、少年時代から探検物語が好きだったし、好んで登山などをしたためもあって、冒険事実談は進んで掲載した。しかし、少年が大人も及ばぬ活動をするという虚構の探偵小説は、あまり歓迎しなかった。他の少年雑誌では少年を主人公として、血湧き肉躍る小説を載せて読者を吸収しているのに、これをしないわたしは、編集者として失格だったかも知れぬ。が、わたしの性格だからいたし方ない」

この言葉だけで「日本少年」の性格を断定しては間違いだろう。二上洋一（ふたがみひろかず）『少年小説の系譜』（幻影城）によると、この時期に「日本少年」の版元である実業之日本社は少年冒険小説に情熱を示し、有本芳水（ありもとほうすい）や滝沢素水などの冒険小説を収録した痛快文庫六冊を刊行したとあるので、この版元が血湧き肉躍る小説に理解がなかったというわけではない。おそらくはその方向が異なっていたのだ。

加藤謙一は別のところで「『日本少年』という雑誌が二十万と号していましたが、涙っぽくロマンチックな詩や小説が載っていました。『少年倶楽部』のほうはどろ臭くて、良く言えば質実剛健というゆきかたです」と語っている。また、テーマは正義任侠だという山中峯太郎（やまなかみねたろう）は「大正時代の児童雑誌は、『少年世界』や、『日本少年』など、読者に追従するばかりで引っぱる力はなかった」とまで言いきっている（『少年倶楽部名作選2』講談社）。ようするに、それは粋な都会雑誌と野暮なエネルギーに満ちた雑誌との闘いであったのかもしれない。

「少年倶楽部」の版元である講談社の興隆は関東大震災を転機とするが、この二誌の力関係が逆転した象徴的なエピソードとして今も伝えられているのは、有名な「華宵事件」である。「少年倶楽部」誌上で人気を独占していた挿絵画家、高畠華宵（たかばたけかしょう）と画料の問題でもめ、それをきっかけに華宵が講談社と絶縁し、ライバル誌「日本少年」に描き出した事件である。たちまち売行きに影響が出たことを案じた現場に対して、講談社初代社長野間清治は、巖谷小波の「少年世界」、押川春浪の「冒険世界」、黒岩涙香の「萬朝報」を例に出し、一人を頼りすぎると、その人がいなくなった場合、雑誌の魅力が半減するから危険である、と華宵との復縁を断念させた。加藤謙一の『少年倶楽部時代』によると、その時野間清治が「雑誌というものはさし絵で売るもんじゃないんだよ。活字で売るんだ。いい読み物で売るんだ」と語ったという。

「少年倶楽部が読み物重点の編集にかわったのはこの時からである」というのだが、ここに大正二年「講談倶楽部」浪花節特集をきっかけに速記者・今村次郎を筆頭とする講談師グループともめて講談社が旧講談から新講談へ転換し、ついには大衆小説を生み出すもとになったことを想起するのは容易だろう。約十年後に児童読み物の世界で同じことが繰り返されたのである。「少年倶楽部」の表紙絵を長い間描いた画家、斎藤五百枝の談話に（『講談社の歩んだ五十年』）野間清治の卓見として「大衆ものは、なにをおいても目に訴えるものを一番力強く打ち出さなければならない」とあるところをみると、それは加藤謙一の言う「読み物の重視」ではなく、スター・システムの廃止と解釈すべきだろう（加藤謙一も「特定の作家を頼みにし、それで売る雑誌にするな」という野間清治の言葉を引いてはいるが）。

　博文館の「少年世界」、実業之日本社の「日本少年」、そして大正中期の《純文学》児童雑誌「赤い鳥」に共通する性格として、そのスター・システムを上げた鳥越信は「このことは、出版という資本主義的経営がまだ手工業的個人的規模から抜け出ていないことを示しているともいえる。つまり、そこには、個人のもつ魅力が、やがて時とともに失われ、新しいスターが求められているにもかかわらず、かつてのスターを非情に捨てさるだけのきびしさが欠けていたともいえるのである。（略）この事件によって、旧来のスター・システムはほうむりさられた。そのことは必然的に、講談中心の読者から新しいタイプの少年小説の誕生へと向かった」（「少年倶楽部の短編作品」、『少年倶楽部名作選3』講談社、所載）と書いている。

　そうして新しいタイプの血湧き肉躍る冒険小説が児童読み物の世界にも生まれてくるのだが、その個々の具体例に入る前に、日本の大衆小説（大人の読み物、児童の読み物も含めて）に功罪ともに多大な影響を与えた講談社文化について、佐藤忠男「『少年倶楽部』の意義」（『少年倶楽部名作選2』講談社）という興味深い論考があるので、これに触れておきたい。

いき、ハイカラ、アンニュイ、など、生粋の都会文化を代表する美意識の多くがシャット・アウトされ、仁義忠孝、勤倹力行、立身出世、親子夫婦や上司下僚の和合など、野暮ったい農民的な徳目を推進した講談社文化が、大正から昭和の変わり目において「日本少年」を「少年倶楽部」で打倒したように、なぜ大都市で圧倒的に成功したのか。

野間清治および講談社文化の特色は、質素で素朴であろうとする農村的な徳目に根ざしながらも、しかし感覚は派手好きであり、暗い説教調を嫌って波瀾万丈のロマンチックな面白さを尊ぶところにある。「面白くて為になる」という有名なキャッチフレーズの本質はそういうことだ。この思想と感覚の間にある矛盾が時代的な意味を持っていたのは、純都会的文化と純農村的文化という二極構造が工業化の進展とともに消滅していたという当時の社会構造の変化に求められる。日本の都市は地方農村出身者の巨大な集落と化し、都市と農村を一丸とした大衆文化が関東大震災を境に成立していたこと。農村に生まれて都会に職場を得ていた多くの都会人にとって、あるいは地方にあって都会での成功を夢見る少年にとって、農民的な頑張りを土台にして都会の出世競争に勝つという講談社の発想は力強いひびきを持っていたこと。そういう背景があったからこそ、講談社文化は日本の大衆文化を席巻したというのである。

ちなみに加藤謙一『少年倶楽部時代』から「少年倶楽部」新年号の部数をひくと次のようになる。新年号は通常号の倍ほど刷ったというが当時の勢いがうかがえるだろう。

大正十年／六万　十一年／八万　十二年／十二万　十三年／三十万　十四年／四十万　十五年／二十五万　昭和二年／三十万　三年／四十五万　四年／五十万　五年／六十三万

六年／六十七万　七年／六十五万　八年／七十万

大正十五年に部数が落ちているのは、同年「幼年倶楽部」が創刊され、同じ版元とはいえ、そちらに読者を取られたからだろう。「少年倶楽部」は昭和十一年新年号に七十五万部という頂点に達するが、興味深いのはこの年を境に部数が落ちていくことだ。

昭和十六年／四十五万　十七年／四十万　十八年／三十万　十九年／二十四万　二十年／十七万

紙の使用量が昭和十年から十七年までの間に三分の一に制限されたということもあるのだろうが（『講談社の歩んだ五十年』）、これは戦前の「少年倶楽部」が日本軍国主義、ファシズムに結び付いていたという批判に対する興味深いデータである。たしかに戦前の「少年倶楽部」に読者である少年たちの戦意を昂揚する小説がなかったわけではない。だがもしそれだけなら、この部数の推移は理解しがたい。

開戦から戦線の拡大とともに、むしろ「少年倶楽部」の部数が内容とともに（その具体例は順次見ていくが）下降線をたどったこと。これは「少年倶楽部」の本質が、波瀾万丈でロマンチックな面白さの追求であったことを逆に語っているように思う。そういう少年の理想を語るエネルギーは、戦時体制が強化されるにつれてむしろ発散しづらくなったのではないか。戦時色が濃くなるにつれ、小説としての創造力は圧縮され、大正末年から昭和十年ぐらいまでにあった自由な空想世界が失われていったことを、この数字は語っているように思われる。

「少年倶楽部」を論じた佐藤忠男の前述の論考は、野間清治や加藤謙一が地方の教員出身であることへの着目から、「少年倶楽部」の行動的文体が独自の児童小説のスタイルを生んだことまで、示唆に富んでいるが、山中峯太郎や平田晋策などの少年冒険小説が当時の軍国主義に結果として強く結び付いたことを指摘しながらも、「少年倶楽部」の読者のいちばん熱心な部分こそが実はその後岩波文庫の読者になり、このことは野間清治の意図をはみ出していた、という卓見で締め括っていることにここでは注目しておきたい。

高垣眸の海

「華宵事件」をきっかけに「少年倶楽部」がスター・システムの廃止、読み物の重視、という編集の転換をした結果、生まれてきた作家のひとりが高垣眸（たかがきひとみ）である。加藤謙一『少年倶楽部時代』によれば、ある日突然「原稿在中」と書いた小包が郵送されてきて、中を開けると何度か原稿を頼んだことのある額田六福（ぬかだろっぷく）の手紙が添えられている。友人の書いたものだという。「それで、とりあえず最初の一篇を読んでみたらこれがおもしろい。思わずその続きをその後をと、とうとうおしまいまで読んでしまった。まったくかけ値なしの一気読了である」

それが高垣眸のデビュー作『龍神丸』で、この長編は少年倶楽部に大正十四年四月号から連載された。無名の新人の作品がいきなり連載小説として掲載されるのは異例のことで、これこそ「少年倶楽部」の新しい時代を象徴するエピソードだろう。高垣眸は当時、青梅高女の教師で、生徒にせがまれて面白い話をしているうちに自分でも熱中し、やがて創作を始めるようになったという。そのあたりのいきさつを作者自身は次のように書いている。

「私は少年時代から愛読したスチブンスンの宝島を頭の中に思い描きながら、八幡船海賊の世界に直して、口から出まかせに話して聞かせてるうちに、私自身がすっかり面白くなって来た。そこで、冬休みの宿直を一人で引き受けて、ガランとした宿直室で昼夜なしに四日間で一気に書き上げたのが〝龍神丸〟だった」(『高垣眸全集』桃源社、第二巻)

その長編小説を少年倶楽部に紹介したのが早稲田英文科の同級生であった劇作家の額田六福だった、というわけである。では、その高垣眸のデビュー長編『龍神丸』とはどういう小説なのか。

冒頭は無人島の洞窟内における万右衛門と蛇五郎の闘いである。大海賊王が五百年前に残した財宝をようやく探し当てた万右衛門に、昔の仲間である蛇五郎が追いついての格闘といういきなりのアクションでこの物語は幕を開ける。蛇五郎を倒した死闘の果て、ぐったりしているうちに櫃の蓋が音もなく開き、中から大きな黒犬が現れて万右衛門の体から革袋をくわえていく。その中には財宝の秘密を解く紙片が入っている。続いて万右衛門が目を覚まし、勇んで櫃を開けると中は空。財宝のかけらもない。これが第一章。こころにくいまでに謎めいた冒頭である。

第二章はまた激しいアクションだ。寝ているうちに襲われ、万右衛門は手足を縄で縛られ袋に入れられて洞窟内の古井戸に放りこまれる。誰に襲われたのかもわからない。縄を切って袋から脱出するが、上に登る手がかりは何もなく、さらには上から岩石を落とされる。仕方なく、どこに続いているとも知れない横穴に潜り込む。暗黒の水底の冒険、という緊迫感あふれるシーンだが、考える暇もなく、テンポよくこういうアクションが続いていく。

ようやく脱出するも、黒犬を乗せて船が出発、万右衛門は無人島に置き去りにされる。いちばん近い陸地まで三十七里。えいっと海に飛び込む万右衛門。このように、テンポよく物語はどんどん進んでいく。ここまで読むかぎりでは、主人公はこの万右衛門なのかと思うところだが、実はそうでもない。次々にさまざまな人物が登場してくるのだ。第三章は場面が一転して、長崎・諏訪神社境内の祭り。黒犬を連れた深編笠の男が奇術小屋に入る。舞台では少年の剣技。薩摩武士がいちゃもんをつけ、止めに入った老魔術師の首を切る。ところが続いて小屋の火事が起きると死んだはずの老魔術師がすっくと起き上がる。ここには何の説明もない。黒犬の登場もそうだが、こういう伝奇的趣向を次々に織り込みながら話を続けていくのがこの物語の特徴である。この騒動の最中に深編笠の男は革袋をすられる。そしてこう言う。「切支丹の松右衛門めに、うまうまと一杯食わされたか」読者はまだ何が起きたのか、ここまで読んでもさっぱりわからない。

この物語の全容が読者に提示されるのは第四章に入ってからだ。八幡船の総大将・村上三郎右衛門の直系の子孫、明王丸の首領の九郎右衛門が殺されたために、財宝をめぐって部下が仲間割れ。その明王丸の四天王、すなわち、

「切支丹の松右衛門」「石崎の灘右衛門」「黒潮の万右衛門」「木原の吉右衛門」

この四人が争っていることが明らかにされる。このうち木原の吉右衛門は行方不明。深編笠の男は、無人島で黒犬を使って万右衛門から革袋を取った灘右衛門で、その革袋を諏訪神社境内の奇術小屋で取ったのが松右衛門。このように、財宝の秘密を解く紙片が入っている革袋の

持ち主の変転と物語の背景が、ようやくここでわかる。しかし、その革袋が偽物であることが判明し、吉右衛門を除く三人は財宝獲得のために協力を決意する。悪人同盟だ。首領の九郎右衛門が実は生きていることの示唆と、舞台で剣技をふるった少年の出自の謎が、ここでひそかに提示される。

　第五章はまたまた一転して、カムチャッカ半島西岸の町。牢獄に首領の九郎右衛門と木原の吉右衛門が捕らわれている。体の弱った九郎右衛門は死に際に革袋を誠実な部下・吉右衛門に託し、遺児・龍太郎に渡すことを依頼。となると、五章の後半は、吉右衛門の脱獄行になるのも当然。ところが、狼に襲われ、馬を駆け、最後は絶壁から深い谷底に落ちてしまう。やっと主人公らしき人物が登場したかと思うとすぐ死んでしまうのでは物語が続かないが、もちろんこれは小説上のテクニックだ。全十章なので、ここまでで半分。当然ながら後半、九郎右衛門の遺児・龍太郎があの少年であることが明らかになって、財宝をめぐる活劇が深まっていく。

　誠実な木原の吉右衛門が親の仇だと画策されて、龍太郎が復讐のために追うというすれちがいの展開や、ラストの海上の活劇で吉右衛門が海に放り込まれながらも絶体絶命のピンチに陥(おちい)った龍太郎を助けに甦る好都合の展開など気になるところもある。さらには黒潮の万右衛門が最後に改心したり、野犬を殺すと切支丹の松右衛門が伴天連の妖術で変身していた分身だった、という不自然な箇所がないわけでもない（伝奇的趣向といってもここはやや説得力が欠如）。だが全体的には、場面転換の鮮やかさと強い謎で引っ張るプロットの妙が、何よりも光り輝く。実にスリリングで、新鮮な物語である。この小説自体は財宝がみつからないまま終わるが、そのために続編『神風八幡船』が書かれたものの、このデビュー長編だけでも、テンポよく一気に読ませる時代伝奇小説の傑作といっていい。

この物語の特徴を列記すれば、

①一度死んだはずの善玉が生き返るという構成②主人公の少年の出自が由緒正しいという設定③必ずしも少年が主人公ではなく、伝奇小説の骨格の中に少年を入れるという小説作法。

以上が上げられるが、これは高垣眸の作品に共通する特徴でもある。たとえば、昭和二年一月号から十二月号まで少年倶楽部に連載した『豹（ジャガー）の眼』の主人公・黒田杜夫は、日本人の父とインカ帝国の王統を継ぐ母の間に生まれた十八歳の少年、という設定である。これが②のパターン。③の特徴は、昭和十一年一月号から少年倶楽部に断続的に書かれた『まぼろし城』に顕著だ。この主人公は、幕府隠密・木暮月之介であり、桐作少年は副主人公である。デビュー作には作家のすべてがあるとよく言われるが、このように高垣眸も例外ではない。

高垣眸は作家活動が長いので、多方面に渡る作品を残しているが、『怪人Q』や後年の『凍る地球』『恐怖の地球』『燃える地球』三部作など、文明批評を核にした科学小説は、作者の真摯な態度は伝わってくるものの、小説として見ると、理に走りすぎている。前記した『まぼろし城』は、『龍神丸』に比べるといささかストレートすぎることと爽快さに欠ける点は否めないし、傑作の誉（ほま）れ高い『怪傑黒頭巾』（少年倶楽部、昭和十年一月号〜十二月号）は、幕府に捕らわれた兵学者の行方を探す曲芸師の姉弟と彼らを助ける謎の覆面武士を主人公に、大日本攻城図説をめぐる活劇を描いた長編で、たしかに高垣眸らしいヒューマニズムが横溢した作品だが、好みから言えば、雄大さに欠けるのが難。

結局、『龍神丸』に匹敵するのは、第二長編『豹（ジヤガー）の眼』だろう。これは二千年前に地上から消えたインカ帝国の財宝をめぐる波瀾万丈の大ロマンだ。横浜からサンフランシスコに向かうイギリス船籍のボロ貨物船に乗り込んだ若者杜夫の、船上、アメリカ暗黒街、アリゾナ大高原と舞台を移していく冒険を活写した傑作である。

この作品が大東亜共栄圏思想の片棒を担いだという批判に対しては、種村季弘『書物漫遊記』（ちくま文庫）の中に次のような指摘がある。

「混血少年黒田杜夫は、神国日本の男児だからというので滅茶苦茶に強いというわけではない。しばしば凶暴な白人どもにあっさりノサれてしまったり、あわやの危機に陥ったりもするのである。するとそこへ中国人の張老人をはじめ、アメリカ・インディアンやマレー人や黒人やインカ人など、アングロサクソンに伝来の土地を奪われた披抑圧民族がかならず救援にやってくる。イデオロギー的には、どちらかと言えば今様のアジア・アフリカ解放戦線の理論と実践に近いインターナショナリズムなのだ」

海外雄飛型のヒーローを主人公にした『龍神丸』や『豹（ジヤガー）の眼』などの海洋冒険譚は、海外雄飛というイメージが与えるほど、ナショナリズムむき出しの小説ではない。本人も押川春浪の影響を受けたことを語っているが、その押川春浪を含めて矢野龍溪などの「高垣眸以前」の海外雄飛型冒険小説がその内に大ロマンの要素を濃く持っていたにせよ、どこかに政治的啓蒙の匂いを同時にかかえていたことに比べ、高垣眸の小説はそういう啓蒙の匂いから決定的に抜け出ていた。日本の海外雄飛型ヒーローが初めて物語の中に自立したといってもいい。

高垣眸の初期作品には、血沸き肉躍る冒険の世界に少年たちを誘う、みずみずしい海の匂いがあふれている。それはいつの時代でも変らない少年たちの、まず好奇心であり、旅への憧憬であり、冒険への誘いである。高垣眸はその夢を情熱をこめて鮮やかな物語の中に語った昭和初期の作家のひとり、いや、その代表的な作家だった。このあと、我が国の海外雄飛型ヒーローはもう一度逆流して政治的啓蒙に結び付いていくが、それは別の話になる。

密林のヒーロー

南洋一郎（みなみよういちろう）もまた高垣眸同様に「少年倶楽部」への投稿からスタートした作家である。「なつかしき丁抹（デンマーク）の少年」がその投稿作品で、高垣眸「龍神丸」の連載が開始された翌年九月号の「少年倶楽部」に掲載された。これは小学校教師だった作者が、コペンハーゲンで行われたボーイスカウトのジャンボリーに参加した時の体験をもとに書いたものだ。加藤謙一は『少年倶楽部時代』の中でそのときの様子を次のように書いている。

大正十五年の九月号に載ったこの作品は、さすがに先生が日本じゅうの子どもに伝えずにいられないといったくらいの内容で、実に感銘度の高い事実物語だった。これを載せてからわれわれの間に「この人はプロの作家ではないが、何か書けそうな人ではないか、それに小学校の先生なんだから、普通の作家より子どもに対する理解が深いはずだ。一つこちらから原稿を頼んでみようではないか」ということになった。そしてもらった第二作は〝涙の国家〟、第三作は〝愛の艦長〟。この〝愛の艦長〟をたまたま野間社長が読んで激賞したところから、当時進行中の『修養全集』に収録されることになった。それから後つづいてもらった短編はどれもこれも感動感激の作品であり、そのすべてが外国に取材したものばかりなので、新しさも新しく、たちまち少年倶楽部にはなくてはならぬ作家になった。

本名の池田宜政と一字違いの池田宣政（編集部が間違え、そのままペンネームになった）名義で書かれたこれらの作品は感動的な美談に終始し、小学校教師だった作者の資質がよく表れている。しかし、そういう美談作家ならばジャンル外でもあり、ここで取り上げることもない。その美談作家から冒険探検小説の作家・南洋一郎が生まれた理由について、加藤謙一は前掲書で次のように書いている。

「各誌から求められる作品は一様に美談であり感動的な読み物である。頼まれると断ることを知らない先生が、毎日毎日同じような傾向のものばかり書いているうちに、筆が倦んできたかに見られるようになった。これは容易ならぬことである。このままではさすがの先生も自分の作品に押しつぶされてしまう」

かくて、冒険物はどうだろうかという編集部の要請と、池田宣政の興味が一致して、南洋一郎の誕生になったという。昭和四年六月号掲載の「空の肉弾」が南洋一郎名義の第一作。続いて「蒙古王の秘宝」（少年倶楽部、昭和五年）、「密林の王者」（同、昭和七年）、「吼える密林」（同）、「緑の無人島」（同、昭和十二年）、「新日本島」（幼年倶楽部、昭和十五年）と、南洋一郎は少年冒険小説をつぎつぎに発表し、一躍この時代の人気作家になった。だが、現在の時点からこれらの作品を読むと、なぜそれほどまでに当時の少年たちを熱狂させたのか、実はわかりにくい。
『吼える密林』（昭和七年）と、『海洋冒険物語』（昭和十年）をテキストにしてみよう。前者はジャングル、後者は海を舞台にした探検物語だ。ジャングルのほうは「アフリカ編」「ボルネオ編」「マレー編」とわかれ、海のほうも「北氷洋篇」「南太平洋篇」「マレー群島篇」とわかれている。ようするに両者とも中編連作である。ジャングルで大獅子、大蛇、鰐（わに）。海で白熊、海象（せいうち）、大烏賊（いか）。そういう巨大な怪物と闘うディテールも共通している。だが、極論すればどちらもそれだけで、場面ごとの迫力はあるものの小説としての構成が決定的に弱い。もちろん、半世紀以上前の作品を現在の段階から批判されるのでは作者の立場がないだろう。研究家は次のように書いている。
「南洋一郎は勉強家であった。密林に棲む猛獣の生態や植物の状況を、刻明に調べあげ、あの平明な文体で、ヴィジュアルに描いていった。読者は、主人公の冒険を楽しむと同時に、生き生きと繰り広げられるジャングルの風物に酔い痴れたのである」（二上洋一『少年小説大系　南洋一郎・池田宣政集』解説、三一書房）
　この時代の少年冒険小説に批判的な研究書『勝ち抜く僕ら少国民』（世界思想社）の編者である山中恒（やまなかひさし）、山本明（やまもとあきら）の両氏は同書の中で、幼い頃に少年軍事愛国小説に熱中したことを体験的に語ったあとで、それらの小説に興奮した理由を分析し、いくつかの項目をあげているが、その中に「通俗科学の知識」という項がある。小説の中にさまざまな知識が盛り込まれていて、少年たちは小説からそれらの知識を学んだというのである。この時代の少年冒険小説を肯定的に見ようと否定的に見ようと、少年たちは「密林に棲む猛獣の生態や植物の状況」、そういう「ジャングルの風物に酔い痴れた」のだ。これは少年小説というジャンル特有のことで、ヒーロー小説の観点だけで振り返ると、そのあたりがわかりにくい。

しかし、物語の結構が弱かったとしても、南洋一郎の独自性は、これらの探検小説にあるのかもしれない。『吼える密林』や『海洋冒険物語』などの探検ものよりも小説としての成熟が見られる『日東の冒険王』（昭和十一年「少女倶楽部」連載）、『魔海の宝』（昭和十一年）、『緑の無人島』（昭和十二年）は宝探し物語として共通しているが、これら三作を読むと、そういう気がしてくる。というのは、これらの小説は、悪人が必ず最後に改心するところにこの作者の素顔が垣間見られるとしても、当時の南洋進出の気運を強く背景としているので、現在読むと興趣がそがれることは否めないのである。『日東の冒険王』は物語の展開もやや乱暴だが、山田長政の秘宝を日タイ両国の役に立てようという結末がうさんくさいし、『魔海の宝』は豊臣秀吉の秘宝をめぐって押川春浪『海底軍艦』ばりの潜水艦まで登場する。ようするに活劇の背後に国の影がちらつきすぎる。ディテールが群を抜いているロビンソンもの『緑の無人島』ですら、宝探しのあとで結局は島に「大日本帝国領土」と柱を建てるのである。これらの小説が書かれた昭和十一〜十二年といえば、二・二六事件、日華事変勃発と日本が坂を転げ落ちるように戦時体制に傾いていった時期で、もはや『吼える密林』などの探検物語に見られる個人的な冒険を許さない時代だったのかもしれない。

前出『勝ち抜く僕ら少国民』に、翌十三年、内務省警保局図書課が児童読み物の統制に乗り出した経緯が書かれているが、要するにこれは「非常時」に一人の英雄が活躍するような筋は好ましくない、協同社会の建設に国民は邁進すべきだ、という主旨で、児童に空想的なロマンを与える「少年倶楽部」をターゲットにしたものであったという。これを受けた「少年倶楽部」は「教育的タルコト」をめざして自粛路線をとり、少年たちにとって昭和十五年頃には、用紙制限のためもあってページも落ち、「少年倶楽部」は魅力のうすいものになったと編者たちは証言している。この昭和十三年の児童読み物統制は、「少年倶楽部」の部数の変遷に見る「自由な空想世界の喪失」と同様に、ヒーロー小説が時代の変化に影響されやすい宿命を興味深く語っている。つまり、戦時体制の中で、国の援護を受けてヒーローが活躍したのではなく、真に空想的なヒーローが生きづらい時代になったということを、この児童読み物統制は示している。そのために南洋探検ものを得意としていた南洋一郎（だけではないが）もこののち時勢に呑みこまれ、時局色の強い作品を発表していかざるを得なくなる。

南洋一郎の密林のヒーローが蘇るには戦後を待たねばならなかった。すなわち、昭和二十三年から書かれた「バルーバの冒険」シリーズだ。

これは、アメリカ人の父と日本人の母の間に生まれた青年の物語で、明らかにバローズの「ターザン」を下敷きにしているが、その換骨奪胎ぶりは見事である。両親が行方不明になったために一歳で孤児となった主人公がライオンやチンパンジーに育てられ、アフリカの密林の王となる物語で、大獅子や剣牙虎、大怪獣マストドンなどとの闘いがディテール、テンポともよく活写され、読者はジャングルの冒険譚に一気にひきずりこまれる。主人公が危機になると味方である猿や象などが必ず助けに現れるというのも楽しいが、なによりもまず、あらゆる動物と会話する主人公の野性を説得力をもって描き出したことがこの長編の成功の原因だろう。「密林には密林の正義がある。野獣のあいだにも、げんじゅうなきまりがあるのだ。食物にするためにあいてをころすことはゆるされている。けれど、ただなぶりごろしにして、楽しむことは絶対にゆるされないのだ。それが密林のおきてなのだ。自然にきまっている野獣仲間の法律なのだ」という背景の認識は、バローズの「ターザン」と同じ。さらにジャングルで発見されてアメリカに渡るのも本家と同様の展開だ。異なるのは、こちらの主人公がヒロインから言葉を教えられること（本家・ターザンは類人猿語の他に、英語フランス語ドイツ語を話す語学の天才である）。

特に、第三巻「密林の孤児」は、両親が行方不明になった一歳の時点から少年に育つまでの子供時代を描いたもので、同様に青春の日々を描いた本家『ターザンの密林物語』に匹敵するほど、この章は哀切きわまりない。ライオンに育てられながらも成長の遅い「人間」に愛想をつかされ捨てられる場面。なぜ自分が捨てられるのかわからない主人公の孤独が読者に切々と迫ってくる。いや、この第三巻だけではない。主人公の帰りを待つ黄金獅子（きんじし）の遠吠えで終わる第四巻ラストシーンも、主人公と黄金獅子が死闘を繰りひろげたあと親友になった関係だけに、哀愁漂う場面で印象深い。

「バルーバの冒険」は、ジャングルの描写、動物の生態など作者の得意とする分野を縦横に描きながら、怪塔で死んでいた子爵の地図をめぐる謎が、第一巻から不気味な調べとなって物語の底を流れている。そのために緊迫感あふれる物語性の強い傑作冒険譚となっている。バローズ「ターザン」を下敷きにしているとはいえ、冒険探検作家・南洋一郎ならではの世界と言えるだろう。

問題はこういうヒーロー物語の出現が戦後を待たねばならなかったことで、ヒーローが生きづらかった昭和十年代のわが国《冒険小説》の不幸を思わざるを得ない。

軍事冒険小説の行方

高垣眸、南洋一郎に続いて、「少年倶楽部」時代の最後を飾るのは、山中峯太郎である。「少年倶楽部」の代表的な作家としては、他にも佐藤紅緑（さとうこうろく）、大佛次郎、佐々木邦（ささきくに）、吉川英治がいるが、佐藤紅緑と佐々木邦はここでは対象外。大佛次郎と吉川英治については別項をたてる。この時代の少年軍事冒険小説の象徴ともいえる「山中峯太郎」で、少年倶楽部時代を締め括りたい。昭和初期に一世を風靡（ふうび）した少年軍事冒険小説は、はたしていかなるヒーローを描いたのか。

山中峯太郎に関しては、「評伝　山中峯太郎」の副題が付いた尾崎秀樹『夢いまだ成らず』（中央公論社）という労作がある。これは、陸軍士官学校の優等生でありながら軍人の道を捨てて中国革命に身を投じ、のちに挫折して小説家に転身するこの作家の生涯を丁寧に描いたもので、山中峯太郎の自伝『実録アジアの曙』に見られる記憶違いを克明に訂正している。

その『実録アジアの曙』と『夢いまだ成らず』によると、山中峯太郎は陸軍士官学校時代に中国留学生と親交を結び、龐継竜の中国名で革命党に参加。それは、袁世凱（えんせいがい）に対抗するために中華革命軍東北軍参謀長の委任を孫文（そんぶん）から受けたこともあったほどの深入りであり（ただし後年、孫文がソ連共産党に接近するあたりから離れていく）、同志から連絡が来ると陸軍大学を退学して大陸に渡り、湖口の戦闘に参加するほど情熱を燃やした行動でもあった。しかし、その作品から想像される頑迷なナショナリズムの持ち主ではなく、士官学校時代に「陸軍は長州閥でなければ出世できない」と言われたことに反発し、理不尽な上官にも対抗する熱情の人であったという。

また山中峯太郎の性格の特徴として、養母の死と藤村操（ふじむらみさお）の自殺に衝撃を受けてキリスト教の牧師に悩みをうちあけたり、後年『出家とその弟子』の作者・倉田百三（くらたひゃくぞう）を訪ねていくなど、人生を煩悶する人であったことも見逃せない。この宗教的煩悶から峯太郎は終生はなれていない。

直接的には偽電事件をきっかけに（日本郵船の客船が玄界灘で沈没したという偽電文で株式市場を混乱させ、ひと儲けを企んだ事件の首謀者として峯太郎が逮捕、投獄された事件のこと。『夢いまだ成らず』でも峯太郎の残した不可解な暗号日記とともに、この真偽は謎とされている）革命運動から離れていくが、政治、軍部すべてに幻滅した峯太郎の新たな出発が小説家としてのスタートだったようだ。

『夢いまだ成らず』によると、山中峯太郎は幼い頃から文学好きで、士官候補生時代に第一作「真澄大尉」を誰の紹介もなく大阪毎日新聞に持ち込み、その作品は明治三十九年吾妻隼人の筆名で六十三回に渡って連載されたが、職業作家としての出発は昭和三年だったという。この年、峯太郎の執筆量は年間なんと三〇一五枚。大変な流行作家ぶりである。大衆児童小説ひと筋に生きた高垣眸や南洋一郎と違って、山中峯太郎はクラブ雑誌、婦人雑誌、児童雑誌に書きまくり、明朗家庭小説、少年少女読み物、美談、逸話、さらに心霊小説まで書いたというが、ここでは少年少女小説で峯太郎が描いたヒーロー像を見てみよう。

まず、「少年倶楽部」における出世作『敵中横断三百里』（昭和五年四月号～九月号）は、ノンフィクションである。加藤謙一の『少年倶楽部時代』によれば、当時の「少年倶楽部」は四月号と六月号に軍事記事を載せる（それぞれ陸軍、海軍の記念日の月にあたる）ことになっていて、昭和五年の四月号に元軍人の山中峯太郎に陸軍関係の原稿を頼むことにしたという。

「よろこんで引き受けた山中さんは、かつて陸軍大学の課外講演で、参謀本部の建川美次大佐からきいた挺進騎兵斥候隊の話を書くことになり、いよいよその原稿ができたとき、ここに奇跡があらわれた。建川挺進隊は、隊長は建川中尉だが、中心になって活躍する主人公は豊吉新三郎という軍曹である。この原稿を読んでいた編集の須藤憲三君が、この人と同名の人が自分の兄の知人にいるが、まさかあの人では……と念のためたずねてみたら、生き残りの豊吉軍曹その人であるとわかった。まさに奇跡である。

そこで、豊吉氏を迎えて山中さんに引きあわせ、われわれもいっしょにその実戦談をきいたところ、スリル満点、胸がドキドキして息もつまる話がつづく。山中さんは興奮してまっ赤な顔になり、口もきかずに軍曹の話を写しとっている」

このために予定を変更し、半年間の連載になったのが『敵中横断三百里』である。日露戦争下の斥候の活躍を描いたこの作品は当時の時流にも乗って評判になったものの、これは戦争実録であり、臨場感あふれる潜入場面の迫力は認めても特定のヒーローは不在といっていい。やはり、山中峯太郎のヒーロー小説は『亜細亜の曙』（昭和六年一月号〜七年七月号）につきる。

こちらはスーパーヒーロー本郷義昭を主人公とする波瀾万丈の軍事冒険小説。この本郷大尉は、英国軍総司令部に入ってドイツ軍事間諜団と闘う第一次大戦の冒険譚『わが日東の剣俠児』（昭和五年十月〜十二月号）にすでに登場ずみだったが、そこでは次のように描写されている。

「わが日東の祖国に、剣俠児あり。彼は心も身も偉大な男子である。身長一メートル七十五センチ強（五尺七寸八分）、剣道六段、柔道五段、身は武術に鍛えられ、魂は武士道に匂う。しかも、彼の顔は肌白く、眼涼しく、紅顔の美丈夫である」

『亜細亜の曙』は、本郷義昭が盗まれた陸軍大兵器製造所の機密図を追って某国間諜団の巣・巌窟城に潜入して大活躍する冒険巨編である。この長編で山中峯太郎の人気は不動になり、本郷義昭は当時の少年たちの心を摑まえたスーパーヒーローになったという。多くの人が当時いかにこのヒーローに熱中したかを語っているので、あたかも自分が同時代に読んだかのように錯覚してしまうほどだ。しかし、現在の時点から読むと、なぜこの作品が当時の少年の気持ちをとらえたのか、わかりにくい。というのは、本郷義昭のプロフィールからもわかるように、このヒーローはあまりに類型的すぎる。国を憂える心が、この時代特有の行動原理だからといっても、その姿勢が硬直しすぎている感は否めない。さらに、少佐となった本郷義昭の大興安嶺（だいこうあんれい）の冒険譚『大東の鉄人』（昭和七年八月号〜八年十二月号）でも明らかだが、ストーリーも平板といっていい。この作品は当時も評判がよくなく、研究家も失敗作としているが、しかし、そのストーリーの単調さは他の作品にも共通していて、山中峯太郎の特徴ともいえるのである。

にもかかわらず、なぜ本郷義昭はこの時代のヒーローになり得たのか。

山中恒・山本明編『勝ち抜く僕ら少国民』は、この時代の少年軍事冒険小説が当時の少年たちに熱狂的に読まれた理由として九項目を上げているが、「挿絵の魅力」などと並んで、その中に「軍事科学の知識」が上げられている。すなわち『亜細亜の曙』の大半が某国間諜団の巣・巌窟城を舞台にしていることを想起すればいい。この小説は本郷義昭の冒険譚というよりも、不思議な巌窟城の描写のほうに力点が置かれているのだ。「空雷」「液体空気を使ったロケット」「光射器」「怪力線」などの新兵器が次々に登場して、ストーリーの展開よりもその説明が優先される。つまり、南洋一郎の小説を読んで少年たちが密林の猛獣の生態に酔い痴れたように、山中峯太郎の作品にはそういう軍事科学の好奇心を満たしてくれる「知識」がふんだんにあったのである。これは少年小説特有のことで、現在読むとそのあたりのことがわかりにくい。

しかし、類型的なキャラクターも、単調なストーリーも、その軍事知識を優先する小説作法のためにだと理解するにしても、文章まで類型的であるのはどんなものか。最後の疑問はそこにいきつく。ところが、そのことについては香内三郎「亜細亜の「夢」の醒める時」(『勝ち抜く僕ら少国民』所載)に興味深い指摘がある。

「陸軍報告文の簡潔さを根本にもつ山中の文章は、この時期、時代の尖端にあったのかも知れない。別にいえば、当時の私が、山中の文体をいいと思ったのは、この時期の学校における作文評価基準の違い、文学者の文章をモデルにしたような、ふくみの多い、多義的なイメージを喚起する文章は嫌われ、単純に簡明直截な、そのかわり感情表現は類型的なのが賞められる傾向と、それは対応していたのかも知れぬ」

冒険小説自体が時代の変化を直接的に受けやすいジャンルだが、少年小説もまた同様で（いや、小説というものがそういうものであるのかもしれない）、その時代の価値観、評価基準を頭に入れないと、実態がわかりにくいということなのだろう。山中峯太郎はそういう《遠い時代》にいる典型的な作家で、現在その作品を読むと理解しにくいのは致し方ない。

山中峯太郎の作家的な資質は、『万国の王城』（少女倶楽部、昭和六年十月～七年十二月号）と、その続編『第九の王冠』（同、昭和八年一月～十二月号）に見ることができる。これも本郷義昭のものと同様にナショナリズムむき出しの小説ではあるけれど、伝奇的趣向を凝(こ)らした作品で、この作家の意外な一面を知ることができる。あるいはこのような作品にこそ、山中峯太郎の本領があったのかもしれない。しかし、峯太郎自身は違うところをみていた。あくまでも本郷義昭こそが彼の夢の代行者であった。しかし《革命》の夢破れて《売文の徒》となった峯太郎は、《現実》にも裏切られていく。

『夢いまだ成らず』の中で尾崎秀樹が「アジア人の自衛を説く彼は、アジア民衆の独立と解放を、国権的な意識に立って受け止めていたが、そのちがいには気づいていなかった」と書いているように、主観的には善意の連帯主義だったとしても、こののち山中峯太郎が結果的に日本のアジア侵略を代弁するイデオローグとなっていくのは、作家的資質より本郷義昭にこだわり続けたいという彼の強烈な思いのためで、かくて峯太郎のヒーローもまた鬱屈(うっくつ)をかかえたまま昭和十年代を駆けていくことになる。

ここからは伝奇小説を読み始める。日本の大衆小説は明治の講談から大正の新講談を通って成立するが、その主流は時代小説だった。

なぜ時代ものなのか、ということについては、「大衆文学本質論」（『大衆文学』桃源社、所載）で、時代小説における剣をラスコーリニコフの斧にたとえ、日本の大衆小説は虚無と破壊を求める知識人の文学だとした中谷博（なかたにひろし）に、次のような論がある。

「作家がその作品の中に、現実の社会に対する批判を盛らんとする時には、しかもそれが或る意味に於いては破壊的であるところの批判を盛らんとする時には、一種のカモフラージュとして、時代を過去に引き直し、人物の頭の上に髷をくっつける位の技巧は、自己の生存の上に於いても必要であったであろうし、それに何よりも現代の平凡さに飽いている読者を吸引するには、自由な空想を逞しく行使し得る、芝居がかりの天地を舞台とすることが好都合でもあったであろう」（「大衆文学発生史論」昭和十四年、『大衆文学』所載）。

また、尾崎秀樹はその理由について『大衆文学の歴史』の中で、「封建的な遺制がつよく、明治以後の素材ではロマンの夢を託すにふさわしい大衆的ひろがりを持ち得なかったことも考えられる。だがそれ以上に、大衆文学が時代小説として成り立った裏には、近世から近代へと発展する契機をつかめないまま、底流化していった文学の大衆的伝統のいびつな、またきわめて安易な形での復権の動きがあった」と書いている。

はたしてカモフラージュであったのか、安易な復権であったのか、日本時代小説の歴史を詳細に繙(ひもと)かなくては判然としないが、この項とは外れるので、ここでは日本の大衆小説が発生期において時代小説と不可分であったということだけ確認しておきたい。その時代小説の中から伝奇小説を抽出するのは、大衆小説＝時代小説の蜜月期において伝奇小説がその主流を占めていたことと、この分野にその後も波瀾万丈の大ロマン世界、曲亭馬琴『南総里見八犬伝』の伝統が色濃く引き継がれているからである。

この時代のトップバッターは、白井喬二。前出の「大衆文学発生史論」で日本の大衆小説元年とされた大正十年（中里介山(なかざとかいざん)『大菩薩峠』が刊行された年）の前年に「怪建築十二段返し」でデビューした、この作者の作品としては『富士に立つ影』（報知新聞、大正十三年七月〜昭和二年七月）があまりにも有名である。これは、熊木伯典・公太郎・城太郎、佐藤菊太郎・兵之助・光之助と三代にわたる二家の対立を描く大長編で、膨大な登場人物が入り乱れるが、陰険な伯典の子・公太郎が野放図な自然児であり、温厚な菊太郎の子・兵之助が冷徹な男であったり、というふうに子の代で逆転する構図が何よりも素晴らしい。話のほうは、築城法をめぐる対立という意表をつく展開で剣（チャンバラ）に頼らない緊張を小説の中に見事に作り上げた傑作といっていい。

ヒーロー小説として読むと、この『富士に立つ影』は公太郎という陽性の男を創造したことが大きい。行き当たりばったりで、単純明快。何も考えていないのではないかと思わせるほど、懐の大きい男。これは白井喬二作品に共通するキャラクターで、後述するが、ニヒリスト・ヒーローが多い日本の大衆小説の中では特異な存在である。公太郎はその原点といっていいだろう。

『神変呉越草紙』（講談雑誌、大正十一年六月号～十三年八月号）の主人公・相模龍太郎もこのタイプで、これは太平続きで退屈した主人公が士分を離れ、不老不死の泉を探すかたわら、秩父で木樵の大将となっている異母兄を訪ねていくという一種の宝探し小説。この主人公は、あとさきをまったく考えない男で、別れ別れになった妹を探さなくてはならない局面になっても、平気で寄り道してしまう。とにかく驚くほど楽天的な男だ。しかもそれほど強くもない。戦闘は見物しているし、決闘となると必ず誰かが助けにくる。それで何の屈託もない。公太郎に通底する愛すべき男である。

随所に伝奇的な趣向を凝らしていることと、野放図な主人公の魅力があふれていること。『神変呉越草紙』は、その点でいかにも白井喬二らしい作品である。ただし作品としては展開に偶然性が強く、水戸黄門が必然性もなく登場したり、さらに物語が中途半端で終わっているなどの疵があり、成功しているとは言いがたい。

『富士に立つ影』に匹敵するのは『新撰組』（サンデー毎日、大正十三年五月～十四年六月）だろうか。『新撰組』という題名の小説でありながら、その新撰組がなかなか出てこないというのが異色。『富士に立つ影』も主人公・公太郎が登場したのは全体の六分の一を過ぎてからだったから、これも途中からだろうと思っていると、なんと新撰組は背景にすぎないことが徐々に判明してくる。

主人公・織之助は公太郎の系譜を継ぐ陽性キャラクターで、独楽（こま）つかい。物語は幕末の独楽勝負を中心に展開する。『富士に立つ影』が築城問答を緊迫した場面に変えていたように、ヒロインお香代をめぐって、悪役の金門流・紋兵衛や、伏見流・潤吉との独楽勝負を全編の核にした小説で、まずその斬新なアイディアが光る。それ以前の新講談と白井喬二が決定的に異なるのは、剣の対決に頼らないこういう独特のアイディアのためだ。

白井喬二は、《大衆文芸》の名づけ親とされているが、仏教語の大衆〔ダイス、ダイジュウ〕を〔タイシュウ〕と読んで民衆の意味に置き換えたのは事実でも、大衆文芸と四文字にまとめたのは自分ではなく、マスコミである、と本人は否定している。大正十四年に発刊した二十一日会の雑誌「大衆文藝」のタイトルも世論に応じ付けたと自伝にある。それが《大衆文学》になったのは、昭和二年、平凡社の『現代大衆文学全集』の発刊からで、この命名も当時の平凡社社長・下中彌三郎（しもなかやさぶろう）で、白井喬二ではなかったという。

しかし、白井喬二は実作以外に評論も数多く書いていて、それを読むと、《大衆文学》に対して意気軒昂であったことがわかる。白井喬二の言う大衆文学は、文壇文学ではなく、しかも通俗小説でもないもの。すなわち、文学味があり、大勢の読者に支持される小説を意味している。「十年批評をする勿れ」「娯楽雑誌愛すべし」「大衆文学的信念なきものは大衆文学にあらず」という白井喬二の言葉は、その立脚点から発している。

『富士に立つ影』や『新撰組』など、旧来の新講談と分かつ特異なアイディアは、そういう白井喬二の理想の実現といっていいかもしれない。たしかに新しかった。

さらに、小説と歴史とは純然たる区別があって小説は歴史に侵されない、おまけに時の権力者が捏造したものが多いから史書に載っているからといって歴史的な事実とは限らない、と書いているのは（「小説と歴史の区別」昭和五年《文芸時報》、河出書房『大衆文学の論業・此峰録』所載）、「大衆文芸評判記」で白井喬二の作品に対して出鱈目ぶりを指摘している三田村鳶魚への返答だろうか。

自由な創造力で歴史の中に切り込み、空想を駆使して奔放な物語を作り上げる白井喬二のそういう方法は、たとえば『帰去来峠』（東京日日、大阪毎日、昭和九年四月～十年二月）にも見られる。これは猿飛佐助を主人公にした小説だが（ここでは佐介となっている）、例によってこの主人公は全体の三分の一が過ぎないと登場しない。

野武士・生駒八剣と、彼を親の仇と追う鯉坂力之助が前半の主人公。八剣の妹・お鈴、彼を慕う酌婦・しのぶ。さらに力之助を苛める悪役・砂田胡十郎が絡み合って、やりきれない戦国の世が描かれていく。やりきれない、というのは八剣はたしかに力之助の父を倒したが、それは必死の生活のためでもあり、同情の余地があるからだ。しかし力之助にも八剣を倒さなくてはならない理由がある。悪が悪でないというこの構図は、「卑怯な英雄になるより、悪鬼でもいいから思ったことをやる――」という八剣の言葉にあるように、嘘で塗りかためた武士階級への痛烈な皮肉としてこの作品の底に強く流れている。

物語は、失われた銅鈴の振子をめぐって展開するが、この八剣、力之助の対立をもうひとつ客観的に見る報告者が、三分の一を過ぎて登場する佐介で、この主人公の目を通すことによって物語はなお重層的に仕上がっている。この主人公は山で育った自然児で、その佐介から見ると、形式を優先し、さらには約束を守らない嘘つきの武士（町の商人も皮肉られている）が信じられない。そういうエピソードがいくつも綴られていく。何しろ、この佐介は敵に平気で姿を見せ、無邪気に話しかけ、時には闘っている相手の空腹まで心配するのだ。味方と敵が対決しても、公平になるように敵を助けてしまうキャラクターだから、想像を絶している。

真田と平賀の争いを背景としているが、佐介にとっては真田十勇士すらも（！）嘘つき集団であるという批判が、この小説を特異なものにしているのも見逃せない。例外は幸村と、平賀城の呱子姫のみ。つまり、現実の敵味方は関係ない。真田家の忠実な家臣として、忍術を駆使して敵を屈託なく倒す立川文庫の猿飛佐助とまったく異なる佐介の像といっていい。

白井喬二には、ニセ大名となった男のドタバタ活劇『珊瑚重太郎』（講談倶楽部、昭和五年一月～六年八月）という、アンソニー・ホープ『ゼンダ城の虜』を下敷きにした作品もあり、他の作家同様に伝奇小説ひと筋に書き続けたわけではない。その作品は多様である。だが、初期の『富士に立つ影』を始めとして、『新撰組』『帰去来峠』など伝奇小説の傑作が多く、その足跡は日本の時代伝奇小説に燦然と輝いている。現代の日本の伝奇小説は白井喬二から幕を開けたのだ。しかし、現在は『富士に立つ影』こそ読まれているものの、他の作品はほとんど省みられていない。

　この系譜が現代までどのように受け継がれるのか、どこで忘れ去られていくのか、しばらくこの流れを追ってみたい。

国枝史郎と講談

国枝史郎の長編第一作『蔦葛木曾棧』は、白井喬二の『神変呉越草紙』に遅れること三カ月、同じく「講談雑誌」に発表された（大正十一年九月～十五年五月）。これは日本大衆小説の夜明けを告げる伝奇小説の傑作である。第一作にはその作者のすべてがあると言われるが、この作品も例外ではない。そこで国枝史郎については、この『蔦葛木曾棧』をテキストにする。

この長編の背景は、信長、家康、信玄、謙信などの英雄が群雄割拠している戦国時代。物語は、木曾に絶世の遊女・鳰鳥（におどり）が出現するところから幕が開く。この遊女はイスパニアの司僧と大名の娘との間に生まれた子で、木曾義明に父を殺され、兄の御岳丸とは別れ別れになっている、との設定。そのために彼女は、木曾義明に対して復讐を決意している。となると当然、この先の物語は鳰鳥・御岳丸の兄妹が再会し、木曾義明に復讐する話になると思うところだが、この長編はなかなかそういうストレートな話にならない。まさに国枝史郎の面目躍如だ。

このあとの展開はまったく尋常ではない。まず、伊賀流忍術の開祖・百地三太夫と少年・霧隠才蔵が登場し、吹矢流のお三婆と対決する話が突如として始まるのだ。そこに浪人・木村常陸介と郷士の倅・石川五右衛門が絡んできて、常陸介は三太夫に、五右衛門はお三婆に、それぞれついて法術を学ぶことになる。つまり、一転して忍術小説になるのである。

しかし、『蔦葛木曾桟』の特異性は、こんなものではない。ここからがもっとすごい。木曾家の家臣で孤立無援の花村甚五衛門を助けるために諸国をまわって達人を父のもとに送っている、その息子・右門の話へと進んでいき、花村方に合流する常陸介と山尾（古今の秘法に通じた娘）が肝試しに出かけると現れるのが、一年中裸で暮らしている裸体武兵衛。今度はこの裸男が主人公になる。つまり、『蔦葛木曾桟』は、なんと主人公がどんどん入れ替わっていく物語なのだ。主人公がリレーされ、それぞれの冒険譚が綴られていくかたちとなる。

裸男が若き武士と知り合うと、その武士が飛騨の奥地にある秘境にさまよい込み、次なる主人公は駆け落ちする秘境のプリンス。そして彼らを捕らえるのが岩石ヶ城の主・鬼王丸、と次々に主人公が変転し、忘れた頃にようやく鳰鳥が再び登場。鳰鳥がそっと館を抜け出すと、麗人族に捕まってしまうとの話になる。この麗人族は小アジアの古代民族が何らかの理由で漂流してきて、日本の駒ヶ岳に隠れ住んでいるとの設定。市街は城壁に囲まれ、彼らは優雅に暮らしている。労働は奴隷に押しつけて、自分たちは芸術だけを満喫しているというのだ。ところが彼らは野卑な獣人族と対立していて、その抗争に鳰鳥が巻き込まれていく。このように話はどんどん膨れて、収まりようがない。さすがに国枝史郎も収拾がつかなくなったようで、この物語はここで中絶している。

後に平凡社の「現代大衆文学体系」に収められた時、雑誌掲載時の最終回を省いて、新たに書き足し、一応のまとまりをつけたが、もともと雑誌掲載時は全体の構想の三分の一だというから、若干書き足したところで、まとまりがつくはずもない。この長編だけでなく、国枝史郎に未完作品が多いのも、収拾のつかないほどの奔放な物語であったためだろう。「私には〈蔦葛〉や〈纐纈城〉の魅力の秘密が、毎月行き当たりばったりのようにして書きついで行くことにあるような気がしてならない」と書いた半村良は「伝奇小説の面白さのひとつは、ストーリーが次々にふくれあがって行く面白さでもある」と喝破しているが、『蔦葛木曾棧』はその見本のような作品であるとも言えるだろう。まったく想像を絶する物語なのだ。

この『蔦葛木曾棧』は、その後の作品に共通する要素をふんだんに持っている長編だが、この作品の特徴を列記してみると、まず幻想的な妖術場面が群を抜くほど鮮やかであることがいちばんに上げられるだろう。この妖術場面の多用は国枝史郎作品の特徴で、物語に特異な雰囲気を与えることに成功しているが、『蔦葛木曾棧』では、特に鬼王丸の描写が典型。この悪の親玉はなんと数千年の樹齢を持つ楠の木の精で、禍根を絶つためにはその根を砕き、幹を焼かなくてはならない。そこで御岳冠者や三太夫や才蔵が闘うことになるのだが、谷の妖精たちも躍り出す幻想的シーンが実に鮮やかだ。これらの幻想的な妖術場面や、鬼王丸の切られた首が舞い上がるシーンなどには、馬琴『南総里見八犬伝』に通底する日本ロマン小説の香りが濃厚に漂っている、と言っていいかもしれない。

この長編第一作に、作者のすべてがあるというのは、こういう鮮やかなディテールと破天荒なストーリーづくり以外にもある。たとえばラスト近くに登場する獣人族の設定がその典型。麗人族と対立する獣人族の社会が、敬語のない平等社会であるとの設定は、国枝史郎の他の作品にも共通する要素で、つまり、文化や芸術などを愛する麗人族よりも、獣人族のほうにむしろ人間の真実があるという作者の考えの現れであり、この設定は形を変えて、何度も繰り返される。さらに秘境に彼らのユートピアがあるという『蔦葛木曾棧』の設定も、国枝史郎作品に繰り返し登場する。そのユートピアは作者が長野生まれということもあり、山岳地帯に設定されることが多い。このように『蔦葛木曾棧』は国枝史郎の原点とも言うべき作品であるが、ここではこの作品を生んだ国枝史郎という作家の魅力について、一点だけ言及しておきたい。

没後四半世紀、突如として再評価ブームが起きた世評高い傑作『神州纐纈城』（苦楽、大正十四年一月号〜十五年十月号）は、三島由紀夫が「文藻のゆたかさと、部分的ながら幻想美の高さと、その文章のみごとさと、今読んでも少しも古くならぬ現代性とにおどろいた。これは芸術的にも、谷崎潤一郎氏の中期の伝奇小説や怪奇小説を凌駕するものであり、現在書かれている小説類と比べてみれば、その気禀の高さは比較を絶している」（『小説とは何か』）と書いたように、たしかに群を抜いた作品ではある。この真に特異な、魔力のような長編は、たとえば「城主の着ている纐纈の袍（ほう）の袖や裳裾が風に煽られ、グルグルグルグル渦巻く様は、火柱が四方八方へ、あたかも焰を翻えすようであった」という鮮やかなイメージにあふれた作品でもあり、その背後には人が人を殺すとは何か、生きるとは何か、悪とは何か、という作者のテーマがある。これは、『蔦葛木曾棧』における作者の意図とも重なり合う。国枝史郎は『蔦葛木曾棧』の意図を「解脱」とし、その解脱に入るまでの煩悩が無数の闘争を生むが、自分は〝前編〟においてその闘争ばかりを描いてしまった、と書いている。最後の伝奇長編『あさひの鎧』（昭和十年）も、武家と公家の争いに法術つかいが絡む得意の作品だが、その核は懊悩する土岐頼春と妻の彷徨で、これも『蔦葛木曾棧』や『神州纐纈城』のテーマに通底するものがある。そういう作者のテーマがいつも作品の背後にあり、そのために国枝史郎の小説を特異なものにしていることは事実だろう。

テーマだけではない。たとえば、『暁の鐘は西北より』（文藝春秋、昭和二年六月号～十二月号）の人体建築、『生死卍巴』（雄弁、昭和三年十二月～四年八月）の回教などの凝った道具立て。さらに『娘煙術師』（朝日新聞、昭和三年八月～四年三月）の満知姫に見られる濃厚なエロチシズムと残虐性など、そういう内容の特異さも、当時の小説界では群を抜いていたと言っていい。

しかし、没後四半世紀の再評価以後、その特異な局面だけが重視されすぎたような気がしないでもない。『神州纐纈城』や『蔦葛木曾棧』の国枝史郎の小説の魅力のひとつは、たしかにそういうところにあるのだろうが、ここではまた別の局面を見たいと思う。

国枝史郎の小説には臆面もない設定が結構多い。『蔦葛木曾棧』では対立している両家の子が恋に落ちるカップルが四組も登場するし、『神州纐纈城』ですら不必要な塚原卜伝の挿話が全体の構成を壊している。このように、国枝史郎の小説には常套的な設定、辻褄を合わせることを無視した乱暴な展開が少なくない。そういう意味でいえば、立川文庫の世界に酷似していると言えなくもないのだ。

さらに特筆すべきは物語のテンポ、あるいはリズムが群を抜いていることだろう。たとえば、『任俠二刀流』（名古屋新聞、大正十五年五月～十二月、連載時タイトルは「木曾風俗聞書薬草採」）は、水戸藩と薩摩藩の争いに女忍び軍団が絡んでいく話だが、尾張家の家臣・志水幹之介が自分をだました女太夫・荻野八重梅と再会する場面を見よ。

幹之介が人を斬った直後である。片手でだらりと下げた太刀の切っ先からタラリと血潮が一滴落ちる。放心してたちすくむ幹之介。その場面を作者はこう描いている。

空は紅（くれない）！　火事の火だ！　そいつが上から照らしている。横から射しているのは常夜燈、青々として他界的だ！　その中に立った幹之介、幽鬼のような姿である。と、何者か彼の刀を、静かに持ち上げるものがある。幹之介ズーッと眼をやった。一人の女が蹲り、懐紙で血潮を拭っている。「八重梅！」「幹様！」――逢ったのである。

筆の乗るままに書き進めている作者の勢いが感じられる。物語のこのダイナミックな動きは快感ですらある。

『神州纐纈城』や『蔦葛木曾棧』、さらにはこれらと並ぶ傑作『八ケ嶽の魔神』（文芸倶楽部、大正十三年～十五年）などはたしかに特異な長編であり、それらを決して否定はしないが、その本質は立川文庫の文脈の中にあるように思える。鼠小僧を始め、平手造酒、国定忠治（くにさだちゅうじ）、千葉（ちば）

周作（しゅうさく）とお馴染みの人物を総登場させた『名人地獄』（サンデー毎日、大正十四年七月〜十月）のように、そこにユートピア思想もエロチシズムも残虐性も、さらには幻想もない作品は、立川文庫の世界から一歩も進展がないが、『任俠二刀流』や『猫の蚤とり武士』などを読むと、立川文庫の世界を国枝史郎が凝った道具立てと破天荒なストーリーとダイナミックな物語展開で描き出していることがわかる。

　つまりは、自由奔放な想像力を駆使した新しい立川文庫なのである。いや、馬琴『南総里見八犬伝』から続く日本ロマン小説の系譜を正統的に受け継ぐ作家であると言い換えたほうがいい。だからこそ、私の血が沸き立つのだ。

伝奇小説の黄金時代

大正末期に始まった日本の時代伝奇小説は昭和初期に花開く。昭和初年代は「漠たる不安」はあったにせよ、まだ伝奇小説勃興期の力強い精神にあふれ、さまざまな作家がこの古くて新しいジャンルに取り組んだ時代であり、結果として時代伝奇小説の黄金時代を招来した。

とはいっても、昭和初年代の時代小説が伝奇小説だけであったわけではない。たとえば真鍋（まなべ）元之（もとゆき）は『大衆文学事典』（青蛙房）の中で昭和六年の俯瞰図として、大衆小説の本命たる伝奇小説（この年には吉川英治『牢獄の花嫁』『檜山兄妹』が書かれている）以外に、『銭形平次捕物控』などの捕物帖、官能派時代小説『歌麿』、ヨーロッパ型の伝奇小説の試みである『ラグーザお玉』などを挙げ、「百花斉放である」と書いている。股旅小説『弥太郎笠』、歴史小説『楠木正成』などもこの年に発表されているので、たしかに伝奇小説だけが書かれていたわけではない。ただ、伝奇小説の側から見ると、この波瀾万丈の大ロマン小説の一群は、昭和十年代に入り、戦時体制が強化されるにつれて作家の想像力も制限され、やがて史学重視の歴史小説に大衆小説の主役の座を譲っていく（その過程は少年小説の項で見てきた通り、作家の自由奔放な想像力が押しつぶされていく過程とも重なり合う）という推移がある。大正末期の白井喬二や国枝史郎に続く、時代伝奇小説にとっての昭和初年代は、そういう時代が来る前の束の間の黄金時代ではあったのだ。

この時期の作品は数多く、その中から野村胡堂（のむらこどう）をまず取り上げるのは、時代伝奇小説のいくつかのパターンが見事に盛り込まれているからである。最初のテキストは胡堂の時代物第一作『美男狩』（報知新聞、昭和三年七月～四年三月）。この長編小説は、加賀の豪商・銭屋五兵衛（ぜにやごへえ）が残した巨万の隠し財宝をめぐる話で、つまりは宝探しである。スティーヴンソン『宝島』の例を引くまでもなく、宝探しは冒険物語の常套で、それは冒険の果てに得る代償の意味を持つものとして理解される。日本の時代伝奇小説にこのパターンが多く見られるのも、その本質が冒険物語にかぎりなく近いからだろう。この『美男狩』における隠された宝を解く鍵は、財宝を埋めた銭五島の方角を示す「なめし皮」、島の中の場所を示す「絵図面」、宝の庫を開ける「黄金の鍵」と三つある。当然これらの品物をめぐって敵味方の争奪戦が起こり、物語は展開するというのがこの手の小説の常套である。

ところが、この『美男狩』は、そういう展開にならない。二つの勢力はある。ところが誰もが積極的に宝の鍵を探さないのである。途中で加賀藩の老職・横山遠江が斎藤弥九郎に、軍費に役立つので探すようにと指示する場面があるが、具体的な努力は何もせず、もう一方のヒロインもラスト近くで絵図面を手に入れると「これだけでも手に入れれば心強い、あとの鍵と銭五革も、時節が来たら手に入るだろう」と他人事。宝探しだけに興味を持って読み進むとこの展開は唖然とする。

つまりは『美男狩』における宝探しは、この小説の興趣を増すための背景、あるいは道具立てにすぎない。この小説のメインは復讐と愛、剣と決闘である。主人公・篠原求馬と宿敵・横山新太郎の決闘を始め、剣の対決が息つぐ暇なく連続して繰りひろげられる。その新太郎とお京の恋、もう一人のヒロイン・お蘭と多三郎の恋も、すれ違ったり、実らなかったり、悲劇の恋として剣劇の合間を縫って展開する。

しかし、それだけなら、とりたてて言うこともない。この小説の特徴を列記してみると、①必ず説明が挿入されること、がまず挙げられる。当時の貨幣価値や妖術、剣の対決に至るまで、作者の詳しい説明が付く。これが第一。②は物語の展開が行き当たりばったりであること。お京を横山側の三勇士が奪回に行く場面では酒をぐいぐい飲んで目的を忘れてしまうし、そのお京が海に飛び込んで行方不明になっても主人公の求馬は探そうともしない。物語がどんどん展開していくので、そんなことにかまっていられないのである。国枝史郎ばりの奔放な物語といってもいい。本筋が宝探しであることを忘れてしまうほど、その展開には息を呑むほどの勢いがある。背景の説明を付けることでリアリティを与えながらも、物語の展開には説明をつけないという巧妙な話術！

さらに大虎と求馬の対決シーンに見られるディテールの迫真性や、希代の悪党・庵原山之丞を始めとする登場人物のキャラクター造型も、この作品を傑作にしている要因だろう。特に、小玉太夫の造型が群を抜いている。大人顔負けの大活躍をするこの軽業師の少女は礫（つぶて）を投げて

（銭形平次の原型！）敵を倒す痛快な自然児だが、親を探しているとの設定で、母親を慕って「おっ母アようー」と叫ぶシーンは哀切きわまりない。しかもそれがラストの伏線になっているのだ。

だが、『美男狩』の真の特異性は、しばしば舞台として登場する妖館にある。この妖館に住む謎の女性は淫蕩なサディストという設定で、題名もそこから付けられているが、そのために『美男狩』から妖しい雰囲気が立ち昇ってくる。生真面目なヒューマニスト、胡堂らしからぬ道具立てだが、あるいは「江戸期の話芸（講談）がもつ嗜虐的な耽美派の性格」（真鍋元之、『美男狩』解説、桃源社）がここに混入していることを見るのも可能かもしれない。

『三万両五十三次』（報知新聞、昭和七年三月～八年七月）はこの『美男狩』と並ぶ野村胡堂の傑作である。老中・堀田備中守の公卿買収費三万両をめぐる争奪戦を描いたこの長編は、波瀾万丈の面白さで、最後まで息つぐ暇がない物語となっている。まず設定が唸るほどうまい。馬の背に乗って東海道を行く三万両を狙うのは、矢柄城之介を始めとする尊皇攘夷の浪人集団。護送するのは昼行灯の異名をとる馬場蔵人。さらにその旅を追うのは、馬場蔵人を親の仇と狙う娘・小百合、という人物配置である。そこに日本一の大泥棒・牛若金五郎と希代の悪女・陽炎のお蓮が絡んでくる。馬場蔵人は、無事に護送を終えたら討たれる約束をしているのだが、護送中に奪われたら腹を切る覚悟。そうなったら仇を討てない小百合のために、牛若金五郎は三万両を守護する側にまわる。ところが、陽炎のお蓮は奪う側。この二人が祝言寸前で取り止めた関係だから、ややこしい。そういうさまざまな人間の思惑を積んで、東海道を西へ西へと謎が物語を最後まで引っ張っていく。

物語は進んでいく。さらに護送行列は二つあり、そのどちらに本物の三万両があるのかという謎が物語を最後まで引っ張っていく。

この基本設定を軸に、恋あり、復讐あり、裏切りあり、と波瀾万丈の物語が展開する。箱根の関所で「入り鉄砲に出女」がなぜ注意の対象になったのか、大井川の渡しの場面では当時の川越えの状態が詳しく説明されるのも、気のいい快男児・南郷小源太、残虐な男・吉三郎などの脇役が物語を盛り上げているのも、『美男狩』同様だ。陽炎のお蓮にしても、悪女という設定だが、決して単色ではない。牛若金五郎を憎んでいながら惚れているとの設定で、ただの妖女ではない。講釈師の卵、桃々斉桃吉は『美男狩』における小玉太夫で、こちらは少年。楽天的で大人顔負けのせりふばかり言う少年だが、城之介の妹・真琴と別れる場面の哀切さは印象的である。『三万両五十三次』は、陽炎のお蓮とこの桃吉が大活躍する物語でもある。主人公格の矢柄城之介は真面目ひと筋の男で、これも『美男狩』の主人公・篠原求馬に重なり合う。求馬は片腕になっても闘う姿勢を終始崩さない男として描かれ、いささか鬼気迫るところがあったが、こちらの城之介はそれほどではないにせよ、真っ直ぐな男である。もちろん、小説としては多彩な脇役陣が主人公の硬直した姿勢を救っているが、あるいはこのヒーロー像は作者の生真面目さの反映なのかもしれない。

この『三万両五十三次』は、不必要な広重(ひろしげ)の挿話や、宝探しに向かわないことが若干の疵(きず)となっている『美男狩』に比べて、文句の付けようがない。このような波瀾万丈の大ロマン小説を「銭形平次」の作者が書いたことは不思議な気がするが、『美男狩』『三万両五十三次』の二編は、野村胡堂という作家が類稀な物語作家であったことを示しているように思える。

『甲武信ケ嶽伝奇』（日の出、昭和十一年四月号〜十二年二月号）は、武田信玄の隠し財宝をめぐる宝探し小説で、殺された彫物師の背中から刺青が剝ぎ取られるというショッキングな場面から幕が開く。主人公の伊太郎は例によって真面目な男だが、だぼら吹きの設楽七十郎や、礫投げの名人・三郎少年（またもや礫投げだ！）、毒婦・お紺などが登場して、いつもの伝奇世界を作っている。これは貴種流離譚でもあるが、前記二作に比べて、やや完成度が落ちるのは、物語の内容に見合った充分な長さを持っていないからで、駆け足で語ったとの印象がある。

　それでも充分に面白いのは、この作者の資質のためだろう。たとえば、下村悦夫『悲願千人斬』（キング、大正十四年一月号〜十五年七月号）と比べればいい。これは下村悦夫の出世作で、キング創刊以来、吉川英治の『剣難女難』と並んで人気を集めた伝奇長編だが、幕末期を背景にした伝奇小説が多かった当時では（野村胡堂の前期二作を始め、大正末から昭和初期にかけては幕末小説が流行し、これは大正十二年前田曙山『燃ゆる渦巻』以降の現象で、昭和三年が維新六十年にあたることもその原因であったという）珍しく戦国中期を背景にしたもの。ただ、「華麗な乱世絵図を筆太にくっきりと描きあげているあたりにも、凡手でない力量を感じさせる」（尾崎秀樹『大衆文学の歴史』）作品ではあるものの、現在読むと物語展開がいささかストレートすぎる点は否めない。比べて、野村胡堂の前記二作は昭和初年代の時代伝奇小説の水準を伝える傑作で、半世紀たってもまだ色褪せていないのである。このあたりにも、野村胡堂の作家としての力量を感じる。

もっとも下村悦夫の作品でも、『人語鳥大秘記』（国民新聞、昭和四年十二月〜五年十二月）は見逃せない。これは一種の宝探し小説で、人語を喋る鳥の言葉がキーワードになるという異色の趣向で読ませる。主人公の強矢武之助を囲むのは美貌の女盗賊・お千と豪放磊落な赤野三吾兵衛。さらに敵の配下には男らしい立花竜五郎がいるという人物配置。伝奇小説の常套だが、波瀾万丈のロマン小説として傑作の部類に入るだろう。この時代の伝奇小説としては、他に吉川英治の『鳴門秘帖』（昭和元年）、『江戸三国志』（昭和二年）などがあるが、吉川英治については別項を立てる。最後に『人語鳥大秘記』に登場する時雨崎隼人に触れて、この項を締め括りたい。この虚無的なニヒリストはヒューマニスト野村胡堂には生み得なかったキャラクターで、土師清二『砂絵呪縛』（東京・大阪朝日新聞、昭和二年六月〜十二月）に登場する森尾重四郎とともに、この時期の典型的なヒーローでもある。『砂絵呪縛』は将軍家の継嗣問題をめぐる話で、二大勢力がぶつかる構図を伝奇小説として描いた佳作だが、皮肉なことに脇役の森尾重四郎がいちばん印象に残る結果となって今日に伝えられている。波瀾万丈の伝奇小説が書かれる一方で、このようなニヒリスト・ヒーローがなぜ生まれたのか、これも別項に譲りたい。

昭和十年代の壁

大正末期から昭和初年代に花開いた時代伝奇小説も、昭和十年代に入ると途端に作品が少なくなる。後述するが、吉川英治ですら昭和十三年の『悲願三代塔』を最後に伝奇小説から離れていくのだ。

蘆溝橋事件勃発が昭和十二年、翌十三年には大衆小説作家の時局懇談会「二十七日会」が発足。文学者の従軍が行われるようになったのもこの頃で、十五年には大政翼賛会が発足。国策的な時代色が強まるにつれて、史学重視の歴史小説などシリアスなものが「よい小説」とされ、「不真面目なもの」は軍の圧力にさらされる。そういう時代に入っていく。これでは自由奔放な伝奇小説が書きにくいのも無理はない。筆名を使いわけ自由奔放に書きまくった林不忘の没年が昭和十年であるのは象徴的に思える。

もちろん、昭和十年代のすべての作品がシリアスで国策的な作品だったわけではない。横溝正史『人形佐七捕物帳』、城昌幸『若さま侍捕物手帳』などの捕物帖、山手樹一郎『桃太郎侍』、川口松太郎『蛇姫様』、富田常雄『姿三四郎』など、この時期の作品もまた多様性に富んでいたとは言えるかもしれない。しかし、それ以前に比べれば明らかに発表される作品の幅は制限されていた。特に個人的な復讐譚、色恋ものは軍部の批判の対象になったようだ。伝奇色の濃い作品が少なくなったその昭和十年代の前期に活躍した作家の一人、角田喜久雄（つのだきくお）は、『黒潮鬼』を書き始めた昭和十五年頃、編集者から「時局がうるさいのでそういうことも考えて書いてくれ」と言われたことを証言している。講談、新講談をくぐり抜けて、ようやく時代伝奇小説を生み出した日本の庶民的文学の伝統は、早くも危機に瀕（ひん）していたのである。

角田喜久雄はそういう時代に登場した作家の一人である。時代伝奇小説の戦前最後の噴出となった角田喜久雄の作品とは、ではどんな世界だったのか。傑作と世評高い『妖棋伝』『髑髏銭』『風雲将棋谷』の三作をまず見てみよう。

『妖棋伝』（日の出、昭和十年四月号〜十一年六月号）は、角田喜久雄の実質的な伝奇小説第一作である（作品としては大正期に探偵小説をすでに書いているし、時代ものも昭和四年に「倭絵銀山図」を発表しているから『妖棋伝』がデビュー作というわけではない）。角田喜久雄の出世作となった『妖棋伝』は、もともと報知新聞の映画小説募集に応じて書いたもので、入選を逸してから書き直し、新潮社の「日の出」に持ち込んだところ、林不忘の急逝によって急遽連載され、大ヒットしたという。ただし、発表から半世紀以上もたっているので、現在読むと当時とは別の印象を持つのもやむを得ない。これは失われた財宝の隠し場所を示す将棋の駒をめぐって展開する話だが、伝奇小説のパターンを駆使して、多彩な登場人物を配しているものの、国枝史郎や野村胡堂の作品に比べると、プロットは単調でやや盛り上がりに欠けるのである。しかし角田喜久雄は映画の台本を書きたかったというだけに、この作品も場面転換の妙や描写にすぐれ、さらには推理小説的な手法が使われているのも当時は新しかったのだろう。謎の人物・縄いたちの正体に当時の読者は驚いたらしいが、その衝撃度が現在残念なことになっているのは、類似作品をその後たくさん読まされている我々の不幸なのかもしれない。

この作品を直木賞で強く推したと言われている三上於菟吉も、ストーリーの運びよりは場面描写のうまい作家で、角田喜久雄に自分と似た資質を嗅いでいたのだと思う（ちなみに、三上於菟吉『雪之丞変化』〈朝日新聞、昭和九年十一月～十年八月〉は映画の印象が強いので一人二役ものと誤解されかねないが、原作はそうではない。役者の雪之丞と盗賊の闇太郎は別人である。これは復讐もので、そこに剣のライバル門倉平馬と女盗賊・軽業のお初、敵の娘・浪路などが絡んでくる。復讐ものと言っても、雪之丞は五人の仇に直接手を出さない。そこに工夫があると言えば言えないこともないが、現在読むと物足りない点も否めない。この作品のミソは、物語の構造の妙というよりも、芝居を見るかのごとく錯覚させる場面の見事さと台詞などのテンポのよさだろう）。

角田喜久雄の長編時代伝奇小説の第三作『風雲将棋谷』〈講談倶楽部、昭和十三年十二月号～十四年十二月号〉も、アクションと場面転換は激しいものの、現在読むとプロットの展開が弱い。こちらは盗賊・流れ星の雨太郎と紫雲流の縄術を使うお絹の恋模様を中心に、蝦夷地の跡目相続争いを描いているが、蠍使いの悪党・黄虫呵の造形が弱いのが疵（きず）。講談倶楽部の名編集者・萱原宏一（かやはらこういち）は『私の大衆文壇史』〈青蛙房〉の中で、角田喜久雄の時代小説では『妖棋伝』

と『風雲将棋谷』を高く評価し（もう一作評価しているのは『盗っ人奉行』だ）、「概して言えば新聞に書いたものよりは、雑誌に書いたものの方を私は好む」と書いているが、現在これらの作品を読むと、まったく逆の評価をせざるを得ないのではないか。長編時代伝奇小説の第二作『髑髏銭』は、読売新聞に連載されたもので（昭和十二年十一月〜十三年七月）、こちらのほうが遙かに面白いのである。これは、神奈三四郎を中心に、古銭に隠された財宝の争奪戦を描いているが、希代の盗賊・念仏の仙十郎と、そのライバル・銅座の赤吉、将軍家御側御用人・柳沢吉保とその娘・檜、孤児・小夜と十六夜のお銀。多彩な登場人物が入り乱れ、プロットも錯綜し、傑作の名に値する作品となっている。特に、銭ほうずきや赤吉などの悪人の造形が群を抜いているのがいい。半世紀たっても、この作品はなお読ませる。

ここまでの角田喜久雄の時代伝奇小説の特徴を列記してみると、

①主人公が正義型であること（『妖棋伝』の武尊守人、『髑髏銭』の神奈三四郎はともに画一的な正義型ヒーローである）。
②歴史上著名な人物が登場すること（『妖棋伝』は大岡越前守、『髑髏銭』は柳沢吉保）。
③宝探しの小説であること（最後まで宝探しの構造を隠す作品もある）。
④ヒロイン受難の物語であること（ヒロインが必ず危機に陥り、時にはその件りにエロチシズムが漂う。これは読本以来の伝統と言うべきで、ここにも角田喜久雄が伝奇小説の正統的な後継者であることがうかがえる）。

ということが挙げられる。

もう一つの特徴は、推理小説的な手法を駆使していることだが、この特徴は戦後の作品のほうがより顕著だろう。たとえば『半九郎闇日記』（大阪新聞、昭和三十四年十一月〜三十五年十月）だ。これはとんでもない小説である。何しろ、大石内蔵助を始め、赤穂浪士が登場するのだ。念のためにこの作品の時代背景を書くと討ち入りから十六年後である。つまり、死んだ筈の赤穂浪士が蘇って江戸を徘徊するのである。さらに竜宮城を探す乙姫様や浦島太郎まで登場する！　これがすべて繋がるのだから物語作家・角田喜久雄の面目躍如だ。謎が謎を呼び、読者はいったい何が起きているのか、途中まったくわからない。それでもぐいぐい惹かれて読みふけるのは推理作家・角田喜久雄のうまさである。

町娘・お京が殺人現場を目撃し、この謎に巻き込まれるのが発端だが、再会した幼なじみと祝言を挙げたばかりの夫との間で、お京が苦しむというヒロイン受難劇を味付けにしているのは、いつもの角田喜久雄だ。しかし、なんと言っても、この作品を際立たせているのは、希代の悪党・松前屋本蔵という魅力的な敵の存在だろう。この男、お役者小僧の異名をとる盗賊だが、複雑な性格の持ち主として描かれていて、決して単色の悪党ではない。死ぬ時まで毅然としているのだ。『髑髏銭』の成功も、悪党・銭ほうずきの造形に因るところが大きかったところを見ると、伝奇小説は悪の存在がポイントなのではないか、という気がする。

『半九郎闇日記』は、浅野家に伝わる「将監闇日記」をめぐる話で、「この事件の陰には、何か淫靡無残なものが漂っている」という半九郎の感想が、この作品の雰囲気を表しているようでもあるが、主人公・水木半九郎の謎解きが松前屋本蔵との闘いに転化していく物語のリズムいい。

がいい。戦前作品よりも、謎の深さ、プロットの展開、キャラクターの造形など、どれもうまく、推理作家としての顔が覗いているのも特徴。角田喜久雄の成熟がうかがえる作品といっていい。

この『半九郎闇日記』は、同じ大阪新聞に連載した『恋慕奉行』に続く〈半九郎三部作〉の二冊目で、残る一作が『寝みだれ夜叉』（地方新聞、昭和三十七年六月～三十八年五月）。この『半九郎闇日記』を依頼しに来た編集者が当時大阪新聞の文化部に在籍し、筆名で『梟の城』を書いたばかりの司馬遼太郎で、めぼしい新人作家はいますかと聞かれた角田喜久雄が「それなら『梟の城』を書いた司馬遼太郎というのがいる。あれは大物だ」と答え、あとで大笑いしたというエピソードは傑作だ。

『恋慕奉行』は、のちに半九郎の妻となるお柳の数奇な運命をめぐる話で、次々に事件が頻発し、アクションが続き、目が離せない展開の物語である。全編にエロチシズムが漂い、悪の造形も際立っている。ただ、事件の黒幕・阪田権太夫の計画があまりに遠大で現実味に欠けるのが難。つまり、やや作り過ぎの感がある。『寝みだれ夜叉』は、美奈の不思議な体験を冒頭に、淫乱な椿の方、紀州家隠密、易者・天元堂百軒、謎の影十郎など多彩な登場人物が入り乱れ、複雑なプロットが展開する。物語をひっぱる力技は見事といっていい。これも妖気あふれる作品である。

この〈半九郎三部作〉はともに角田喜久雄の特徴であるヒロイン受難劇をその中に持つ構造だが、推理小説的な手法が存分に使われているのが目立つ。戦前の伝奇小説三部作『妖棋伝』

『髑髏銭』『風雲将棋谷』にも、推理小説的手法は駆使されていたが、これほどの深化はなかった。そこにこの作者の成熟を見ることも可能だろう。というよりも、昭和十年代の角田喜久雄の時代伝奇小説は、場面転換の妙や描写の映像性など、作者らしい特徴はあったにせよ、それまでの伝奇小説のパターンに忠実すぎる点があったことは否定できない。厳しく言えば、先行した国枝史郎、吉川英治などの作家に比べると、オリジナリティにやや欠ける点があったことは否めないのだ。ストーリーがどれほど面白くてもだ。いや、たとえば国枝史郎に比べて、角田喜久雄は物語の構築力や筋の運びはうまいと言ってもいい。しかし、その分だけ、伝奇小説の持つ豊穣なイメージ力に若干欠けるのである。

ところが戦後の作品は、伝奇小説が本来持つ妖しげな雰囲気を充分に漂わせながら、推理小説的手法を駆使して、読者をぐいぐい引っ張る力に満ちている。世評では昭和十年代の前期に書かれた『妖棋伝』『髑髏銭』『風雲将棋谷』の三作が角田喜久雄の代表作とされているが、いま読み返してみると、必ずしもそうではないとの印象が強い。角田喜久雄が本来の力量を発揮したのは、戦後になってからではないのか、というのが私の推論である。昭和十年代の角田喜久雄は、当時の時代伝奇小説の側から言えば得難い存在であったのだろうが、やはりその時代の壁はあったようにも思えるのである。

『宮本武蔵』への道

1

戦前の伝奇小説の最後を飾るのは、吉川英治である。日本大衆小説史上に燦然たる足跡を残している吉川英治の作品は、現在の時点から振り返ると、『新書太閤記』『三国志』『新平家物語』『新・水滸伝』『私本太平記』などの〈大〉歴史小説のイメージが強いものの、昭和十四年に『新書太閤記』を書くまで、その著作の大半は伝奇小説であった。吉川英治は、白井喬二や国枝史郎と同時代にデビューして、昭和十年代初頭まではともに伝奇小説を書いた作家だったのである。

日本大衆小説史を考えるなら、『新書太閤記』以降の前記の作品群を欠かすことはできない。しかし、それらの作品群を決して無視するわけではないが、私の現在の関心はそこにはない。物語性豊かな小説（ここでは伝奇小説）のなかにヒーロー像の変遷を追いたいと思っているので、むしろ『新書太閤記』以前の作品、つまり吉川英治の伝奇小説は何であったのかを考えたい。対象とするのは昭和十年から連載の始まる『宮本武蔵』までの作品群だ。

　大正三年「講談倶楽部」に吉川雉子郎（きじろう）の名前で投稿した「江の島物語」がデビュー作であり、大正十一年にも「でこぼこ花瓶」で「少年倶楽部」の、「馬に狐を乗せ物語」で「面白倶楽部」の、それぞれ懸賞小説第一位に当選してはいるものの、吉川英治の実質的な作家活動は関東大震災後の大正十三年からである。

　ところで、講談社版全集の作品年表にも、そして自筆年譜にも、大正十三年の作品として「剣魔俠菩薩」（面白倶楽部）しか挙げられていないが、尾崎秀樹『伝記吉川英治』（講談社）によると、吉川英治はこの年、「面白倶楽部」「少年倶楽部」「少女倶楽部」「講談倶楽部」「婦人倶楽部」など講談社系の雑誌に、十七の筆名を使って三十一篇の作品を載せている。その内容も、落語、講談、花柳情話、少年小説、任俠小説、滑稽（こっけい）小説、捕物奇談と多彩で、しかも「面白倶楽部」七月号に六編同時に書くなど、精力的な執筆ぶりだったようだ。しかし、それらの作品は器用な何でも屋として使われた側面がないわけではなく、前出『伝記吉川英治』の中で、この年に書かれた「剣魔俠菩薩」が吉川英治の出世作として挙げられているものの（実際にもこの作品以降、講談社の他の雑誌から注文がくるようになったようだが）、現在読むとパターン通りの伝奇小説という感は否めない。掏摸（すり）の弁天おかんや仇討ちの親子などの造形に不満が残るし、因縁話を詰め込んだわりには消化不足。総じてストーリーを駆け足で語っているとの印象がある。そこで、初めて吉川英治の筆名を使い、講談社の「キング」創刊号から連載され、一躍その名を高めた『剣難女難』（大正十四年一月号〜十五年九月号）から、この項を始めることにする。

これは主人公・春日新九郎が兄の仇・鐘巻自斎を倒すまでの話で、一種の成長小説である。主人公が臆病であるとの設定はそれほど珍しいわけではない。それだけでは、いかにその怯懦を克服するかという話になるにすぎない。ところが、この小説はそういうストレートな話ではない。というのは、臆病な美男剣士が剣の修行を始めるといっても、試行錯誤の連続で、そのうちに主人公は女色、酒、賭博に溺れ、遊侠の徒になってしまうという展開なのだ。このあたりの過程がまず自然に描かれている。もちろん主人公はその間に徐々に強くなっていくのだが、兄・重蔵とヒロイン・千浪の真面目な旅と、妖艶な美女に囲まれている主人公の対比が、何よりもうまい。仇が悪人ではなく、むしろ好意的に描かれていること、悪の権化は大月玄蕃という男が別にいること、などもいい。複雑なプロットが展開するわけではないが、主人公の生真面目な求道が描かれるのではなく、のびのびとしているのがとにかく第一。吉川英治の作家的資質が充分にうかがえる好篇で、この作品で一躍人気作家になったのも納得できる。

問題は、松平家と京極家の確執を背景に、盗賊や町奴、妖艶な美女が次々に登場して波瀾に満ちた事件が起こるとはいっても、そのプロットにこの小説の本線がないことだろう。『剣難女難』の面白さは、主人公が実にいきいきとしていることで、決して次々に起きる事件や物語の展開にあるわけではない。つまり作品の力点は人間描写の巧みさにある。たしかに伝奇的な装いは凝らしているものの、その伝奇性に主眼はないと言っていい。『剣難女難』の面白さは、国枝史郎の小説が持つ複雑なプロットの面白さではないのである。これがポイント。

同時期に「面白倶楽部」に連載された『坂東俠客陣』と比較してみればいい。こちらは剣の極意書をめぐる話で、一種の宝探し小説。『剣難女難』よりも伝奇性は濃厚である。国定忠治、平手造酒、千葉周作などのお馴染みの人物を登場させ、仇討ち、恋物語と詰め込んで、伝奇小説のパターン通りに展開するが、こみいったストーリーを読ませる筆力はあるものの（中盤の見せ場である平手造酒と乾銑之助の対決はそれなりに読ませる）、膨大な登場人物を整理できず、粗削りのまま提出した感が強い。主人公が不在であることはいいとしよう。極意書をめぐる人間模様と読めないこともないからだ。しかし、キャラクター造形に深みがなく、ストーリーを追うだけで、物語にメリハリがない。同時期に発表された『剣難女難』と『坂東俠客陣』のこの違いは何を意味するのか。まだ本格的に書き始めたばかりであり、物語ることのコツを会得していなかったということなのだろうか。

『神変麝香猫』（講談倶楽部、大正十五年一月号〜昭和二年十二月号）は、高山右近（たかやまうこん）の娘・お林一派、由井正雪（ゆいしょうせつ）一派、そして幕府側の夢想小天治が、江戸城の秘図をめぐって闘う伝奇小説だが、これもストーリー優先の小説で、登場人物の造形が物足りない。『江戸三国志』（報知新聞、昭和二年十月〜四年）も、壮大なプロットと道具立てのわりには、尻つぼみの感がある。日本左衛門の手下が万太郎たち五人を狙う過程が、本筋でないにもかかわらず必要以上に長すぎるのも欠点。希代の悪党・司馬大学の際立った造形で読ませる『万花地獄』（キング、昭和二年一月号〜四年四月号）が例外というくらい、吉川英治の初期伝奇小説は、現在読むと当時の世評とは裏腹に意外な印象を残す。

この間に傑作がないわけではない。公儀隠密・法月弦之丞が他国者の入国を禁じている阿波に潜入する『鳴門秘帖』（大阪毎日新聞、大正十五年八月～昭和二年十月）は、伝奇小説の傑作といっていいだろう。天堂一角が最初は思わせぶりに登場するのに途中で退場し、悪の主役がお十夜孫兵衛に変更するのが構成上の唯一の疵（きず）ではあるものの、プロットの展開、背景の構想力、膨大な登場人物をあやつる作者の筆力、どれも群を抜いている。盛り込みすぎの感はあるが、それを見事にまとめているところに吉川英治の非凡な才能がある。この本格的伝奇小説の路線は、のちに『修羅時鳥』（日の出、昭和九年一月号～十二月号）という作品も生んでいる。これは五十万両相続の証拠となる櫛（くし）の行方をめぐる伝奇小説で、櫛が次々にリレーされ、その価値を悪人だけが知っていて善人たちは知らないとの設定がまず読ませる。主人公・荘太郎の危機を幼なじみのお梶と旗本・渋川十蔵が尽力して助ける話がもうひとつ別にあって、交互に語られるこのテンポが抜群にいい。『江戸三国志』と違って、櫛の行方に焦点が合っていることと、話が不必要な枝道に入り込まないこともいい。ようするに物語にメリハリがある。

『鳴門秘帖』や『修羅時鳥』のうまさを考えれば、『坂東俠客陣』『神変麝香猫』『江戸三国志』などの初期伝奇小説の単調さは、まだ吉川英治の本領が発揮される前の作品であったからだ、と考えられないこともない。しかしあえて言えば、『鳴門秘帖』『修羅時鳥』ともに、吉川英治のオリジナリティということになると、いささかの疑問がある。問題はそこだ。たしかによくできた伝奇小説で、傑作と言ってもいいが、物語の構築力、プロットの展開なら国枝史郎のほうが上位との印象は否めないのである。話をどんどん膨（ふく）らませていき（時にはそのために収拾がつかなくなるが）、波瀾万丈の物語を展開させることでは、吉川英治のうまさは認めたとしても、やはり国枝史郎の力量がまさっている。しかし『剣難女難』の面白さが物語の伝奇性やプロットの展開にあるのではなく、人間描写の巧みさにあったことをここに想起すれば、それが吉川英治の欠点ではないことも見えてくる。ようするに、ポイントが異なるのだ。

つまり、『剣難女難』と『坂東俠客陣』の落差は、初期作品の完成度が一様ではなかったということではなく、吉川英治のオリジナリティあふれる伝奇小説と国枝史郎ばりの伝奇小説の違いであったのだ。そして、吉川英治は『鳴門秘帖』『修羅時鳥』という通常の伝奇小説の傑作を書きはしたものの、作家としての資質が存分に発揮される場は別であった、ということなのではないか。では、吉川英治のオリジナリティあふれる伝奇小説とは何であったのか。『剣難女難』に、『貝殻一平』（大阪朝日新聞、昭和四年七月～五年三月）を並べてみるとその本線が浮かび上がってくる。

これは幕府の機密を記した密書を扇子の方が奪い、沢井転（うたた）（飛騨の領主の息子であり、母と生き別れている）が陰に助ける場面から幕が開くので、当然その密書と沢井の身の上をめぐる伝奇小説になるのかと思うところだが、物語は意外な方向に展開する。全体の四分の一をすぎたあたりから一平が登場することで通常の伝奇小説と一線を画してしまうのである。この一平という男は臆病で弱いとの設定。しかし愛嬌のある顔立ちで、接すると誰でもが明るい気持ちになるという憎めない男。最初はお加代と駆け落ちするが、わかれわかれになって、お千代と行動をともにすると今度はそっちにしたがうなど行き当たりばったりの男でもある。自分の行動が自分でもわからないという男なのだ。

沢井転が主人公であるならば、通常の伝奇小説として終始しただろうが、この男をもう一人の主人公にすることで、『貝殻一平』は小説としてのふくらみを持つことができた、というのが第一。後半、天誅組の乱を背景に、沢井と一平がめまぐるしく入れ代わり（二人はそっくりとの設定）、山を駆け、幾多の登場人物が絡み合い、たたみかける展開も唸るほど見事といっていい。母親に会うために海に飛び込んだ沢井と一平が浜に打ち上げられるラストも、憎いほどうまい。プロットの複雑な展開や緊迫した剣劇場面よりも、吉川英治はこういうドラマ作りがうまい。

臆病な主人公ということで『剣難女難』に通底するものがあるが、そういうキャラクターの類似が問題なのではない。『貝殻一平』を何よりも際立たせているのは、一平を登場させることで、波瀾万丈の物語を違う角度から見ようとする作家の目だ。この方法論こそが吉川英治のオリジナリティであり、同時代の他の伝奇小説と一線を画していた。

2

吉川英治は、『鳴門秘帖』『万花地獄』『修羅時鳥』だけにとどまらず、少年小説『神州天馬俠』『龍虎八天狗』、少女小説『ひよどり草紙』『月笛日笛』、さらには婦人誌連載の『さけぶ雷鳥』『お千代傘』にいたるまで、数多くの伝奇小説を書いた作家だった。

そういう作家が昭和十四年の『新書太閤記』以降、伝奇小説を書かなくなったのは、吉川英治の本質が通常の伝奇小説とはもともと異なるところにあったからに他ならない。その痕跡は、『貝殻一平』に見ることができる。その『貝殻一平』が書かれた昭和四年から『宮本武蔵』が書かれる昭和十年までは、伝奇小説作家としての吉川英治がもっとも脂の乗った時期で、傑作も多い。

たとえば、『江戸城心中』（地方新聞、昭和五年九月〜六年五月）だ。冒頭は、若き日の大岡越前が登場して密貿易船を取り締まる話である。となると、越前と海賊の虚々実々の闘いが始まる展開を予想するが、そうはならないところが面白い。海賊の首領・金右衛門の手下、鯨太郎の悲恋物語となり、なんとその復讐譚となる。彼が狙うのは自分を裏切った初恋の人とその一族、さらに将軍・吉宗。善人・鯨太郎が徐々に追いつめられて復讐鬼と化していく過程が実に読ませるし、江戸城潜入のクライマックスまでテンポも抜群にいい。

しかし、ポイントは悪人が登場しないこと。復讐される側も決して悪人ではない。海賊の首領・金右衛門は改心するし、越前は鯨太郎を憎まない。悪女・お由良は登場するものの、主役ではない。つまり伝奇小説につきものの希代の悪党がいないことに注目。この構造は、『燃える富士』（日の出、昭和七年八月号〜八年十二月号）にも引き継がれる。こちらは幕末を背景にした宝探し小説で、官軍と幕軍の闘いの中で交錯する人間模様を鮮烈なラストまでテンポよく描いた傑作だが、少年・余市を登場させることで伝奇小説ふうな展開をがらりと変えてしまうのがポイント。彼は官軍側の父親に味方したい気持ちもあるが、養ってくれる幕軍側の不二木襄馬の味方もしたい。そのために中立の立場である。この少年の登場が、どちらが正しいのでもないという主題を浮き彫りにする。こちらも脇役に小悪党は登場するものの、財宝をめぐって向き合う双方に悪人はいない。

『檜山兄弟』(大阪毎日新聞、東京日日新聞、昭和六年十月～七年十一月)も、この流れで読むことができる。こちらは銭屋五兵衛が残した五十万両の財宝をめぐって展開する宝探し小説。しかし、財宝の鍵を握る時計の謎が中途半端に終わっていることから明らかなように、宝探しは物語の背景にすぎない。薩長団結の使者となった檜山三四郎の旅と、義姉・慶子の子をあずかった雪乃の運命を描くのがメイン。幕末の動乱を背景に彼らがどう生きていくのか、そのドラマを丁寧に描いている。

この小説に生彩を与えているのは、やくざ者・安で、材木問屋を乗っ取る画策をしたり、雪乃を襲ったり、金が入るとパッと使ったり、どうしようもない人物だが、妙にのびのびとして陰湿ではない。ラスト近くの三四郎との旅は爽快感を与えてくれたりもする。こういう人物造形が吉川英治は特にうまい。

「剣魔俠菩薩」から『江戸三国志』までを①初期、『貝殻一平』から『宮本武蔵』までを②中期、『宮本武蔵』から『新書太閤記』までを③後期、と吉川英治の伝奇小説をとりあえず分類して、まず①初期と②中期の伝奇小説を比較してみる。①初期の伝奇小説が、白井喬二や国枝史郎ばりの通常の伝奇小説であったとするなら、②中期の伝奇小説は『江戸城心中』『燃える富士』『檜山兄弟』に見られるように、悪人が登場しないという異色の伝奇小説であることが特徴。偶然や立場の違いなどで対立する人間のドラマであり、運命に翻弄(ほんろう)される人間のドラマである。①初期の伝奇小説の線でいくならば、『鳴門秘帖』の例外はあっても、吉川英治は白井喬二や国枝史郎の面白さに、やや劣ると言わざるを得ない。希代の悪党を登場させて、いかにも伝奇小説ふうに展開する物語を得意とする作家ではないのだ。繰り返しになるが、『貝殻一平』を筆頭とする②中期の伝奇小説にこそ、吉川英治の独自性はある（初期に書かれながら中期作品の特徴を持つ『剣難女難』、その逆の『修羅時鳥』のように、この便宜上の区分けにも例外はあるが）。

では、その独自性を持つ吉川英治の（中期の）伝奇小説はなぜ続かなかったのか。結論から先に書く。『剣難女難』『貝殻一平』と続く作品の核は、歴史に翻弄される人間の生きようである。それを巧みな人物描写で描くのが吉川英治の持ち味である。伝奇的な装いはあるものの、決してそれが主眼ではない。波瀾万丈の物語の中にヒーローを描くことが第一ではないのだ。まず弱い人間がいる。これが前提だ。強固な意思を持っているわけではないから、彼は運命に翻弄される。次の展開はこうなる。そういう男を描くことが作品の主題であり、波瀾万丈の物語を語ることが目的なのではない。ならば、そういう人物像をあと一歩押し進めれば、吉川英治の伝奇小説は違う物語になる。つまり、装いすらもいらなくなる。『貝殻一平』は吉川英治の独自性あふれる伝奇小説であったが、同時に伝奇小説から離れていく、その方向をも指し示していた。『松のや露八』（サンデー毎日、昭和九年六月～十月）は、中期の伝奇小説から作者が変化していくその過程を物語っている。これは伝奇小説ではない。幕末の動乱を背景に、幇間（ほうかん）となって生きる男を主人公にしている。彼は信念を持たず、女に溺れ、時代の荒波に揉まれ、最後には維新政府のお偉方の股をくぐり「この方が楽だ」と、とめどなく笑う男である。彼が、『剣難女難』の新九郎、あるいは『貝殻一平』の一平のその後であったとしても、おかしくはない。かくて、運命に翻弄される人物像の掘り下げは進み、『宮本武蔵』（朝日新聞、昭和十年八月〜十四年七月）にたどりつく。

　この長編小説は全七章にわかれている。第一章「地の巻」は生彩に富んでいる。この章は、関が原の戦闘のあと、十七歳の武蔵（たけぞう）が死体にまじって横たわっているところから幕を開ける物語の白眉といっていい。武蔵は野放しの自然児で、希代の乱暴者である。まず、そういう設定だ。お杉婆さんに騙されて、囲まれた風呂場から脱出する場面。

「堤を切った濁流へ自失の声を揚げるように下では騒いでいる。武蔵は、大屋根のまん中へ出て、悠々と、着物を着ていた、そして歯で帯の端を咬み裂き、濡れ髪をうしろに束ねて、根元を自分でかたく結んだ、眉も、眼じりも、引ッ吊れる程に。

　大空は一面、春の星であった」

　躍動感にあふれる場面である。この第一章は武者修行に出る武蔵誕生の巻で、作家・吉川英治の非凡な才能を感じさせるが、沢庵と出会って「真の人間の勇気とは腕力の強さではない」と教えられるあたりから躍動感が失われていく。この長編小説は連載が長期間に渡るので冒頭とラストではまったく印象が異なるが、徐々に波瀾万丈の物語よりも抽象的な禅問答が全編を支配していく。吉岡一門に勝てる自信を持てず、おのれの弱さを克服するために朝熊山に登ったり、うっかり釘を踏んだだけで「負けた」と思う（この男は、剣と体がまだ一致していないと悩むのである！）など、物語の焦点は武蔵の心の変遷に合い、残念ながら波瀾万丈のストーリーは忘れ去られていく。

それでも第二章「水の巻」、第三章「火の巻」までは、お通や又八、吉岡清十郎や柳生石舟斎、宍戸梅軒や佐々木小次郎などが入り乱れ、複雑なプロットで読ませる。特に武蔵とお通のすれ違いはメロドラマの典型と言える。だが、第四章「風の巻」にいたると、武蔵の抽象的な求道がメインになり、本阿弥光悦や吉野太夫との禅問答が前面に登場してくる。光悦の茶碗に感心したり、吉野太夫から琵琶の胴を割って人間の生きていく心構えを説かれたり、おまけに本人は観音像を彫ったりするのだ。救いは、この章のラスト、お通に拒まれて滝に打たれる武蔵を城太郎少年が、いったいこんなことをしていて、いつになったら江戸にいけるのかと思う件りだろう。この客観的な視線が武蔵の堅苦しい求道を救っている。

しかし、第五章「空の巻」以降はほとんど物語が動かない。この後の展開は、武蔵の精神修行、その放浪の物語で、剣術ではなく剣道でなくてはならない、という地点から、自分の人間完成が目的ではなく、国のため、民のためという政治の視点に変化していくことが特徴。そのために武蔵はしばらく荒れた山の野を開墾したりする！　第六章「二天の巻」にいたると「将軍家の師範となるよりは、小藩でもよい、政機に参与してみたい。剣の持ち方を説くよりも、正しい政治を布いてみたい」とまで言うのだ。第七章「円明の巻」の佐々木小次郎との対決まで、『宮本武蔵』はこのように変化していく。

不思議な物語といっていい。不必要な挿話も多いし（末尾近くの真田幸村の登場は、物語背景が風雲から安定へ移る時代であることを暗示しているのかもしれないが唐突すぎる感は否めない）、城太郎から伊織、丑之助と少年役が変化していくのも不自然だし、剣の修行が政治に転換する移行も説明されない。ヘンな小説なのだ。

『貝殻一平』や『松のや露八』で、歴史に翻弄される庶民のドラマを描いてきた吉川英治が、その伝奇的な装いを取り払い、主人公の人間像を一歩押し進めたものが『宮本武蔵』であり、それがこの長編小説成立の源だったが、「剣よりは政治だ」という武蔵のたどりついた境地が、結果としてこの作品を『新書太閤記』『新平家物語』などの歴史小説へつながる転機にしてしまった。いわば、個としての人間から国への転換である。

かくて、一平や三四郎など、独特のヒーロー（吉川英治の場合はアンチ・ヒーローなのかもしれないが）は姿を消す。この長編小説をはさんで発表された③後期の伝奇小説が、中期作品の完成度から遠く隔たっているのも止むを得ない。『自雷也小僧』（講談倶楽部、昭和十年十月号〜十二年十一月号）は義賊・自雷也が生き別れの妹を探し、父の仇である田沼意次打倒のために必死に動きまわる物語だが、都合のいい展開と偶然とすれ違いの連続に終始している。松平七郎麿の嫡子・佐賀菖蒲之助を主人公にした『善魔鬘』（富士、昭和十一年七月号〜十三年十一月号）も、逃げたかと思うとすぐ捕まるという都合のいい偶然に物語が左右される。二作ともすぐれた作品ではない。領地争いをテーマにした最後の伝奇小説『悲願三代塔』（講談倶楽部、昭和十三年一月号〜十四年六月号）も、中途半端に由井正雪が登場するなど駆け足の展開で、尻切れのまま終わっている。もはや、吉川英治の独自性は見る影もない。『自雷也小僧』と『善魔鬘』の主人公の行動原理が、私怨ではなく、世のため、人のためという公憤に支えられているところにも『宮本武蔵』の後遺症がある。

その『宮本武蔵』連載の終了を待ちかねるように、昭和十四年一月から『新書太閤記』が読売新聞で始まり、吉川英治は伝奇小説から離れていく。宮本武蔵の変貌は、自由奔放に空想力を羽ばたかせ、縦横無尽に活躍する伝奇小説のヒーローの挽歌でもあったのである。

『赤い影法師』の衝撃

戦後の時代伝奇小説は五味康祐、柴田錬三郎の登場で幕が開く。この二人の作家の登場以前にも、戦前から活躍していた作家の伝奇的な作品がないわけではないが、のちの剣豪ブーム、忍者ブームを生み出すほどのパワーに満ちた作品は五味・柴田の登場を待たねばならなかった。週刊新潮に『柳生武芸帳』と『眠狂四郎無頼控』が同時に連載された昭和三十一年を戦後の開幕とするのはそのためである（戦後ヒーローの誕生ということでは、昭和二十四年から二十五年にかけて朝日新聞の夕刊に連載された村上元三『佐々木小次郎』も欠かせない。これは、吉川英治『宮本武蔵』の求道的なヒーローに対し、享楽型ヒーローを描いて発表当時話題になったもので、そういうヒーロー像の変遷が一方にあったということだけ、ここでは確認しておく）。

まず、柴田錬三郎だ。初期の代表作とされている『剣は知っていた』（東京新聞、昭和三十一年六月～三十二年七月）が最初のテキスト。この主人公・眉殿喬之介は懐疑型ヒーローである。仇敵のもとで育てられた豪族の遺児、というのがこの男の設定だが、彼には旧家再興の意思はなく、仇敵・北条氏勝の城に潜入する時も、仇を討つとの発想より恋人を救いに行くというニュアンスのほうが濃い。つまり彼は剣と恋に生きる男にすぎない。さらにその剣すらも、兵法者・根岸兎角のように剣で出世しようとする意思はなく、柳生石舟斎に「それだけの剣の修業をなされながら、なにを悩んで居られる?」と問われて「悩みではありません。むなしさです」と答える男である。

となると、残るは恋、だ。なんと、これは恋に生きる剣士の物語なのである。ヒロインは徳川家康の娘・鮎姫（このすれ違いメロドラマを見よ）。主人公に従うは忍者・風の猿彦。そこに希代の悪女・千早と剣士・兎角が絡んでくるとの構成。脇を柳生石舟斎、家康などが固めるという布陣も、いい。背景は秀吉の小田原攻めで、戦国の世でも信じるものがない主人公がひたすら恋に生きる姿を巧みな物語の中に描いている。主人公の特異な設定、虚構人物を史実の中に配置する鮮やかなキャラクター造形、濃い物語性など、のちの柴田錬三郎の特色が存分に盛り込まれた作品といっていい。『眠狂四郎』を別格とすれば、この『剣は知っていた』（『眠狂四郎』と同年の発表）が柴田錬三郎の出発点であるのもわかるような気がする。

戦国時代を背景に、剣の対決とメロドラマの中に懐疑型ヒーローを配置するという『剣は知っていた』の構造は、このあと『美男城』『孤剣は折れず』と書かれ、その内容も徐々に深化していくが、この路線上の傑作が『運命峠』（昭和三十七年）である。こちらは『孤剣は折れず』同様に、徳川幕藩体制確立期を背景にした作品で、主人公は秋月六郎太。これも剣とメロドラマの小説だが、海に沈む夕陽を切る（！）鮮烈な冒頭から、柳生十兵衛（やぎゅうじゅうべえ）と小太郎の対決、秋月六郎太と公儀密偵の死闘、そして六郎太と宮本武蔵が将軍の前で対決する凄絶なクライマックスまで、剣の対決がふんだんに盛り込まれた傑作である。

物語は、豊臣秀頼の遺児・秀太郎をめぐって展開する。いきがかりで秀太郎を助ける六郎太は、山中で剣の修行を重ね、目をふさいで燕を切り落とすまでになるが、そうなった瞬間におのれの秘技にむなしさを感じる男で、『剣は知っていた』の眉殿喬之介同様、虚無型・懐疑型のヒーローである。敵方でありながら主人公に惹かれて従う忍者・運天も、風の猿彦を彷彿させるし、ヒロイン千早が織田信長の血筋を引く設定にも鮎姫の影が見られるなど、この『運命峠』は『剣は知っていた』と似た構造を持つ作品といえる。だが、悪党・七兵衛の彫りの深さに見られる造形の見事さと、公儀目付・朝比奈源右衛門と柳生の勢力争いに見られる背景の道具立ての凝り方が、『運命峠』を『剣は知っていた』よりも際立たせている。特にクライマックスの御前試合に将軍暗殺を企てる福島家の残党までが絡んでくるプロットの展開は唸るほど、うまい。これは剣の対決のドラマであり、メロドラマであり、秋月六郎太が家康の第五男・忠輝と双生児であるという貴種流離譚でもあるが、ヒロインは登場しても、『剣は知っていた』よりその影は後退し、剣のドラマが中心になっているのが特徴。前述した幾つかの剣の対決シーンは特筆に値するほど鮮やかである。こういう作品が四半世紀以上も前に書かれたことが信じられないほどの完成度といっていい。

しかし、当然ながら柴田錬三郎は、こういう剣とメロドラマだけの作家だったわけではない。三国志や水滸伝的世界を描いた作品も『剣と旗と城』『人間勝負』『われら九人の戦鬼』とある。

さらに、主人公が虚無型・懐疑型ヒーローという特徴以外に、

①小説は嘘をつくものである
②史実に材を得る歴史小説はしたがって認めない
③それに史実そのものもかなりあやふやである
④しかし大衆小説は読者が親しみを覚える名前があったほうがいい。これまでの講談や先行作品が作り上げてきた登場人物を借りてどういう衣装を付けるかが、伝奇小説の面白さである

という著者の考えに立って書かれた作品群がある。剣士を主人公にした『剣は知っていた』『運命峠』『剣と旗と城』などの作品より伝奇色が濃く、それでいて、お馴染みの人物が登場する作品だ。いわば、講談を新しい衣装でくるむフィクションである。『運命峠』の完成度は充分に認めなければならないが、その別ラインのほうが、あるいは柴田錬三郎らしいのではないか。

そこで出てくるのが『柴錬立川文庫』（オール讀物、昭和三十七年一月号～四十年十二月号）。奇想天外な発想と荒唐無稽なストーリー、ということならこの『柴錬立川文庫』が群を抜いている。猿飛佐助は武田勝頼の遺児で、三好清海入道は石川五右衛門の息子、さらに伊予海賊の裔・岩見重太郎は好色で、真田幸村は秀頼海外亡命計画を練っている。そういう自由奔放な設定をしてから想像力を駆使して、カンボジアから海を渡ってきた霧隠才蔵が鷲に乗って舞い降りてくる鮮やかな場面を描き出す。

戦乱の世では敵将の嫡子を人質にした場合、その子種を根絶やしにするためにしばしば男根を切断した（！）というから、こうなると柳生石舟斎と宗矩、家康と秀忠に親子の関係はなか

ったということになるなど、まったく空前絶後の物語が展開するのだ。柴田錬三郎の資質がよく現れている好編といっていい。立川文庫の名を冠したところにも、史実より虚構を求めたこの作者の方法論が表出している。真田幸村、猿飛佐助などが活躍する巻の他に、この『柴錬立川文庫』は、忍者組織・熊野神鴉党が戦国時代から江戸時代まで、山中鹿之介、由比正雪、国定忠治などさまざまな人物と係わる『忍者からす』、吉良上野介、大石内蔵助など赤穂事件の登場人物を別の角度から見る『裏返し忠臣蔵』、お岩や高橋お伝など歴史上の悪女たちを描いた『毒婦伝奇』、幕末維新の秘話を描く『日本男子物語』と、徐々に原型である立川文庫の世界から離れていくが（やはり圧巻は「猿飛佐助」の巻だろう）、小説は嘘を書くものだという著者の姿勢、その本質はゆるがない。

　柴田錬三郎の作品は、剣士を主人公にした剣豪小説にも、三国志や水滸伝を意識して英雄悪漢群像を描いた小説にも、常に伝奇的趣向を盛り込んで、歴史小説とは距離を置いているが、その伝奇ロマンの凝縮がこの『柴錬立川文庫』とも言える。その意味ではもっとも柴田錬三郎らしい作品だろう。ただ短編連作なので、いささか物足りないことも否めない。伝奇小説はやはり長編で読みたい。そこで最後に登場するのが『赤い影法師』（週刊文春、昭和三十五年二月〜八月）。これは、その『柴錬立川文庫』に先行する伝奇ロマン小説の傑作である。

　まず展開するのは講談でお馴染みの寛永御前試合だ。将軍家光の前で行われた十試合が次々に紹介される。繰りひろげられる秘技の数々が素晴らしいが、それだけではない。闘う剣士たちの組合せも一様ではないのだ。柔術と拳法の対決があったり、手裏剣の名手が出てきたり、薙刀を使う娘まで登場する。御前試合に出てくるまでの事情が興味深く語られ（たとえば第三試合の柳生十兵衛と石川新太郎は新陰流の正統をめぐる尾張と江戸の確執を背景としている）、おまけに試合の最後には剣士たちのそれぞれの秘技「虎伏の剣」「柳枝の乱れ」などの由来が紹介される。審判役の柳生宗矩が「ただいまの巴流の一手は紅葉狩りにございます」と、家光にもっともらしく講釈するから愉しい。しかしすごいのは、この小説がそれだけではないことだ。これだけでもよくできた決闘小説というところだが、柴田錬三郎はこれをまったく違う物語に変えてしまう。石田三成に仕えた忍者「影」三代を登場させ、波瀾万丈の物語に転換する。すなわち、御前試合の勝者に与えられる太刀を母影の命令を受けた子影が奪い、柳生宗矩の部下・服部半蔵と闘うというもうひとつのドラマを御前試合の背後に展開させるのである。

さらに第四試合の後には、武家諸法度の草案を考えるなど徳川幕府の基礎作りに貢献して隠れ扶持五万石を貰っている男として、なんと真田幸村が登場する。幸村が佐助とともに「影」側について宗矩＝半蔵軍と闘うあたりから、この物語の重点は試合を離れ（第五試合は試合のディテールを描かずに秘技が紹介されるだけであるし、荒木又右衛門と宮本伊織が闘う第七試合は、試合が始まるまでのほうが長く、将軍暗殺の陰謀が隠された第九試合に至ると、すべて影が裏で牛耳っているとのことが重要で、試合そのものはどうでもよくなってくる）意表をつく方向に移っていくが、この展開はまったく予想がつかない。つまり、影と半蔵という忍者同士の闘い、柳生宗矩と真田幸村の騙し合い、そして宝探しへとこの物語は思わぬ方向へどんどん進展していくのである。とんでもない物語があったものだ。伝奇作家・柴田錬三郎の面目躍如というところだろう。母影と子影の関係や男装の娘に見られる妖しげなエロティシズムが全編に漂っているのも、影と半蔵の凄絶な死闘が繰りひろげられるのも、この伝奇小説の興趣を盛り上げているが、何よりもまず、自由奔放に駆け巡る著者の比類なき空想力が群を抜いている。真田一党が半蔵軍団と闘う井之頭池のラストの戦闘場面まで、柴田錬三郎の次々に繰り出す技巧の数々に、読者は目を離すことができない。

柴田錬三郎の代表作として、眠狂四郎シリーズ、『運命峠』『赤い影法師』の三編がよく挙げられるが、お馴染みの人物を登場させて壮大な嘘を書く、という虚構派作家の方法論から考えると、この『赤い影法師』は柴田錬三郎の本線とも言うべき作品系列が生んだ大傑作といっていい。発表後三十年たっても、この作品は衝撃とともになお燦然と光り輝いている。

講談『柳生武芸帳』

五味康祐の大作『柳生武芸帳』（週刊新潮、昭和三十一年二月〜三十三年十二月）は難解な小説である。物語の展開がまずわかりにくい。それは、一人の人物が登場するたびに、その人物の挿話が『徳川実紀』などの資料から引用され延々と説明されるためで、しかもその挿話が時には別の挿話に続いたりもする。ストーリー自体が複雑なうえに、そういう余談が随所に挿入されるのでは、筋の展開が見えにくくなるのもやむを得ない。その場面転換、余談は決闘シーンにも挿入される。『柳生武芸帳』は全篇そういう枝道、挿話の連続といっていい。

話の骨格は、柳生武芸帳三巻をめぐる柳生一族と山田浮月斎（配下の霞多三郎、千四郎）、そして幕閣・松平伊豆守らの武力闘争である。なぜ武芸帳争奪戦が行われるのか。後水尾天皇の女御に上がった将軍秀忠のむすめ和子の子・高仁親王、ならびに第二皇子を暗殺したのが柳生一族で、その暗殺者の名前が武芸帳に書かれているからだという。その背景には、徳川家の血をひくものが皇統を継ぐことを嫌った天皇の意思があり、幕府と皇室との争いがある。柳生の祖先は禁中にゆかりの深い春日神職の出で、そのため幕府に背いても天皇の陰謀に加担したのだが、その過去の秘密を記した武芸帳を私欲のため、あるいは野望のため、さらに柳生一族一掃のために狙うさまざまな派と、一族の面目を守り、公武の衝突を避けるために武芸帳を闇に葬ろうとする柳生宗矩が対立することになる。武芸帳は三巻合わせないと実際の暗殺者が宗矩にもわからないことになっていて、その三巻の武芸帳をめぐって壮絶な争奪戦が行われる、というのが『柳生武芸帳』の骨格である。

壮大な話だ。しかし、前記したように物語は枝道に入り込み、さまざまな登場人物が入り乱れ、錯綜して読者を眩惑する。挿話自体が抽象的であったり、難解なのではない。無数の挿話はひとつずつすべて面白く、明快である。たとえば沢庵和尚と武蔵に面識はなかったとか、江戸時代は男尊女卑と一般に言われているが、持参金は無税のために嬶天下の風潮があったという件りなど、巷説を否定する挿話が多いが、こういう無数の挿話が全編にちりばめられている。ただ、それがあまりに延々と続くので読者は本筋を忘れてしまうのである。

五味康祐は『柳生武芸帳』に関して、日本伝奇名作全集の巻末対談で、面白いのは大久保彦左衛門が登場するあたりまでで、あとは評判がいいので続けてくれと言われて書いただけだから支離滅裂だ、と語っているが、神矢悠之丞のように最初は重要な役割で登場したにもかかわらず、その後活躍の舞台が与えられない人物までいるところをみると、作者自身に最初からはっきりした構成はなく、筆の勢いにまかせて書いたということもうなずける。この『柳生武芸帳』が未完に終わっているのも、収拾がつかなくなったからだろう。国枝史郎の伝奇小説の多くが未完に終わっているのはあまりにも奔放な想像力のためだが、五味康祐の場合はさまざまな資料を駆使し、史実の隙間を描くのに夢中で、ストーリーのほうが収拾がつかなくなった、という印象も否定できない。

『柳生武芸帳』が東宝で映画化された時、試写を観た作者は「なるほど、こういう筋であったのか」と言ったというゴシップはあまりに出来すぎているものの、『柳生武芸帳』がそれほど複雑な筋を持つということも事実なのである。

この物語に明確な主人公はいない。宗矩か十兵衛か、あるいは霞多三郎、千四郎兄弟なのか、はっきりしない。柳生一族が忍者集団であったという説は、この長編小説を嚆矢とするらしいが、集団として生きる柳生一族の凄絶な闘いが『柳生武芸帳』で活写される。

そのために剣劇場面の迫真性を生んでいることも見逃せない。というのは、対決の場面においてどちらが勝つのか読者は最後までわからないからだ。一人のヒーローが主人公の小説ではないから、重要な登場人物といえども闘いに破れ、物語の途中で敗退していくのである。『運命峠』を代表する柴田錬三郎の作品における剣劇には、ヒーローが明確なのでどちらが勝つのかという興味はない。ヒーローは負けるわけがないのだ。むしろ興味は剣劇の場面において主人公がいかに華やかな動きを見せるのか、という点にある。これに比べて、五味康祐の作品における剣劇は瞬間に決着がつく場面が多い。その短い剣劇を支えているのが、巧みな挿話である。『柳生武芸帳』では、柳生宗矩と山田浮月斎、柳生兵庫と宮本武蔵、柳生十兵衛と霞多三郎、それぞれの決闘が凄まじい迫力で活写されるが、その剣劇の場面にも作者はそれぞれの人物がいかに強い武芸者であるか、何度もエピソードを挿入する。これが群を抜いてうまい。

「実際にはわずかの時間の経過でしかないアクションを、高速写真の様な緩慢なイメージとして空間に貼りつける」（日沼倫太郎「五味康祐論　殺しの美学」、荒正人・武蔵野次郎編『大衆文学への招待』南北社、所載）のも、そのためだろう。この剣劇場面こそが、複雑多岐に渡るストーリーを持つ『柳生武芸帳』の軸となっているが、その緊迫した場面を作る手法は五味康祐の研ぎ澄まされた文体で支えられていることも特筆すべきだ。

　そして、どちらが強いのか、誰が強いのかという興味を物語の核としていることを考えると、『柳生武芸帳』が新しい衣装を付けた講談であることも見えてくる。国枝史郎の伝奇小説が大正末期から昭和初期にかけて甦った講談だとするなら、五味康祐の小説は戦後の新たな講談であるとも言える。では、その新しい衣装とは何か。それが巷説の否定であり、欲望の肯定であった。であるからこそ、ヒーローの否定に繋がっていく。

　五味康祐のデビュー作「喪神」（新潮、昭和二十七年十二月号）のなかに幻雲斎が哲郎太に教える件りがある。「夢想剣を修めるには、世の修業の考えを先ず捨てねばならぬ。従来の剣術の方法、思慮では奥義を極めることは出来ない。肝要なのは、人間本然の性に戻ることである。即ち、食する時は美味を欲し、不快あらば露わに眉を寄せ、時には淫美し、斯くの如く、凡そ本能の赴くところを歪めてはならぬ。世に、邪念というものはない。強いて求むれば、克己、犠牲の類いこそそれである」「守るべきは己が本能である。欲望を、真に本来の欲望そのものの状態にあらしめることである」。ここには艱難辛苦の果てに人間完成をなし遂げる修行のすすめと、さらには骨肉愛という徳目をかかげた吉川英治『宮本武蔵』との違いがある。五味康祐『二人の武蔵』（読売新聞、昭和三十一年八月～三十二年八月。昭和四十三年、人物往来社「歴史文学全集」に収録された際、大幅に加筆改稿。この時、ラストまで変更している）が好例。これは題名通り、武蔵が二人いたとの設定で始まる小説で、五味康祐らしい作品といっていい。

常識人としての新免武蔵と、直情径行の岡本武蔵が登場するが、物語の途中から岡本武蔵が主人公となり、柳生新次郎厳勝（石舟斎の長男）の教えを受ける展開となる。一乗寺の決闘で武蔵は巷間伝えられているほど闘っていないとか、佐々木小次郎は巌流島の決闘の時、六十歳を過ぎた老人だったとか、巷説を否定する挿話がいくつもはさまれているのはいつもの通り。注目すべきは、この物語の背景だ。実は背景にあるのは、徳川家康の朝鮮和睦政策であり、その体制を守ろうとする柳生宗矩と幕府の政策に反発する皮袴組の争いである。二人の武蔵はその凄絶な闘いの渦中に投げ込まれた人間にすぎない。いや、利用される人間である。

『風流使者』（地方新聞、昭和三十三年二月～三十四年四月）の例もある。これも難解な小説で、島津、尾張、水戸藩を倒幕の盟約で結び、その結果で伊達藩を倒幕に踏み切らせる藤木道満の謀略に、それぞれの藩の思惑が絡んで、筋としては本多左近と対立する、という話だが、例によってさまざまな余談が挿入され、資料が引用され、話は枝道に入り込んで本筋が見えにくい。わかりにくいことでは『柳生武芸帳』に匹敵するが、ここに登場する実在の剣豪、島田虎之助と高柳又四郎はこの物語の脇役にすぎない。ここに、臆病ゆえに剣の奥義をきわめ、臆病ゆえに弟子に切られる幻雲斎を描いた「喪神」と、顕示欲が強くて小心者の剣豪を描いた「二人の荒木又右衛門」（ここに登場する武蔵も二流の人物として描かれている）の両短編を並べると、剣豪に対する作者の考えが見えてくる。すなわち、剣豪の否定である。

『柳生武芸帳』の新しさは、豊富な資料の引用による挿話の面白さと、抑制された文体による緊迫した決闘場面の連続にあるが（それを、もっともらしさの構築と奇抜なアイディアの盛り込みと言い換えてもいい）、実はその本質は、こういう剣豪の否定だったのではないか。この長編の新鮮さについて、尾崎秀樹は新潮文庫版『薄桜記』の解説で、「組織のなかの人間を、集団的相剋のうえにえがき、柳生の本態を政治的謀略性でえぐった」点にあると書いている。あるいはこれこそが戦後の講談の新しさだったのかもしれない。そういう作家が剣豪ブームの中心人物となったのは時代の皮肉だろう。『薄桜記』（産経新聞、昭和三十三年七月～三十四年四月）もこの道筋で理解される。これは赤穂義士外伝で、妻に密通され隻腕となった丹下典膳（丹下左膳と鞍馬天狗の本名、倉田典膳の合成！）の数奇な運命を描く小説である。例によって浅野内匠頭は吝嗇な暗君だったとか、巷説を否定する余談を随所に挿入しながら、堀部安兵衛との不思議な友情と、結果として敵になる皮肉を描いている。『柳生武芸帳』や『風流使者』に比較すると筋の展開はわかりやすいものの、この小説の本質も組織論にある。吉良上野介よりも浅野内匠頭のほうに落度があったこと、赤穂浪士たちは切腹の仕方も知らない軽佻な元禄武士だったこと、この二点を踏まえて、そういう一同を統率して臣たる道に殉じる運命を創造した大石内蔵助の偉大さを強調しているからだ。

忍苦の果てに剣の奥義をきわめることが人間完成に繋がるというヒーロー像の否定（つまりは吉川英治『宮本武蔵』の否定である）と、この組織における個の問題は表裏一体である。

前述したように『柳生武芸帳』の面白さの大半は剣の対決場面にあり、誰がいちばん強いのか、という昔ながらの読者の興味を満たすものがあるが（『二人の武蔵』にも、伊藤一刀斎と唐十官の緊迫した決闘場面がある）、しかし五味康祐の小説においては、剣豪同士が闘っても誰が強いのか結局はわからないという場面が多い。鈴木綱四郎との決闘場面でどちらが勝ったのか謎のままに終わる中編「柳生連也斎」が象徴的だ。ということは強いものは誰もいないということではないか。五味康祐の〈講談〉の新しさは、ヒーロー不在時代の伝奇ロマンをこのように見事に構築したことであるのだという気がする。

風太郎忍法帖におけるロマネスク

昭和三十年代に忍者小説のブームがあったことは記憶されていい。戦後すぐに、富田常雄『猿飛佐助』（昭和二十二年）、林芙美子『絵本猿飛佐助』（昭和二十五年）、と先行作品はあったものの、ブームになったのは三十年代である。昭和三十一年に連載の始まった五味康祐『柳生武芸帳』、司馬遼太郎の直木賞受賞作『梟の城』（昭和三十四年）、さらに柴田錬三郎『赤い影法師』（昭和三十五年）などが先駆的作品だが、本格的にブームを迎えたのは、昭和三十年代の後半である。山田風太郎『甲賀忍法帖』や、村山知義『忍びの者』（昭和三十七年）が爆発的にヒットし、漫画、TV、映画をも巻き込んで時ならぬブームとなった。市川雷蔵主演で映画化された『忍びの者』を、私も映画館で観た記憶がある。

足立巻一によると、忍者が大衆の興味をひくようになった最初は、文化・文政の頃で、読本や歌舞伎の影響が強かったという。当時の忍術使いは例外なく悪人で、それが善玉になるのは、大正期の立川文庫から。では、この昭和三十年代後半のブームにおける特徴は何か。

「それは忍術を単なる超自然の現象としてとらえるのではなく、きわめて合理的な解釈にもとづいている点だ。しかもその合理性が、公式的な理詰めの展開だけで終わることなく、ある瞬間から夢に転化する可能性をはらんでいるのが特長だといえる」（尾崎秀樹、光文社文庫『忍びの者』解説）。ようするに、忍術を荒唐無稽なものから脱却させたことが昭和三十年代の特徴なのである。

なぜこの時期に忍者小説がブームになったのか、ということについては、六十年代の高度経済成長が結実せず、消費ブームに代表される欲望の解放だけが空まわりして、結果としてストレスや社会的疎外を生んだことの反動である、と指摘する人が多い。『忍びの者』と同年に上梓されてベストセラーになった梶山季之（かじやまとしゆき）『黒の試走車』が産業スパイという流行語を生んだことも、管理社会の中で飼いならされることへの反動、社会の裏面への興味、破壊や強奪の代行者への思いなどがあったからだろうし、それはこの時期に忍者小説がブームとなったことと、おそらくは無縁ではない。

山田風太郎『甲賀忍法帖』は昭和三十三年に面白倶楽部に連載され、翌年光文社より刊行された。連載当時から一部の熱狂的読者の支持は得ていたらしいが、一般的な人気はまだなかったようで、この初版は一万二～三千部であまり売れなかった、と著者はあるインタビューに答えている。風太郎忍法帖が爆発的にヒットするのは昭和三十八年から刊行された新書判の「山田風太郎忍法全集」（講談社）以降である。すでに単行本で上梓されていた『甲賀忍法帖』『飛騨忍法帖』『くの一忍法帖』の他に、以後の新作を『風来忍法帖』『柳生忍法帖』と順次刊行、昭和三十九年秋に全十五巻でこの全集は完結（これ以降は「風太郎忍法帖」全十巻に収録される)。この「山田風太郎忍法全集」は巻を追うごとに売行きを増し、刊行一年半でシリーズ合計約三百数十万部に達したという(尾崎秀樹『大衆文学の歴史』)。

昭和三十年代前半の先駆的作品があり、漫画、TV、映画の影響もあったとはいえ、三十年代後半の忍法ブームの中心は山田風太郎だったと言っても過言ではない。では風太郎忍法帖とはどんな小説だったのか。

風太郎忍法帖の第一作『甲賀忍法帖』に、そのすべてがあると思われるので、これをまずテキストにしたい。これは徳川三代将軍を決めるために、先祖代々の宿敵である甲賀と伊賀の忍者が闘うというもので、それぞれ十人の忍者が選抜される。両者の頭目は冒頭に死んでしまうので、その忍者たちがどんな秘技を持っているのか誰もわからないというのが最初の設定。ふたを開けてみると、これがとんでもない忍法で驚く。

唾液を粘塊として相手に吹きつけ戦闘力を失わせたり、体色を自在に変えて壁に溶け込ませたり、全身が吸盤と化して相手の血を吸ったり、さらに他人の顔になったり、官能に点火された時のみ死の息を吐いたり、と奇抜なアイディアが頻出する。手足のない体に一尺近い槍の穂先を呑んでいる男がいるかと思うと、塩に溶けるなめくじ男までいたりする。おまけに首が胴から離れないかぎり不死身の男まで登場するのだ。立川文庫でお馴染みの牧歌的な忍者は一人も登場しない。想像を絶する忍者たちだ。この奇想天外な秘技を持つ忍者たちの凄絶な闘いを描いたのが『甲賀忍法帖』である。

もちろん、戦後の忍者小説であるから、この想像を絶する忍術にも科学的な装いを演出する説明が付く。体に呑み込んだ槍の穂先を凄まじい速度で噴出するのは、食道の筋肉が特別の吐逆機能をそなえているからだし、唾液についても「人間が一日に分泌する唾液は千五百ccにおよぶ存外大量のものである。思うに将監の唾液腺は、これをきわめて短時間に、しかも常人の数十倍を分泌することを可能としたものであろう。しかもそれにふくまれる粘素(ムチン)が、極度に多量で、また特異に強烈なものであったと思われる」と説明される。不死身男ですら「奇怪は奇怪だが、世にありえないことではない。蟹の鋏はもがれてもまた生じ、とかげの尾はきられてもまたはえる。みみずは両断されてもふたたび原形に復帰し、ヒドラは細断されても、その断片の一つずつがそれぞれ一匹のヒドラになる。――下等動物にはしばしばみられるこの再生現象は、人間にも部分的にはみられる。表皮、毛髪、子宮、腸、その他の粘膜、血球などがそうで、とくに胎児時代はきわめて強い再生力をもっている」と説明される。これらが本当に科学的説明であるかどうかは別の問題だが、少なくとも科学的な装いを作品に与えている。

しかし、この説明の〈合理性〉は、同時期のたとえば「忍者の生活形態、忍法の技法などを写実主義的な手法で描いた」(真鍋元之『大衆文学事典』青蛙房)、村山知義『忍びの者』のリアリティとはまったく意味が異なる。たしかに風太郎忍法帖も、ボロくずのように死んでいく忍者の悲劇や、幕閣の陰謀の陰で生きざるを得ない忍者の宿命を鋭く描いてはいる。忍者社会の非情と残酷が風太郎忍法帖にないわけではない。その意味では風太郎忍法も戦後の子である。しかし、組織と個という視点の中に忍者を捉えるには、風太郎忍法はあまりにファンタスティックだ。前記の〈合理的〉解釈は、「虚構と現実を明確に分け、思い切って虚構の夢に徹した風太郎忍法の見せかけだけの合理性、つまり生理的解釈を逆手にとったナンセンスな視点」（尾崎秀樹「山田風太郎と伝奇ロマン」、『大衆文学の歴史』所載）とも言えるのである。日沼倫太郎も『純文学と大衆文学の間』（弘文堂）で次のように書いている。「山田流忍法の世界は、忍者ものにおけるこのようなリアリズムの視点、もしくは組織と人間論的な視点から完全に脱却している。これはいいかえれば山田氏によって戦後の忍者小説が、ロマネスクな観点（忍法としての）からもう一度否定しなおされたということである」

だいたい風太郎忍法帖に登場する忍者の名前からして人を喰っている。昼寝睾丸斎、七斗捨兵衛、寝覚幻五郎、陣虚兵衛などという人物がどんどん出てくるのだ。この命名の仕方には作者の意図がある。こういう小説がリアルなわけがない。

それにしても風太郎忍法帖には、奇抜な忍法がいったい幾つ登場するのか。この奔放なアイディアを次々に生み出した山田風太郎という作家には驚嘆せざるを得ない。『甲賀忍法帖』の忍者対忍者という図式は、『忍者月影抄』で繰り返されるが（ここでも腸を肛門から出して自在にあやつるという奔放な秘技が登場する）、『くの一忍法帖』では同じ忍者同士でも男対女の闘いになり（ここに登場する忍法もまったく想像を絶している）、『江戸忍法帖』では忍法対剣法、『柳生忍法帖』ではアマ対プロ、と趣向も変えて、最後の忍法帖『剣鬼喇嘛仏』（昭和五十一年）まで読者を飽きさせないのは見事。『くの一忍法帖』を始めとして、風太郎忍法には濃厚なエロティシズムが漂っているのも特徴。『忍びの卍』（報知新聞、昭和四十一年）は、御公儀忍び組である甲賀、伊賀、根来組の中でいちばん役に立つものを選びたいという大老・土井大炊頭の命を受けて、椎ノ葉刀馬が各派の代表忍者を面接するという冒頭から意表外のストーリーが展開するが、各派の代表忍者の得意忍法がすべて性に関するもの。根来の虫籠右陣の「ぬれ桜」は唾液を女体に塗ると体中が性器になるというものだし、伊賀の筏織右衛門の「任意車」は交合によって相手の体に乗り移るもの。甲賀の百々銭十郎の「白朽葉」は精液を女体に注入して悩乱させるものだ。これでは作品にエロティシズムが漂わないほうが不思議というものである。『忍法忠臣蔵』(漫画サンデー、昭和三十六年)も、女忍者を監督する役目の主人公・綱太郎が彼女たちを助けずに平然とその死を見るだけという不思議な小説だが、女体の刺身(!)シーンに見られる強烈なエロティシズムが作品の芯となっている。

最後に風太郎忍法帖の中でも傑作の呼び声高い作品『おぼろ忍法帖』(地方新聞、昭和三十九年、後に『魔界転生』と改題)に触れておく。これは、天草四郎、荒木又右衛門、宮本武蔵、柳生兵庫、柳生但馬守など一度死んだはずの人間が生き返って幕府転覆を狙う一味に利用されるという途方もない小説で、ストーリーはこの化け物軍団に柳生十兵衛が対決するかたちで進んでいくが、忍法小説というよりも幻想小説に近い。風太郎忍法帖が基本的にファンタスティックであることを明確に語っている作品でもある。しかし私なら風太郎忍法小説から、この一冊を取る。『風来忍法帖』(週刊大衆、昭和三十八年)だ。これは金品武器の略奪から強姦まで無頼のかぎりをつくす七人の香具師(やし)が、秀吉軍に攻められている北条方の麻也姫を守るために、ひょんなことから城に立て籠もる話で、攻めてくるのは三人の風魔忍者。つまりアマチュアがプロの忍者と闘う展開になる。秀吉軍も北条軍も内部でだましあいをしていて、「人をだますことを本願とするおれたち香具師も、まったくの顔負けだ」という構図が背景にある。奇抜な忍法はもちろん登場するし、ヘンな名前も例によって頻出する。さらに波瀾万丈の物語なのだ。その意味では風太郎忍法帖の特徴をすべて持った作品だが、他の忍法帖では陰惨さの陰に隠れている伝奇的な趣向が見えやすいのが特徴。忍者対忍者ではないから技術論にはならないし、香具師たちは剣の達人でもないので、知恵で対決するしかない。そういうアイディアの闘いであることと、七人の香具師が途方もなく明るい男たちなので、全体にユーモアがあふれる結果となっている。このユーモアと、巨根を持て余している馬左衛門が最後にその巨根を石臼の栓にする哀切きわまりない場面が、『風来忍法帖』を風太郎忍法帖の中で際立たせている。これは白井喬二、国枝史郎、角田喜久雄と続く伝奇小説の系譜上の作品としても傑作だろう。ここから、『警視庁草紙』(昭和五十年刊)、『幻燈辻馬車』(昭和五十一年刊)などの明治伝奇小説まで、どう繫がっていくかは別の話になる。

伝奇小説の伝統

1

日本の時代伝奇小説の項を白井喬二から始めたら、なかなか伝奇小説から次に移ることができない。冒険小説におけるヒーロー像の変遷、という宿題がなぜ日本編に入るや、時代伝奇小説で止まっているのか。ここでもう一度、確認しておきたい。

日本の時代伝奇小説は、主人公が前へ前へと進む行動者であること、物語が波瀾万丈のドラマであること、このふたつの要因を持っていることが前提になる。であるなら、冒険小説の構造を考えると、この〈伝奇小説〉という部分はそのまま〈冒険小説〉に置き換えられることがヒント。すなわち、時代伝奇小説は冒険小説の構造をそのまま持っているのだ。冒険小説の醍醐味を、日本においては長い間、時代伝奇小説が代替してきた、と言い換えてもいい。だからこそ、冒険小説ヒーローを日本の小説に探そうとする時、時代伝奇小説に接近せざるを得ない。そういうことだろう。と確認して、今回は〈忍者小説〉がブームとなった昭和三十年代から現代まで綿々と続くこの系譜＝時代伝奇小説の流れを総ざらえしてみる。その時、日本の大衆小説作家の大半がこのジャンルの作品に手を染めている事実に気が付く。

たとえば藤原審爾（ふじわらしんじ）。ユーモア小説から動物小説、スパイ小説、任俠小説、ハードボイルド、推理小説、現代風俗小説と幅広い活動を示したこの作家にも時代伝奇小説がある。『武士道地獄』（報知新聞社、昭和四十三年）だ。

婚約者、琴路を側室に要求された遠藤連次郎がそれを拒否して脱藩するというのが冒頭。主命により連次郎を追ってくるのが兄の佐一郎と弟の代三郎。つまり兄弟の相剋である。しかし物語は進むにつれて当然よじれてくる。旅の途中で代三郎に兄を殺されたお蘭の仇討ちに剣客・大貫作太や大岡玄斎らがそれぞれの思惑で絡んでくる。さらに背景にあるのは江戸家老と国家老の争いだ。藤原審爾は伝奇小説の文法にのっとって、逃げる連次郎と追う一団の冒険を丁寧に描き出していく。悪党にも人間っぽいところがあるなどは、いかにも藤原審爾らしい。

しかし、時代伝奇小説につきものの宝探しがないのは淋しい。そこで、富田常雄『鳴門太平記』（週刊サンケイ、昭和三十五年）。こちらはとんでもない長編だ。冒頭は、阿波徳島藩の下級武士・船越重兵衛の妻おたもが勘定奉行・高松主水たちに強姦される場面。結局おたもは自害することになる。となると物語は、船越重兵衛の復讐になるのかと思うところだが、そうはならない。主水たちは藩の裁きを受けてしまうのである。おやおや、それではこの物語はそれで終わってしまうではないか。ところが、物語はここから予想外に進んでいく。

船越重兵衛は妻が抵抗したのかどうかが気になり、そのことについて悩み始めるというのが次の発端。で、この男はどうするかというと、なんと次々に女を犯しまくるのである！　女が本当に抵抗するのかどうか実験しているのだから、すごい。被害に遭うのは十七歳の処女お鶴と人妻千歳。とんでもない迷惑だ。彼女たちはのちに物語に絡んでくる。しかし、これだけでは長編にならない。で、どうなるか。

裁きを受けた者の子たちが集まって、船越重兵衛に復讐するという話に、すぐなる。重兵衛は復讐する側ではなく、復讐される側なのである。彼らが作った集団が阿波十八組。しかし船越重兵衛への復讐のために結成したというのに、彼らの行動は無軌道きわまりなく、復讐というよりも憂さ晴らしといっていい。度重なる十八組の悪行に藩は剣客・礼掛佐次郎を雇うものの、彼も一味に入って重兵衛と対決。強姦した側の子供たちと強姦された側の遺族の対決、という構図で物語はあくまでも進んでいく。十八組の実質的なリーダーは藩医（強姦の時に足を押さえていた罪で斬首）の娘かさね。この娘はなんと重兵衛の子を鳴門の渦潮に沈めんと船から海に放り投げるという希代の悪女で、十三歳の時に父を誘惑した過去を持つ。しかし、この物語はまだ始まったばかり。

鳴門の渦潮に投げ込まれた重兵衛の子・朱長八郎のドラマが一方にある。彼は犬の竜王に助けられ、根来忍者に育てられる。五歳にして神童と言われるほどに成長すると、阿波徳島藩主から意外な打診がくる。嫡子（ちゃくし）が乱気のため長八郎を替え玉として迎えたいというのだ。

ここまでで全体の三分の一。忍者集団は絡んでくるし、平家の財宝は暗示されるし（この宝探しは重兵衛が担当する）、物語はどうなるのか予想がつかない。

次なる展開はいきなり十年後。十八組のリーダーかさねと剣客・礼掛佐次郎の子お婉が生まれていて（のちに母をしのぐ妖女となる）、その後も十八組の面々は絡んでくるとはいえ、話の中心は阿波徳島藩の世継ぎをめぐる陰謀になり、悪の主役は交代する。長八郎がいかに嫡子を守るか、その闘いになるのだ。

復讐もの、宝探し、成長小説、お家騒動もの、と盛り沢山の趣向で一気に読ませるのはさすがだが、次々に出てくる登場人物は（前半の登場人物だけで充分なのに、長八郎に夢中になる呉服問屋の娘おすが、盗賊・さざ浪伝兵衛、その兄の剣客・男鹿谷巌、さらに悪僧・堂鏡に女相撲のお万と、どんどん増えてきて、最後には大岡越前守まで出てくる）いささか統制を欠いている感は否めない。もうひとつ、強姦、輪姦、乱交、同性愛、父子相姦と全編にエロティシズムが充満しているのも異色。そのために全体が暗く仕上がっているが、全編を彩っているその暗い色調を救っているのは主人公の自然児ぶりで、このヒーロー像は同じ時期に書かれた司馬遼太郎『風の武士』（週刊サンケイ、昭和三十五年三月〜三十六年二月）の主人公にも通じている。こちらは貧乏御家人・柘植信吾が主人公。伊賀忍びの者の末裔との設定である。「人がよくて、頭のまわりが遅くて、かっとなって何かやりだしたと思ったら、すぐ忘れてしまって、けろりと」している男である。別の人物に「すこし粗漏なお人柄と見うける」とまで言われたりする。話のほうは、熊野に安羅井という秘国があり、そこにあると伝えられる莫大な財宝をめぐる紀州藩と公儀の暗闘を描いていくが、主人公の柘植信吾は公儀隠密とはいうものの、決して使命感に燃えているわけではない。どこにも指図を受けずにやりたいという男で、自分の血が燃えるものを探しているとの設定なのだ。エージェント・ヒーローではなく、巻き込まれでもなく、さらには求道型でもなく、好奇心を行動原理にしているとの設定は日本の時代伝奇小説では珍しい。現代作家・司馬遼太郎ならではだろう。

ところで、衆知のように富田常雄、司馬遼太郎ともに伝奇小説専門に書き続けた作家ではない。富田常雄は『姿三四郎』『風来物語』などの明治もの、新宿ものに代表される風俗小説で著名な作家で、伝奇小説はむしろ例外といっていい。司馬遼太郎もデビュー直後の忍者小説『梟の城』やこの『風の武士』など、初期作品には伝奇小説があるものの、その後は歴史小説の大家となって、この手の作品は書いていない。藤原審爾と同様に、伝奇小説だけを書き続けた作家ではないのだ。しかし、こういう作家たちに伝奇小説の傑作があるということが、逆にわが国における伝奇小説の伝統を感じさせる。日本の大衆小説の水面下を時代伝奇小説が綿々と流れてきたこと。その豊穣な流れの突出をこれらの作品に見ることができる、と言うことも可能だろう。

藤沢周平（ふじさわしゅうへい）『闇の傀儡師』（週刊文春、昭和五十三年八月～五十四年八月）もその系譜上の作品である。これは、元御家人・鶴見源次郎が、将軍家に恨みを抱く謎の集団・八嶽党の陰謀に立ち向かう物語で、次期将軍をめぐる徳川家内部の権力闘争、公儀隠密と秘密結社の争いに、直参の身分を捨てて浪人となった主人公が巻き込まれていく話だ。絡んでくるのは不義ののちに自害した妻の妹、妖艶な年増女、さらに陰を持つ剣客と彩りもいい。物語はテンポよく進み、緊迫感あふれる伝奇的世界が展開する。人物描写、文章ともにさすがに藤沢周平で、ラストの八木典膳との対決まで一気に読ませる佳作となっている。

このあとがきで、藤沢周平が幼い頃に立川文庫、少年倶楽部、譚海、新青年などを読みふけった思い出を書いていることに注意。山中峯太郎『亜細亜の曙』、高垣眸『怪傑黒頭巾』『まぼろし城』は特に印象に残ったという（そういえば五木寛之も、南洋一郎や山中峯太郎の小説を愛読していたことをどこかで書いていた。五木寛之に『裸の町』『戒厳令の夜』『風の王国』とロマンの香り濃い作品系列があるのはそのためだろうか）。伝奇小説の影がこのように意外な作家にあるのも、前出の文脈でとらえることができる。

昭和五十年代の新しい時代伝奇小説もこの流れがあったからこそ生まれてきた、と言えるかもしれない。すなわち、新宮正春『鷹たちの砦』（昭和五十二年）、南原幹雄『暗殺者の神話』（同五十一年）、『闇と影の百年戦争』（同五十五年）だ。これらの時代伝奇小説は、『鷹たちの砦』の金属男（これは風太郎忍法すれすれの傑作アイディアだ！）に見られる特異さや、商業資本と武士階級の闘いという現代性が目新しかったが、何よりもスピード感あふれる物語であったことが特筆できる。こういう流れの果てに、あの隆慶一郎が登場したのだ。この間、推理作家が時代伝奇小説を手がけた例も少なくなく、島田一男『影姫参上』『風姫八天狗』『月姫八犬伝』、高木彬光『江戸悪魔祭』『妖説地獄谷』、邦光史郎『江戸剣花帖』などがあるが、ここでは最後に松本清張『西海道談綺』（週刊文春、昭和四十六年～五十一年）に触れておきたい。

これは、隠し金山を探索する太田恵之助の冒険を、複雑なプロットと巧みなストーリーと膨大な登場人物をあやつる筆力で描き切った傑作である。場面転換のうまさと映像場面の連続がまず目を見張らせるし、推理的手法が効果を上げて、密通した妻を坑内に突き落とす冒頭から（ここは圧巻で、不気味な雰囲気をよく表している）さまざまな人物が入り乱れ、後半は山中に舞台が絞られるものの、飽きずに読ませるのは見事。当時の公務員の勤務時間は実働で三時間だったとか、夜間は江戸でも真っ暗だったのでむやみに外出はしなかったとか、随所に資料の引用が挿入される小説構造も現代的で読みやすい。さらに小悪党や大悪党、執念深い女の復讐などが彫り深く活写されているのも見逃せない。時代伝奇小説は、宝探し＋道中記にかぎると思っているが（司馬遼太郎『風の武士』がこの骨格を持っている）、この『西海道談綺』は隠し金山探索を宝探しとするなら、主人公の九州内探索が一種の道中記。きちんとその条件を満たしているのもいい。

五味康祐『柳生武芸帳』、柴田錬三郎『赤い影法師』、さらには山田風太郎の忍法小説などが席巻した昭和三十年代に比べると、昭和四十年代以降は時代伝奇小説の不毛の時代と思われがちだが、それでもこの『西海道談綺』のような作品がひょっこり生まれるあたりに、わが国の大衆小説の水面下を脈々と流れている伝奇小説の伝統がある。

2

松本清張『西海道談綺』のような作品がひょっこり生まれるところに、わが国の時代伝奇小説の伝統があるとはいえ、昭和四十年代以降その伝奇小説が日本大衆小説の主流に決してならなかったのも事実である。

その間の事情は、たとえば都筑道夫（つづきみちお）『変幻黄金鬼』のあとがきに見ることが出来る。これは、昭和二十四年〜二十七年頃に発表した四編と、その三十年後に書かれた四編を収録した作品集だが、そのあとがきに「前半の四編と後半の四編とのあいだの三十年間、伝奇小説がすたれていた、ということではない。ただそれほど、持てはやされもしなかった」とある。実作者のこの実感が戦後の伝奇小説の置かれた位置を物語っているように思われる。つまりその間、これまで見てきたように伝奇小説の実作がなかったわけではない。ただ、作品の数は（特に昭和四十年代以降は）少なかった。昭和三十年代の忍者小説のように、ブームになったわけでもない。「すたれていたわけではないが、持てはやされもしなかった」というのは、そういうことだろう。今回ここに取り上げるのは、その半ば不毛の時代に、意図的に時代伝奇小説を書いてきた作家たちだ。

まず都筑道夫。長編小説『魔界風雲録』（昭和二十九年、若潮社）は、昭和四十三年「都筑道夫異色シリーズ」（三一書房）に収録された時、「かがみ地獄」と改題され、現在は中公文庫で元版時の題名に戻っているが、その長編とは別に中編の「魔界風雲録」があるのでまぎらわしい。ここで読むのは長編のほうである。

主人公は真田大助。黄金の在り処を示す鏡をめぐって物語は展開する。石田三成の遺児が登場するかと思うと海賊船に舞台は移り、奴隷商人に拉致されて最後は海上の大活劇となる。真田大助が退屈のあまり旅に出る、という設定からうかがえるように、これはおおらかな冒険譚だ。現在読んでも充分に面白いものの、この二十年後に書かれた『神州魔法陣』（小説推理、昭和五十～五十二年）になると、細部がもっと凝ってくる。

その前に、都筑道夫の伝奇小説に対する考えが、こちらの後記に書かれているので引用しておこう。

「いうまでもなく、これは伝奇小説である。それも、子どものころの私に、物語のおもしろさを教えてくれた伝奇小説のパターンに忠実にのっとって書いたものである。いわゆる本格推理小説や伝奇小説は、パターンはみだりに変えずに、内容に新しい趣向を盛ってゆくのが、正しい行きかただ、と私は信じている」

『神州魔法陣』は、彫りもの大工（実は泥棒）の巳之吉が主人公。女の腹が裂かれ、生き肝を取られる不思議な光景を、その巳之吉が天井裏から目撃するのが冒頭。ひょんなことから知り合った侍、内藤端午から、江戸の町で次々に大金が盗まれ、腹を裂かれた女の死が続出していることを聞かされる、というのが次なる展開。その背景「江戸の人間がひとり残らず、死にたえるような」大陰謀があるというのだ。その陰謀の核心を追って、巳之吉と内藤端午が京に向かっていくあたりから、物語は俄然緊迫感を増していく。この『神州魔法陣』は、江戸の怪事件から東海道五十三次の道中記、さらには二条城天守閣のクライマックスまで、一気に読まされる波瀾万丈の大ロマン小説といっていい。

後半は道中ものであるから、パターン通りにさまざまな人間が絡んでくる。少年時代の鼠小僧次郎吉や風魔一族の末裔、さらには平手造酒の父親まで登場し、三十年前に死んだはずの（！）平賀源内と闘っていく。この間の錯綜したプロットの展開は要約しにくい。死人が歩き出すなど幻想的な場面が多いのも特徴だが、京の町に火を付けて騒ぎを起こそうとする源内の陰謀を、端午が破るラストのアイディアはケッサク。こういう細部が随所に光っている。「パターンはみだりに変えずに、内容に新しい趣向を盛ってゆく」という作者の考えがよく現れている長編と言えるだろう。

次は、栗本薫。この著者には『魔剣』『神変まだら蜘蛛』などの時代伝奇小説があるが（前者は未完）、ここでは『神州日月変』（小説現代、昭和五十六～五十七年）を読む。主人公は同心・古河雷四郎、動作は鈍いが気は優しい大男だ。人気絵師の錦絵に描かれた娘が次々に神隠しに合うという冒頭から、その謎を追って主人公の雷四郎が旅立つ道中ものになる。ここまではオーソドックスな伝奇小説。ところが油断していると、この物語はとんでもない展開を示し始める。

まず、妖術つかいの乱月斎が登場する。彼は日の本を魔界にする目的を持って唐、天竺よりも遠いところから来たとの設定。百年前にその乱月斎が高僧と争い、念珠が切れて八つの玉が飛び散り、八人の女の胎内に飛び込んだ（娘たちが次々に神隠しに会うのはその回収のためだ）、との「八犬伝」を彷彿させるプロットは、主人公が山に入って獣人が現れるあたりからやがて魔界と人界の争いになり、なるほどファンタジーなのかと思っていると、そうでもない。なんと最後はＳＦに転化してしまうのである。主人公の巨体が穴につまって身動きできない場面などに見られるユーモアと、後半の展開がミソ。

　都筑道夫と栗本薫の作品は、子どもの頃に物語の愉しさを教えてくれた伝奇小説の世界を、その不毛の時代に蘇らせようとする試みであると言えるだろう。パターンをみだりには変えないことも、この二人の作品には共通している。

　半村良もまた同様に、子どもの頃に伝奇小説の愉しさを知った一人である。十一歳の夏に土蔵で国枝史郎を読んだ時の興奮を、半村良は講談社の国枝史郎伝奇文庫『蔦葛木曾棧』の解説に書いている。その体験は強い影響を及ぼしたようで、それはのちに、『石の血脈』『産霊山秘録』『闇の中の系図』、さらには『黄金伝説』『英雄伝説』『楽園伝説』などの伝奇小説として結実している。巨石信仰、吸血伝説、超人一族、という歴史の裏側にある秘史を類稀な空想力で鮮やかに描き出し、昭和四十年代後半に颯爽とデビューした（実際は再デビューだが）著者の鮮烈な印象はまだ記憶に新しい（『蔦葛木曾棧』の解説に、「伝奇小説の血脈がたえかけている」と『石の血脈』を書いた頃の感想を書いているのは興味深い。これも「伝奇小説が持てはやされなかった」時代の証言だろう）。

　伝奇小説の面白さのひとつは、ストーリーが次々にふくれあがっていく面白さである、と言う半村良は、その味を出すためには先々の筋も決めずに毎月行きあたりばったりに書く連載がいい、と前出『蔦葛木曾棧』の解説に書いている。『石の血脈』は完全な書下ろしで、『産霊山秘録』も書下ろしのつもりで書いたものが都合で分割連載されたものだから、あの味が出ないと贅沢なことをそこに書いているが（この二作は大傑作なのである）、その不満を解消して書いたのが『妖星伝』（小説ＣＬＵＢ、昭和四十八〜五十五年、講談社、昭和五十〜五十五年）である。

これは途方もない大長編小説だ。冒頭は下野壬生の城下町。下僕の亥助が土屋新三郎の若妻の湯姿を部屋の中から覗いている場面。寝間の戸、小屋の戸、さらには母屋の壁と三重の障壁があるというのに、亥助の目には若妻の湯姿が見えるのである。この謎めいた冒頭から、読者は一気に不思議な小説の世界に引きずりこまれる。続いて、土屋新三郎の家を取り囲んでいる集団が登場。彼らは鬼道を信奉していて、幸福な若妻を犯し、土屋家をめちゃめちゃにしてしまう。一年後、土屋家は火事に遇い、その劫火の中で男児が誕生する。ここまでは何のことやらまったくわからないが、次に上田松平家の家老・木村勘解由が登場してきて、ようやく事態が少しずつ判明する。鬼道十二家が黄金城を探していて、その鬼道十二家は統率すべき外道皇帝がこの千年絶えているため散り散りになっているというのだ。外道皇帝は生まれながらにして浮身の術が身についているので高みから投げ落としても宙に浮きとどまっているという。そして劫火の中で誕生した男児を投げ落とす場面。赤子は地面に落ちず、宙に浮きとどまるのだ！

これが背景。ストーリーは、日天率いる一派と、信三郎率いる改革派に分裂して争っている鬼道十二家の内部抗争が中心となって展開していく。日天派はキリシタン同様の弾圧を受けている日蓮宗不受不施派の日円、さらには幕府に不満を抱く連中と同盟を結んで一揆を起こそうと画策するし、信三郎一派は田沼意次を登用して幕府を内部から攪乱（かくらん）しようとする。この両派の凄絶な暗闘が繰りひろげられる。これが不思議な臨場感と凄まじい迫力で活写される。

鬼道衆は遠くのものを視ることや、聴くことや、そして遠くの仲間と話すことができる。それを鬼道における遠隔三法（遠視、遠聴、遠話）というのだそうだ。そういう超能力を持った同士の闘いである。その遠隔三法を防ぐために鉛帽子をかぶったりするところは面白い。こういう小道具は随所に登場する。

しかし物語は、殺人狂・石川光之介が登場するあたりから、ねじれてくる。この殺人狂は死んだはずなのに稲妻に似た尖光とともに生き返るのである。そして訳のわからないことを言い出す。自分の国は補陀洛（ポータラカ）である、船に乗って王子を探しにきた、敵が追ってくる、補陀洛人は肉体が滅んだあとも霊魂となって生き続ける。そういう不思議なことを言い出す。さらに、花が咲き乱れる光景を見て「こんなに命がひしめきあっている星は珍しい。生命はもっと稀な存在である。あり余る命が互いに殺し合ってしか生きられない地獄なのだ」とまで言う。

ここまでが第一部。この基本設定のもとに、壮大なドラマが幕を開ける。円盤は襲ってくるし、外道皇帝らしき者が何人も出てくるし、地球の生命過剰現象がひとつの信号であることが徐々に明らかになってくる。

「神州纐纈城、蔦葛木曽桟……。伝奇小説を手がけたからには、いつの日にかあの深い沼へ引きずりこむような作品を書いてみたいと願っている。妖星伝はその国枝作品群を、自分なりに覆刻するつもりで書きはじめたものである。この作品を、最も愛し尊敬する国枝史郎先輩に捧げる」と元版の帯にあるが、その想像力と物語の構築力はたしかに国枝史郎に匹敵すると言っていい。『妖星伝』はそのくらいとてつもない物語である。

だが、ストーリーを収めに入ったらつまらなくなる（「幻想文学」第五号インタビュー）と作者自らが語っているように、黄金城をめぐる攻防を描いた第四部（ここは幻想小説にかぎりなく近い）あたりから、この物語はわけがわからなくなる。第五部の天道尼と女之助の件りは余分だろうし、第六部の栗山定十郎とお幾の一挿話、その後日譚までくると、たっぷりと読ませはするが物語にもう何の関係もない。国枝史郎の小説がそうであったように、このまま『妖星伝』が未完で終っても不思議ではない。しかし『蔦葛木曾棧』の解説で「伝奇小説とはうまくおわらない小説である」と書いた半村良なら、それでもいいのだ。それは作品の欠点ではなく、伝奇小説の栄光と言うべきだろう。むしろ、数年後に突如として完結篇が書かれたことに驚くべきかもしれない。

都筑道夫、栗本薫、半村良……昭和四十年代以降の不毛の時代にこういう作家たちがいたからこそ、昭和六十年代初期のムーブメントに繋がったと思うがどうか。

隆慶一郎が残したもの

時代伝奇小説の項は、隆慶一郎でしめくくる。

昭和六十年代初期の伝奇小説ムーブメントは、あえて断言するが、隆慶一郎ひとりに集約される。その第一長編『吉原御免状』（週刊新潮、昭和五十九年九月～六十年五月）は、それまでの時代伝奇小説とは一線を画した作品で、実に斬新な長編だった。時代小説に無縁な若い読者まで巻き込んだムーブメントの鍵はこの長編の中にすべてであると思われるので、青年剣士・松永誠一郎が吉原を訪ねる場面から幕が開くこの長編をまずテキストにしたい。

彼は山中で宮本武蔵に育てられた男で、二十六歳になったら吉原を訪ねるように師から言われていたという設定である。ところが、いきなり襲ってきた裏柳生の忍者軍団は「神君御免状はどこだ」とわけのわからぬことを言う。物語はすぐ、その背景を明らかにする。誠一郎が吉原を訪ねる二十五年前、天皇家に徳川の血を入れたいとの執着に憑かれた二代将軍徳川秀忠は末娘和子と後水尾天皇の婚儀を画策し、同時に他の女御が生んだ皇子を裏柳生を使ってことごとく暗殺する。これがこの物語の背景（この二代将軍秀忠と後水尾天皇の暗闘、柳生一族と天皇の隠密の凄絶な闘いを描いたのが、猿飛佐助、霧隠才蔵らも活躍する『花と火の帝』〈日本経済新聞社、昭和六十三年二月～平成元年九月、同社刊、平成二年一月〉で、迫真の幻術場面〈念力の闘い！〉が何よりも読ませる傑作である〉。

　松永誠一郎はその生き残りだったのである。つまり、彼は後水尾天皇の皇子である。ここまでが冒頭。なぜ徳川家康が吉原にだけ色里の独占許可を与えたのか、その神君御免状をめぐって吉原の傀儡子一族と裏柳生の忍者軍団が闘いを繰りひろげる、というのが『吉原御免状』の骨格である。

　この長編のポイントはいくつかある。まず①徳川家康影武者説が早くも登場していること。世良田二郎三郎元信が関ヶ原の闘いで家康と入れ代わったというのだ。家康と瓜ふたつの二郎三郎を見つけたのが、死んだはずの明智光秀（のちの天海僧正）で、この二郎三郎、もともと説経師だった、というところから次のポイントに移っていくが、その前に、この徳川家康影武者説を全面展開したのが大作『影武者徳川家康』〈静岡新聞、昭和六十一年一月～六十三年十一月〉である。こちらは家康となった世良田二郎三郎と二代将軍秀忠の暗闘を、柳生忍者、風魔一族、島左近などを絡めて描いた渾身の力作で、あるいは隆慶一郎の代表作といっていいかもしれない。そのストーリー構成、圧倒的パワーは戦後の時代伝奇小説のなかでも鮮やかに突出している。

　で、次のポイント②は傀儡子一族の登場に見られる〈道々の輩〉の存在がこの処女作に早くも取り入れられていること。海民・山民。鍛冶・番匠・鋳物師の職人たち。楽人・舞人・猟子舞・猿楽・遊女・白拍子にいたる芸能の民。陰陽師・医師・歌人・能書・算道など知識を売る面々と武芸を売る武人。博奕打・囲碁打などの勝負師。巫女・勧進聖・説経師、そして各宗派の公界僧たち。これらはすべて〈道々の輩〉と呼ばれ、諸国を自由に往来していたという。天皇以外の権威を認めずに全国を放浪していた中世の誇り高き漂泊の民＝非農業民の存在は、網野善彦（あみのよしひこ）（『無縁・公界・楽』〈平凡社〉など）らの中世研究を基にしているが、施政者にとって都合の悪い、こうした無縁の徒を封じ込めたのが徳川幕府の陰謀＝差別政策だった、という独特の史観から時代小説を描いたのが隆慶一郎である。これは隆慶一郎理解の最大のポイントだろう。すなわち隆慶一郎は「きまった土地も家も持たず、全国を放浪して一生を終えた人々。更には海人・山人・輸送業者。こうした一種の自由人たちの眼で歴史を眺めたら、一体どんな様相が展開するか。そこが何ともいえず楽しく、面白い」（『時代小説の愉しみ』あとがき、講談社）という視点で時代伝奇小説を書いた作家なのである。したがって、隆慶一郎の作品が、漂泊の民がその自由を守るための闘いになる、のも自然だろう。『吉原御免状』もまた、傀儡子一族がその自由の砦を施政者から守るための闘いを描いているが、この基調は他のすべての作品にも通底している。

世良田二郎三郎がささら者〈＝ささらを摺り鳴らしながら説経節を語ったので、この名が付いた〉だったという『影武者徳川家康』は、〈道々の輩〉のユートピアを駿府に作ろうとする壮大な闘いであるし、たとえば徳川家康の第六子に生まれながら不遇のまま生涯を終えた松平忠輝を描いた『捨て童子・松平忠輝』（地方新聞、昭和六十二年五月～六十三年十一月）も、忠輝の護衛役となるのは漂泊の民・傀儡子一族である。この長編の中に、忠輝が秀頼を四条河原に連れ出して〈道々の輩〉を見せ、別の世界があることを教える場面があることに留意。『鬼麿斬人剣』（小説新潮、昭和六十一年三月～六十二年四月）の主人公・鬼麿も漂泊の自由民・山窩に育てられたとの設定で（しかし、これもたっぷりと読ませるものの、師匠の作った駄刀を破棄して歩くとのストーリーの前提はいささか強引すぎるのは否めない）、前出の『花と火の帝』にも修験者、霊能者、曲芸師、山民などが重要な役割を持って登場している。例外がまったくない、と言っていいほど、隆慶一郎の作品には自由を求めるこの漂泊の民が繰り返し登場する。

ちなみに、徳川家康影武者説以外にも、隆慶一郎の作品は相互に関連しているが、『吉原御免状』から見ると、ここに登場する幻斎（十三年前に死んだはずの吉原の創設者・庄司甚右衛門（しょうじじんえもん））は、北条方の情報収集係・傀儡子一族の若き長として、かぶき者・前田慶次郎（まえだけいじろう）の半生を描いた『一夢庵風流記』（週刊読売、昭和六十三年一月～平成元年一月）に、吉原を作って年老いてからは、斎藤杢之助、中野求馬、牛島萬右衛門の三青年が活躍する痛快長編『死ぬことと見つけたり』（小説新潮、昭和六十二年八月号～平成元年八月号、新潮社、平成二年）に、それぞれ登場している。

ポイントの③は誠一郎が水野十郎左衛門と屋根に昇る場面。「こんなうす汚ない世の中に、糞尿（ふんにょう）に塗（まみ）れながら生き永らえるなど、真平御免だ」と言う水野の叫びに、滅びるしかない男のロマンが横溢していること。水野十郎左衛門は、直接的には『死ぬことと見つけたり』の牛島萬右衛門タイプの男（つまりは楽天的で粗野な男）だが、その精神は、『捨て童子・松平忠輝』の忠輝、『一夢庵風流記』の前田慶次郎、『死ぬことと見つけたり』の斎藤杢之助たちに通底している。「定刻にお城に登り、定刻にお城をさがる。商人のように算盤をはじき、お上にへつらい目下の者をおどし……それがたかが栄達と金のためだ」という水野は、隆慶一郎作品に登場する誇り高い自由民＝漂泊の民にかぎりない共感を寄せるのである。

『吉原御免状』はこのように、隆慶一郎のその後の作品に通底するものをすべて包含している長編である。新しい歴史学の成果を積極的に導入したことが現代の読者に受け入れられた最大の要因だろうが、これをまとめてみると、「すたれていたわけではないが、持てはやされもしなかった」時代伝奇小説の面白さが、隆慶一郎によって昭和六十年代初期に突如として復活したのは、

①人物造形が現代的であること。②物語がスピーディに展開すること。③かつ波瀾万丈であること。④登場人物の感情を豊かに描いていること。⑤すべての底に自由のひびきがあること。

などが挙げられる。他にも猿飛佐助など、講談でお馴染みの人物を登場させたり、あるいは死の影が濃いことなど特徴はあるが、とりあえずこの五点に絞られる。『吉原御免状』が教えるのはそういう隆慶一郎の独自性である。このどれが欠けても、昭和六十年代初期の時代伝奇小説ムーブメントは起きなかったと思う。それが隆慶一郎という一人の作家によって成されたことに感服するのは、私だけではあるまい。

しかし、一個の作品として見た場合、『吉原御免状』はやや説明にすぎている点がなくもな

い。誠一郎の生い立ちや徳川家康の影武者誕生の件りなど、過去の挿話が多いのもそういう印象を強くしている。それまでの時代伝奇小説に馴れていた読者にはたしかに斬新で、画期的な面白さを秘めた作品ではあったが、その後の作品に比べると（たとえば『影武者徳川家康』や『一夢庵風流記』『捨て童子・松平忠輝』など。ちなみにこの三作が私が選ぶ隆慶一郎のベスト3である）、まだ未消化だった点は否めない。

そこで『かくれさと苦界行』（小説新潮、昭和六十一年七月〜六十二年四月）。こちらは『吉原御免状』の続編である。すでに背景の説明は済んでいるので、今度は活劇が存分に展開する。何といっても圧倒的なのは荒木又右衛門の造形だろう。『吉原御免状』から引き続き、吉原を守る誠一郎と老中・酒井忠清の命を受けた裏柳生の闘いが展開するが、争われる神君御免状の謎は解かれ、それを手に入れたところでどうなるものでもないことが読者には明らかになっている。したがって神君御免状は奪われるのかというストーリー展開よりも、違うものが中心になる。その第一が荒木又右衛門である。この化け物の存在感がとにかく他を圧している。こういうものを描くと隆慶一郎の筆はいつも生き生きとするが、これも例外ではない。

次に、誠一郎と裏柳生の首領・義仙の闘い、幻斎と荒木又右衛門の闘い、このふたつの決闘を『かくれさと苦界行』はクライマックスにしている。この臨場感が第二。時代伝奇小説は闘いの場面が陳腐では盛り上がらないが、隆慶一郎はこれも群を抜いてうまい。第三は、義仙の後日譚だ。ここに『花と火の帝』の岩介が次々に敵を味方にしていく件りを重ねてみると、作者のもうひとつの顔が見える。隆慶一郎が描いたヒーローは、おおらかな男が多い。それは時代伝奇小説のヒーローとして、決して隆慶一郎の独創ではないが、何よりも自由を愛し、しかも哀しみを秘めた男、との設定はこの作者の筆力をもってして初めて書き得たものだ。あるいは普遍的なヒーロー像が存在することを、隆慶一郎は証明したのかもしれない。

『吉原御免状』の連載が始まった昭和五十九年九月から急逝する平成元年の十一月まで、隆慶一郎の執筆期間がわずか五年にすぎないことに驚かされる。たった五年しか活動しなかった作家が、これほどの衝撃力を持ち、おそらくは後世に語り継がれていくとは想像を絶している。『花と火の帝』の解説で、担当記者だった浦田憲治（うらた けんじ）は「隆氏のような筆力・構想力をあわせもつ大型の時代作家はもう二度と出ないように思われる」と書いているが、同感せざるを得ないところが何とも淋しい。

ヒーローの善意

　伝奇小説に続いて、日本の時代小説をしばらく読む。日本の時代小説は、大正末年の伝奇小説群を除けば、机龍之助（中里介山『大菩薩峠』）、堀田隼人（大佛次郎『赤穂浪士』）、森尾重四郎（土師清二『砂絵呪縛』）、丹下左膳（林不忘『新版大岡政談』）、などの昭和初年代のニヒリスト・ヒーローたちから始めるのが筋かもしれない。このニヒリスト・ヒーローの系譜と、これに続く「紋三郎の秀」（子母澤寛）、『股旅草鞋』（長谷川伸）などのやくざものを、昭和初年代の世情を反映したニヒリズムとデカダンであると真鍋元之は分析しているが（『大衆文学事典』）、日本の時代小説を概観するならば、そのニヒリスト・ヒーローとやくざものにも当然触れざるを得ないだろう。だが、ここは順序を無視して山手樹一郎から始めたい。昭和初年代がそういうニヒリスト・ヒーローの時代だったということを一方に置くと、山手樹一郎の登場は理解しやすいのである。

「私は時代小説を書いて一本立ちになろうと腹をきめた時、時代小説の盲点はどこにあるだろうと考えてみた。そのころ（昭和八年前後）時代小説では股旅物や捕物帖、現代小説ではユーモア小説が流行していたが、時代ユーモア小説というようなものはほとんど見あたらなかった。私はこれが穴だなと思ったので、時代小説にあたたかい微笑を取り入れてみようと心がけることにした」（『あのことこのこと』光風社出版）

　明朗時代小説の善意あふれるヒーローは、これまで見てきたように、白井喬二『富士に立つ影』の熊木公太郎、あるいは長谷川伸『紅蝙蝠』の戸並長八郎がその先駆とされていて（しかし戸並長八郎は巷間伝えられるほど明朗型ではない。たしかに正義漢ではあるけれど、おちい様に対する思慕や悪漢に対決する時の感情の振幅は明朗型というには烈しすぎる。これはちがうジャンルのヒーローに分類すべきだろう）、山手樹一郎の独創ではない。ただ、ニヒリスト・ヒーローが闊歩していた時代に対抗して、この善意のヒーローが生まれたことは強調しておいたほうがいい。

「時代小説の主人公は、これまで求道精神主義者か、しからずんば正義派であった」と考えて、その逆を行くために昭和三十年代に『眠狂四郎』を書いた柴田錬三郎の例を引き、その正義派こそ、柴錬の二十年前にわざわざニヒリスト・ヒーローを一度否定して山手樹一郎が創りあげたものであると石井富士弥は指摘しているが（「国文学解釈と鑑賞　大衆文学の世界」）、その皮肉は時代の気分を反映する大衆小説の成立事情を語っていて面白い。

　山手樹一郎が博文館の編集者だったことは有名で、山本周五郎は「傑作倶楽部」臨時増刊号「山手樹一郎・山本周五郎読本」に、「畏友山手樹一郎へ」と題して、「譚海」編集長時代の山手樹一郎が初めて大衆小説を書かせてくれた恩人であることを書いている。

その山手樹一郎が「一年余日」でデビューしたのが昭和八年。第一長編が『桃太郎侍』(岡山合同新聞、昭和十四年十一月〜十五年六月)である。この第一長編について、山手樹一郎の師・長谷川伸は次のように書いている。「最初は読者の間にさしたる注目もひかなかったが、ほンの暫く時がたつと、すばらしいウケ方で、例えば、新聞の配達さんがその日の分を先ず以って読んでいて配達するので「新聞屋さんどうなった?」と新聞を受取るお得意さんに言葉せわしく聞かれると、配達さんが、「いよいよヤッ付けそうです」と答える、と客のほうは喜んで、「しめた……」と新聞をひらき、『桃太郎侍』の立ち読みをはじめた、この例えは岡山の人から聞いたものである」(番町書房『日本伝奇全集8』月報)

山手樹一郎の出世作、この『桃太郎侍』は、ではどういう物語であったのか。まず主人公は右田新二郎。気はやさしくて力持ち、天涯孤独の二十五歳。踊りの師匠で女スリの小鈴から、さる大名のお家騒動に力を貸してくれと頼まれるのが発端。小鈴の話では、悪いのは江戸家老・神島伊織で殿様を毒殺して江戸の若様・新之助に自分の娘を嫁がせようとしている、という。それを阻止しようとするのが国家老の鷲塚主膳。ところが、ひょんなことから知り合った神島伊織の娘・百合の話ではそれが逆になっていて、悪いのは鷲塚主膳。妹が生んだ殿様の子を世継ぎにしたいとの野望を秘めて江戸の若様・新之助を亡きものにせんと狙っている。その藩が四国丸亀藩若木家であることを知って、右田新二郎は驚くというのが次の展開。実は新二郎、ふたごであることを恥じた家老から捨てられた若木家の子であったのである。つまり、江戸の若様・新之助は新二郎の兄。だが、一度捨てられた若木家の味方をするつもりはないし、悪人の味方もしたくない。新二郎、最初は対岸の火事見物のつもりである。ところが、兄が毒を盛られて病床についてしまう。こうなると途端に義憤にかられ、兄に化けて国もとに入る決心をするのもやむを得ない。ここから新二郎はお家騒動に巻き込まれていく。

一人二役は『ゼンダ城の虜』を下敷きにしていると言われるが、この主人公、二役どころではなく、江戸の俳諧師に化けたり（誰も気が付かないのがおかしい）、若党に化けたり、いささか好都合すぎるのが疵の一。穴倉に閉じ込められる水責め場面やいくつかの挿話があり、なかなか道中記にならず、ようやく旅立つのは物語の半分すぎ。その道中記の部分が駆け足で物足りないのが疵の二。しかし、追ってくる鷲塚主膳の腹心・伊賀半九郎、元盗賊の伊之助や長屋のお俊仙吉親子など多彩な登場人物を配して、峠の待ち伏せなどの山場も用意。国もとの大活劇と兄との感動的な再会まで、なるほどたっぷりと読ませる。定型ながらも飽きずに読ませる筆致は見事と言わざるを得ない。山手樹一郎のすべてはこの第一長編にあると思われるので、まず特徴を列記してみる。

①主人公が気はやさしくて力持ちであること。②そのくせ瞬時に事態の本質を見抜いてしまうこと。③女嫌いなのに女にもてること。④妖艶な年増女と清楚な娘が取り巻くこと。⑤気のいい掏摸か泥棒が味方すること。⑥道中記仕立てで、お家騒動に巻き込まれること。

以上が山手樹一郎作品に多く見られる特徴だが、中には疵のほうが多く目に付く作品がないわけではない。代表作の一つと言われる『又四郎行状記』（地方新聞、昭和二十三〜二十六年）は残念ながらそういう作品と読める。

勝気な深川芸者お艶が、おっとりしていて親切で、ものごとにこだわらない世間知らずの笹井又四郎に意地で惚れるのが発端。さる大名のお家騒動に巻き込まれるのもいつものパターンだ。磐城七万石内藤丹後守の息女多恵姫と、松平和泉守の三男・源三郎の婚儀の話があるというのが次なる展開。この多恵姫がとんでもないじゃじゃ馬姫で、婚儀までに江戸に連れてきていろいろと躾を教えなければならない。そこでお艶が使者に選ばれるという設定。この話を聞いただけ（！）で、辻褄が合わないことをわが主人公は指摘するほど、ぼーっとしているわりには頭がいい。国家老・大島刑部とその用人・谷主水が悪党であることはすぐ読者に暗示されるが、それまでは何のデータもないというのに、又四郎はいきなり事態の本質を見抜いてしまうのである。かくてお艶と一緒に又四郎（実は源三郎その人）の磐城平まで五十五里の道中記が始まるが、この道中記はあっけなく、多恵姫と又四郎の駆け落ちで第一部は幕。全体は四部構成で、第二部は一旦多恵姫を国もとに戻して江戸に帰る又四郎の旅。後家のお蝶と道連れになり、また惚れられる展開になる。絡んでくるのは主水の兄、旗本やくざの石部寅太郎。追ってくる浪人たちとの戦いはあるが、この間、多恵姫やお家騒動は忘れられる。

第三部は、またまた江戸を出る又四郎の旅で、今度は仙台にいる多恵姫の救出に向かう。ここでも旅役者の菊八と知り合うが、さすがにこれ以上はひろげられなかったのか、この女役者、お艶お蝶に割って入らず、あまり重要な役は与えられない。異彩を放つのは追っ手に加わる青鬼という謎の人物で、おやっと期待を持たせるものの（その正体は江戸に多恵姫を連れて帰る第四部で明らかになる）、物語にはあまり関係がなく、長大な話をひっぱる人物にすぎない。

最後の道中記もあっけなく、お家騒動がいつの間にか主水の個人的な意地の戦いに転化するために尻つぼみになるのも疵。全体を通して読むと第一部以降は付け足しの感は免れない。「悪人というものはそれだけの器量がなくては、なかなか悪いことはできないものだ。その悪才を良いほうへ導いて使うようにさせれば、きっとものの役にたつものだ」という先人の教えがこの作品の鍵だろうが（箱屋の常吉とやくざ浪人横倉大造は改心する）、主水は悪魔だったのでその限りにあらずというのは都合よすぎるし、いくら無益な殺生はしない主義で逃げてばかりいるとは言っても、この主人公は困ると小判をまいて金で解決するのである。この行動倫理も理解しにくい。

あるいは山手樹一郎は、お家騒動、道中記という伝奇仕立ての作品がその体質に合っていなかったのかもしれない。というのは『夢介千両みやげ』（読物と講談、昭和二十二年一月号〜二十四年十二月号）というヘンな作品が一方にあるからだ。

これは小田原在の夢介が道楽の修行のために千両を携えて江戸に出てくる物語で、若旦那にたかられ、つつもたせには引っ掛かり、そのたびに金を取られても、この男、まるで平気という無類のお人好し。辰巳芸者・浜次は騙すつもりがあまりの人の良さに逆に惚れてしまうし、女芸人・春駒太夫もこの牛のようなヤボ男に惚れてしまう。道中師のお銀はヤキモチ焼の勝気女で、近づいてくる浜次や春駒太夫に嫉妬するが、夢介はのらりくらり。利口なのかバカなのか何を考えているのか、まるでわからない男である。

これはお家騒動でも道中記でもない。『桃太郎侍』のような貴種流離譚でもなければ、『又四郎行状記』のようなプロット中心の道中記でもない。お人好しの善人がケタ外れの善意を配って歩く物語である。なんとそれだけなのだ。これが発表後四十年もたってみると、意外に新鮮なので驚く。夢介は、山手樹一郎が描く他の主人公とさして差があるわけではない。明朗派という性格設定では基本的には同一である。だが、右田新二郎の義憤や又四郎の正義からは隔絶している。いや、新二郎の義憤や又四郎の正義は、プロットの展開上付いてきたもので、彼らの本質も夢介と変わりないのかもしれない。しかし、付随するものがあるだけ本質が見えにくいならば、山手樹一郎の素顔は夢介にあると言わざるを得ない。夢介は、新二郎や又四郎の核たる善意のかたまりである。そして義憤や正義は風化しても善意そのものは風化しないことを『夢介千両みやげ』は教えてくれるのである。戦後の時代小説が、このケタ外れの善意から始まったことは記憶されていい。

机龍之助の皮肉

順序をもとに戻して、日本大衆小説の始まりから読んでいきたい。となると、最初は当然ながら、中里介山『大菩薩峠』になる。日本の大衆小説の嚆矢(こうし)とされているこの大長編小説は、実はとてつもなくヘンな小説である。

何が、ヘンなのか。その前に『大菩薩峠』全体の構成を見てみよう。この大長編小説は、全四十一巻にわかれている。冒頭は、大菩薩峠で机龍之助が何の理由もなく老巡礼を斬る有名な場面だ。次は宇津木文之丞の妻、お浜が龍之助を訪ねてくる場面。奉納試合で手加減してもらいたいという依頼である。ところが龍之助はお浜を手ごめにしたあげく文之丞を試合で打ち殺し（とんでもない男だが、作者は龍之助の行動の動機をいっさい説明しない）、お浜と一緒に江戸に出奔する。追ってくるのが文之丞の弟、兵馬。次はいきなり四年後の江戸、龍之助は吉田龍太郎と名乗って新徴組に入っている（一方に老巡礼と一緒にいた孫娘お松と、彼女を助ける怪盗七兵衛がいる）。ここまでが第一巻。なかなか快調な導入部である。

　第二巻は、わが子への情愛もなく（龍之助とお浜の間には郁太郎という子供がいる）、果たし状を寄越した兵馬を打ち殺そうとしている龍之助を刺して自分も死のうと剣を持つお浜を、龍之助がついに殺す巻。かくて龍之助は新徴組と一緒に京へ向かう。当然兵馬も追ってくるので物語の舞台は京都に移っていく。第三巻は、京都島原の遊廓に売られたお松と龍之助が再会する巻。清川八郎が殺されて新徴組は解散、新撰組が結成される。芹沢鴨が暗殺されて新撰組の内部抗争も決着をみる。龍之助はうなされて剣をふりまわすが、ここも作者は説明しない。

　龍之助が新撰組を抜けて天誅組の一行に入るのが第四巻。龍之助に特定の政治信条や主張があるわけではなく、すべて行き掛かりである。第五巻はその天誅組の残党が紀州に逃げ、そのどさくさに龍之助が失明する巻。ここまでが第五巻「龍神の巻」までの粗筋である。風雲急を告げる京を舞台にした伝奇仕立ての小説といっていい。このまま続けば（つまり兵馬と龍之助がいかに対決するかというところまで物語が進展していけば）、何の問題もない。全四十一巻だから、まだ三十六巻もある。一体どう展開していくか、期待も大きい。ところがこの大長編はここからねじれていく。

　そのねじれ方が尋常ではない。第六巻「間の山の巻」で芸人お玉と、その幼なじみ米友が登場すると、この物語はそれまでの様相をがらりと変えてしまう。兵馬の仇討ちは何の関係もなくなってしまうのである。まず、道庵先生という医者が登場する。これがどんな相手からも十八文しか取らないという偏屈な医者で、大言壮語で無軌道な行き当たりばったり男（米友とこの道庵のコンビ道中はケッサク）。さらに鬱屈（うっくつ）のかたまり、旗本神尾主膳とその先代の妾、淫婦お絹。甲府勤番支配として赴任する駒井能登守、焼け爛（ただ）れた顔を頭巾に隠すお銀と、中盤の主役が出揃うのが第十二巻。十八巻「安房の国の巻」でお喋り坊主弁信と美少年茂太郎が、二十一巻「無明の巻」でお雪と絵師田山白雲が登場するに及んで、『大菩薩峠』の登場人物図は完成するが、この間、兵馬は龍之助を追うものの、仇討ちそのものはあまり関係ない。龍之助もふらふらと彷徨っているだけで、徐々に物語上からその姿を消していく。第六巻「間の山の巻」から二十二巻「白骨の巻」までは、では何の物語なのか。

この間は旅の物語である。前記した登場人物が入り乱れ、京から甲府、房州、信州諏訪と、旅の連続（一巻から五巻までも、武州、京、紀州という移動であるし、二十三巻以降も名古屋、飛驒高山、関が原、仙台と旅が続き、『大菩薩峠』全体が旅の物語となっている）。善人与八や女軽業師お角、がんりきの百蔵なども絡んできて、全員が移動し続ける。龍之助も兵馬も関係なく、それらの人物のドラマが次々に語られていく。複雑に絡み合った壮大な枝道の連続である。

二十三巻「他生の巻」から三十四巻「白雲の巻」までもその事情は変わらないが、この間は駒井と白雲の談論の頻出に象徴されるように、芸術から社会評論にいたるまで森羅万象にわたる作者の意見が挿入される。突如ピグミーが登場したり（！）、勝海舟（かつかいしゅう）や西郷に比較して小栗上野介の偉大さが唐突に説明されたり、道庵が贋の海老蔵を懲らしめる挿話が文庫版でなんと四十ページも続いたりする。これはまったくわけがわからない。構成上のバランスを完全に壊していると言っていい。龍之助は時折登場するが、ただ茫然と生きているだけ。ここまでくると、龍之助は物語上の主役ではない。

三十五巻「胆次の巻」から物語は再びやっと動き出すが、その物語は伝奇仕立ての冒頭が嘘のようにまったく異なる物語だ。最終章の四十一巻「椰子林の巻」まで展開する新たな物語は、駒井とお銀のそれぞれのユートピア建設話なのである。これまでの膨大な話はすべてそこに収斂される。龍之助はまだ登場するが、その多くは夢の中だったり、霊魂だったりして、生きているのか死んでいるのかも判然としない。

　というのが『大菩薩峠』全体の構成だが、これをまとめてみると、

一巻〜五巻　伝奇仕立ての時代小説
六巻〜二十二巻　膨大な人物のドラマ
二十三巻〜三十四巻　作者の社会批評
三十五巻〜四十一巻　ユートピア建設の話

となる。「弁信の巻」（三十二巻）までは普通の構成で、〈不破の関の巻〉（三十三巻）以下は、作者の心境を直接語ろうとした点が目につく」という荒正人の分析（『大衆文学への招待』）や、「筋書の面白さは〈禹文三級の巻〉（二十巻）ぐらいまでだ」という尾崎秀樹の意見（『殺しの美学』三一書房）もあるが、私にもそう読める。

　この長編小説をどこで区切るにせよ、とにかく主人公が徐々に姿を消していって最後にはまったく違う話になるのだから（机龍之助を主人公に考えれば、の話だが）、尋常ではない。しかもこの膨大な物語の背景がたった五年にすぎないというのも妙だ。「前半においてあれほど面白さを持っていたこの小説が、後半乱脈不統一をきわめたものとなり、ついには収拾がつか

なくなった」と言う海音寺潮五郎の意見（「剣の文学　不可解第一のこと」文藝臨時増刊『大菩薩峠読本』所載）が代表とされるのも無理はない。その構造を見るかぎり、最初は伝奇仕立てに書き始めたものの、途中から作者の関心が他に移っていった、と読むのが妥当なところだろう。

『大菩薩峠』は、大正二年九月から都新聞に連載され、その後、大阪毎日・東京日日、隣人之友、国民新聞、読売新聞、さらには書き下ろし刊行と、昭和十六年まで断続的に書かれた長編小説で（作者の死によって未完）、わが国の大衆小説の祖とされている作品である。その間二十八年、馬琴『南総里見八犬伝』が書かれた年月と同じであるのは象徴的だが、作者自身は大衆小説と呼ばれるのを嫌っていたようだ。中里介山は「全編の主意とする処は、人間界の諸相を曲尽して、大乗遊戯の境に参入するカルマ曼陀羅の面影を大凡下の筆にうつし見んとするにあり」と書いている。カルマ曼陀羅といってもわかりにくいが、安岡章太郎は「果てもない道中記」で、「正直のところ私には、ちんぷんかんである。ただ私は、そこにわれわれの意識下に沈んだ内的な世界を感じ、作者がそれを小説のかたちで映し出そうとしていることは、何とか汲み取れるのである」と書いている。

そのような作品がなぜ大衆小説の祖とされるのか、ということについては橋本治に鋭い分析がある。『大菩薩峠』連載開始の大正二年は、講談社が講談師グループともめて速記講談から新講談（前述したようにこれがのちの大衆小説につながっていく）へ転換した記念すべき年である。そういう時代的な一致から『大菩薩峠』が大衆小説の祖とされる傾向に異を唱える橋本治は、連載開始の前日に掲載された広告に着目する。
「大菩薩峠は甲州裏街道第一の難所地。徳川の世の末、ここに雲起こりて風雲関八州に及びぬ、剣法の争いより、兄の仇を報いんとする弟、数奇の運命に弄(もてあそ)ばるる少女、殊に一夜に五十里を飛ぶ兇賊の身の上甚だ奇なり、記者は古老に聞ける事実を辿りて、読者の前に此の物語を伝えんとす」

この最後の件(くだ)り、「記者は古老に聞ける事実を辿りて、読者の前に此の物語を伝えんとす」に、事実を装う講談の流れを読む橋本治は、さらに高座で客に対して頭を下げる寄席芸人の語り口で始められたことと、その内容が近世の読本と同様にチャンバラのある物語であったことが、大衆小説として受け取られた原因だったと書く（龍之助とお松が再会する島原遊廓の場面を、男と女の巧みな書きわけと分析して、『大菩薩峠』は大衆小説ではないとする橋本治のこの論考『完本　チャンバラ時代劇講座』（徳間書店）は示唆に富んでいる）。

中里介山の主眼が〈カルマ曼陀羅〉にあり、時代伝奇小説を書くことになかったにせよ（その意味では後半のユートピア建設の件りこそが作者の眼目だったのかもしれない）、この長編が今日まで大衆小説として不動の地位を占めているのは、しかしもっと簡単なことが言えはしないか。それは何度かの映画化が龍神の巻まで、つまり伝奇仕立ての部分にすぎず、全体像を読者が把握していない（原作全巻を読み通している読者は少ない）、ということではない。そういう映画によるイメージの先行もあったかもしれないが、机龍之助というキャラクターが圧倒的に鮮烈であったこと。これが何よりも大きいのではないか。行動の動機をいっさい説明せずに人を斬る虚無的な男。このヒーロー像は強烈であったと思う。森尾重四郎、新納鶴千代、堀田隼人、丹下左膳、眠狂四郎などの追随者を生んだのも、この初代ニヒリスト・ヒーローがあまりに強烈な印象を与えたからだ。大長編小説の冒頭部分しか知られていないと言っても、その部分が魅力的でないならこれほど人口に膾炙（かいしゃ）しなかっただろう。『大菩薩峠』は、ユートピア構想や徳川の農民政策に対する議論の頻出に見られるように真面目かと思うと、駄洒落を披露したり（お絹が西洋人からマダム・シルクと呼ばれることに不機嫌になった主膳はなんと「おもシルクもねえ」と言うのだ！）、さらには極端に長い挿話が出てきたり、構成上はバランスを欠いた物語である。しかし不思議な魅力にあふれている。直木三十五（なおきさんじゅうご）の『南国太平記』と比較して、器用でもないし、文章も達者でないし、構造にもムラがあるが、長く記憶に残り続けると谷崎潤一郎が評したように、米友に代表される登場人物が魅力にあふれていること（この米友の造形がとにかく群を抜いている。正義感あふれる小男で、あとさきを考えないから喧嘩を買って出て丸坊主にされたり、子熊を助けたものの始末に困って連れて歩いたりする）、そして全編が旅の物語であるように漂泊の精神に満ちていること。欠点の多い物語ではあっても、このように充分に補って余りあるものがある。その中核にいるのが机龍之助というニヒリスト・ヒーローである。作者の意図を越えて、このヒーロー像が広く浸透したのは皮肉だが、それは小説の登場人物が時代のヒーローに転換していく過程にはよく見られる現象と言ってもいい。大正から昭和初年代にかけてこのようなヒーローが求められていた、ということのほうが重要だろう。

丹下左膳の場合

大衆小説のヒーローが作者の意図を離れて一人立ちしていく例は、机龍之助だけにとどまらない。その典型例のひとつを、たとえば丹下左膳の例に見ることができる。

現在流布している林不忘『丹下左膳』は、「乾雲坤竜の巻」「こけ猿の巻」「日光の巻」の三巻だが、もともとはそれぞれ、

『新版大岡政談』（東京日日新聞、昭和二～三年）
『丹下左膳』（大阪毎日・東京日日新聞、昭和八年）
『新講談丹下左膳』（読売新聞、昭和九年）

として発表された。周知のように、最初の『新版大岡政談』は大岡越前守を中心にしたもので、丹下左膳は脇役にすぎない。にもかかわらず、『丹下左膳・こけ猿の巻』から丹下左膳が主人公になっていったのは、その間に丹下左膳というキャラクターの人気が沸騰したからだ。映画化によって（特に伊藤大輔（いとうだいすけ）監督、大河内伝次郎（おおこうちでんじろう）主演による昭和三年の映画化の影響によって）人口に膾炙（かいしゃ）したことがその理由に挙げられるが、この思わぬ反響によって丹下左膳は作者

の意図を離れて主人公と化していく。というよりも作者が〈読者〉の反響を受け取って主人公にしていく。そのことによって、このヒーローの性格も変っていったというのが定説だが、脇役から主役に移るにつれて本当に丹下左膳の性格までもが変っていったのか。それを考えるには、最初の丹下左膳がどんなヒーローだったのかを見なければならない。『新版大岡政談』として発表された「乾雲坤竜の巻」にその原型がある。これは乾雲丸、坤竜丸という二つの宝刀をめぐる話で、丹下左膳は主君の命を受けてこの大小二口(ふり)の希代の業物を強奪しに来る使者として登場する。最初の登場場面は次のように描かれている。

「小野塚鉄斎道場のおもて玄関に、枯木のような、恐しく痩せて背の高い浪人姿が立っている。赤茶けた髪を大髻(おおたぶさ)に取上げて、左眼はうつろに窪み、残りの、皮肉に笑っている細い右眼から口尻へ、右の頬に、溝のような深い一線の刀痕が眼立つ」

隻眼隻腕のヒーローはこうして登場する。彼は鉄斎を打ち殺し、とりあえず乾雲丸を持って逃げてしまう。追ってくるのが鉄斎の弟子、諏訪栄三郎。この青年は、鉄斎の娘・弥生、水茶屋の娘・お艶という二人の女性に惚れられる美剣士で、こちらがこの物語の主人公といっていい。悪党・左膳と悪友・鈴川源十郎はその引き立て役にすぎない。そこに大岡越前が絡んでくるというのが『新版大岡政談』の筋立てだ。

この「乾雲坤竜の巻」における丹下左膳はたしかに善人ではない。鉄斎と弟子たちを斬る場面では「此の刀で、すぱりとな、てめえ達の土性ッ骨を割り下げる時が耐らねえんだ。肉が刃を咬んでヨ、ヒクヒクと手に伝わらあナ――うふッ！　来いッ、どっちからでもッ！」と言い放つし、お藤を責め苛（さいな）む場面では次のように描写される。「細松の幹を思わせる、ひょろ高い筋骨、それに着たきり雀の古袷がはだけて、毎夜のやみを吸って生きる丹下左膳、さらぬだに地獄絵の青鬼そのままなところへ——左手に握った乾雲丸を鞘（さや）ぐるみふりあげるたびに空の右袖が不気味な踊りをおどる」

さらにもうひとつ、悪友・鈴川と仲たがいして斬ろうとする場面では、人を斬ると思うだけで眼を細くしてうっとりし、「いまは生血の香さえ嗅げばいい丹下左膳、右頰の剣創（けんそう）を引きゆがめて白い唇が蛇鱗（だりん）のようにわななく……」というから危ない男だ。坤竜丸を探すという目的はあるにしても、夜の町に出る左膳は「血、血、血……人を斬ろう、人を斬ろう」と無意味な辻斬りを繰り返すのである。

こういう虚無的な殺人者が、『丹下左膳・こけ猿の巻』以降どう変わるのか。丹下左膳は主役になると、親のいないチョビ安に同情して父親代わりになり（！）、その少年を助けるためにはせっかく手に入れた壺を悪党に差し出すようになる。これはたしかに驚くべき変化と言えるだろう。『丹下左膳・こけ猿の巻』は、壺に隠された柳生の財宝をめぐる話で、この続編が「日光の巻」。

『新版大岡政談・乾雲坤竜の巻』に引き続き、大岡越前守、お藤、与吉、蒲生泰軒、などが登場するが、左膳は主役だけあって今度は壺を奪い取る側ではなく、柳生源三郎の味方。壺を守る側である。司馬道場の娘・萩乃に恋しても「こうして源三郎が生きている以上、萩乃に対する自分の恋は、育ててはならぬ。わが心は生えた芽のままで、摘み取ってしまわなければならないのだ」と自制する男でもある。裏切り者には「俺ァなァ、第一に、人を出し抜くことが大嫌えなんだ」とまで言うから驚く。さらに、この壺争奪戦にそれほど関係がないにもかかわらず絡んでいくのは「男の意気」であり、「左膳を動かすのは、義と友情の二つあるだけ」と自分で言うのだ。まったく調子のいい変わりようとしか言いようがない。

『新版大岡政談・乾雲坤竜の巻』の丹下左膳と、『丹下左膳・こけ猿の巻』『日光の巻』における左膳は、こう並べてみるとたしかに別人のようではある。映画化による人気沸騰で作者の意図を越えて主役にのし上がっただけでなく、性格までもが変わっていった、というのもうなずけないことはない。

だがもう一度、『新版大岡政談・乾雲坤竜の巻』を見ると、丹下左膳というキャラクターの、不変の要素もないわけではないことに気付く。左膳は『乾雲坤竜の巻』で理由なき殺人者として登場するが、意外に陰湿ではないことに気が付くのだ。たとえばこの『乾雲坤竜の巻』で、乾雲丸と坤竜丸がひょんなことから入れ代わった栄三郎と左膳がばったり逢う場面が好例。栄三郎は恋人と引換えに刀を手に入れるわけにはいかないと返しに行くのだが、左膳は手段はどうでも手に入ればこっちのもの、埋めたはずのもう一本の刀を掘りに行けば（実はすでに掘り出されて栄三郎が持ってはいるのだが）国に凱旋できると急ぐ場面である。この次の展開がすごい。「不純な心で盗んだものは受け取れない」と栄三郎が乾雲丸を左膳に返すと、目的のためには手段は選ばないと言っていた左膳は、なんと「おい若えの、よくいった。そっちがその気なら、俺もてめえに返すものがあるんだ」と坤竜丸を返してしまうのである。これではなぜ刀が一度交換されたのか、そのドラマの必然性がなくなってしまう。こんなことですぐ元に戻ってしまうのでは剣を入れ換えた前段のエピソードがまったく無意味になる。これは作者のいいかげんさの表れなのかもしれないが、結果的に殺人鬼の陰湿さを救っている。ここに、お互いに惚れた女の居所を教え合った左膳と鈴川が、詳しく確かめもせずにそれっと飛び出していく（軽率なこと！）同じ巻の場面を重ねればいい。主役になって性格が変わったとされる『丹下左膳・こけ猿の巻』の「思う存分人を斬れるような、面白え話はねえか」と言う冒頭をさらに重ねれば、脇役になっても主役になっても変らない左膳の側面が見える。すなわち、左膳は陰湿な殺人狂というよりも粗野で単純な性格の男なのだ。その意味では一貫しているといっていい。脇役から主役になることで変っていった面もたしかにあるが、変らない素顔もこのようにあることは意外に見逃されている。

このような男がなぜ昭和初期のヒーローになりえたのかについては諸説がある。伊藤大輔による映画の影響を見る人は封建制への絶望と反逆を読むだろうし（原作にはこういう要素はほとんどない）、隻眼隻腕であることに価値の逆転を読む人は「弱い者は弱くはない。劣った者は劣ってはいない。ここにおそらく、大衆のもっとも秘められた心情がある」（多田道太郎『大衆文学の可能性』河出書房新社）という理由を見るだろう。この時期にニヒリスト・ヒーローが多く登場したことの理由として一般的に挙げられるのは、次のような理由だ。「社会心理的には、昭和前期の文化の退廃に抵抗するものを左膳が代行してくれたと考えられる。三・一五、四・一六と政治的弾圧が相次ぎ、世の中はモガ・モボ・ナンセンス文化が華やかな彩りをそえながらも、どこか暗い一面を宿していた。片眼片腕の怪剣士の登場は、大衆のウックツ感を取りはらってくれる代償満足でもあったのだ」（尾崎秀樹、新潮文庫解説）。暗い世相だったからこそ、信じるものを持たないニヒリスト・ヒーローが喝采を浴びた、という図式は理解しやすい。机龍之助が作者の意図を越えて昭和初期のヒーローと化したように、かくて丹下左膳もまた貧困と不景気と不安の時代に、闇を斬るヒーローと化していくのである。

もっとも『大衆文学事典』で真鍋元之は、この時期のニヒリスト・ヒーローはけっして同一でないと、次のように分類している。人間性本来の常闇の淵から発した机龍之助のニヒリズムと、剣が社会の因習と不合理の破壊に向けられた堀田隼人（大佛次郎『赤穂浪士』）、森尾重四郎（土師清二『砂絵呪縛』）、丹下左膳らの、社会機構のひずみから発したニヒリズム（この三人はいずれも昭和二年に登場している）、さらに時代が下って人間の営みすべてに憎しみが向けられる新納鶴千代（群司次郎正（ぐんじじろうまさ）『侍ニッポン』）のデカダンス、の三パターンに分類している。

この群司次郎正『侍ニッポン』は昭和六年に発表されたもので、「井伊直弼を父として育った新納鶴千代が、民衆による時代の変革を夢みながらも、その新しい思想を誰からも理解されず、武士階級のもつ固苦しい意識に反逆して、勤皇派志士たちの動きにもついてゆけず、かといって恋に身をまかすこともできないままにニヒルな方向をとる姿を描いた長篇」（尾崎秀樹『大衆文学の歴史』）である。当時は映画化され（こちらも伊藤大輔、大河内伝次郎のコンビだ）、歌にもなって一世を風靡（ふうび）したらしいが、今読むと退屈な小説にすぎない。内実を伴わずにテーマが先走った小説は風化しやすい典型だろう。

それにしても『丹下左膳』はデタラメである。「日光の巻」で、壺に隠された財宝の地図が発見されるものの、虫に食われて読めないことが判明するや、柳生家を取り潰すつもりのない将軍はなんと大修繕に必要な金額だけ埋めて柳生に渡すのである！　この段階で「日光の巻」はまだ四分の三も残っている。これでは物語の続きようがない。峰丹波と源三郎の闘いは続き、左膳も仕方なく真実の壺を探して通りすがりの壺を手当たり次第に襲ったりするが、精彩を欠くのも致し方ない。物語としては『乾雲坤竜の巻』のほうが完成度は高いだろう。しかしこの「日光の巻」は「新講談」と銘打たれただけに、文体、ストーリーともに自由奔放な展開を示し、不思議な魅力に溢れている。丹下左膳が今もなお残り続けるのはニヒリスト・ヒーローという理由だけではない。もしそうであるなら『侍ニッポン』のように時代とともに忘れられていく。物語が波瀾に満ちて魅力にあふれていたこと。その自由な世界を林不忘という特異な作家がいきいきと泳いだこと。これが大きいのではないか。

　いや、机龍之助を始めとして堀田隼人や森尾重四郎や丹下左膳や新納鶴千代など、この系譜上の男が戦後も柴田錬三郎「眠狂四郎」や、笹沢左保（ささざわさほ）「木枯らし紋次郎」などに蘇っているのは、我々の時代がいつもこういうニヒリスト・ヒーローを必要とすることを逆に映し出しているのだろうか。

長谷川伸と流れ者ヒーロー

股旅小説は昭和六年の子母澤寛「紋三郎の秀」がその嚆矢とされているが、実際には昭和三年の長谷川伸の戯曲『沓掛時次郎』が股旅もの流行の先駆である。新国劇の沢田正二郎によって同年初演された『沓掛時次郎』は大変な好評を博したという。その股旅という名称が初めて使われたのも昭和四年、長谷川伸の戯曲『股旅草鞋』で、さらには翌年、渡世人の番場の忠太郎が生別した母を探す戯曲の名作『瞼の母』も書かれている。

もっとも股旅ものの開幕に関しては諸説があり、大正八年、行友李風『国定忠治』を股旅ものの濫觴とする説や、さらには伊達と任侠の世界に生きる男を描いた村上浪六の撥鬢小説をその始まりとする見方もある。誰がいちばん早く書いたのかというのはさして問題ではないが、長谷川伸といえば股旅小説と言われるくらいに、この作家がその一翼を担ったのはまぎれもない事実と言えるだろう。しかし、この分野を開拓した作家の一人という栄光はあったにしても、長谷川伸が四十年間に書いた短編の数は五百数十編で（村上元三、『長谷川伸全集』解説）、その内訳も、敵討ちもの、史伝もの、世話ものと多彩である。股旅ものはその何分の一かにすぎない。渡世人を主人公にした戯曲や小説では流行作家となった（昭和四年から十年にかけては一年に十冊以上の単行本が出ていたという）ものの、昭和十年以降は歴史小説『荒木又右衛門』、記録文学『相楽総三とその同志』『足尾九兵衛の懺悔』などを書いた作家で、けっして股旅専門作家ではない。にもかかわらず、長谷川伸の股旅小説が今なお語りかけてくるのはなぜか。

それは特異な小説だからである。どのように特異かはたとえば『股旅新八景』（昭和十年）を繙けばいい。まず目につくのは会話の絶妙さで、まったく唸るほどうまい。この中の一編「三ツ角段平」は年寄りの親分が若い芸者・花吉を身請けしたいと言い出して子分の段平がその使者となるものだが、別の親分も花吉に気があるから話は簡単にまとまらない。一番むずかしいのは、当の芸者が段平にひそかな思いを寄せていることで、それを知った親分は怒り狂って段平を旅に出し、花吉を折檻しているうちに殺してしまう。花吉の本当の気持ちを旅先で知った段平はせめて死骸と祝言しようと花吉の死体を貰い受ける、という話でこのあとにオチがつくが、長谷川伸の短編としては上出来の作品とは言いがたいものの、会話の絶妙さで読ませるこの作者の特徴がよく現れている。冒頭は親分が腰巾着の子分ブキ竹と話している場面で、使者を命じられた段平の顔付きをいぶかった親分に「そりゃね親分、あの人は身内でも指折りの親分孝行だから、年甲斐もなく親分が」とブキ竹が言い出すところから、

「なんだとこの野郎。もう一度はッきり言ってみろ」

「えッ。言うよ、あのね、あの人は身内でも指折りの親分孝行だから、感心なものだ」

「終いの方が違ってらあ、感心だなんててめえいわなかった。この野郎め馬鹿にしやがって」

「そうだったか知ら、俺は考え考えものをいうのじゃねえから、まれには胴忘れもする」

「余計なことをぬかすな。さあきッぱり言ってみろ、ごまかすと承知しねえ」

「じゃ、もう一ぺん、はじめから言ってみらあ。あの人は身内でも指折りの」

「そこは間違ってやしねえ、その先だ」

「指折りの親分孝行だから感心だ、何度いってもひとッことだよ親分」

「ごまかしやがって太え奴だ。そうじゃねえてめえが最初いったのは、感心だなんて文句はねえ、年甲斐もなく親分がといいやがった、何が年甲斐もなくだ、ブキ竹、その先をありていにいってみろ」


と、この二人の会話は、朝日新聞社版全集で延々五十四行も続いていく。さらにこのあと地の文を五行挟んで、また会話が二十九行も続くから、全編が会話で成り立っているような錯覚にも陥(おちい)ってしまう。これはこの短編だけのことではなく、長谷川伸の作品に共通して見られる特徴で、会話だけで登場人物の性格を表現してしまう力技がとにかく群を抜いている。この会話のリズムの良さは、同じ『股旅新八景』に収録されている短編「旅の馬鹿安」も同様で、こちらは旅から帰った安兵衛が江戸で芸者を助けるだけの話だが、単純で粗野で口から先に生まれてきたような男を、巧みな会話によって絶妙に活写している。「頼まれ多九蔵」も、喧嘩早い黒塚の多九蔵と羽斗の紋次郎が辻堂で喧嘩する場面がケッサク。周囲ではやくざ同士が立ち回りしているというのに、この二人はそういう状況と関係なく喧嘩して、そのあげくに仲良くなるという相当にヘンな関係を、絶妙な会話で浮き彫りにするのである。この会話のうまさは『股旅新八景』にとどまらず、他の作品にも見られ、たとえば長編『殴られた石松』では、兄貴を殺された男に仇討ちしろと石松がしつこく言い寄る件りが面白い。「他人のことだ、打棄っとけ」という相手に「やい覚えておけ、森の石松はな、他人々々という奴と、とろろ汁と、青梅が大嫌いだ」と言って呆れられたりする。半世紀前に書かれた作品とは思えないほどの躍動感に満ちているが、戯曲の名作を数多く書いた作家だけに、こういう会話の妙は得意とするところだったのかもしれない。

次に、いつも不思議な冒頭から始まることも特徴だろう。これは『続股旅新八景』（昭和十年）の一編「旅鴉苫の蒲団」が好例。束間の藤五郎が旅の途中で裸男がじっと立っている場面からいきなり始まるのである。腰に締めた荒縄に長脇差を一本差した裸男と会う場面からいきなり藤五郎はその男を見て立ち止まる。これが冒頭だ。ここからいったい何が始まるのか、読者は思わず引き込まれてしまう。藤五郎が旅の連れに話すかたちで、その事情が少しずつ説明される。その裸男は山彦の音次郎。十年前から口をきかなくなった藤五郎の兄弟分で、なぜそんな姿になってしまったのか、久し振りに再会した藤五郎にはわからない。やがて音次郎は仇討ちの最中であることがわかり……というように、裸男と藤五郎のドラマが少しずつ読者に提示される。仇討ちが本筋かと思うとそうでもなく、なぜ二人が口をきかなくなったのか、どうやらその理由に核心がある。物語はこのように思わぬ方向にどんどん進んでいく。読者の目を引く場面から説明抜きにいきなり入るのは、芝居の人らしい小説作法なのかもしれないが、裸男がじっと立っている冒頭の場面が印象深いので、そこから予想外のラストまでの疾走感が気持ちよく残り続ける。

絶妙な会話と冒頭場面のうまさ、というこの二つの特徴は小説作法上の特色で、長谷川伸の特異な点を指し示しているが、いちばん重要なのは三番目の特徴である。それは、長谷川伸の股旅小説がけっしてカッコよくないことだ。これは子母澤寛と比較すればいい。子母澤寛のデビュー短編「紋三郎の秀」や、大前田栄五郎（おおまえだえいごろう）の生涯を描く「男の肚」、さらには『国定忠治』や『弥太郎笠』など、子母澤寛の股旅小説には法の外に生きる無宿者の厳しい生き方が描かれている。すなわち、取材話や資料を引用して、当時の渡世人の想像以上に厳しい実態をリアルに描いたのが子母澤寛だった。その実証主義は結果として、厳しい現実を生きた渡世人の賛美に近づき、ニヒルな旅人の世界を浮き彫りにすることになるが、長谷川伸の場合は少し趣きが異なる。佐藤忠男はその秀逸な『長谷川伸論』（中央公論社）のなかで、次のように書いている。

「長谷川伸がまず書きたかったことは、おそらくは明治末期から大正時代における、土工その他の渡り職人の世界の生活とモラルである。結果としてそれは、日本の近代化の過程において急激に発生した無組織の流れ者の労働者たち、すなわちルンペン・プロレタリアートの生活とモラルを語るものとなった」

このことは長谷川伸の略歴を見ればいい。横浜の土木請負業の家に生まれた長谷川伸は、家業が傾いたため小学校を二年で中退し、その後、横浜のドック工事の現場小僧からさまざまな職業を経て新聞記者になり、やがて都新聞で山野芋作、長谷川芋生などの筆名を使って小説を書き始め、大正十一年「天正殺人鬼」が菊池寛の目にとまって世に出る。新講談に飽き足らず〈読物文芸〉を提唱していた菊池寛は長谷川伸のなかに新講談にはないものを見たと推察されるが、それはともかく、明治風物誌としても興味深い長谷川伸の自伝『ある市井の徒』を読むと、当時の土木工事の現場には全国を渡り歩く職人がいて、そういうなかで作者が育ったことが書かれている（明治末期の土木工の世界を描いた長谷川伸の戯曲「飛びっちょ」の冒頭に、渡り職人が現場で仁義を切る場面があるように、流れ者の世界は長谷川伸には馴染み深いものだった）。

　長谷川伸の股旅ものは、そういう下層社会の男たちのモラルを無宿者の世界に託して書いたもので、封建的な義理人情の世界をけっして礼讃するものではない。やくざものの本質がそうであったとしても、長谷川伸の作品で描かれる流れ者ヒーローたちは、微妙に異なっている。世の中からはみ出して無宿の世界に生きる者ではあるけれど、義理人情に生きる颯爽とした渡世人ではなく、はみ出したことをどこかで恥じている男たちである。

　佐藤忠男が「長谷川伸の股旅もののヒーローたちがさっそうとして見えるのは、たんに、腕っぷしが強くて、いなせないい男であるというためだけではない。むしろそれ以上に、自分は、女一人すら仕合わせにできないほどに、やくざな男である、ということに、強烈な責任感と自責の念を持っている男だからである」と書いているように、いつも女や子供、時には母を仕合わせにできないことを、恥じている男たちでもある（その実質的な出世作『沓掛時次郎』を見よ）。

前述の「旅の馬鹿安」のラスト、「――俺あ、本物の馬鹿だ」という嘆きにその自責の念を見ることができるし、『股旅新八景』の一編「鬌題目の政」でも、身売りから助けた娘に「郷里に帰っても仕方がない」と言われる政五郎の苦渋が、「――これでいいのかなあ俺は」という冒頭の嘆息にだぶっている。喧伝されているほどカッコよくはないのだ。長谷川伸が描いたのは、ダメ男の系譜なのである。日本のヒーロー・シーンが初めて持ち得た〈負のヒーロー〉と言ってもいい。長谷川伸の意味はここにこそある。

昭和初年代のニヒリスト・ヒーローが、貧困と不景気と不安の時代に、大衆の鬱屈感を吹き払う代行者として喝采を浴びたのに比べ、この流れ者ヒーローはその鬱屈感の裏側にひそむ大衆の暗い感情に直結していた、と言えるかもしれない。長谷川伸の股旅小説がもっとも多く書かれたのは昭和五～十三年にかけてで、その後作者の興味が史伝ものや記録文学に移行したとはいえ、戦時中は時局にふさわしくないと敬遠されたのも、その時代がダメ男ヒーローという、ある意味では現代的で、画期的なヒーローが生きる時代ではなかったからだろう。

「だが、たった一人だけ、冷やかな眼眸を、壺皿に送っている者があった。勝負に加らず、先程から、壁に凭りかかっている黒羽二重着流しの浪人者であった。異人の血でも混っているのではないかと疑われる程彫のふかい、どことなく虚無的な翳を刷いた風貌の持主であった。まだ三十にはなるまい」

この〈虚無的な翳を刷いた風貌の持主〉が「週刊新潮」誌上に登場したのは昭和三十一年五月。戦後最大のヒーロー眠狂四郎の登場である。

虚無的ヒーローということで、眠狂四郎は机龍之助に比較されることが多いが、オランダの転び伴天連と旗本の娘との間に生まれたこのヒーローが父を殺し、従妹を犯した原罪を抱えているからといって、そういう性格設定だけが読者の喝采を浴びたのではないだろう。多くの評者が指摘しているように、①読み切り連作という形態が忙しい現代人の嗜好に合ったこと②現代人向きのサディズムとマゾヒズムが適当に加味されてエロチシズムに満ちていること③脇役たちにお馴染みの人物を配して読みやすいこと④アイディアに満ちて構成がスピーディであること、などの理由がたしかに加わっている。眠狂四郎が圧倒的な好評を博したのは、それらの理由が重なって、この男が無目的なヒーローになったという一点に因っているのではないか、という気がするが、その結論を出す前に、このシリーズがどう書かれていったのかを少し見ることにしたい。

　眠狂四郎シリーズは約二十年にわたって次のように発表された。シリーズ連載中に小説雑誌などに書かれた眠狂四郎ものが他にもあるが（『眠狂四郎京洛勝負帖』）、本筋は次の七作。

①眠狂四郎無頼控　正続百三十話
②眠狂四郎独歩行　五十話
③眠狂四郎殺法帖　五十話
④眠狂四郎孤剣五十三次　五十五話
⑤眠狂四郎虚無日誌
⑥眠狂四郎無情控
⑦眠狂四郎異端状

　最初の四作は読み切り短篇で、後半三作が長篇である。もっとも読み切り短篇とはいっても、独立した短篇の間に事件が続いていく連作も混じっている。最初の『眠狂四郎無頼控』の中にすべてがあると思われるので、まずこれを見たい。

　老中・水野（みずの）出羽守忠成（ただあきら）と水野（みずの）越前守忠邦（ただくに）の勢力争いが物語の背景としてある。眠狂四郎は、忠邦の側頭役武部仙十郎の依頼を受けて動き出すというのがいつものパターンだ。とはいっても、その依頼は眠狂四郎の行動のきっかけにすぎず、時には武部仙十郎の思惑を越えて勝手に動いてしまうのでけっして幕閣の走狗なのではない。彼には忠義心も義理もなく、乗りかかった船だから乗るというニュアンスにすぎない。脇を固めるのは、水野越前守忠邦、武部仙十郎の他に、眠狂四郎グループとして彼を助けるスリの金八、読本作家の立川談亭、鼠小僧次郎吉にスリの小春吉五郎などがいる。ヒロインは数多いが、『眠狂四郎無頼控』に登場する永遠のヒロイン美保代が筆頭。眠狂四郎は女性を次々に犯していく冷酷非情の男だが、このヒロインのことを最後まで忘れない。

『眠狂四郎無頼控』は将軍家から水野越前守忠邦に与えられた男雛女雛の首をめぐる争奪戦で始まるが、その背景は徐々に後退していく。第一作であるから眠狂四郎の過去が紹介されて主人公のキャラクター（手向かいしない相手は切らないこと、子供に弱いこと）が読者の前に提示される他に、通りすがりの仇討ちを手助けしたり（この男は虚無的ヒーローというわりには結構お節介なのである）、家斉（いえなり）の娘・高姫（たかひめ）と花瓶の奪い合いをする挿話が連作として挿入されたり、公儀隠密や甲賀忍組と凄絶な闘いを繰り広げながら、話は次々に移っていく。旅の薬売りの目から眠狂四郎を描く短篇もあれば、なんと眠狂四郎が登場しない短篇まであるのだ（「さかだち供養」）。

この第一作百三十話に、眠狂四郎シリーズのすべての特徴がある。まず、転び伴天連を利用して大規模な抜け荷買いをしている敵役の備前屋が、眠狂四郎を理解して好意を抱くこと。敵役の男が眠狂四郎に好意を抱くというパターンは多く、備前屋が退場すると、『眠狂四郎殺法帖』の銭屋五兵衛の役どころになる。次にお馴染みの人物が登場すること。「無頼控」では鼠小僧次郎吉のほかに、大塩平八郎、河内山宗俊などが登場するが、「独歩行」では国定忠治、「殺法帖」ではシーボルト、沓掛の時次郎、千葉周作などが登場する。

物語の構造としての特色もこの第一作にすべて出揃っている。長いシリーズなので読者を飽きさせないように、さまざまな趣向を凝らしているのだ。「美女崩れ」では必殺の円月殺法が役に立たない局面を描くし、「賭場女房」ではラストの剣戟をあえて書かず読者の想像に委ねる。人称を描かずにどちらの勝ちかを明確にしない「円月決闘」の例もある。面白いのは「家康騒動」のように事件の謎を眠狂四郎が解く推理小説仕立ての短篇が結構多いことで、贋の雪舟絵をめぐって本格推理小説顔負けの展開を示す「酔いどれ名人」では、最後に関係者を一堂に集めて種明かしをしたりする。

江戸の風俗を始めとする時代資料を挿入するなど、さまざまな逸話や歴史的背景を紹介して時代小説の醍醐味を読者に提供しているのも見逃せないが、豊富なアイディアを駆使して対決場面を飽きさせないのは、さすがに柴田錬三郎で、短篇と連作を交互に語る構造もうまい。

しかし特筆すべきは、この第一作で早くも円月殺法が役に立たない局面を描いていることだろう。ご存じのように円月殺法は眠狂四郎の必殺技だが、その必殺技を考えた瞬間にこの作者は円月殺法を逆手に取る方法をも考え出すのである。そこが、「小説は嘘を書くものだ」と虚構に作家生命を賭けた柴田錬三郎の職人芸である。次々に悪人を登場させなければならない展開も、あえて選んだ方法であったのだろう。

この『眠狂四郎無頼控』に続く『眠狂四郎独歩行』『眠狂四郎殺法帖』『眠狂四郎孤剣五十三次』の三作は、独立した短篇は挿入されているものの、第一作よりも連作ふうになっている。第二作『眠狂四郎独歩行』は徳川家康の実子の末裔である風魔一族と公儀隠密組織・黒指党の争いに眠狂四郎が巻き込まれていく話で、風魔七郎太との対決では大鯉の鱗（うろこ）で作った義眼をはめて相手の策略を阻止するというアイディアがおかしい。「無頼控」に登場した鼠小僧次郎吉の代わりにここでは盗賊の七之助が登場するが、同じ役割を持つ人物が名前を変えて登場するこういうパターンが、備前屋＝銭屋五兵衛の例にも見られるようにこのシリーズには多い。眠狂四郎の一人称で語られる「野猿記」は、柄にもない善行をして一人合点のいい気分になった眠狂四郎がしっぺ返しを食う話だが、このヒーローの一人称小説は「悪女仇討」（『眠狂四郎京洛勝負帖』）とともに珍しい。

第三作『眠狂四郎殺法帖』は佐渡の金山をめぐる不正を眠狂四郎が探っていく話。「酔眼記」のような独立した短篇にいいものが多いが、ここでは戸越のおばばの造形がミソ。おばばは自分が闘うのではなく、他人を使ってあらゆる手段で眠狂四郎を狙うのである。したがって眠狂四郎は自分に近づいてくる人間を信用することができない。この構造は作を追うごとに深まっていくが、復讐のために付け狙うおばばを眠狂四郎は斬れず、「おれに、この醜怪な年寄りが斬れぬのは、どこかに人の善さがあるのかもしれぬ」と述懐するのも興味深い。後半四分の一は忍者軍団との凄絶な死闘で、この描写は迫力満点で読ませる。第四作『眠狂四郎孤剣五十三次』は、薩摩藩が中心となった西国十三藩の謀議を眠狂四郎が探る話で、戸越のおばばの役どころがここでは大目付けの附人・都田水心になる。彼もまたあらゆる策略で眠狂四郎を付け狙う。兵法をまったく習ったことのない侍を利用して罠にかける「平塚浪人」のように、眠狂四郎の弱点をアイディアに使うのが面白い。ここでは泥棒安五郎が登場して鼠小僧次郎吉、七之助のあとを継ぐ。ラストは二十七人の薩摩隼人の隠密党と闘う場面で、さすがにこういう死闘は群を抜いてうまい。

と、ここまでの三作は、『眠狂四郎無頼控』より連作の匂いは強くなっているものの、まだ独立した短篇を持っているのが特徴。第五作『眠狂四郎虚無日誌』からようやくこのシリーズは長篇となる。まず、この「虚無日誌」は家慶に双生児がいたという設定で、その弟をエトロフ島から連れてきた本物とすり替える陰謀を眠狂四郎が暴く話。毒を盛る女、口の中に吹針を含む女など、近づいてくる女性はことごとく信用できないという構造がだんだん強くなっているのが面白い。敵対している相手も改心して味方になるという初期の構造を逆手に取って、ここでは改心したと見せかけてやっぱり敵だったとのかたちも見られるが、自分を殺そうとした伊賀忍者黒丸を助ける眠狂四郎が「べつにあやまることはなかろう。食うか食われるかは、生きものが生き残るための法則だ」と言うのがミソ。この考えは敵対する刺客・明日心剣が眠狂四郎との対決を優先するあまり味方を斬ってしまう構図に対応している。つまり彼らは主義主張ではなく欲望でもなく、ものはずみで闘っているだけとの構造がここから浮かんでくる。

第六作『眠狂四郎無情控』はおそらくこのシリーズの頂点と言える作品で、太閤の遺産百万両をめぐる話だが、波瀾万丈の長篇となっている。祖国に攻め入るために太閤遺産を手に入れようとする安南の日本人町の面々と、同じ海外日本人でありながら我欲のために狙う男、さらに若年寄・小笠原相模守にお目付け下条主膳、阿蘭陀屋という互いを信用していない悪役トリオに、今回は忠邦の権力のために武部仙十郎も狙っていて、眠狂四郎は孤独な闘いを強いられる。ここでは子供の刺客が眠狂四郎を狙ってくるまでにヒーローの弱点を突くアイディアはエスカレートするが、この長篇がいいのは「おれは、一軍を指揮する器ではない。しかし、日本人町の面々が、軍船を組んで、押し寄せて来る図を、想像すると、柄にもなく、この冷えた血汐が、すこし熱くなって来そうだ」と言う眠狂四郎にロマンの香りが強く漂っているからだろう。とはいっても第七作の最終篇『眠狂四郎異端状』で、清国に向かうために眠狂四郎が船に乗り、南支那海で冒険を繰り広げると、思ったほど血が沸き立たないのは、このヒーローが結局は冒険小説のヒーローではないからだろうか。

このように眠狂四郎シリーズは背景に幕閣同士の勢力争いを置いて一作ごとに事件が起きていくが、主人公であるヒーローに闘う目的が欠けているのが最大の特徴と言える。いや、目的どころではない。眠狂四郎が自分からはけっして斬らないという性格に象徴されるように、そもそも闘うヒーローではないのだ。ストーリーの表層では次々に人を斬っていくが、彷徨えるヒーローである。あるいは、このヒーローが現代人に受けたのは、ヒーローの彷徨というその特質にこそあるのかもしれない。

海のロマン

1

日本人によく似た顔を描いた四、五世紀の土器が、南米ペルーの博物館に並んでいた時の衝撃を、網野善彦は『海と列島の中世』(日本エディタースクール出版部)の冒頭で書いている。もっと時代が下れば、十一世紀の始めに日本人二十人がリマに在住した記録も残っているという。

網野善彦はこの例を引いたあとに、「これまでの常識では、海は人と人を隔てる役割を果たす、われわれを取り巻く障壁であって、それ故に日本は〈島国〉、つまり周辺から孤立した国なのだといわれており、この孤立した〈島国〉のイメージは、非常に深くわれわれの常識の中に根をおろしている」が、実は「海は非常に柔らかい自然、交通路」であると書いている。

陸上(農業民)から見た歴史ではなく、その海の側から歴史を捉え直す試みが『海と列島の中世』で、さまざまな事例(江戸時代に鎖国の枠を越えて漁民たちが済州島やオーストラリアまで貝を取りに出かけたことなど）を引きながら、われわれの祖先が古代から海を通じて日本列島の外にまで活発に行き来していたことを浮かび上がらせている。圧巻は、全羅道、済州島、肥後を含む西北九州の間に古くから海で結ばれた地域があり、性格や言語を共有する海民たちの多様な活動が展開されていた、という件りだろう。つまりそれが「倭寇」だったというのだ。「倭寇」が実は日本人海賊ではなく、その多くが中国人だったことは、宇田川武久『日本の海賊』（誠文堂新光社）にもあるが（日本人がまったくいなかったわけではないが、その数はきわめて少ない）、それを中国大陸、朝鮮半島、日本列島をまたにかけて活動していた「倭寇世界人」として捉えるイメージは鮮やかである。

河岡武春『海の民』（平凡社）にも、江戸時代以来、瀬戸内海の漁民が対馬や朝鮮半島まで出かけていた広範囲な活動が紹介されているが、海に生きる人々は現在のわれわれの想像以上の行動半径を持っていたようだ。漁民だけではない。紀州、瀬戸内海、北九州などを本拠にした海賊たちもまた激しく海を行き来していた。秀吉による〈国家統一〉まで、陸の支配を離れて、日本の海賊たちが独自の生活を持っていたのは歴史上の事実である。

このように、世界への開かれた道（海）を持つ国に、海洋小説が生まれないわけがない。似た環境を持つイギリスに海洋小説が発達したように、日本に海の物語が誕生するのは当然と言えるだろう。しかし、小宮山天香『聯島大王』（明治二十年）、矢野龍溪『浮城物語』（明治二十三年）、末廣鐵腸『南洋の大波瀾』（明治二十四年）など明治期の海洋冒険小説は、例外はあるにしても（『聯島大王』！）、その実態は海外雄飛思想とナショナリズムに裏打ちされた政治小説であった。つまり陸の発想で書かれた物語である。明治二十年前後にこれらの小説が生まれたということ自体が、その枠組を示している。実際に海に生きる人々が、「倭寇世界人」に見るように、国境を越えて活発に活動していたにもかかわらず、その海の躍動感を伝える物語はこの時期、残念ながら少ない。

ここではまず、日本海洋小説の嚆矢とも言われる幸田露伴唯一の長編『いさなとり』（國會、明治二十四年）を見る。

東京見物に出かけた伊豆下田の彦右衛門が、横浜の帝国軍艦で若い士官を見て驚くのがこの小説の発端で、ここから一転して彦右衛門の回想になる。彼は染物屋で働いていた若き日にその女房と不倫の関係になり、いづらくなって長崎の生月島に渡った経験を持つ。そうして、いさな（鯨魚）取りの集団に入り所帯を持つが、今度は妻に密通される側になる、というのがその回想の粗筋。この皮肉を描いたのが『いさなとり』である。怒りのあまり妻を殺害し、そのとき海に流した赤子が二十数年後に若い士官となって彼の目の前に登場する、ということになるが、なぜこの作品が日本海洋小説の嚆矢とされるのかは捕鯨場面が圧巻だからだろう。それはこんなふうに描写される。ちょいと長くなるが、引く。

それと勢ひこんで各〻漕ぎ出す船矢よりも駛く、八挺の櫓を押切り〱水煙立つて四方八面より追取巻きつ、座頭鯨と見るや印を艫の方に立て、網代に近くなるまゝに船配り手抜なく、其間五六十間ばかりに列び、長さ大抵二尺有餘の丸木の棒を双手に持ちつゝ勢子共一齊に表の舷を打ちたゝき〳〵鬨を作つて、狂ひ狂ふ浪にも萎まず風にも萎まず、ゑい〳〵聲して驅立れば、親父等は鬢髪いつしか風に解かせ麾を揮つて、逃まくする鯨の先をば遮ぎりつ或は後より逼り、右を指せば勢子船右を開けて左に廻り左を指せば右へ廻りて、いよ〳〵網代に追寄せたる時、汐合量り考へて一番船の親父双手に持つたる麾高く揚げ、二打三打うち合はせて網結合はすべく知らすれば、待ちに待つたる隻海船艫を並べて二艘づゝ都合六艘、十九端の網の端々に小縄にて結ぶが否や漕ぎわかれ、瞬く間に張り渡す。

海の臨場感が伝わってくる場面である。しかし、このシーンの鮮やかさは強く印象に残るとしても、こういう捕鯨場面は『いさなとり』においてあまりにも少ない。しかも小説の核ですらない。鯨魚取りを主人公にしてその数奇な生涯を描いているとはいっても、これはやはり海洋小説というよりも、姦通を主題にした作品と読むべきだろう。

では、村上浪六『海賊』（明治二十八年）はどうか。これは処女作「三日月」に続いて「井筒女之助」「奴の小万」「破太鼓」などで浪六がベストセラー作家となった直後に書かれた海洋小説である。同年には続編『後の海賊』も書かれている。徳川秀忠の第二子、忠長（駿河大納言）の援助で七千五百石の船を作った清水の権太が、駿河大納言の忘れ形見を育てながら海賊になるという話で、『いさなとり』よりも海洋小説の輪郭を明確に持つ作品と言える。海の場面も多く、その描写もそれなりに読ませる。もっとも現在読むと、悲壮感が退屈なものに映るのでいささか読みづらく、浪六の歴史小説の中で『原田甲斐』に次ぐ作品として柳田泉が挙げた理由が今となっては理解しにくい。

こう見てみると、「倭寇世界人」の息吹きが聞こえるような作品は、明治期に意外に少ない。そういう本格的な海洋小説が生まれるには、やはり昭和を待たねばならなかった。大佛次郎『ごろつき船』(大阪毎日新聞、昭和三年〜四年)はその代表作である。

冒頭は、蝦夷・松前藩の家老・蠣崎(かきざき)主殿と船問屋・赤崎屋吾兵衛が私欲のために結託し、船問屋・八幡屋を襲う場面。その襲撃の犠牲になるはずだった役人の三木原伊織は八幡屋の息子銀之助(五歳)を連れて魔の手から脱出する。人のいい盗賊の惣吉がそれを助ける、というのがこの壮大なドラマの始まりである。まず、密告で惣吉が捕まり、伊織が隠れていた洞窟に役人たちが行くと、洞窟内はちぎれた衣服と血が散乱。どうやら熊に襲われたらしく、伊織は行方知れず。一方、捕まった惣吉を救出するのは、土屋主水正。腹違いの弟に家と恋人を譲るために五年前から失踪していた男で、蝦夷の地で死んだように生きていたのだが、主殿たちの策略を知り仮面を脱ぎ捨てて悪に立ち向かう。物語に奥行きを与えているのは、その次の展開だ。主水正が逃げ込んだ荒寺の和尚・覚円は古井戸の中に隠れキリシタンの岩穴を発見するが、そこには墓石があり、大内玄龍という名がある。しかも、この男が生きているらしい。この大内玄龍と、題名になっている「ごろつき船」との関係がここで暗示される。ここまでで全体の四分の一。だいたいの登場人物は出揃っている。

このあと、本土に逃げる主水正、惣吉、銀之助の三人を赤崎屋が追う海上の追跡や、海の戦して海の活劇を活写する波瀾万丈の大ロマン小説となっている。
まるが、辻褄の合わない箇所や好都合な省略はあるにせよ、次々に登場する人物を巧みに配置
生きている）、佐渡に流された惣吉ともども十一年後に帰ってくるところから後半の復讐が始
闘など、海洋小説らしい場面も続出する。舞台もなんとシベリアまでひろがり（伊織がここで

この作品が昭和三年に書かれたことにここでは留意したい。山中峯太郎『亜細亜の曙』の数年前である。この時期、高垣眸『豹（ジャガー）の眼』のような例外はあるが、多くは海外雄飛思想とナショナリズムの合致したヒーロー小説が席巻していた時代であることを考えればいい。その時代背景を置けば、『ごろつき船』の特異性も見えてくる。すなわち、日本を捨てたキリシタンの子孫が海を縦横に航海して暮らしている歴史が、背景のひとつになっていること。乗組員の大半が異国の地で生まれた日本人で、彼らは懐旧の念にかられて時々日本の海に近づいてくるという大内玄龍の「ごろつき船」の設定や、復讐を終えた一行が日本を離れて安南の地に赴（おもむ）いていくこの長編のラスト。さらに、伊織がシベリアの地まで流れていく件りをここに重ねてもいい。つまり、この主人公たちは陸の国境に縛られていないのである。彼らは海に生きることで、その拘束から自由になっている。『ごろつき船』は複雑に入り組んだプロットと巧みなストーリー展開で読ませる長編だが、爽快感はその小説構造にあるのではない。陸上の歴史とは別に、そういう海の歴史があったことを行間から鮮やかに伝えてくるのだ。村上浪六『海賊』が古びてしまっても、この『ごろつき船』が今なお新鮮なのはそのためだろう。

大佛次郎はこの作品について次のように書いている。

「ごろつき船」は、真面目でやや謹直な「赤穂浪士」の直ぐ後のものなので、史実や写実の拘束から解きほぐして、空想的な性格のものを作ろうと志した。日本の大衆小説にはまだない西洋の冒険小説、海洋小説に近いものを打出したかったのである。この性格は、ずっと後年の私の「ゆうれい船」に脈をつないである。型破りの大衆小説が目標であった。

ここに出てくる『ゆうれい船』は昭和三十一年から翌年にかけて朝日新聞に連載された長編で、〈応仁の乱〉直後の京都を舞台に十四歳の次郎丸が犬の白と一緒に父を探す冒険行を描いたもの。行方不明になった父が船乗りだったのでその冒険行は陸を離れ、日本人海賊が登場したり、後半は雪姫を救出する海の冒険譚になったりして、こちらも一級の海洋小説になっている。次郎丸の父・重兵衛の遭難手記も圧巻だ。しかし何よりも際立っているのは、「船に乗って出かけるのだ。遠い異国にわたるのだ」という鬼夜叉の決意や、父の元部下・新兵衛の「その堺がいづらくなったら、その先には海がある。こいつは、はてしなく、どこまでも逃げられるのだ。だれも追ってこられるものではない。都だけが人の住むところでなし、世界はひろいのだ。大名だの侍大将だのといって、みんな、狭い日本の中で威張っているだけのこと。渡海を家業にしている舟乗から見たら、ちっぽけなものだ」という言葉に現れているように、陸の国境に縛られず、自由に海を行き来する男たちの世界をここでも見事に活写したことだろう。こういう雄大さを持たなければ、海洋小説はわれわれのロマンにならない。『ごろつき船』が教えるのも、その雄大な海の香りなのである。

2

近松門左衛門の人形浄瑠璃「国性爺合戦」は、正徳五年（一七一五年）に上演され、十七カ月間ものロングランになったという。これは、中国人の父と日本人の母との間に生まれた海の風雲児〈国姓爺〉鄭成功をモデルにした作品で、その大ヒットの裏側には「大阪の民衆の間になみなみならぬ隣国中国への関心があったに違いない」（伴野朗「鄭成功物語」、『南海の風雲児・鄭成功』講談社、所載）との事情が推察される。

しかし、鎖国下における隣国への関心という江戸時代特有の民衆感情はたしかにあったにせよ、滅びゆく明の側に決然と立ち、新興国・清と最後まで闘った悲劇のヒーロー像を、きわめて日本的心情で受け入れたということもあったのではないか。滅びゆく国に殉じた鄭成功は、いかにも日本人好みのヒーローである。この海のヒーローを主人公にした小説が、昭和に入ってなお幾度か書かれているのは、その間の事情を語っているようだ。

長谷川伸『国姓爺』（都新聞、昭和十七年）は、その国姓爺・鄭成功の父、鄭芝竜を主人公にしたもので、波瀾万丈の海洋小説である。なんといっても、鄭芝竜に敵対する海賊仲間の揚八と劉香の造形が際立っている。こういう悪役を描くのが長谷川伸は実にうまい。鄭芝竜は、海商団の首領・顔思斉の死後、その跡目を継いで南海を制覇し、明の元帥となる（のちに清に投降して息子の成功と対立する）のだが、この二人は最後まで鄭芝竜に反抗するのである。嫉妬に燃えて鄭芝竜の邪魔を図る揚八の執念が陰湿にならず、いきいきとした小悪党ぶりを発揮しているのは、股旅ヒーローを得意とした作家らしく、決闘場面で詩をうたいながら刀をふるう芝居がかった劉香の造形も演劇作家らしいダンディズムだろう。

さらに、鄭芝竜の二番目の弟・芝虎のエピソードが途中に挿入されるが、これもいい。芝虎は兄弟中いちばん屈強な男で、騙されて奴隷に売られても屈せず、逆に船の男たちをやっつけてしまうのが傑作。こういう野放図な男を描くのも群を抜いてうまい。当時の明と台湾をめぐるスペイン、ポルトガル、オランダ、イギリスなど各国の事情を背景に置いて、希代の海賊・鄭芝竜の波瀾に富んだ半生を活写するこの長編のラストは、海上の戦闘場面における芝虎と劉香の対決で、この緊迫したクライマックスまで一気に読ませるのは見事。『国姓爺』という題名でありながら、鄭成功がほとんど登場せず（森と呼ばれる少年として登場するだけ）、その父・鄭芝竜の物語に終始しているのは、「鄭成功が台湾へ渡ってから、オランダ軍を駆逐し、国姓爺と呼ばれる後篇を書く意志」があった（村上元三、『朝日新聞社版全集』解説）ためで、その後篇の資料はすべて集めていたという。ラスト近くに甌面大という少年が思わせぶりに登場するのも（この長編だけを考えるならその登場に何の意味もなく、小説としてのバランスを欠いていておかしい）、いずれ書く予定だった後篇に重要な役で再登場するための顔見せだったのかもしれない。戦後の再版のときに「飛黄大船主」の傍題を付けたのも、鄭成功が登場する前に終わっていることを配慮したためらしい（飛黄は鄭芝竜の号）。もっとも、昭和三十三年の「新編現代日本文学全集」（東方社）に収録された時には、「飛黄大船主」神剣の巻、芝虎の巻となっていて、どういう事情があったのか、「国姓爺」の文字はどこにもなくなっている。これでは傍題というよりも改題に等しいが。

とにかく、そういう前篇という枠組のために、鄭芝竜が海にロマンを見る人間として描かれているのも特徴。

「どこの官人も俺のことを海盗の首領だといっている。しかし、俺が海洋商人で海盗でないことはお前が一緒にいて知っているとおりだ」と弟に話しかける鄭芝竜の不満は、「ドレークは海賊でありながら、不朽の名将とうたわれ、大洋の商人でありながら、われわれは殺伐な海寇と目され、母国でわれわれを待っているものは死刑だ」という陳船長の嘆きに重なっている。長谷川伸『国姓爺』には、この響きが一貫している。明の軍門に下ることを一旦は決意しながらも、海賊どもを破って帰順させるのだと言う雄々しい芝虎の言葉に鄭芝竜が結局は賛同するのも、海に生きる男の意地である。結局は清に投降するのだが、その後年の姿を前篇ではまだ描く必要がなく、結果としてこのように鄭芝竜は荒々しい海に生きる男の象徴として描かれている。

長谷川伸『国姓爺』は、そういう海の男の覇気が充満する海洋小説の傑作である。ところが、陳舜臣（ちんしゅんしん）『風よ雲よ』（地方新聞、昭和四十六年～四十七年）になると、この鄭芝竜の像はがらりと姿を変える。この『風よ雲よ』は『国姓爺』と同じ時代を背景にして、鄭芝竜も登場する長編だが、ここに描かれる鄭芝竜は、父親の妾に手を出して十七歳の時に故郷から放逐され、マカオの親戚の元に預けられるも、厄介払いに日本にやられる不良少年である。「この世に人と生まれたからには、なにかでかいことをやろう」という意気は持つが、あまり性格のよくない不良少年である。さらに、海賊の群れに身を投じて顔思斉の跡目を継いだあと、当局に帰順するのもライバルの海賊を倒すためで、利用するものは徹底して利用しようという計算高い男として描かれている。長谷川伸の描いた鄭芝竜とのあまりの違いに驚かされる。

もっとも物語はこの鄭芝竜を主人公とはしていない。元版の帯には「鄭成功の父鄭芝竜を描く長篇歴史ロマン」とあるが、小説構造から見るかぎり、安福虎之助が主人公だろう。大阪夏の陣で破れ、マカオに渡って大陸流浪生活をしている日本人だ。物語は、秀頼の遺児・宣吉をかついで豊臣復興をめざす落ち武者・安福虎之助の冒険行が中心なのである。そこに絡んでくるのが、秀頼の特務機関〈千成組〉の首領・和歌原群蔵と、海商として東アジアを制覇し、カトリックの王国を作ることをめざす摂津屋幸兵衛。そして南海制覇の野望を抱く鄭芝竜。この三つ巴の暗闘と、安福虎之助の宝探し（豊臣家の財宝）が物語の横糸である。

縦糸は、流賊・李自成と明の将軍・呉三桂の運命的な闘いを中心にした中国大陸の政治情勢だ。呉三桂は満州軍を防ぐために派遣された将軍であるにもかかわらず、北京を攻める李自成を倒すためになんと満州軍に援兵を求め、結果として明の滅亡と清の勃興を促した人物だが、明から清に移るその中国の歴史をドラマチックに描くのが『風よ雲よ』の主題なのである。ここでは、鄭芝竜もそういう緊迫した歴史ドラマに登場する脇役にすぎない。作者の眼目は、その歴史を描くことにあり、そこに安福虎之助の冒険行や海の男たちの覇権争いを絡めたのは、小説としての趣向だろう。この順序は逆ではない。

しかし、『風よ雲よ』が一級の歴史小説であるのは事実だが、その緊迫した歴史の叙述と伝奇的ドラマに重点があるぶんだけ海の描写は少なく、したがって海洋小説とは言いがたいのも事実である。この『風よ雲よ』の続篇ともいうべき長編『旋風に告げよ』（地方新聞、昭和四十九～五十年）に、ようやく鄭成功が登場して主人公となるが、その事情は変わらない。こちらは後継者争いに分裂する明朝皇室や次々に清に投降する武将たち、そういう明末の動乱期を背景に、明朝復興に賭けた鄭成功の波瀾に富んだ闘いの半生を描く長編で、前作ほど宝探しなどの趣向がなくなっているのは歴史を正面から描くことにより焦点を合わせたためか。従兄を謀殺してまで父の遺産（軍事力）を受け継ぎ、そして北伐に乗り出すのがクライマックス。その乾坤一擲の闘いに破れ、行き場を失った鄭成功が台湾を攻めるラストまで一気に読ませる歴史小説の傑作と言っていいが、揚子江を遡（さかのぼ）る南京攻略戦と海からの台湾攻めという海戦はあるものの、大半が陸戦なので、これも海洋小説の雰囲気は少ないのである。

〈鄭成功物語〉は、海の男の英雄伝というわりには、清との闘いが陸戦中心だったので、その悲劇の闘いを中心にすると誰が書いても海洋小説の雰囲気から遠くなってしまうということだろうか。その海賊の部分を描けば海洋小説にはなるだろうが、それでは悲劇のヒーローらしくない。かくて新たな解釈が生まれてくる。

それはたとえば、荒俣宏（あらまたひろし）『海覆王』（野性時代、平成元年四月号～九月号）だ。これも、その鄭成功を主人公にしたもので、伝記的事実を丁寧に追っているが、同じように海の描写は少なくてもこちらに海洋小説のロマンが溢れているのは、鄭成功の軍団に十二人の海女を設定して大活躍させているからだろう。この女軍団以外にも鄭成功は、日本の野武士団、さらには越南、ビルマ、バタヴィアなどからさまざまな肌の色をした海の民を集めたという設定になっている。いわば東アジア多人種部隊である。抗清復明の闘いが同時に彼らの共同体を作る闘いでもあるというこの設定が、直接的な海の描写は少なくても国境を越えた海の匂い、自由な潮の香りを物語の底から濃厚に伝えている。こういう解釈がないと〈鄭成功物語〉は海のヒーロー譚にならないのかもしれない。

いや、あまりに鄭成功にこだわりすぎただろうか。異国の海に生きたヒーローは鄭成功だけではないのだ。海洋小説におけるヒーローらしきものを中国に探すなら、もっと別のところにいる。伴野朗が『大航海』（集英社、昭和五十九年）で描いた鄭和はその有力な一人と言える。『大航海』は、鄭成功より二百五十年前、元が滅びて明の時代が始まった頃、二万七千名を乗せて六十二隻の大船団を率いてインドからアラビアまで、二十九年間に七回航海した大提督・鄭和の生涯を描いた長編である。

元末の混乱期に宋の復興を旗印に挙兵した武将の一人、朱元璋が群雄割拠する大陸を治めて洪武帝となったのが、一三六七年。明王朝の出現である。ところが洪武帝の死後、二代目皇帝となった建文帝と燕王（のちの永楽帝）の後継者争いが表面化し、燕王に重用された馬三宝（のちの鄭和）が弓の名手や怪盗などと協力して永楽帝の天下取りに尽力する姿を描くのがこの物語前半。いわば、『大航海』の前半は歴史小説である。後半が永楽帝の命を受けた鄭和の七回にわたる航海を詳細に描く海洋冒険譚になる。

前半の歴史小説の巻も読ませるが、なによりも後半の中心となる鄭和の大航海が圧巻である。八千トン級の木造船が六十二隻。二万七千人のほぼ二年半にわたる航海であるから、生活用品や食料品だけでも膨大な量になる。その食料が途中で腐敗したり、行く先々で海賊に遭ったりとアクシデントの連続。コロンブス、マゼランなどの大航海時代が到来する九十年前に、このような大航海者がいたという事実にまず圧倒されるが、もちろんこの小説で描かれるのはそういう伝記的事実だけではない。倭寇の一派、南寇の楠木多聞とその右腕・村上義宏が活躍したり、暗殺者との凄絶な死闘があったり、宝探しがあったりと伝奇的な趣向もある。さらに建文帝の行方は探さなくてはならないし、そしてセイロン王との戦闘まで、まったく盛り沢山。記録に残されたかぎりで言えば、日本にはさすがにここまでのスケールを持った海のヒーローはいない。しかし、記録に残っていないだけで、スケールの大きい海のヒーローも中にはいたのではないか。そういう気がふとしてくるのも、海の冒険譚が伝える自由な風の匂いのためだろうか。

3

宇田川武久『日本の海賊』（誠文堂新光社）によると、倭寇の船を八幡船と称した例はまったくなく、それは江戸時代中期以後の説だという。つまり、八幡大菩薩の旗をかかげ、玄界灘を越えて中国大陸沿岸を荒らしまわった八幡船がそのまま倭寇であるというのは俗説にすぎないというのだ。倭寇の大半は、海外出航を禁じられた明の海上生活者や貿易家のなかから生まれた海賊たちで、その集団に日本人が入っていたにせよ、それは一割にも満たなかった。戦前戦中の日本人がそういうロマンの世界と現実を混同していたのは、当時の日本が海外雄飛を謳歌して大陸侵攻政策を押し進めていた政治情勢の反映である、とこの本の中で著者は書いている。この説明にとりあえず納得するのは、たしかにイギリスのクック、ドレイクの例をひくまでもなく、海を渡って見知らぬ地に向かうヒーローにはそういう海外雄飛思想、国家の匂いがどこかに付きまとっているからだろう。日本のヒーローたちも例外ではない。

だがそれは海のヒーローだけのことではない。異国の地に旅立つヒーローには宿命的につきまとうことで、陸のヒーローも同様なのである。そして、陸のヒーローと海のヒーローを比べれば、海のヒーローにはその国家の匂いが比較的少ないようにも思える。それは海が、人間の思惑やいさかいを呑み込んでしまうほど大きな舞台であるためだろうか。いくら国家の庇護のもとにあっても、大自然そのものである海の上では何の役にも立たない。生き延びるためには、むしろ個人の機知と克己の心こそが問われる。それもまた事実だろう。ロマンの世界と現実を混同してしまうことには、政治情勢以外のそういう理由もあるような気がしてならない。

かくて海のヒーローが続々と生まれてくる。その八幡船を描いたものから採り上げてみよう。

まず、村上元三『八幡船』（オール讀物、昭和三十一年〜三十三年）。

冒頭は、堺の町に謎の老人が現れる場面である。老人は船問屋に現れて、その息子を連れていくと言う。どうやら船問屋は元海賊で、首領の財宝と息子を奪って逃げた男らしい。そのとき裏切った男がもう一人いて、それが首領の弟。今は海賊となって悪辣非道なことをしているその弟を倒して、首領の仇を討ちたい。そのために首領の忘れ形見を後継者に育てたい、というのが老人の夢である。冒頭の訪問の背景がこう説明される。面白いのは、首領の息子・鹿門がその突然の話に戸惑って老人の誘いをなかなか承諾しないこと。実父を知らない彼には関係のない話なのだ。主人公・鹿門が最初からヒーローとして登場するのではなく、徐々に海のヒーローとなっていくこの過程が自然に描かれている。

父の同志たる村上水軍の頭領に会いに行き、鹿門がやっと海に出ていくことを決意するのが全体の三分の一のあたり。ここから物語は俄然はげしく動き始める。奄美、琉球、台湾、マラッカ、と舞台のスケールも大きい。海賊と闘いながら南下していく鹿門の冒険譚は休む暇がない。海の描写も多く、戦国時代を背景にした大型の時代海洋小説といっていい。

この海の冒険譚の特徴は、主人公である鹿門が次々と敵を味方にしてしまうこと。奄美で敵を助けることを皮きりに、台湾でも一度摑まえた海賊陳赤竜を逃がしてやり結局は部下にしてしまう。ルソン島でニグリト族の首領バランガに襲われると、これも話し合って味方にし、マニラにおけるイスパニアとの交渉ではなんと宿敵の海賊李馬恭と同盟を結ぶのである。この男は闘えば闘うほど仲間がふえてしまうという変わった男なのだ（李馬恭には最後まで気を許さないというように、同盟の域を出ない相手もいるが）。疵は、敵方の造形がやや物足りないこと。しかし、再会した妹が鹿門に気を許さずに安易な結末を拒否しているのはいいし、鹿門が海の呼ぶ声に誘われて冒険に旅立つというひびきがなによりもいい。

山岡荘八（やまおかそうはち）にも同題の小説があるが、こちらの『八幡船』（地方新聞、昭和二十六年～二十七年）は、村上水軍の末裔・村上弥四郎が主人公にならず、浪人を集めて外国と盛んに交易をしている淀屋の主人が中心なので、残念ながら八幡船を素材にしていても海のドラマにならない。さらに、お勝に佐吉など、幕府の探索方まで絡んできて、中編にしては盛り込みすぎとの印象がある。

早乙女貢（さおとめみつぐ）の時代海洋小説『八幡船伝奇』も、ニュアンスが若干異なる。こちらは家老・陶隆房の反逆で滅ぼされた守護大名大内義隆の遺臣、香月大介と荒戸源七郎の冒険行を描いたもので、最初は行方不明になった源七郎の妹深雪を追う旅だが、明に渡る途中でポルトガルの海賊と遭遇するところから物語は横にどんどんズレていく。源七郎は奴隷に売られ、香月大介はポルトガル船を奪って海賊となるが、義隆の遺姫・容姫と会うところから今度はお家再興を誓って陶隆房への復讐ものとなるのである。しかし、これもストレートには展開せず、常に邪魔が入って物語は前に進まない。邪魔とは、香月大介がモテすぎるため、女性の問題で物語が横にズレていくことだ。つまり恋愛小説の要素が濃いのである。海洋場面も戦闘場面もあり、伝奇的なストーリーで読ませるものの、時代海洋小説というよりも香月大介をめぐる女たちの物語といった感がある。

倭寇を描いたものとしては他にも、津本陽『天翔ける倭寇』（野性時代、昭和六十二年～平成二年）があるが、これは倭寇の船に乗り込んだ雑賀鉄砲隊の亀若十八歳を主人公に、海賊たちの闘いを活写するストレートな長編。これも充分に面白いが、ここではもう一作、これを挙げておきたい。南條範夫『海賊商人』（光文社、昭和三十三年）。次から次に危機が主人公を襲う波瀾万丈の海洋冒険譚だ。こちらはまったく目が離せない。

　信長に攻められて滅びる箕作城の武将・建部源八郎の長男弥平太十五歳が主人公。三好日向守を頼って、十一歳の弟弥平次と一緒に落ちていくのが冒頭である。弥平太は日向守の娘・津世と将来の約束をするが、日向守に邪険にされ、結局弟と一緒に海賊となる。ところが二年後、海賊として明国を攻める際に弟は行方不明。ルソンに売られたという情報を得て、敵陣を脱出する途中で今度は海賊李馬鴻を助け、弥平太はその仲間に入る。それから数年、弥平太二十一歳のとき、李馬鴻のルソン襲撃に加わるのは弟の消息を聞けるのではないかと思ったからだが、その襲撃は失敗し、そこで堺の商人・納屋助左衛門と知り合い、一緒に堺に帰ってくる。この堺は、早乙女貢『八幡船伝奇』の堺より少しあとの時代。つまり、織田信長の勢力が自由都市に入り込み、堺の町がふたつに割れている頃との設定だ。

　めまぐるしい展開で、一篇の長編になるほどのストーリーがつまっているが、なんとここまではこの物語の前段階にすぎない。ここからもっと忙しくなる。堺の奉行松井友閑がおつうに横恋慕する挿話から、この物語はさらに動き始める。このおつうが、日向守の娘・津世で、弥平太と感動の再会。ところが信長の石山攻めに反抗して弥平太が城に食料を持ち込んだことが発覚し、婚姻の夜に奉行に踏み込まれる。弥平太はせっかく再会した津世と別れて逃げなければならなくなるのだ。忙しい男である。次は、五年後。海賊団の首領となった二十八歳の弥平太は弟を探しにマニラに向かうが戦闘のあとに捕まり、そこに救出に現れるのが李馬鴻の娘・李蘭。この李蘭は弥平太に惚れているとの設定である。その女海賊・李蘭に連れられプノン・ペンに行くと、偶然にも弟の妻と子に遭遇。そして弟の行方を追ってスマトラに向かう途中でスペイン船と戦闘になり、打ち破るとその船の奴隷のなかに弟がいてようやく再会。ところが弥平太の旅はまだ終わらない。こんなものではないのだ。「兄さんの生涯は、まるで、人を探すためのようなものだね」と弟に言われるが、今度は津世を探しに行かなくてはならないのである。そこで堺に戻ると、秀吉の時代になっているので過去のことはお咎めなし。しかし、津世は奉行に騙されて子まで生んでいる。結局、津世も奉行も死に、その娘・美枝は弥平太が引き取ることになり、弥平太はやっと李蘭と結ばれる。

いくら何でもこれでめでたしめでたしと思うところだが、なんとこの物語はまだ終わらない。ここから秀吉が絡んでくる。どう絡んでくるかがこの物語の最大のミソだろうからこれ以上は書かないが、波瀾に富んだ物語を一気に読ませる筆力は見事。時代海洋小説の傑作といっていい。

こういう海のヒーロー譚が強く印象に残るのは、波濤を越えて見知らぬところに行きたい、窮屈な日本を飛び出して遠くに行きたい、という主人公の願望が物語の底流にあるからだろう。ヒーロー譚における海は、自由を獲得するための開かれた道である。そこを渡って行けば、自由な生活が待っている。我々の身体の奥深くに眠っている放浪の心に、そのひびきが直接伝わってきて落ち着かなくなる。「南の海は広い。自由の天地がいたるところにある」と、秀吉に反抗して日本をあとにする『海賊商人』のラストが印象に残るのも、そのためだ。すぐれた海のヒーロー譚には、必ずこういうひびきがある。

隆慶一郎『見知らぬ海へ』（小説現代、昭和六十二年七月号〜平成元年五月号、講談社、平成二年）の主人公・向井正綱が「明国相手に八幡をするか、シャム、ルソン相手の交易でもしていた方がいい」と、いざとなったら東シナ海に向かうつもりで水と食料と火薬を積み込むことを部下に命じて審問に出かけたのも、そういう自由への希求のためだ。味方に海戦を仕掛けたことが問題になる件りだが、理不尽なことが罷り通るならそんな世はこちらから捨ててやるという意気が彼にはある。たしかに「自由の天地はいたるところにある」のだ。このひびきが彼を海のヒーローにする。この主人公・向井正綱は、織田・徳川連合軍に攻められている最中に釣りに出かけたため、戦闘に間に合わなかったという野放図な男で、「喜びも悲しみも驚きも、恐ろしく素直にそのまま表情に出してしまう」。隆慶一郎が好んで描く主人公のタイプである。

武田が滅びたあと、彼は結局徳川水軍の海賊奉行となるのだが、後半、気のやさしい長男・忠太郎を海戦に同行させるあたりから父と子の交流という側面を持ち始める。向井水軍を描いたこの長編はウィリアム・アダムスが登場したところで絶筆となってしまったが、キャラクター造形はいつもの通り群を抜いているし、海のいくさ人を主人公にしているだけに、海洋描写が圧巻。このような本格的な時代海洋小説の結末を読むことができないのは大変残念である。

4

時代小説の最後は白石一郎で締め括る。

あるいは白石一郎は時代伝奇小説の項で採り上げるべき作家だったのかもしれない。なぜなら、子供の頃に山中峯太郎、海野十三、平田晋作、南洋一郎などのSF的冒険小説に熱中し、一方では白井喬二、吉川英治、角田喜久雄などの時代伝奇小説を読みふけったという白石一郎は、そういう読書体験から窺えるように、伝奇小説への傾斜が強い作家なのである。たとえば第一長編『鷹ノ羽の城』について作者は後年次のように書いている。

この小説を書いていた頃、私には資料を集める知識も経験もあまりなく、歴史知識はきわめて貧しかった。そのための欠点はもちろんある。しかし逆に懸命になって話をつくり、必死にうそをつくという小説本来の使命にはきわめて忠実だった。この小説が私にとってこれまで望外の読者を得てきたのは、そのへんに理由があるように思われる。伝奇小説の本質は、やはり華麗につくられた「大嘘」の中にあるのであろう。若いころの稚い大嘘ではあるが、現在この小説を再読してみて自戒、反省させられること甚大であった。

今や伝奇小説への思いを、あらたにしている。

昭和三十七年講談倶楽部に連載されたこの『鷹ノ羽の城』は、南蛮女と肥後の武将との間に生まれた金髪碧眼の子がたどる数奇な運命を戦国時代を背景に描く長編で、容貌怪異なために人鬼と恐れられつつ、戦国武将として成長していく男の孤独を巧みに描いた作品であり、伝奇小説に独自性を持ち込もうとする若い作者の意欲が表出している第一長編といっていい。

もっとも、白石一郎を伝奇小説作家と名付けてしまうことにも抵抗はある。たとえば、公儀お庭番の恋と冒険を描く『びいどろの城』(『長崎隠密坂』改題)に伝奇的要素はあっても、商人を主人公にした『銭の城』は経済小説に近いだろうし、大友宗麟の生涯を描く『火炎城』は歴史小説であり、当然のことながら伝奇小説だけを書いている作家ではない。第一長編『鷹ノ羽の城』が伝奇小説であったように、白石一郎の作品に伝奇的要素が濃いことは事実だが、それがすべてではない。

それでもこの作家の特徴の大半が伝奇小説にあるのなら、時代伝奇小説の項で採り上げただろう。白石一郎に対するもうひとつの強い印象があるのだ。それは海を舞台にした作品が多く、潮の香りが強いこと。作者自身は「海を舞台にした作品は私の全作品の中で、二、三割を占めるにすぎない」と書いているが、直木賞を受賞した『海狼伝』とその続篇『海王伝』の印象が強いためだろうか。時代伝奇小説の項で採り上げず、時代海洋小説の最後に白石一郎を紹介するのもそのためかもしれない。

『サムライの海』（日刊スポーツ西部版、昭和五十三年七月〜五十四年三月）は、その海の小説だ。主人公は高島蘭次郎。砲術師範の子として生まれながらも漁師になりたいと思っている青年で、この長編は幕末の長崎を舞台に捕鯨に賭ける彼の夢を描いていく。なかなか爽やかな時代海洋青春小説である。捕鯨銃の製造開発に夢中になっている高島蘭次郎を訪ねてきた坂本龍馬が「世間が人殺しの大砲や小銃に眼の色を変えておる時に、ここでは悠々と鯨捕りの鉄砲をつくっておる。ほんとうに尊い仕事というのは、こういうものかもしれん」と言う場面に、幕府軍と長州軍が闘っている関門海峡の戦場に蘭次郎の捕鯨船が鯨を追って舞い込んでいくシーンを重ねれば、激動の幕末と蘭次郎の夢を対比する作者の意図も見えてくる。直接的な海の描写が少ないにもかかわらず（捕鯨場面は圧巻だが）、この小説が海の香りを濃厚に伝えてくるのは、海へ寄せる主人公の思いが物語の底を強く流れているからだろう。こういう矢印がないと海を描いても本来的な意味での海洋小説にはならない。

その典型例が『戦鬼たちの海』（サンデー毎日、平成三年一月〜十二月）。こちらは〈織田水軍の将・九鬼嘉隆〉という副題にある通り、波瀾に富んだ九鬼嘉隆（くきよしたか）の生涯を描くもので、戦国時代を激しく生きた男の人生を活写した傑作といっていい。だが、海洋小説として見た場合はどうか。安宅船を旗艦とする北畠海賊衆と九鬼船団との海戦。石山本願寺の攻防をめぐる毛利海賊衆との大阪湾での海戦。そういう海の戦闘場面はきっちりと描かれている。分量的にもその海の描写は『サムライの海』に比較して大差はない。しかしこちらの小説には、不思議に海の香りが欠けている。

その理由はこの小説で描かれる九鬼嘉隆という人物が復讐と戦闘に憑かれ、闘って勝つことに執念を燃やす男として登場することに求められる。本拠地である志摩を追い出されたことの恨みをこの男は執念深く忘れないのである。失意の日々の中で信長に出会い、家臣となって水軍の将となり、陰謀をめぐらせて志摩平定をなし遂げるのも、海という舞台への希求ではなく、彼にとっては復讐なのだ。つまり主人公には強い復讐の念はあっても海への特別な思いがない。したがって、すさまじい生涯を生きた男の興味深い伝記にはなっても、潮の香りを伝える海洋小説にはならない。そういうことだろう。あるいはこの小説に海洋小説を読もうとする私の期待と作者の意図が違うということなのかもしれない。世界最初の甲鉄艦を考案した九鬼嘉隆にも実際には海との強い結びつきはあったに違いない。だが、作者はその部分を描くよりもこの小説では失意と復讐と陰謀の生涯を生きた男のドラマチックな人生を描くことに力点を置いたのだ、とも考えられる。

ひとつ付け加えておけば、『戦鬼たちの海』に海洋小説の匂いが欠けているといっても、成熟した作者の筆致が味わえることは事実で、それを認めることに関しては私もやぶさかではない。そういう作者の成熟は、『鳴門血風記』（問題小説、昭和六十二年五月号～六十三年四月号）にも見られる。秀吉の四国平定に対する祖谷(いや)山岳党の反抗とのメイン・ストーリーに宝探しを絡ませ、さらに筒井喬之助という群をぬくキャラクター（これがすごい）を造形したこの長編は伝奇小説の傑作といっていい。第一長編『鷹ノ羽の城』と読み較べれば、この作者の成熟をうかがうことができる。

しかし、ここは海洋小説を読みたい。しかも伝奇的要素が濃く、成熟した筆致で読ませる時代小説がいい。読者のそういう贅沢な要望に応える作品はめったにあるものではないが、白石一郎にはあるから嬉しい。もちろん、『海狼伝』（地方新聞、昭和六十一年一月～九月）と、その続篇『海王伝』（週刊文春、平成元年五月～二年五月）である。主人公は笛太郎。船が好きで、対馬に帰国した海賊・宣略将軍の部下になっても敵を処刑できず、闘うより船を操縦することのほうが面白いという青年だ。村上海賊衆と戦闘になり、捕虜となって能島小金吾の部下になるのが次の展開。続いて石山本願寺と信長との闘いが背景として挿入され、その闘いが村上海賊衆の側から描かれる。つまり『戦鬼たちの海』とは逆の立場から描かれるわけだ。すなわち最初に勝ってのちに負ける。最後に小金吾は南蛮船をつくり、黄金丸と名づけて明国との交易の途中で宣略将軍と決着をつけに行く。その海戦で宣略将軍も能島小金吾も死に、笛太郎が黄金丸の船大将となるのが『海狼伝』の巻。

この『海狼伝』が群を抜いているのは、まずキャラクターの造形が際立っていること。武術の達人・麗花、南宋人の雷三郎、船大工の小弥太など個性的な脇役が次々に登場する。これがひとつ。中でも秀逸なのは能島小金吾。商才にたけているので兵糧や武器弾薬、造船用材の買いつけを主な仕事にしている男だが、経済観念が発達していて、その屋敷も（掘立小屋ではあるにしても）ただでつくってしまう。雷三郎の知り合いの女を助ける件りでも笛太郎が全財産を投げ出しているというのに、鉄砲二丁分とはもったいないとこぼす男で、とにかくおかしい。この男の登場が物語にまず色彩感を与えている。戦国の動乱を背景に、入り組んだストーリーを構築しているのも見逃せないが、しかしなによりも船が好きという主人公笛太郎の性格設定が『海狼伝』を解く鍵である。この男の海への傾斜が物語に潮の香りを強く漂わせている。

この笛太郎の父親は村上海賊衆で行方不明になっているとの設定だが、その父親との邂逅を描くのが続篇の『海王伝』。なんと、ここではもはや日本が舞台にはならない。種子島から琉球、シャムと南の海を航海していく。黄金丸の冒険行を描いたこの続篇は、『海狼伝』に較べて伝奇的要素は薄いものの、今度は笛太郎が船大将となって黄金丸を指揮するだけに海の匂いがより濃く、海洋冒険小説として一級の傑作となっている。動乱の日本を離れて南へ南へと向かうことが壮大なひろがりを伝えてくる、といってもいい。前作同様に多くの人物が入り乱れ、ラストの父親との海戦まで一気に読ませるのは見事。まだ父親との決着がついていないので、あるいは第三部が書かれるのかもしれない。

白石一郎にはもう一作、とんでもない作品がある。昭和五十六年五月から「SFアドベンチャー」に連載し、第五部は書き下ろしたものの、いまだ未完の『黒い炎の戦士』だ。こちらはなんと時代SF伝奇小説である。白石一郎とSFとは妙な組合せだが、「もともと時代小説とSFは矢印の方向を逆にしながら同じ線上に並ぶものだと、私は考えている」と言う作者は、また「SFを耽溺することを唯一の娯楽としてきた」ともいう。

黒子と呼ばれる十三人の異能者集団と異国からきた超能力軍団・白鬼との凄絶な闘いを描くこの大河小説は、第四部から海洋小説の趣を示し始めるのがいかにも白石一郎らしい。SFという自由な手法を手中にした作者の空想力が奔放に展開するのが読みどころで、この作家のまだ見ぬ可能性がこのラインにもあるように思われる。

というところで、駆け足にはなるが時代小説の項をおわりたい。予定外に長くなってしまったのは、冒険小説のヒーローが日本の場合、時代小説の中に息づいているからで、当初の予定を変更して深入りしてしまったのもそのためだ。まだ気になる作家や作品はあるが、これ以上踏み込むとジャンル論になってしまうだろう。

時代小説の中で活躍していた日本の活劇ヒーローはようやく現代の都会に戻ってくる。その現代ヒーロー篇は三回で片づける。あともう少しだ。

大藪春彦の意味

日本の冒険小説は、明治の政治小説、翻案小説、少年小説、そして戦前戦中の軍事冒険小説とその伝統を伝えてきたが、戦後は檀一雄『夕日と拳銃』、生島治郎『黄土の奔流』などを例外として昭和五十年代のムーブメントまで長い空白をむかえていく。その間、冒険小説ヒーローが大正末に勃興した時代小説を舞台に活躍することは報告ずみだ。では現代を舞台にした冒険小説はその間まったくなかったのか。そう考えるとき浮かんでくるのが大藪春彦である。

大藪春彦の作品が理解しにくいのは、第一に無駄な心理描写がなく行動を簡潔に描写するのでテンポがいいこと、第二に活劇のディテールが克明なので臨場感にすぐれていること、第三に主人公にためらいがなく迷わず一直線に進むので目が離せないこと、などの理由が挙げられる。つまり、これらの理由からストーリーの表層に目を奪われやすいのである。血と暴力の小説という偏見に長い間さらされてきたのもそのためだろう。物語の表層を読むとそういうことになる。

さらに昭和三十三年のデビュー作『野獣死すべし』がハードボイルド小説として読まれたこ

とも（作者自身も闘争的ストイシズムという点で自作はハードボイルド派と一致すると書いている）、冒険小説として理解されることを妨げた原因のひとつだったかもしれない。たしかに『野獣死すべし』を始めとする初期作品は、ハードボイルド小説であったかもしれない。だが、大藪春彦の作品は徐々にハードボイルドの域をはみ出していく。特に昭和四十七年以降の作品は日本では希有な冒険小説となっていく。

昭和四十七年を境に変貌するその大藪春彦理解の鍵は次の三つである。

①『輪殺の掟』『処刑軍団』の男たちが闘うことの意味。
②『黒豹の鎮魂歌』第三部の冒頭にあるサバイバル・シーンの意味。
③『獣たちの墓標』と『獣たちの黙示録』の間にある落差の意味。

まず①は、小説におけるヒーローが物語の中で闘うことの理由だ。その闘う理由で分類すると、冒険小説のヒーローは任務型、巻き込まれ型、復讐型にとりあえずわけられる。大藪春彦の作品にも任務型は『破壊指令No.1』『偽装諜報員』の矢吹貴シリーズがあるし、復讐型も『復讐の弾道』『絶望の挑戦者』とある。ただし巻き込まれ型は少なく、その代わりに『戦いの肖像』『蘇る金狼』などのサクセス・ストーリーが充当する。すなわち彼らは上昇するために闘うのだ。しかし、どちらにしても闘うことの明確な目的は持っている。

ところが大藪春彦の作品の中で『輪殺の掟』『処刑軍団』など、この分類に入らない作品がある。これが最初の鍵だ。なぜ入らないかというと、ここに登場する男たち、津野登、本城昇、岩下健一（連絡役の浜野幸男を入れた四人）に闘うことの明確な目的がないからである。いわば無目的ヒーローといっていい。『処刑軍団』のほうは仕事を依頼されるとの構成を一応は持っているが、依頼主の思惑を無視して好きなように行動していくから、任務型とは言えそうもない。では彼らは何のために闘うのか。

金品を強奪するため、という理由はあるかもしれない。誰に頼まれたわけでもなく、復讐でもなく、正義のためでもないなら、そういうこともあるだろう。だが『処刑軍団』の場合、悪徳政財界人から強奪した金額はなんと七百六十六億円というケタ外れの額だ。彼らはそのためにアジトをいくつも用意し、武器弾薬を大量に買い、車やヘリコプターを駆使し、完全武装で襲撃する。その方法も金のためという理由にはおさまりきれないほどスケールが大きい。金品を得ることが目的なのではなく、強奪すること自体、破壊すること自体が彼らの目的であるかのようだ。襲撃の描写を見よ。『輪殺の掟』は暴力団を、『処刑軍団』は悪徳政財界人を、それぞれ皆殺しにしていく話だが、この殺戮がすさまじい。現金や財宝の隠し場所を吐かせるために、睾丸を火で炙(あぶ)り、肛門にナイフを突き立て、時には腹を裂いて腸を引きずり出す。『輪殺の掟』では暴力団に潜入するためだけにチンピラの首を切り落とす。まことにすさまじい。彼らは狂気に憑かれたかのように一人ずつ絞めあげていく。ヒントはこの狂気である。まずこれが一つ。

次に、『黒豹の鎮魂歌』第三部の冒頭にあるサバイバル・シーンの意味だ。主人公の新城彰が暴力団の首領を倒し、次の標的である政治家を狙うまでの束の間の休息シーンである。新城彰はゴムのパチンコ、防水マッチ、大型の折り畳みナイフなどを猟用チョッキのポケットに突っ込み、灌木をへし折りながら強引に道なき道を登っていく。キジをとらえ、イノシシを獲り、谷川で内臓を洗い、焼いて食べる。これらの行為は新城彰が日課にしているトレーニングだとさり気なく書かれているだけで何の説明もない。キジの丸焼きをむさぼり食い、煙草をゆっくり吸ってから立ち上がり、彼は山の奥に向かって登っていく。この唐突なサバイバル・シーンが物語になぜ必要なのか。これが二つ目の鍵。

最後の鍵が、『獣たちの墓標』と『獣たちの黙示録』の違い。これはどちらも西条秀夫を主人公にしたエアウェイハンター・シリーズだ。この男は国内を舞台にしたハイウェイハンター・シリーズですでに登場していたが、警視庁の秘密捜査官をやめ、フリーになって仕事を引き受けるという新たなかたちでスタートしたのがエアウェイハンター・シリーズで、その第一作が本土復帰直前の沖縄を舞台に暴力団壊滅の命を受けた西条秀夫が活躍する『獣たちの墓標』。週刊誌に連載が始まったのは昭和四十六年だ。要人救出のためにソ連に潜入する『獣たちの黙示録』はそのエアウェイハンター・シリーズの第四作。こちらが書かれたのは第一作の十年後である。

この二作の違いとは、休暇中の西条秀夫に極秘任務の依頼が来るまで冒頭わずか五ページであった第一作『獣たちの墓標』に比べ、『獣たちの黙示録』では上巻二五〇ページ中の一四〇ページまで依頼がこないこと。十年前には電話一本で飛び出して行ったのに、その電話がなかなか鳴らなくなったのはなぜか。これが三つ目の鍵である。

しかしこれだけでは何のことかわからない。この三つの鍵を解くには、昭和四十七年のアラスカ、四十八年のニュージーランド・オーストラリア、昭和五十年のアフリカと著者が精力的にハンティング旅行に出かけた伝記的事実を並べなければならない。このハンティング旅行を境に大藪春彦の作品が変貌を遂げたことに注意。前出の『黒豹の鎮魂歌』が昭和五十年に刊行されていることに留意したい。大藪春彦の作品に、サバイバル・シーンがそれ以前になかったわけではない。たとえば昭和四十五年の『非情の掟』の主人公島津浩は満身創痍で山中の穴にもぐり込み、なんと銃の負い革をしゃぶって食べ、一週間のうちにベルトと靴を喰いつくす。そして雄ジカの骨の髄までしゃぶって実に一カ月半、体力の回復を待つ。この場面と、昭和五十年『処刑の掟』の速見誠が戦闘で傷ついた体を山中の穴に横たえ、救急生存キットから針金を取り出して野兎を罠にかけて喰うサバイバル場面を比較すると、そのディテールにそれほどの差はない。だが、昭和四十年代の末から昭和五十年にかける著者のハンティング旅行の影響によって大藪作品のサバイバル場面が結果として激化したことも事実である。復讐物語の傑作『傭兵たちの挽歌』はその集大成だろう。

問題はそのサバイバル場面の意味だ。大藪春彦に『ヘッド・ハンター』という作品がある。これはハンティング小説だが、そのあとがきに作者は次のように書いている。「彼にとっては、レコード・ブックの上位に載るに価する素晴らしい獲物を、体力とサバイバル・テクニックのかぎりを尽くして倒し、それを回収することだけが生きる目的であり、多くの読者から見れば、杉田淳は狂気と正気の間をさまよっているように見えることであろう」

ここに昭和四十七年以降の変貌を解くすべての鍵がある。『ヘッド・ハンター』の主人公杉田淳にとってハンティングとは自然と一体化することである。肉体と精神がバランスを取り、自然と一体化することが彼の喜びであり、生きる目的なのだ。

自然のなかに生きるこういう男にとって都会のあらゆる光景はおそらく狂気に近い。大藪春彦の作品で悪徳医師や政治家が滑稽（こっけい）なまでに戯画化されるのも、この文脈で理解される。『黒豹の鎮魂歌』に代表されるサバイバル場面も闘いのためのトレーニングではない。都会の狂気に向かうための自己確認にほかならない。彼らはそうやって自分が闘う意味を、原始の血を確認しているのだ。エアウェイハンター・シリーズの西条秀夫が電話の鳴るまでハンティングに専念しているのも同様である。

『処刑戦士』もヒントになるだろう。この作品は『輪殺の掟』『処刑軍団』とは登場人物が異なるものの、前二作と同様のストーリーを持つ。誰に依頼されたわけでもなく、正義のためでもなく、四人の男たちが悪徳政財界人を皆殺しにしていくこの小説のラストに注意。なんと、「それから二カ月後、アラスカからカナダにまたがる自分たちの広大な私有地で、四人の戦士は春の灰色熊猟を楽しんでいた」というところで、この物語は終っているのである。彼らの生きる目的が自然の中でハンティングすることで、都会に出かけていくのはその余暇の出来事にすぎないという構造がここから浮かんでくる。その逆ではないのだ。『輪殺の掟』や『処刑軍団』の男たちが目的もなく闘っているように見えるのは、都会における闘いが彼らの目的ではないからだ。彼らの生きる目的は都会を離れ自然の中でハンティングすることそのものなので、それ以外に目的を持つ必要がない。無目的ヒーローの意味をそう考えることもできる。

彼らがサバイバル・トレーニングに打ち込むのは、危機に際して弱音を吐きそうになる脆弱な己れの肉体を克服するためだ。ここにディック・フランシスを想起すればいい。フランシスは冒険者の肉体にひそむ恐怖心をテーマに、ストーリー主義が横行して冒険小説が袋小路に入っていた七〇年代の壁を克服していった。闘うべきは自分の脆弱な肉体であるという例のカードである。

大藪春彦の冒険小説もストーリーではなく、キャラクターでもなく、冒険者の肉体を核にしている。ヒーローは何のために闘うのかという永遠の問いに対する大藪春彦の答えが前記のサバイバル・トレーニング・シーンであるのだ。この一点で大藪春彦の作品と冒険小説は重なり合う。アラスカ・ハンティング以降の作品に無目的な冒険者がふえている事実は、昭和四十七年以降の作品がハードボイルド小説の枠をはみ出して冒険小説に接近した道筋を示唆している。冒険小説の外枠もなかった時代にこのように核にこだわって書き続けた作家がいたことは驚き以外のなにものでもない。そして「交通事故や胃ガンで死ぬ人生」から遠く離れた冒険の世界に、大藪春彦は読者を案内していくのである。

八〇年代のオデッセイア

昭和五十年代の冒険小説ムーブメントは、まず昭和五十二年谷恒生『喜望峰』『マラッカ海峡』で幕を開ける。同時二冊書き下ろしというデビューの鮮やかさはまだ記憶に新しい。この二作はイギリス海洋冒険小説を彷彿させる正統派の冒険物語だが、そういう作品がこの年に生まれたことの背景にはその前年、生島治郎『夢なきものの掟』、三浦浩『さらば静かなる時』、伴野朗『五十万年の死角』、小林久三『灼熱の遮断線』、山田正紀『謀殺のチェス・ゲーム』、田中光二『失なわれたものの伝説』という活劇寄りのサスペンス・ミステリーやアクション小説が数多く書かれていたことが伏線としてある。昭和五十一年に突如としてこれらの活劇小説がいっせいに書かれた事実は記憶されていい。

特に、『安楽死』『瀬戸内殺人海流』『屍海峡』と秀逸なミステリーを書いていた西村寿行が昭和五十年の『君よ憤怒の河を渉れ』を転機に冒険アクション小説を書き始め、『蒼き海の伝説』をはさんで谷恒生デビュー前年の五十一年には『化石の荒野』『娘よ、涯なき地に我を誘え』（のちに『犬笛』と改題）と精力的に活劇小説を書いていた事実に注目したい。昭和五十一年『化石の荒野』のあとがきで、子供時代に南洋一郎の小説に夢中になり、ターザンに憧れていたことを告白した西村寿行が、これからは冒険小説を書くと宣言したときの読者に与えた驚きと興奮は、当時の日本冒険小説が置かれていた状況を象徴的に語っている。昭和五十年代の冒険小説ムーブメントの始まりは、あるいはこの瞬間だったのかもしれない。

昭和五十二年の谷恒生『喜望峰』『マラッカ海峡』に続いて、五十四年に船戸与一(ふなどよいち)『非合法員』、五十六年に志水辰夫(しみずたつお)『飢えて狼』、北方謙三(きたかたけんぞう)『弔鐘はるかなり』とこのジャンルに新人作家が登場する。五十三年には谷克二(たにかつじ)の初長編『狙撃者』、さらに五十四年にはポリティカル・ノベル『日本封鎖』で先行していた森詠(もりえい)の本格冒険小説『さらばアフリカの女王』、そして田中光二の冒険小説三部作『南十字戦線』『血と黄金』『黄金の罠』、五十六年には大沢在昌(おおさわありまさ)『ダブル・トラップ』と作品も出揃って、冒険小説の時代が到来するが、その始まりを西村寿行のこの冒険小説宣言に見ることも可能だろう。

しかし、昭和五十一年になされた西村寿行のこの冒険小説宣言と、五十二年の谷恒生デビューはあとから振り返ると、その後に続く冒険小説時代の単なる幕開け、その序章にすぎなかった。日本の現代冒険小説はその作品から考えると、志水辰夫と北方謙三が登場した昭和五十六年、すなわち一九八一年を真の始まりとしなければならない。つまり八〇年代の開幕と同時に日本の現代冒険小説も始まったのだ。

八二年の森詠『燃える波濤』(第一部～三部)、八三年の北方謙三『檻』、八四年の船戸与一『山猫の夏』、八五年の志水辰夫『背いて故郷』、八六年の逢坂剛(おうさかごう)『カディスの赤い星』、八七年の船戸与一『猛き箱舟』、八八年の佐々木譲『ベルリン飛行指令』、八九年の同『エトロフ発緊急電』と十年前なら信じられないような作品が次々に刊行され、冒険小説はひとつのジャンルとして認知されていく。黄金の八〇年代の到来である。

その八〇年代を代表する作品として、七九年にデビューした船戸与一が八一年に書いた第三長編『夜のオデッセイア』をここでは取り上げておきたい。くどいようだが、その八一年は志水辰夫と北方謙三のデビューの年であり、日本の現代冒険小説の開幕の年であった。この長編が上梓されたとき、「現代の冒険物語の新しいスタイルをつくったという点で、おそらく記憶に残る小説になるだろう」と私はある時評に書き記したが、これは画期的な作品だったと思う。八〇年代の日本冒険小説の開幕をある意味では象徴する長編であるようにも思える。

では『夜のオデッセイア』は何を象徴したのか。

オデッセイアと名付けられたステーション・ワゴンに乗って旅しているのは、ボクサーの「おれ」とマネージャーの野倉宗市。彼らは八百長試合で生活費を稼いでいるコンビで、日本を喰いつめてアメリカ大陸を放浪している。まずそういう設定でこの物語は幕を開ける。

そのワゴンに意味なく乗り込んでくるのは、ベトナム帰りのプロレスラー・コンビ、二人のジョーだ。一人はウィスキーばかり呑んでいるのでウィスキー・ジョー。もう一人はブランデー以外の酒は呑めないブランデー・ジョー。この東欧系の大男たちは興業主ともめて、ただいまはリングに立てない。彼らはいんちきボクシング・コンビ同様にアメリカを放浪していて、オデッセイア号に乗り込んでくる。「おれ」の元恋人直美とその姉の子ヒューイもひょんなことから同乗することになり、かくてオデッセイア六人の旅が始まっていく。

ここまでが第一部で、全体は四部構成だ。次に向かうのはマイアミ。ブルックリンに住むウィスキー・ジョーの叔母を訪ねると孫娘のイラン人婚約者からマイアミの友人に手紙を届けてほしいと頼まれ、マイアミでその友人から大きな封筒を預かるのが次の展開の始まり。CIAにモサドの秘密工作員、さらにマフィアまで絡んできて、彼らは得体の知れない陰謀に巻き込まれていく。「おれ」が預かった封筒には、イランの元国王パーレヴィが海外に隠した財産の一部、二千万ドルの行方を書き記した秘密の言葉と地図が入っていて、どうやらそれが狙われているらしい。

こうしてオデッセイアの六人も宝探しに乗り出していく。カストロに失望したキューバ革命の生き残りに、イラン、イラクから独立をめざすクルド族の志士も登場し、宝探しをめぐる陰謀と活劇は混迷の度合いを深めて、アリゾナ州フェニックスの砂漠の洞窟におけるクライマックスまで物語は快調に語られていく。八〇年の政治情勢を背景に置いて、はぐれ者たちの冒険をストーリー性の濃い物語のなかに描く船戸与一お得意の小説といってもいい。

しかしこの『夜のオデッセイア』が強い印象を残すのは、そのプロットではなく、登場する男たちが放つ爽快感が群を抜いているからだ。二人のジョーがとにかくいい。粗野で無骨で純情でやさしい男たち。彼らがオデッセイアに乗り込む場面を想起されたい。彼らには日本人いんちきコンビの旅に同行する何の理由もないのだ。オデッセイア号を見るなり、その大きさに驚いてワゴンをぱたぱたと叩き、「おまえらがふたりだけで乗るにゃもったいない」「そうだともよ、ジョー。おれたちがこのくるまを利用しないってのはおかしい」と乗り込んできて、「さっさと出かけようじゃねえか」と催促する。どこへ出かけるんだと尋ねる野倉にも「おまえたちの行くところへさ」という屈託のなさだ。彼らは日本人コンビの八百長につけこみ、なにがしかの金を巻き上げるつもりで最初は近づいたのだが、ワゴンを見た途端に気が変わって「金はもういらねえよ」「おれたちゃおまえらと一緒にこのくるまで旅をすることにしたんだよ、さあ、出かけようじゃねえか」と後部座席に乗り込んでくる。とんでもない男たちだ。

途中から宝探しという旅の目的ができるものの、この男たちに最初は何の理由もないことに注意。冒険小説における主人公の行動原理を、①使命、②復讐、③巻き込まれ、の三パターンに分類できることは報告ずみだが、この二人のジョーはワゴンに乗り込むきっかけを見るかぎりではどこにも分類できない（日本人コンビを含めて巻き込まれ型にやや近いということはある）。大藪春彦の場合も無目的ヒーローが多かったことを考えると、キャラクターの造形に関して資質的に船戸与一は大藪春彦に近いということが言えそうだが、船戸与一の場合はどうもそれだけではない。では何なのか。

私はここに白井喬二を想起する。『神変呉越草紙』だ。あの屈託のない男、相模龍太郎の像がこの二人のジョーに重なってしまう。『神変呉越草紙』も宝探し小説だが、わかれわかれになった妹を探さなくてはいけない局面になっても龍太郎は平気で寄り道をする。驚くほど楽天的な男だ。『富士に立つ影』の熊木公(こ)太郎でもいい。行き当たりばったりの、懐(ふところ)の大きな男。白井喬二の小説は伝奇的な趣向を凝らし、そのプロットとアイディアで読ませるものの、こういう野放図な男たちの魅力が大きい。波瀾万丈の物語を読み終えたあとに爽快感が残るのもそのためだ。船戸与一の小説が与えてくれる気分のよさは、白井喬二の伝奇小説にあふれているその爽快感にきわめて近い。

『夜のオデッセイア』第三部の終わり近くにウィスキー・ジョーがイラン人を摑まえてくる場面がある。事の真相を聞き出そうという件（くだ）りだ。ところがこの男たちは、その前にまず晩飯を食おうとイラン人を草むらに放り出したまま、なんとステーキを焼き始める。しっかり食べ、きちんと酒を呑む。プロットの流れを追うならば、そんなことをしている場合ではない。しかし、物語は中断してこのように宴の描写になる。この中断が象徴的だ。

つまり、『夜のオデッセイア』は日本の伝奇小説が伝統的に描いてきた野放図な男の魅力を核にする小説であるのだ。それを現代に蘇らせたのが船戸与一だった、と言うこともできるだろう。いつも物語の背景に現代政治の構図を置き、そこにうごめく男を描くので、きわめて秀逸な政治冒険小説という印象があるが、衣装を取り払ってみると、粗野で純情で行き当たりばったりで、とてつもない魅力にあふれた伝奇小説の男たちの像が浮かんでくる。

昭和五十二年の谷恒生『喜望峰』『マラッカ海峡』がイギリス海洋冒険小説を彷彿させる作品であったことを想起されたい。昭和五十年代の冒険小説ムーブメントはたしかに先行する西村寿行、そして谷恒生の前出書によって始まったが、それはイギリス冒険小説の移入であった側面も見逃せない。しかし、『夜のオデッセイア』で作者が描いたのは、イギリス冒険小説の規範から自由に解き放たれた男の冒険である。日本伝奇小説の伝統に通底する野放図な男たちの冒険を、現代の構図のなかに描くというきわめてオリジナルな展開である。八〇年代の日本冒険小説は、北方謙三『檻』という秀作を一方で生み、船戸与一自身も『山猫の夏』『神話の果て』『伝説なき地』という南米三部作や、大作『猛き箱舟』を発表していく。作品的には前出の佐々木譲『エトロフ発緊急電』や、逢坂剛『カディスの赤い星』などの傑作もある。それらの作品に比べて『夜のオデッセイア』が群を抜く作品というわけではない。だが、『夜のオデッセイア』が八〇年代を象徴するのは、日本独自の冒険小説のかたちを力強く提示したことだ。ここから日本の現代冒険小説は始まったのである。

夢枕獏の彼方

時代小説を舞台に活躍していたヒーローが現代に戻ってきたのは大藪春彦以降で、その大藪冒険譚の孤軍奮闘の果てに八〇年代の現代冒険小説ムーブメントがやってくる。大ざっぱではあるが、これが日本のヒーロー小説の戦後史である。ところでその太い流れは、当然ながら数多くの枝を持つ。八〇年代を席巻した伝奇ファンタジーはその枝のひとつだろう。ヒーロー小説の側から、この伝奇ファンタジー流行の意味を最後に考えたい。

谷恒生が『魍魎伝説』を書いたのは八二年のことで、同年に『幻獣少年キマイラ』を開始した夢枕獏と、『魔界都市〈新宿〉』でデビューした菊地秀行(きくちひでゆき)が、『魔獣狩り、淫楽編』（昭和五十九年）と『魔界行、第一次復讐編』（昭和六十年）をひっさげて、それぞれこのジャンルに参入し、オカルト伝奇バイオレンスはたちまち大きな流れになる。ではなぜ、これらの伝奇ファンタジーが八〇年代に流行ったのか。

このジャンルの流行について以前書いたことを引く。「八〇年代のオカルト・バイオレンス・ブームは、闘うべき敵を、悪霊、妖怪、エイリアン、つまりは〈この世にあらざるもの〉

に求めた点で、現代冒険小説の置かれた苦しい立場を皮肉にも示唆していたようだ。七〇年代、イギリスのジャック・ヒギンズをはじめとする冒険小説作家たちが軒並み壁にぶつかっていたのは、明確な敵を持ち得なかったからで、八〇年代の伝奇ファンタジーはその悩みに対するひとつの回答にもなってしまった。現実の敵を設定できないなら〈この世にあらざるもの〉を敵にしてしまえばいいのである」

　これはヒーロー小説の側から見た場合の考え方で、ヒロイック・ファンタジー流行をもっと大きな時代の趨勢として受け取ることもできる。すなわち、舞台を過去か未来に移した伝奇小説や剣と魔法の小説が八〇年代に求められたのは、現代が輪郭のはっきりしない混沌とした時代であり、その閉塞状況から脱出したいという無意識の願望の表出にほかならないと。そう考えることもできるだろう。そこにヒロイック・ファンタジーの始祖ハワードが三〇年代に発表したコナン・シリーズが六〇年代に再評価されたことを想起すれば、この伝奇ファンタジーが時代の大きな節目に登場するジャンルであることも見えてくる。つまり懐疑と躊躇（ちゅうちょ）の時代にはその不安を吹き飛ばすような、明快で太く、力強い物語が求められるのである。あるいは、この世紀末ファンタジーを日本エンターテインメントの流れの中に位置づけることもできる。たとえば、松本清張に代表される五〇年代リアリズム娯楽小説が結果として物語の矮小化を生んだこととの反動として、六〇年代末の夢野久作（ゆめのきゅうさく）、国枝史郎再評価に象徴される〈大ロマンの復活〉、さらに半村良を筆頭とする七〇年代中期の伝奇小説ブーム、そしてこの世紀末ファンタジーと、我が国の大衆小説は徐々にリアリズムの尻尾を断ち切ってきた、とも考えられる。そういうリアリズムとの訣別という日本大衆小説史の流れのなかに見ることも可能だろう。この世紀末ファンタジーに暴力と性が過剰にあふれているのも、そうすることで現実から遊離し、なおいっそうファンタジーに接近していくからだ。

ではその世紀末ファンタジーが、なぜこちらの射程に入ってくるのか。問題はそういうことになる。

きわめて特異な作家がこのジャンルにいるからである。一般的には伝奇ファンタジー作家に分類されていても、時にファンタジーの衣装をつけるだけで実際はリアリズムの尻尾を断ち切らない作家がいる。現代ヒーロー編の最後はこの作家を取り上げたい。夢枕獏だ。

夢枕獏は七九年の第一短編集『ねこひきのオルオラネ』でデビューする。これは丸ごとファンタジー作品集で、続いて『キラキラ星のジッタ』『遙かなる巨神』という二冊の短編集を翌年刊行したあと、八一年には第一長編『幻獣変化』を上梓する。これらのどの作品にも夢枕獏の才能の片鱗がうかがえるものの、あとから考えればここまではこの作者の習作時代といっていい。八二年に到ってこの作家の本領が一気に開花する。九十九兄弟の登場する二つの代表的なシリーズ「キマイラ」（書き下ろし）と「闇狩り師」（雑誌連載）が始まるのだ。どちらも長大なシリーズで十年経ってもまだ未完だが、ここでは「闇狩り師」を取り上げておきたい。

このシリーズは「怪士の鬼」（SFアドベンチャー、昭和五十七年九月号）で幕を開けるが、妖魔封じを稼業とする〈祟られ屋〉九十九乱蔵を主人公とする特異な物語である。〈祟られ屋〉について作者はこう説明している。

「霊に好かれやすい体質と知識を利用して、被害者のかわりに霊に祟られてやることもある。その方が、除霊よりも手っとり早いのだ。憑依されている人間のそばに寄ると、自然に霊の方が自分にくっついてしまう場合さえある」

〈闇狩り師〉シリーズは、この九十九乱蔵が霊喰い猫シャモンを連れてさまざまな霊と闘う除霊冒険行だ。この設定に見るように衣装は明らかにファンタジーだが、怪異現象を扱いながらも最後まで「現実にありそうな話」としてまとめたところに、このシリーズの特色がある。

作者はあるインタビューに次のように答えている。

「ぼくと菊地さんの違いみたいなのは、僕の場合、現実にありそうな部分から勝負をしにいってるんですが、菊地さんは、もっとすっぱり割り切っているという部分はあると思います。（略）で、そういうのとそうでない部分とを作品によって書き分けている。書き分けられる人が、割り切ってやるからおもしろいんです。ぼくの場合はだいたい、たとえば「発勁」とか「気」というのが中国にちゃんとあって、そういうのに、ちょっと飛躍を加えるだけですね。その中で、いかに面白くするか、っていうことですから」

なぜ「現実にありそうな話」にこだわるのか、ということについては次のように語っている。

「ウソを書くならば、いくらでもできるわけですよ。自分でかってに、なんか能力を持った指輪なり剣なりを、設定しちゃえばいいわけですからね。でも、そうするとね、キリがないんですよね。うんと強い魔物がいてさ、もっと強い剣をどこかに設定して、それを手に入れればやっつけられる、とかね。なんかそれじゃ、つまんないでしょう。どこかに制約がないと」

これは明らかにファンタジーの手法ではない。第一作品集『ねこひきのオルオラネ』から第一長編『幻獣変化』までの作品が〈純〉ファンタジーであったことを想起すると、この「闇狩り師」で夢枕獏はその立脚点を明確にしたとも言える。かくて不思議な透明感にあふれた物語が『闇狩り師1』『闇狩り師2』と展開する。特に『闇狩り師2』に収録の「陰陽師」がいい。のちに同題の作品集を書いているが、この不思議な短編は夢枕獏のこの時期の傑作といっていい。しかし、それだけのことならば、ヒーロー小説の範疇(はんちゅう)ではない。ファンタジーの衣装をつけながらリアリズムの尻尾を断ち切らず物語を書いたという現代エンターテインメントにおける画期的な意味はあっても、ヒーロー小説ととりあえず関係はない。このシリーズが現代のヒーロー小説を考える上でこちらの射程に入ってくるのは、その後の展開だ。

「闇狩り師」は第三作から舞台を短編から長編に移し、『蒼獣鬼〈妄霊篇〉』(昭和六十年)、『蒼獣鬼〈異神篇〉』(昭和六十一年)、さらには『崑崙の王〈龍の紋章篇〉』(昭和六十三年)、『崑崙の王〈龍の咆哮篇〉』(同)と、九十九乱蔵の凄絶な闘いを前面に押し出していく。特に後者は「キマイラ」シリーズの重要な登場人物である龍王院弘を登場させた、緊迫感あふれる特異な冒険譚となっている。舞台を短編から長編に移すにしたがって、「闇狩り師」の中心は中国趣味あふれる不思議な話から九十九乱蔵を中心としたヒーロー小説と化していくのだ。

もちろんここでも他人の意識に侵入してその体を乗っ取る戸田幽学の術を、生き物の遺伝情報を別の生き物に運ぶウィルスになぞらえたり、憑依現象を説明したりと、作者はリアリズムから離脱しないよう配慮している。なぜこれほどまでに夢枕獏はリアリズムの尻尾を断ち切らないのかという理由がここにいたって判明する。

それは彼の作品がもうひとつの特色を持つからにほかならない。たとえば「闇狩り師」にこういうシーンがある。

「乱蔵の肉の中に、自分の肉体を思うさま駆使することへの喜びが、狂おしいほどにふくれあがった。その喜びが、笑みとなって乱蔵の唇からこぼれ出たのだ。

闇で鳴き騒ぐ猿の声も、心地よい音楽のリズムのように、乱蔵の肉体を打った。

ぶちぶちと細胞がはじけていくようなパワーが、乱蔵の全身からみなぎっていた」

登場人物の肉体こそがドラマである、という構造がここにある。ここにきて初めて、夢枕獏におけるリアリズムの意味がヒーロー小説と関連して浮上してくる。すなわち、現実から遊離した肉体は説得力を持ち得ない。だからこそリアリズムの尻尾を断ち切らないことが必要なのである。この構造の中にこそ、ヒロイック・ファンタジーではなく、現代のヒーローを書こうとする夢枕獏の意志がある。

しかし肉体を強調しすぎると誤解されかねない。この「闇狩り師」からファンタジーの衣装を取ると、そのまま『餓狼伝』(昭和六十年)と、『獅子の門』(同)になるのだが、最後にこの二つのシリーズにも触れておかなければならない。こちらは強い者は誰かというシンプルなテーマを展開させた物語で、あるいは夢枕獏の本質はこのふたつのシリーズのほうに顕著に表れているかもしれない。どういうことか。

ここに異色の将棋小説集『風果つる街』(昭和六十二年)を並べれば、もっとわかりやすい。

『餓狼伝』と『獅子の門』で展開するのが肉体のぶつかり合いなので、肉体を描くことが夢枕獏のテーマのすべてと誤解されかねないが、この作者にとって肉体はひとつのジャンルにすぎないのである。そのことを教えてくれるのが『風果つる街』だ。これは強い者と闘いたいと願った将棋指しの物語で、アクション場面がひとつもないことに注意。男が闘うこと、精神と体力のかぎりを尽くして闘うこと、それがテーマなのである。『餓狼伝』と『獅子の門』では肉体の闘いだが、『風果つる街』は精神の闘いである。共通するのはひとつ。強いやつと巡り合いたい、そして闘いたいという夢だ。その希求と興奮と躍動感だ。夢枕獏の小説にはこの夢が横溢している。『餓狼伝』や『獅子の門』のような格闘小説から、将棋小説『風果つる街』、そしてファンタジーの衣装をつけた「キマイラ」や「闇狩り師」にいたるまで、一貫しているのは男たちのその夢である。

作品の中にあふれる肉体に目を奪われると誤解しかねないが、むしろ、ここから未知の世界を夢見て旅立つ冒険者の像まではただの一歩であるという側面を見たい。世紀末ヒーロー小説の、間違いなく一つの道は、この夢枕獏の彼方にある。

あとがき

本書は、「ミステリマガジン」の一九八六年二月号から一九九二年十二月号まで連載した「活劇小説論」と、しばらくして始めたその補遺五回、あわせて八十六回分をもとに加筆修正したものである。単行本をまとめるにあたって連載時の数回分をはずし、その代わりに他の雑誌に書いたバローズ論四十枚をこちらに書き加え、約一一〇〇枚とした。

もともとは、『冒険小説の時代』を上梓したあと、そもそも冒険小説とは何なのかということがわからなくなり、いつか機会があったら過去の作品を読み返したいと思っていたときに、前「ミステリマガジン」編集長菅野（かんの）圀彦（くにひこ）氏から声をかけられ、二年間の約束で始めた連載だった。二十四回もあれば過去の作品が相当読めると思ったのである。ところが、一年を過ぎてもまったく終わりそうもなく、朝日ソノラマのSF雑誌「獅子王」から依頼がきたのをいいことに、「アメリカの活劇ヒーロー」という連載を同時に始めてしまった。とにかく二年で決着をつけねばと、バローズ、スピレイン、パーカーというアメリカ編だけでもこちらでやってしまおうと考えたのである。しかしそちらはバローズから始めるとSFのヒーローから出ることが出来ず、一年半でダウン。菅野圀彦氏がこうなったら何年でもいいですよと言ってくれたので「ミステリマガジン」に腰を据えることにした。そして気がついたら七年半。連載を始めた時は私も三〇代の後半だったのに、四〇代の半ばを過ぎてしまった。深く考えずに始めるのでこういうことになるのだろうが、これほど長い仕事になるとは思ってもいなかった。まったくの予定外である。

過去の作品を読み返したいと思ったのは、冒険小説のヒーロー像がどう変遷してきたか、その姿を追ってみたいと考えたからなのだが、こうしてふりかえってみると、その意図がはたして十分に満たされたかどうか疑問がないでもない。たとえば、六〇年代のアメリカ産スパイ小説ヒーローとハードボイルド・ヒーローにも言及しようと思いながらここでは果たされなかった。日本編では大佛次郎「鞍馬天狗」を最後まで迷った末に取り上げなかった。新講談の項についても、もう少し詳しく紹介したいと考え、古本屋を駆けまわりけっして安くはない金額を払ってテキストを集めてはいたのである。

もうひとつ、語学力に自信があればと思うこともある。ウェスタンの名作とされているオーウェン・ウィスター『ヴァージニアン』の訳本は古本屋を歩いても見つけ出せず、国会図書館の蔵書も紛失して、こればかりは原書をあたるしかあるまいと思っていたらひょんなことから訳本を借りることが出来た。しかし、もしその訳本にぶつからなかったら果して私に原書を読む時間が取れたかどうか。というのは、知り合いの編集者から『スカラムーシュ』の作者サバチニの未訳の本を数冊預かったまま、結局読むことが出来なかったのである。考えてみれば、日本に紹介されていないヒーロー小説はまだたくさんある。それらすべてに目を通せば、また違った展開もあるかもしれない（もっとも第一次大戦を境にヨーロッパのヒーロー像が大きく変化するという大筋は間違っていないと思うけれど）。したがって日本に紹介された本だけで、ヒーロー像の変遷をまとめるのは乱暴きわまりない。もともとヒーロー小説は世界中にあるはずなのに、テキストを英米仏日の作品に限ってしまうのが（中国の『水滸伝』は無理やり入れてしまったが）おかしいのだ。

しかし、それらすべては私の能力の限界である。私が読んだ冒険小説におけるヒーロー像の変遷ということにしていただきたい。完全なるヒーロー小説論がいずれ生まれるための叩き台にしていただければいい。

日本編では時代伝奇小説に深入りしすぎてしまったが、それは本書でも書いたように日本のヒーローがこのジャンルに多く入りこんでいるからである。それらの未読の本をこの機会に読めたのは嬉しかった。約八年にわたる連載期間中、海外日本ともに数多くの未読の本を読むことが出来たのは実に幸福な体験で、その意味では、本書に『冒険小説論――近代ヒーロー像一〇〇年の変遷』と大仰な題名を付けてしまったものの、これは私の個人的な読書メモというところが正しいのかもしれない。

一九九三年十一月

北上次郎

文庫本のためのあとがき

本書の元版が刊行されたのは十五年前だ。歳月が過ぎ去るのは早い。もうそんなに経ってしまったのかと思うと、感慨深い。第一回が「ミステリマガジン」に載ったのは一九八六年であるから、その最初から数えると、もう二十二年も経ってしまったことになる。

二十二年も経つと、予想外のことが起きてくる。たとえば元版のあとがきで、ウェスタンの名作とされているオーウェン・ウィスター『ヴァージニアン』に触れているが、そのときに読んだ出版共同版が抄訳であることが後日に判明したのである。松柏社から「アメリカ古典大衆コレクション」という叢書が刊行されたことにも驚いたが（私はこういう企画を大歓迎するが、商売として成立するのかと危惧したのである）、二〇〇七年に『ヴァージニアン』の完訳が日本で出版されたときにはもっと驚いた。その訳本はなんと七六〇ページもあったからだ。私が読んだ出版共同版はその三分の一もない。完訳すると、こんなに分厚い本になるのか、と実に感慨深かった。もっとも読後の印象は、抄訳本でも完訳本でも変わりはなかったけど。

そういえば、「ミステリマガジン」に連載中はテキストを探して毎月書店を駆け回っていたが、当時は入手しにくくても、その後復刊されて入手しやすくなったものも少なくない。フェニモア・クーパーの『モヒカン族の最後』は、当時すでに児童書として翻訳されたものがあったので範疇外だろうが（それが自分の書棚にあることに気づくまで時間がかかったのは私がうかつであるにすぎない）、その後映画化作品が日本で公開されたので、文庫で手軽に読むことが出来るようになった。こういう例が少なくない。

あるいは今ならテキストを追加する、という項もある。それは『水滸伝』の項で、本書を書いているときは、まさか北方謙三があれほどすごい『水滸伝』をのちに書くとは思ってもいなかった。本書の元版が刊行されてからの十五年でもっとも大きな変化は、この北方『水滸伝』の登場だろう。いまなら、吉川英治版、柴田錬三郎版と並んで、北方謙三版もテキストに並べなければならない。もちろんそれはテキストの追加ということであり、結論までもが変わるというものではない。

いま読み返してみると、ああもすればよかった、こうもすればよかったと思わないでもない。細かなことを言えば、スパイ小説ヒーローと、ハードボイルド小説ヒーローの項をやはり作るべきだったと思う。いわゆる冒険小説のヒーローと彼らがどう異なるのか、たとえ一章ずつでもいいから別項を立てて語っておくべきだった。

当時も迷ったのである。結局、スパイ小説とハードボイルド小説を対象外にしたのは、取り上げると一章ずつでは終わらないような気がしていたからだ。元版のあとがきにも書いたけれど、「ミステリマガジン」の連載が始まってすぐ、朝日ソノラマのＳＦ雑誌「獅子王」で「アメリカの活劇ヒーロー」という連載を開始したものの、バローズから始めるとどんどん深入りしてSFヒーロー群像から出てくることが出来ず、一年半でダウンしたとの事情がある。もしも、スパイ小説ヒーローと、ハードボイルド小説ヒーローを取り上げたら、それと同じことになるような気がしていたのだ。

そんなことになったら大変だ。あのとき、SFヒーローとスパイ小説ヒーローとハードボイルド小説ヒーローに深入りしていたら、おそらくこのかたちの二倍以上の分量になっていたと思われる。焦点もぼやけて、著しくバランスを欠いた書になっていた可能性が高い。だから、これはこれでよかったと思う。このかたちか、あるいはまったく別の本になっていたかという違いなら、これでいい。いまでもそう考えている。

すっかり体力がなくなった今からすると、それでも体力のあるときにやっておくべきだった、と思わないでもないが、それはたぶん老人の繰り言に過ぎないのかもしれない。

元版にあった人名索引と書名索引は、双葉社の要望により、この文庫版で省略したことを最後に付記しておく。

北上次郎

二〇〇八年四月

解説

霜月　蒼

すぐれた評論書を書くことは、新たな歴史を書くことに似る。過去に散らばる点を拾いあげ、結び合わせ、現在へと連なる線を描く――そうやって「歴史」は紡がれる。それと同じように、ある一貫した価値観によって過去の作品たちを結び合わせ、現在の作品へとつなげる線が成ったとき、すぐれた評論書が生まれる。本書、『冒険小説論　近代ヒーロー像一〇〇年の変遷』は、その見事な例である。

本書は、まず「活劇小説論」として「ミステリマガジン」一九八六年二月号から九二年十二月号まで連載された。これを加筆修正のうえ、九三年に早川書房から単行本で刊行。翌年に、第四十七回日本推理作家協会賞（評論その他の部門）を受賞する。二〇〇八年、「日本推理作家協会賞受賞作全集」の一冊として双葉社で文庫化され、この創元推理文庫版は二度目の文庫化である。

本書を書こうとした動機については、北上次郎が単行本時のあとがきに書いている。「冒険小説」とは何であるかということに迷いはじめたので、あらためて一から見てゆこうと思った、というのである。おそらく一九八〇年代中頃のことだろう。

これはどんな時期だったか。やがて日本のエンタメ小説シーンを牽引することになった作家たち——大沢在昌・逢坂剛・北方謙三・佐々木譲・志水辰夫・船戸与一ら——が、新進気鋭の小説家として、つぎつぎにブレイクを果たしたのがこの頃だ。それぞれの作風は異なっていたが、スケールの大きな闘争のドラマという点で一致していたことから、彼らの作品は「冒険小説」と呼ばれ、一大ムーヴメントを起こす。ファンの団体「日本冒険小説協会」や、作家の集まり「日本冒険作家クラブ」などが起ち上げられ、こうした動きの総体が「冒険小説ブーム」とか「冒険小説ムーヴメント」と呼ばれはじめた。これは日本のエンタメ小説界で最初の、作家と批評家と読者が幸福な共犯関係を成して動かした運動だったと言っていい。

その胎動を誰よりも早くリアルタイムで発見した書評家が北上次郎だった。一九八三年、こうした動きがメジャーになりはじめたタイミングで北上次郎が刊行した書評集が、『冒険小説の時代』（集英社文庫）である。「小説推理」に連載した新刊ミステリ時評のうち、七八年から八二年までのものをまとめたものだ（ちなみにこの時評は、七八年から北上次郎が亡くなる二〇二三年まで四十五年にわたって続いた）。この本には国産冒険小説がアンダーグラウンドからメジャーに駆け上ってゆくさまが、現在進行形の生々しさで記録されている。冒険小説ムーヴメントにおいて、北上次郎自身は運動家としての役割は負わなかったが（それは内藤陳（ないとうちん）とその周囲の若い評論家たちが担った）、『冒険小説の時代』というフレーズが、この時代をまさに定義づけたと言っていい。いわば北上次郎はあの時代の公式記録者であり、理論的指導者だった。その渦中で北上次郎は、「冒険小説とはいったい何なのか」という根源的な問いを抱いていたことになる。

その問いを追究する本書は十九世紀末のイギリスからその旅をはじめる。リアルタイムで書かれつつある「冒険小説」を捉え直すために、なんと百年の過去にさかのぼるのである。まず俎上（そじょう）に上げられるのは『宝島』のスティーヴンソンだ。一般的にはデフォーの『ロビンソン漂流記』（一七一九）がイギリス冒険小説の祖とされているが、それを省略するのは「寓意が強すぎる」からであり、またイギリスで「大衆小説」が成立するのが十九世紀末だからだ、と北上次郎は書く。ここですでに本書の基本線が明確にされている。寓意や象徴性を前面に押し出さない、主人公個人の肉体性をともなう冒険譚こそが重要だ、というのが一点目。そして冒険小説は大衆小説だというのが二点目。この二点は最後まで揺らがない。

以降、冒険小説史を辿る旅はアメリカ、フランスへと進む。北上次郎は俯瞰的な一般論に逃げず、具体的な作品を読み、それに即して論を組み立ててゆく。その時代のありようについての目配りも怠（おこた）らず、膨大な文献から引いた歴史的背景を参照しながら読みこむ。それが愚直にくり返されるのだが、これが実に面白いのである。冒険小説というキーワードを手がかりに、英米仏の大衆小説史を概観でき、後半の日本編でも明治の講談本にはじまる大衆の文学史を学ぶことができる。それが名調子で——北上次郎は傑出したストーリーテラーでもある——語られてゆくのだから、面白くないわけがない。

おまけに、テキストとなっている本の紹介がこちらの気持ちをそそるのだ。『ソロモン王の洞窟』や『宝島』や『海底二万里』ならば読んでいるひとも少なくないだろうが、スティーヴンソンの『虜囚の恋』や、アレクサンドル・デュマの『三銃士』の後半になるとどうか。『大菩薩峠』や『剣難女難』はどうか。こういう未読の古典たちが、北上次郎の名調子で語られると何とも魅力的に見えてくるのだ。

例えばヴィクトル・ユゴーの『海に働く人びと』については（本書「芥溜のパリ」）。

「海の描写が比類のないほど素晴らしい。（中略）難破船のエンジンを回収しに海へ出ていく水夫ジリヤットの冒険を描いているのだが、巨大なタコとの凄絶な死闘をはじめ、ここに描かれた神秘的な海はあざやかである」

読みたくなるではないか。北上次郎は自身を「煽動家」タイプの書評家と分類するくらい煽りの書評を得意としたが、本書では重心の低い抑えた語り口を選び、作品の分析と仮説の検証に集中している。それでもこんなふうに「読みたい欲」を刺激してしまうのは流石で、これは作品のポイントを抜き出すのが巧いせいだろう。さきほどの例でいえば「難破船のエンジンを回収しに海へ出ていく」というのと、「巨大なタコとの凄絶な死闘」がそれ。こういうセンスが群を抜いているのである。

こうして北上次郎は丹念に作品と時代をひもときながら、「冒険小説史」を紡いでゆく。西洋の冒険小説を追う「Ⅰ」、『水滸伝』をめぐる短い間奏曲「Ⅱ」、日本編の「Ⅲ」、という構成なのだが、日本編の多くが伝奇小説に割かれているのが面白い。双葉文庫版の解説で池上冬樹(いけがみふゆき)もいうように、これは卓見というべきで、時代小説の鬼子のような扱いを受けてきた伝奇小説を狭いジャンルから解放し、その活劇性に着目することで、グローバルな「冒険活劇小説」と連関させたわけである。すぐれた評論は新しい物の見方をもたらしてくれるものだが、これもそのひとつだ。

一方で日本の現代冒険小説についての記述が「八〇年代のオデッセイア」の一章のみなのが意外だが、現在進行形の作品／作家についてはリアルタイムの時評でカヴァーしようということなのだろう。『冒険小説論』の価値はまず第一に、「現在」を確認するために百年前までさかのぼり、そこから引いてきた歴史の線を、「現在」に接続したことにある。過去と現在をつなぐことで、未来への可能性を開くこと。それが歴史を書くことの役割であり、『冒険小説論』は、そういう意味で重要な評論なのである。

しかし、本当にそれだけだろうか。それでは本書が単に誠実な文学史であると言っているにすぎない。過去から現在へと北上次郎が引いてみせた線には、もっと太い存在感がありはしないか。全体をつらぬく力強いナラティヴの芯——この正体は何なのか。

それはきっと北上次郎自身の感動だろう。それが本書の基盤を成している。文献を動員し、客観的なリサーチによる検証を慎重に進めつつも、本書の議論のすべての出発点は、北上次郎個人の生々しい読書体験にある。それはこの評論家のすべての文章について言えることでもある。北上次郎の評価基準は、いつだって彼自身の実感にあった。そうでなければ、時評を集めただけの本が、『冒険小説の時代』のように一冊の評論として成立しはしないだろう。それが可能なのは彼の批評が根本のところでブレないからだ。読後に自分が「面白かった」と思ったかどうか――それが北上次郎の出発点だ。まずそこを疑いのない不動の定点として、話をはじめる。だから興奮がまっすぐにページ上に転写される。落胆や不満もまたそうだ。読者は北上次郎の読書体験をヴァーチャルに共有することになり、その結果、「読まなきゃいけない！」と居ても立ってもいられない思いに駆られるのだ。「すぐれた書評は（中略）読者に行動を起こさせる」（『書評稼業四十年』本の雑誌社）と北上次郎は言った。

しかしそれでは単なる感想に終わりかねない。そうならないのは、つぎに「なぜそう感じたのか」を問いはじめるのが北上次郎の流儀だからだ。本書でも開巻早々、「なぜ、イギリスなのか。」という文章がくりだされていることに留意。北上次郎は「問いを立てること」の名手でもあった。

「なぜか」と自分自身に問う。そこから思索と分析がはじまる。『冒険小説論』においては、一九七〇年代以降の冒険小説への違和感が出発点だ。「七〇年代の壁」と北上次郎が呼ぶ違和感。それは主人公が戦う目的を喪失したことであり、「敵」を見失ったことだと北上次郎は仮説する。これは「誰かを倒したい」とか「殺したい」といったネガティヴな衝動を意味しない（そっちに行くとノワールになり、北上次郎はそういう物語をあまり好まなかった）。ここでいう「敵」とは、古典的な探検小説における「埋められるべき地図上の空白」と同義である。そこを埋めたい、と願う主人公のロマンティックな動機。大事なのはそれなのだ。それはあくまで個人に属するものであって、本来の意味での「ロマン主義」と言ってもいいのかもしれない。

北上次郎は書く、冒険小説とは「勇気と独立心」（「西部辺境の男たち」）を描くものであり、「自分のために、家族のために、友人のために、闘うのがヒーロー」（「自警団ヒーロー、ボラン」）なのだと。それが本書を貫くもう一本の太い線だ。ひとことで言うなら「個の尊厳への賛歌」である。個人の感情のドラマとしての冒険・活劇。その尊さを謳い上げるのが『冒険小説論』であり、北上次郎という評論家の核心なのだ。


最後にひとつ、個人的な当て推量を書く。

こんなふうに莫大な数の小説と参考文献に当たって、「ヒーロー」というものを理詰めで捉えようとした本書だが、その根底にはきわめて個人的な基準があったのでは、と私は疑っている。つまり、北上次郎が思い描いていた「ヒーロー像」とは、彼個人が「友にしたいと思うような者」だったのではないかという疑いだ。

北上次郎は本書中で二度も、コリン・ウィルソンの「人間はスーパーマンに憧れをいだくが、それが欠点をもったスーパーマンなら、文句なしにこちらのほうを愛す」という言葉を紹介している。吉川英治の『剣難女難』がいいのは、主人公が求道者然としていなくて「いきいきと」していて、語り口も「のびのびとしている」からで、「プロットの面白さではない」と言い切っている。山田風太郎の忍法帖の中で『風来忍法帖』を愛するのも主人公たちが豪放磊落（ごうほうらいらく）だからだろう。日本の現代冒険小説の代表として船戸与一の『夜のオデッセイア』をひときわ強く推すのも、「日本の伝奇小説が伝統的に描いてきた野放図な男の魅力」ゆえだと書いている。

ここで思い出すのが、北上次郎が「ダメ男」の出てくる小説を愛していたことである。このあたりについては、やがて『情痴小説の研究』（ちくま文庫）として結実することになるのだが、要するに北上次郎は豪快でちょっと欠点のあるやつが好きだったのだ。

だからこの畢生（ひっせい）の大作は、書物の中に「友」を探す道行きでもあったのに違いない。全編に漂う明朗闊達（めいろうかったつ）な空気は、きっとそこに由来する。

ろ

わ

ゆ

よ

ら

り

る

れ

む

め

も

や

ま

み

ふ

へ

ほ

は

ひ

な

に

ぬ

ね

の

ち

つ

て

と

そ

た

す

せ

さ

し

け

こ

き

く

か

書名・作品名索引

本文中で言及されたもののうち、書籍は『　』、短編や章題は「　」で表した。

あ

い

ゆ

よ

ら

り

る

れ

ろ

わ

ひ

ふ

へ

す

そ

た

ち

け

こ

さ

し

お

か

き

く

人名索引

本文中で言及された著作者に限り姓の五十音順に配列した。

本書は、一九九三年に早川書房より刊行された。編集に際しては著者の存命中に刊行された最後の版にあたる〈日本推理作家協会賞受賞作全集〉版（双葉文庫／二〇〇八年刊）を底本とした。

検印
廃止

著者紹介　1946年東京都生まれ。明治大学卒。84年『冒険小説の時代』が第2回日本冒険小説協会大賞最優秀評論大賞を、94年『冒険小説論　近代ヒーロー像一〇〇年の変遷』が第47回日本推理作家協会賞を受賞。2023年没。

冒険小説論
近代ヒーロー像一〇〇年の変遷

2024年2月29日　初版

著者　北上次郎（きたがみじろう）

発行所　(株)東京創元社
代表者　渋谷健太郎

162-0814/東京都新宿区新小川町1-5
電話　03・3268・8231-営業部
　　　03・3268・8204-編集部
URL　http://www.tsogen.co.jp
暁印刷・本間製本

乱丁・落丁本は、ご面倒ですが小社までご送付ください。送料小社負担にてお取替えいたします。

ISBN978-4-488-48811-6　C0195